改訂第2版

英語の超人になる!
アルク学参シリーズ

1カ月で攻略!

ONE MONTH

大学入学共通テスト

英語リーディング

読む型と解く型で得点力アップ!

武田塾英語課課長/
Morite2 English Channel
監修者 森田鉄也

代々木ゼミナール講師/
The Japan Times Alpha講師
著者 斉藤健一

アルク

はじめに

解法を知り時間縮めて周りに差をつけろ！

2021年センター試験から共通テストに変更され、英語の試験は大きく変わりました。その中で英語リーディングは最も大きく変わった科目です。それまで出題されていた発音・アクセント問題、文法・語法問題などがなくなり読解問題のみになりました。英語上級者にとっては細かい知識が出題されない分、失点をしにくくなったと言われています。

しかし、一般の受験者にとっては「読む量が多く解き終えることができない」「情報処理問題って何をしたらいいのかわからない」「どこに答えのヒントがあるのかわからず何度も読み直して時間を無駄にしてしまう」といった悩みが尽きません。また、過去問が少ないため、多くの人は対策が手薄になってしまいがちです。さらに、2025年度からはまた形式が変わるということで多くの受験生は頭を抱えています。そんな悩みを解決するべく作られたのが本書です。

まず、過去問を使い、どういった設問にどう対処していけばいいのかがわかるようになっています。問題を見ていく手順が細かく図示されており、それぞれの手順においてどういったことを意識すればいいのかが示されています。これにより、読解問題へのアプローチ方法がわかり、解答時間を短縮することが可能になります。

また、解説中では本文中の表現が選択肢ではどのように言い換えられているのかに関して細かく記述されています。共通テスト英語における言い換えの重要性をぜひ体感してください。さらに、語句の部分には重要表現を掲載しているので知らなかった表現は覚えていきましょう。最後にはオリジナルの模試もついています。学んだことの総仕上げに活用してください。

このように、本書は共通テスト英語リーディングを攻略する上で必要となる攻略法と時間短縮のコツを皆さんに提供するものです。多くの受験生がどう効率よく対策していいのかわからないままがむしゃらに勉強し、試験本番に臨む中、本書を使い22日間しっかりと鍛錬して周りに差をつけましょう！

森田鉄也

本書を最大限に活用するために

今回の改訂第２版では、2024年1月に実施された本試験・追試験、2025年1月の試験で出題が予想される新傾向の問題（試作問題）を掲載し、最新の傾向に即した「型」にブラッシュアップをしました。前作はうれしいことに、増刷が間に合わず書店から消えてしまうほど好評をいただき、受験生から「実際に点数が上がった」という声もたくさん届きました。著者として大変光栄なことです。しかしどんな教材も使い方次第。本書を最大限に活用していただくため、以下に心構えを示しておきます。

1）文法・単語をおろそかにしない

まずは「時間無制限ならほぼ満点とれる」状態を目指して、英語を読む基礎となる「英文法」と「英単語」を徹底的に身に付けてください。本書は最後の一押しとして「共通テスト力」をアップさせる位置づけの本なので、ある程度英語の素地があることを前提としています。

2）「型」の説明だけでなく解説も読み込む

素の英語力だけでゴリゴリ解いていた人にとっては、光る説明が随所に見られるはずです。本書の最大の特徴は「型」ですが、「型」の枠からはみ出るポイントは「解説」に入れ込んでいます。隅々まで読み尽くしてください。刺さった説明には線を引き、何度も読み返して吸収しましょう。

3）「なぜ間違えたのか」を言語化して残す

解説はポイントをおさえる上で大事ですが、すぐに解説を読むのはやめましょう。間違えたとき、「なぜ間違えたのか」をまず自分の頭で徹底的に考え、分析してください。読み間違えたのは、設問なのか、選択肢なのか、本文なのか。どの部分が、なぜ読めていなかったのか。原因を特定したらメモに残し、次に生かしていきましょう。

2021年1月に始まった共通テスト。私は第1回から毎年試験会場で受験し続けています。緊張感に包まれた教室で、受験生の雰囲気を味わいながら集中力 MAX で行う共通テスト分析が毎年楽しみで仕方ありません。共通テストは旧センター試験と比較され色々と言われていますが、受験生に求める力は明確。とにかく、準備が大事です。夢に出るくらい、共通テストと向き合いましょう。本書が受験生のお役に立てることを、心より願っております。

斉藤健一

学習カレンダー

《大学入学共通テストとは》

「大学入学センター試験」に代わり、2021年1月からスタートしたテスト。全問マーク式で、英語は、リーディング（80分）とリスニング（30分）の試験があり、各配点は100点。リーディングは、本文の続きのメッセージを推測させたり、「事実」と「意見」を選り分けたり、また、情報を時系列に沿って整理したりする問題が出題されている。各問題の傾向については、各 Day の「内容」で詳しく説明している。

本書の特長と使い方

共通テスト英語リーディングのスコアを上げたいけれど、ゆっくり対策している時間がない･･･。そんな受験生のために、１カ月前でも間に合うよう22日間完成でプログラムされたのが本書です。それを可能にするのが、問題の流れを体得する「読む型」と、出題ポイントを攻略するための「解く型」の２つの型。本書では、奇数日に「読む型」、偶数日に「解く型」で同形式の大問（※）に取り組むことで、大局的に問題をとらえながら個々の設問に早く、そして、正確に解答することができます。さらに、大学入試センターが発表した「令和７年度試験の試作問題」にも対応できるよう、Day 21と Day 22を今回新たに設けました。この本で、共通テスト解答のために編み出された「型」を身に付ければ、スコアアップ間違いなしです。

※本書では、「第１問 A」などを「大問」もしくは「問題」、それらの中の「問１」などを設問と呼びます。

奇数
DAY

STEP 1

ムダなく目と頭を動かす「読む型」をインストールする

共通テストは個性的な問題が多く、「どう取り組めばよいのかわからない」という声をよく聞きます。複数の文書、イラストや図表・グラフなど、さまざまな問題があり、しかも分量も多いため、ほとんどの受験生は対策なしに解き終えることができません。Day 01をはじめとする奇数日の最初の２ページでは、試験で慌てないよう、問題ごとの最適な取り組み方（型）を習得します。

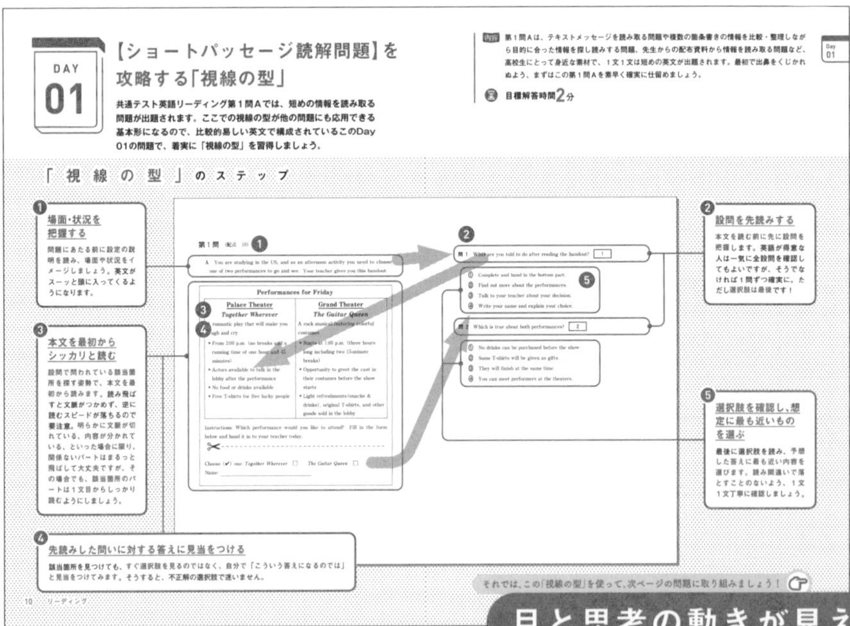

DAY 01
【ショートパッセージ読解問題】を攻略する「視線の型」
共通テスト英語リーディング第１問Aでは、短めの情報を読み取る問題が出題されます。ここでの視線の型が他の問題にも応用できる基本形になるので、比較的易しい英文で構成されているこのDay 01の問題で、着実に「視線の型」を習得しましょう。
内容 第１問Aは、テキストメッセージを読み取る問題や複数の箇条書きの情報を比較・整理しながら目的に合った情報を探し読みする問題、先生からの配布資料から情報を読み取る問題など、高校生にとって身近な素材で、１文１文は短めの英文が出題されます。最初で出鼻をくじかれぬよう、まずはこの第１問Aを素早く確実に仕留めましょう。
目標解答時間2分
「視線の型」のステップ
❶ 場面・状況を把握する
問題にあたる前に設定の説明を読み、場面や状況をイメージしましょう。英文がスーッと頭に入ってくるようになります。
❷ 設問を先読みする
本文を読む前に先に設問を把握します。英語が得意な人は一気に全設問を確認してもよいですが、そうでなければ１問ずつ確実に。ただし選択肢は最後です！
❸ 本文を最初からシッカリと読む
設問で問われている該当箇所を探す姿勢で、本文を最初から読みます。読み飛ばすと文脈がつかめず、逆に読むスピードが落ちるので要注意。明らかに文脈が切れている、内容が分かれている、といった場合に限り、関係ないパートはまるっと飛ばして大丈夫ですが、その場合でも、該当箇所のパートは１文目からしっかり読むようにしましょう。
❹ 先読みした問いに対する答えに見当をつける
該当箇所を見つけても、すぐ選択肢を見るのではなく、自分で「こういう答えになるのでは」と見当をつけてみます。そうすると、不正解の選択肢で迷いません。
❺ 選択肢を確認し、想定に最も近いものを選ぶ
最後に選択肢を読み、予想した答えに最も近い内容を選びます。読み間違いで落とすことのないよう、１文１文丁寧に確認しましょう。
Performances for Friday
Palace Theater
Together Wherever
Grand Theater
The Guitar Queen
それでは、この「視線の型」を使って、次ページの問題に取り組みましょう！
10 リーディング

目と思考の動きが見える！

STEP 2

「読む型」を使って過去問にチャレンジする

学んだ「型」を使って、共通テストの過去問に挑戦します。「例題」と「練習問題」の２題用意しています。「例題」は2023年１月14日実施の本試験、「練習問題」は１月28日実施の追試験の問題を使用しています（Day 21は、試作問題とオリジナル問題を使用）。共通テストの過去問に取り組むことで、来たる共通テストに活かせる「型」をしっかり身に付けることができます。

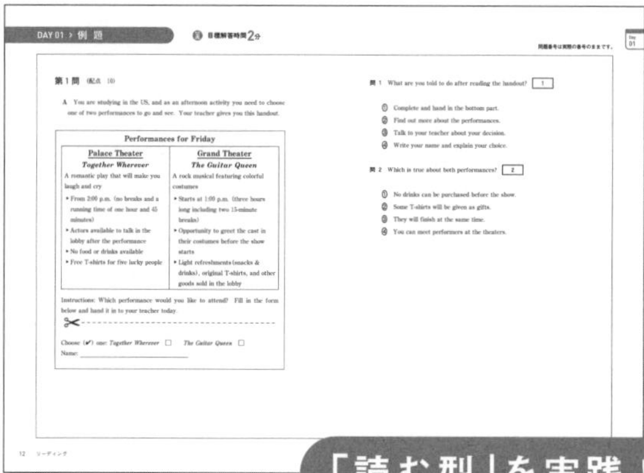
DAY 01 > 例 題

第１問 (配点 10)

A You are studying in the US, and as an afternoon activity you need to choose one of two performances to go and see. Your teacher gives you this handout.

Performances for Friday

Palace Theater *Together Wherever*	Grand Theater *The Guitar Queen*
A romantic play that will make you laugh and cry	A rock musical featuring colorful costumes
• From 2:00 p.m. (no breaks and a running time of one hour and 45 minutes) • Actors available to talk in the lobby after the performance • No food or drinks available • Free T-shirts for five lucky people	• Starts at 1:00 p.m. (three hours long including two 15-minute breaks) • Opportunity to greet the cast in their costumes before the show starts • Light refreshments (snacks & drinks), original T-shirts, and other goods sold in the lobby

Instructions: Which performance would you like to attend? Fill in the form below and hand it in to your teacher today.

Choose (✔) one: *Together Wherever* □ *The Guitar Queen* □
Name: ______

問１ What are you told to do after reading the handout? 1
① Complete and hand in the bottom part.
② Find out more about the performances.
③ Talk to your teacher about your decision.
④ Write your name and explain your choice.

問２ Which is true about both performances? 2
① No drinks can be purchased before the show.
② Some T-shirts will be given as gifts.
③ They will finish at the same time.
④ You can meet performers at the theaters.

12 リーディング

「読む型」を実践！

STEP 3

解説を読んでさらに「型」を定着させる

「例題」と「練習問題」に取り組んだ後は、［解説］のページで答え合わせをします。特に、不正解の問題、勘で答えてしまった問題は解説をじっくり読み、わからなかった英単語やフレーズは語句解説で基礎固めをします。「読む型」のステップに沿った解説を読むことで問題ごとの得点力がアップしていきます。また、理解できない語彙を減らしていくことで、着実に英語力がアップしていきます。

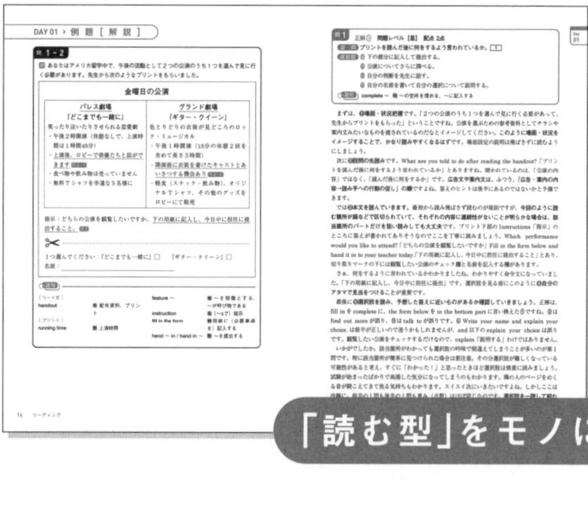
DAY 01 > 例 題［解 説］

金曜日の公演

パレス劇場 「どこまでも一緒に」	グランド劇場 「ギター・クイーン」
笑ったり泣いたりさせられる恋愛劇 ・午後２時開演（休憩なしで、上演時間は１時間45分） ・上演後、ロビーで俳優たちと話ができます ・食べ物や飲み物は売っていません ・無料Ｔシャツを幸運な５名様に	色とりどりの衣装が見どころのロック・ミュージカル ・午後１時開演（15分の休憩２回を含めて長さ３時間） ・開演前に衣装を着けたキャストとあいさつする機会あり ・軽食（スナック・飲み物）、オリジナルＴシャツ、その他のグッズをロビーにて販売

14 リーディング

「読む型」をモノに！

「読む型」から「解く型」へ

偶数DAY

STEP 1
早く正確に正答を導く「解く型」をインストールする

目と頭の働かせ方と同じくらい、読み取った情報と正解の選択肢をどうつなげるか、といった「解き方」に迷う受験生が多いのも事実です。Day 02以降の偶数日の冒頭2ページでは、スムーズに正答を選べるよう、設問ごとの最適な取り組み方(型)を伝授します。

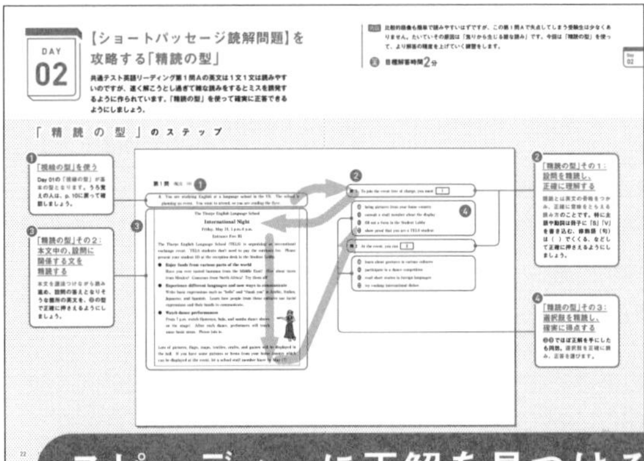

DAY 02
【ショートパッセージ読解問題】を攻略する「精読の型」
「精読の型」のステップ

スピーディーに正解を見つける！

STEP 2
「解く型」を使って過去問にチャレンジする

学んだ「型」を用いて過去問に挑戦します(偶数日は、2024年に実施された共通テストを使用しています)。奇数日同様、「例題」と「練習問題」の2題です。「例題」は本試験(2024年1月13日実施)、「練習問題」は追試験(2024年1月27日実施)の問題を取り上げます(Day 22は、試作問題とオリジナル問題を使用)。「型」を使って過去問に取り組むことで、実践力を高めることができます。

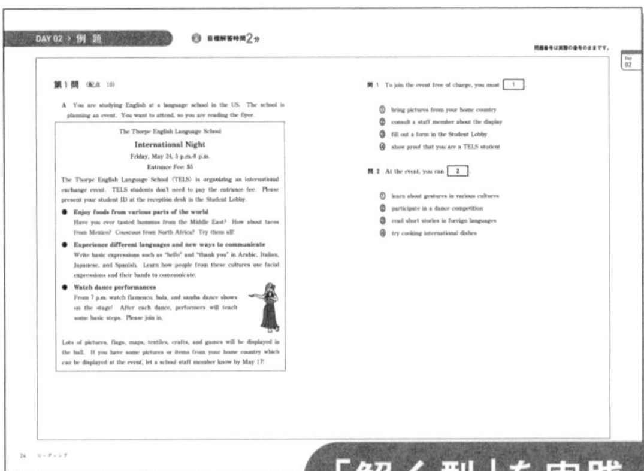

「解く型」を実践！

STEP 3

「解く型」の理解を深め、しっかり定着させる

過去問に挑戦した後は、[解説] ページで確認。不正解の問題、勘で答えてしまった問題は、「型」を使った解法や語句解説をじっくり読んで理解を深めてください。「解く型」を定着させ、語彙力を高めることで、スピーディーに正答を選べるようになります。

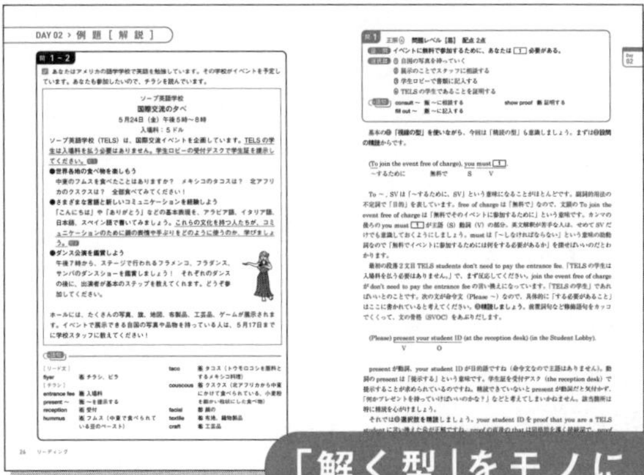

「解く型」をモノに！

22日間プログラムの総仕上げ

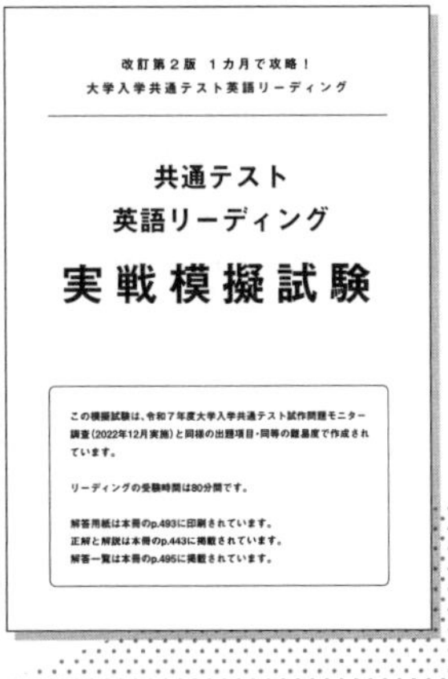

THE LAST STEP

別冊「実戦模擬試験」で仕上げる！

それでは、「学習カレンダー」に日付を書き込み、目標スコア獲得のための学習をスタートしましょう！

DAY 01

【ショートパッセージ読解問題】を攻略する「視線の型」

共通テスト英語リーディング第１問Ａでは、短めの情報を読み取る問題が出題されます。ここでの視線の型が他の問題にも応用できる基本形になるので、比較的易しい英文で構成されているこのDay 01の問題で、着実に「視線の型」を習得しましょう。

「視線の型」のステップ

❶ 場面・状況を把握する

問題にあたる前に設定の説明を読み、場面や状況をイメージしましょう。英文がスーッと頭に入ってくるようになります。

❸ 本文を最初からシッカリと読む

設問で問われている該当箇所を探す姿勢で、本文を最初から読みます。読み飛ばすと文脈がつかめず、逆に読むスピードが落ちるので要注意。明らかに文脈が切れている、内容が分かれている、といった場合に限り、関係ないパートはまるっと飛ばして大丈夫ですが、その場合でも、該当箇所のパートは１文目からしっかり読むようにしましょう。

第１問 (配点 10) ❶

A You are studying in the US, and as an afternoon activity you need to choose one of two performances to go and see. Your teacher gives you this handout.

Performances for Friday

Palace Theater *Together Wherever*	Grand Theater *The Guitar Queen*
A romantic play that will make you laugh and cry	A rock musical featuring colorful costumes
▸ From 2:00 p.m. (no breaks and a running time of one hour and 45 minutes) ▸ Actors available to talk in the lobby after the performance ▸ No food or drinks available ▸ Free T-shirts for five lucky people	▸ Starts at 1:00 p.m. (three hours long including two 15-minute breaks) ▸ Opportunity to greet the cast in their costumes before the show starts ▸ Light refreshments (snacks & drinks), original T-shirts, and other goods sold in the lobby

Instructions: Which performance would you like to attend? Fill in the form below and hand it in to your teacher today.

✂ -

Choose (✔) one: *Together Wherever* ☐ *The Guitar Queen* ☐

Name: ____________________

❹ 先読みした問いに対する答えに見当をつける

該当箇所を見つけても、すぐ選択肢を見るのではなく、自分で「こういう答えになるのでは」と見当をつけてみます。そうすると、不正解の選択肢で迷いません。

内容 第1問Aは、テキストメッセージを読み取る問題や複数の箇条書きの情報を比較・整理しながら目的に合った情報を探し読みする問題、先生からの配布資料から情報を読み取る問題など、高校生にとって身近な素材で、1文1文は短めの英文が出題されます。最初で出鼻をくじかれぬよう、まずはこの第1問Aを素早く確実に仕留めましょう。

目標解答時間2分

2

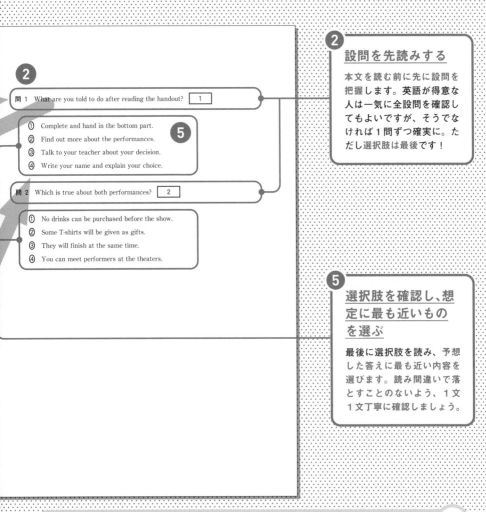

問1 What are you told to do after reading the handout? [1]

① Complete and hand in the bottom part.
② Find out more about the performances.
③ Talk to your teacher about your decision.
④ Write your name and explain your choice.

5

問2 Which is true about both performances? [2]

① No drinks can be purchased before the show.
② Some T-shirts will be given as gifts.
③ They will finish at the same time.
④ You can meet performers at the theaters.

2 **設問を先読みする**

本文を読む前に先に設問を把握します。英語が得意な人は一気に全設問を確認してもよいですが、そうでなければ1問ずつ確実に。ただし選択肢は最後です！

5 **選択肢を確認し、想定に最も近いものを選ぶ**

最後に選択肢を読み、予想した答えに最も近い内容を選びます。読み間違いで落とすことのないよう、1文1文丁寧に確認しましょう。

それでは、この「視線の型」を使って、次ページの問題に取り組みましょう！

第1問 (配点 10)

A You are studying in the US, and as an afternoon activity you need to choose one of two performances to go and see. Your teacher gives you this handout.

Performances for Friday

Palace Theater ***Together Wherever***	**Grand Theater** ***The Guitar Queen***
A romantic play that will make you laugh and cry	A rock musical featuring colorful costumes
▸ From 2:00 p.m. (no breaks and a running time of one hour and 45 minutes) ▸ Actors available to talk in the lobby after the performance ▸ No food or drinks available ▸ Free T-shirts for five lucky people	▸ Starts at 1:00 p.m. (three hours long including two 15-minute breaks) ▸ Opportunity to greet the cast in their costumes before the show starts ▸ Light refreshments (snacks & drinks), original T-shirts, and other goods sold in the lobby

Instructions: Which performance would you like to attend? Fill in the form below and hand it in to your teacher today.

- -

Choose (✔) one: *Together Wherever* ☐　　*The Guitar Queen* ☐

Name: ______________________________

問 1 What are you told to do after reading the handout? [1]

① Complete and hand in the bottom part.
② Find out more about the performances.
③ Talk to your teacher about your decision.
④ Write your name and explain your choice.

問 2 Which is true about both performances? [2]

① No drinks can be purchased before the show.
② Some T-shirts will be given as gifts.
③ They will finish at the same time.
④ You can meet performers at the theaters.

問 1－2

訳 あなたはアメリカ留学中で、午後の活動として２つの公演のうち１つを選んで見に行く必要があります。先生から次のようなプリントをもらいました。

金曜日の公演

パレス劇場 『どこまでも一緒に』	グランド劇場 『ギター・クイーン』
笑ったり泣いたりさせられる恋愛劇 ・午後２時開演（休憩なしで、上演時間は１時間45分） ・上演後、ロビーで俳優たちと話ができます 問 2-1 ・食べ物や飲み物は売っていません ・無料Ｔシャツを幸運な５名様に	色とりどりの衣装が見どころのロック・ミュージカル ・午後１時開演（15分の休憩２回を含めて長さ３時間） ・開演前に衣装を着けたキャストとあいさつする機会あり 問 2-2 ・軽食（スナック・飲み物）、オリジナルＴシャツ、その他のグッズをロビーにて販売

指示：どちらの公演を観覧したいですか。下の用紙に記入し、今日中に担任に提出すること。問 1

✂ -

１つ選んでください：『どこまでも一緒に』□　『ギター・クイーン』□
名前：＿＿＿＿＿＿＿＿＿＿＿＿＿＿＿＿

語句

［リード文］
handout　名 配布資料、プリント

［プリント］
running time　熟 上演時間
feature ～　他 ～を特徴とする、～が呼び物である
instruction　名（～sで）指示
fill in the form　熟 用紙に（必要事項を）記入する
hand ～ in / hand in ～　熟 ～を提出する

問 1　正解 ①　**問題レベル【易】　配点 2点**

設 問 **プリントを読んだ後に何をするよう言われているか。** 1

選択肢 ① 下の部分に記入して提出する。
② 公演についてさらに調べる。
③ 自分の判断を先生に話す。
④ 自分の名前を書いて自分の選択について説明する。

語句 complete ～ 他 ～の空所を埋める、～に記入する

まずは、**❶場面・状況把握**です。「２つの公演のうち１つを選んで見に行く必要があって、先生からプリントをもらった」ということですね。公演を選ぶための参考資料としてチラシや案内文みたいなものを渡されているのだなとイメージしてください。**このように場面・状況をイメージすることで、かなり読みやすくなるはず**です。場面設定の説明は飛ばさずに読むようにしましょう。

次に**❷設問の先読み**です。What are you told to do after reading the handout?「プリントを読んだ後に何をするよう言われているか」とありますね。聞かれているのは、「公演の内容」ではなく、「読んだ後に何をするか」です。**広告文や案内文は、ふつう、「広告・案内の内容→読み手への行動の促し」の順**ですよね。答えのヒントは後半にあるのではないかと予測できます。

では**❸本文を読んでいきます**。最初から読み飛ばさず読むのが原則ですが、**今回のように読む箇所が線などで区切られていて、それぞれの内容に連続性がないことが明らかな場合は、該当箇所のパートだけを狙い読みしても大丈夫**です。プリント下部の Instructions「指示」のところに答えが書かれてありそうなのでここを丁寧に読みましょう。Which performance would you like to attend?「どちらの公演を観覧したいですか」Fill in the form below and hand it in to your teacher today.「下の用紙に記入し、今日中に担任に提出すること」とあり、切り取りマークの下には観覧したい公演のチェック欄と名前を記入する欄があります。

さぁ、何をするように言われているかわかりましたね。わかりやすく命令文になっていました。「下の用紙に記入し、今日中に担任に提出」です。選択肢を見る前にこのように**❹自分のアタマで見当をつけること**が重要です。

最後に**❺選択肢を読み、予想した答えに近いものがあるか確認していきましょう**。正解は、fill in を complete に、the form below を in the bottom part に言い換えた①ですね。②は find out more が誤り、③は talk to が誤りです。④ Write your name and explain your choice. は前半が正しいので迷うかもしれませんが、and 以下の explain your choice は誤りです。観覧したい公演をチェックするだけなので、explain「説明する」わけではありません。

いかがでしたか。該当箇所がわかっても選択肢の吟味で間違えてしまうことが多いのが第１問です。特に該当箇所が簡単に見つけられた場合は要注意。その分選択肢が難しくなっている可能性があると考え、すぐに「わかった！」と思ったときほど選択肢は慎重に読みましょう。試験が始まったばかりで高揚した気分になってしまうのもわかります。隣の人のページをめくる音が聞こえてきて焦る気持ちもわかります。スイスイ次にいきたいですよね。しかしここは冷静に。前半の１問も後半の１問も重み（点数）はほぼ同じなのです。**選択肢を一読して絞れない時は本文に戻り、丁寧に照らし合わせながら**確実に仕留めましょう。

問2　正解④　問題レベル【易】　配点 2点

設問 両方の公演について正しいのはどれか。 2

選択肢 ① 開演前に飲み物を買うことはできない。
② Tシャツが何着かプレゼントされる。
③ 同じ時間に終わる。
④ 劇場で出演者に会える。

語句 purchase ～ 他 ～を購入する

まずは❷**設問の先読み**からです。両方の公演について当てはまるものを選ぶ問題ということはわかりますが、設問にこれ以上探し読みに使える情報がありません。このような問題では**先に選択肢を読んで**（❺）頭に入れておくと有効です。①は「飲み物の購入可否」、②は「Tシャツのプレゼントの有無」、③は「終わる時間が同じか」、④は「劇場で出演者に会えるか」とキーワードだけでも確認しておくと正解が探しやすいですね。

では❸**本文を見ていきましょう**。「両方の公演に当てはまるもの」なので、それぞれの公演内容が書かれているところが該当箇所だとわかります。一つずつ確認していくと、①「飲み物」に関しては、左側（Palace Theater）の方では下から2つ目のチェック項目でNo food or drinks available「食べ物や飲み物は売っていません」とありますが、右側（Grand Theater）の方では一番下のチェック項目でLight refreshments（snacks & drinks）... sold in the lobby「軽食（スナック・飲み物）…をロビーにて販売」とあるので選択肢①は誤りです。

②「Tシャツ」に関しては、左側（Palace Theater）の方では一番下のチェック項目でFree T-shirts「無料Tシャツ」とありますが、右側（Grand Theater）の方では一番下のチェック項目でoriginal T-shirts, ... sold in the lobby「オリジナルTシャツ…をロビーにて販売」とあり、given as giftsとは言えないので選択肢②も誤りです。

③「終わる時間」に関しては、左側（Palace Theater）の方では一番上のチェック項目でFrom 2:00 p.m.（no breaks and running time of one hour and 45 minutes）「午後2時開演（休憩時間なしで上演時間は1時間45分）」とあるので、午後3時45分に終わると予想されます。一方右側（Grand Theater）の方ではStarts at 1:00 p.m.（three hours long including two 15-minute breaks）「午後1時開演（15分の休憩2回を含めて長さ3時間）」とあります。つまり午後4時に閉演となり、終わる時間は異なるので③も誤りです。

④「出演者」に関しては、左側（Palace Theater）の方では2つ目のチェック項目でActors available to talk「俳優たちと話ができます」、右側（Grand Theater）の方では2つ目のチェック項目でOpportunity to greet the cast「キャストとあいさつする機会」とありますね。これより「どちらも出演者と会える、これが共通点だ！」とわかります（❹）。選択肢④ You can meet performers at theaters.「劇場で出演者に会える」が正解です。本文のactorsとcastが選択肢ではperformersと言い換えられていました。

問題番号は実際の番号のままです。

第1問 (配点 10)

A You are waiting in line for a walking tour of a castle and are asked to test a new device. You receive the following instructions from the staff.

Audio Guide Testing
for the Westville Castle Walking Tour

Thank you for helping us test our new audio guide. We hope you will enjoy your experience here at Westville Castle.

How to use

When you put the device on your ear, it will turn on. As you walk around the castle, detailed explanations will automatically play as you enter each room. If you want to pause an explanation, tap the button on the earpiece once. The device is programmed to answer questions about the rooms. If you want to ask a question, tap the button twice and whisper. The microphone will pick up your voice and you will hear the answer.

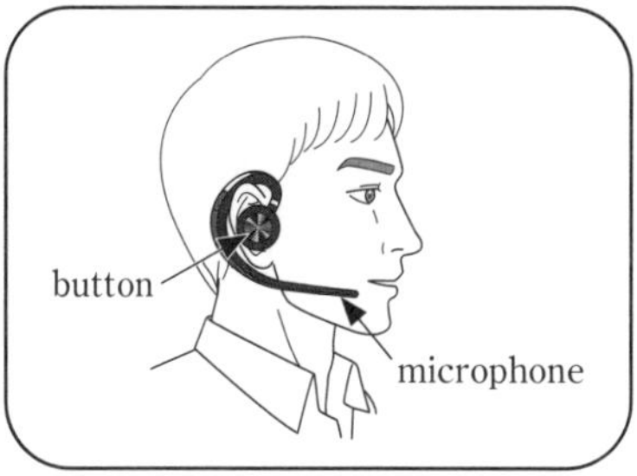

Before you leave

Drop the device off at the collection desk to the left of the exit, then fill in a brief questionnaire, and hand it to the staff. In return, you will receive a discount coupon to use at the castle's souvenir shop.

問 1 The device is most likely to be able to answer questions about the [1].

① interiors of the castle
② length of the walking tour
③ mechanism of the device
④ prices at the souvenir shop

問 2 To get the coupon, you must [2].

① ask the staff a question about the device
② give some feedback about the device
③ leave through the exit on the left
④ submit your completed audio guide test

問 1－2

訳 あなたは、あるお城のウォーキングツアーの列に並んで待っていると、新しいデバイスのテストをしてほしいと頼まれます。スタッフから次のような説明書を受け取ります。

ウエストビル城ウォーキングツアー用
オーディオガイド・テスト

新しいオーディオガイドのテストにご協力いただきありがとうございます。ここウエストビル城での体験をどうぞお楽しみください。

使い方

デバイスを耳に装着すると、スイッチが入ります。あなたが城の中を歩き回るのに合わせ、それぞれの部屋に入ると自動的に詳しい解説が流れます。解説を一時停止したいときは、イヤーピースのボタンを1度押してください。このデバイスは部屋に関する質問に答えるようプログラムされています。問1 質問したいときは、ボタンを2度押して小声で話しかけてください。マイクがあなたの声を拾い、あなたは答えを聞くことができます。

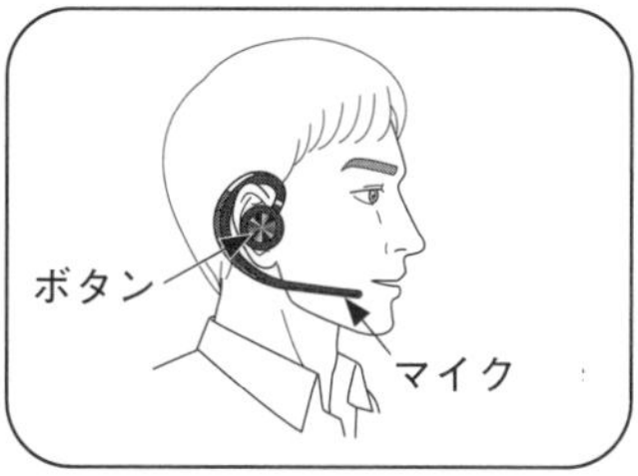

お帰りの前に

出口の左にある回収デスクにデバイスを返却し、簡単なアンケートを書いてスタッフに渡してください。問2 お礼に、城の土産物店で使える割引クーポンを差し上げます。

語句

［リード文］

device	名 デバイス、（小型の）機器
instruction	名（～sで）指示、説明書

［説明書］

explanation	名 説明、解説
automatically	副 自動的に
tap ～	他 ～を軽くたたく、～（ボタンなど）を押す
whisper	自 ささやく、小声で話す
drop ～ off/ drop off ～	熟 ～を置いていく
fill ～ in / fill in ～	熟 ～に書き込む
brief	形 短い、簡潔な
questionnaire	名 質問表、アンケート
in return	熟 引き換えに
souvenir	名 記念品、土産物

問 1　正解 ①　**問題レベル【易】　配点 2点**

設　問 **デバイスは [1] に関する質問に答えられる可能性が最も高い。**

選択肢 ① 城の内装
② ウォーキングツアーの長さ
③ デバイスの仕組み
④ 土産物店の値段

語句 interior　名 内部、内装　　mechanism　名 メカニズム、仕組み

まずは、❶**場面・状況把握**です。「**お城のウォーキングツアーの列に並んで待っていると新しいデバイスのテストを頼まれて説明書をもらった**」ということですね。お城のウォーキングツアー、参加したことはありますか。新製品や試作品の調査に協力した経験は？　あればイメージしやすいですね。なくても似たような体験とひもづけてください。共通テストでは高校生がイメージしやすい状況を設定してくれています。**リード文を通して、できるだけ「自分ごと」にしてください。**無味乾燥な英文だと思っているとどうしても入り込めず、読解スピードが遅くなります。**論説文が背景知識があると読みやすくなるのと同じように、広告・案内文は場面・状況把握ができていると読みやすくなる**のです。

次に❷**設問の先読み**です。The device is most likely to be able to answer questions about the (　　). とあるので、「デバイスが何に関する質問に答えられるか」が問われているとわかります。answer や questions がキーワードです。answer・questions やその類義語を探せばよさそうですね。

では❸**本文を読んでいきます。**今回は設問の内容から“How to use”のところに答えがありそうだと推測できるので、“How to use”を重点的に読めばいいでしょう。ただし読むのは1文目から！　最初から読み飛ばさず読むのが原則です。該当パートを特定するのはいいですが、該当文を見つけるために飛ばし読みするのはあまり得策とは言えません。**文脈を無視した読みは、理解スピードにマイナスな影響が出ます。**急がば回れ。該当箇所以外は多少雑な読みになっても構わないので、1文目から流れをつかみながら読むことを心がけましょう。キーワードの answer や questions を頭の隅に置きながら読み進めると、“How to use”の4文目に The device is programmed to answer questions about the rooms.「このデバイスは部屋に関する質問に答えるようプログラムされています」とあるので、ここが該当箇所だとわかります。rooms をチェックし、「部屋に関する質問に答えてくれるのだろう」と答えを予測します（❹）。

❺**選択肢を見ていきましょう。**① interiors of the castle「城の内装」が正解ですね。城のウォーキングツアーをイメージしながら読めていれば、rooms は城の中の部屋だとわかり、違和感なく①を選べたはずです。たとえ rooms が何の部屋のことかわからなくても、① interiors「内装」、② length「長さ」、③ mechanism「仕組み」、④ prices「値段」と比較検討すれば、①が最も rooms に近そうだと消去法で解ける問題です。選択肢が名詞のカタマリになっている場合は、**形容詞や前置詞句を排除し中心となる名詞だけ**を捉えて比較すると余計な情報が入らず、速く正解にたどりつけることがあるので覚えておきましょう。

問 2　正解②　**問題レベル【易】　配点 2点**

設　問　**クーポンをもらうためには 2 なければならない。**

選択肢　① スタッフにデバイスに関する質問をし
② デバイスに関するフィードバックをし
③ 左側の出口を通って帰ら
④ 記入済みのオーディオガイド・テストを提出し

語句
feedback　名 フィードバック、反応、意見
complete ～　他 ～を完成させる、～（書類など）に記入する
submit ～　他 ～を提出する

まずは❷**設問の先読み**です。 To get the coupon, you must (　). とあるので「クーポンを受け取るためには何をしなければならないか」を本文から探せばいいことがわかります。coupon をキーワードに読み進めていけばよさそうですね。

❸**本文を読んでいきます。**最後の 1 文で In return, you will receive a discount coupon「お礼に、割引クーポンを差し上げます」とあるので、**この前の文に答えがあると考えましょう。**..., then fill in a brief questionnaire, and hand it to the staff「簡単なアンケートを書いてスタッフに渡してください」が該当箇所ですね。「なるほど、アンケートに答えればいいのだな」と答えに見当をつけましょう（❹）。

それでは❺**選択肢**です。① ask the staff a question about the device は「スタッフにデバイスに関する質問をする」なので違います。この選択肢を選んでしまった人は本文の questionnaire「アンケート」の意味を取り違えてしまったのかもしれません。② give some feedback about the device は「デバイスに関するフィードバックをする」でこれが正解です。アンケートに答えるということはフィードバックをするということですね。「左側の出口を通って帰る」ことがクーポンがもらえる条件ではないので③は不正解、④の「記入済みのオーディオガイド・テストを提出する」ことに関しては本文で触れられていないので不正解です。

fill in a brief questionnaire → give some feedback のように、共通テストでは選択肢が巧妙に言い換えられます。言い換えに気付くのが苦手な人は、英語の勉強をしながら、随時言い換え表現をストックしたり言い換えパターンの分析をしたりしておくことをオススメします。※ 本書でも「言い換えの型」として Day 04と Day 20で扱います。

DAY 02

【ショートパッセージ読解問題】を攻略する「精読の型」

共通テスト英語リーディング第１問Ａの英文は１文１文は読みやすいのですが、速く解こうとし過ぎて雑な読みをするとミスを誘発するように作られています。「精読の型」を使って確実に正答できるようにしましょう。

「精読の型」のステップ

❶ **「視線の型」を使う**

Day 01の「視線の型」が基本の型となります。うろ覚えの人は、p. 10に戻って確認しましょう。

❸ **「精読の型」その２：本文中の、設問に関係する文を精読する**

本文を濃淡つけながら読み進め、設問の答えとなりそうな箇所の英文を、❷の型で正確に押さえるようにしましょう。

第１問 (配点 10) ❶

A You are studying English at a language school in the US. The school is planning an event. You want to attend, so you are reading the flyer.

❸

The Thorpe English Language School

International Night

Friday, May 24, 5 p.m.-8 p.m.

Entrance Fee: $5

The Thorpe English Language School (TELS) is organizing an international exchange event. TELS students don't need to pay the entrance fee. Please present your student ID at the reception desk in the Student Lobby.

- **Enjoy foods from various parts of the world**
  Have you ever tasted hummus from the Middle East? How about tacos from Mexico? Couscous from North Africa? Try them all!
- **Experience different languages and new ways to communicate**
  Write basic expressions such as "hello" and "thank you" in Arabic, Italian, Japanese, and Spanish. Learn how people from these cultures use facial expressions and their hands to communicate.
- **Watch dance performances**
  From 7 p.m. watch flamenco, hula, and samba dance shows on the stage! After each dance, performers will teach some basic steps. Please join in.

Lots of pictures, flags, maps, textiles, crafts, and games will be displayed in the hall. If you have some pictures or items from your home country which can be displayed at the event, let a school staff member know by May 17!

内容 比較的語彙も簡単で読みやすいはずですが、この第１問Ａで失点してしまう受験生は少なくありません。たいていその原因は「焦りから生じる雑な読み」です。今回は「精読の型」を使って、より解答の精度を上げていく練習をします。

目標解答時間2分

❷

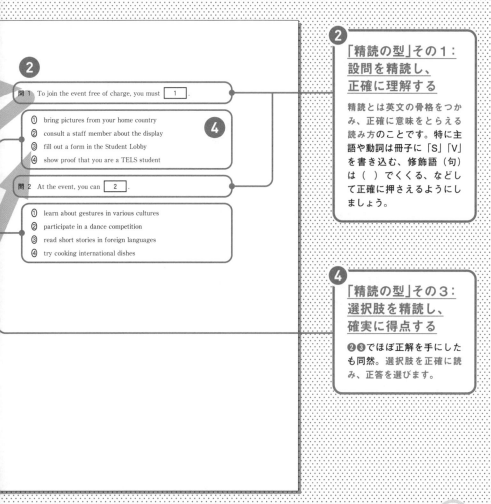

問 1 To join the event free of charge, you must [1].

① bring pictures from your home country
② consult a staff member about the display
③ fill out a form in the Student Lobby
④ show proof that you are a TELS student

❹

問 2 At the event, you can [2].

① learn about gestures in various cultures
② participate in a dance competition
③ read short stories in foreign languages
④ try cooking international dishes

❷ **「精読の型」その１：設問を精読し、正確に理解する**

精読とは英文の骨格をつかみ、正確に意味をとらえる読み方のことです。特に主語や動詞は冊子に「S」「V」を書き込む、修飾語（句）は（　）でくくる、などして正確に押さえるようにしましょう。

❹ **「精読の型」その３：選択肢を精読し、確実に得点する**

❷❸でほぼ正解を手にしたも同然。選択肢を正確に読み、正答を選びます。

では、「視線の型」を活かしつつ、「精読の型」を使って、次ページの問題に取り組みましょう！

第1問 (配点　10)

A You are studying English at a language school in the US. The school is planning an event. You want to attend, so you are reading the flyer.

The Thorpe English Language School

International Night

Friday, May 24, 5 p.m.-8 p.m.

Entrance Fee: $5

The Thorpe English Language School (TELS) is organizing an international exchange event. TELS students don't need to pay the entrance fee. Please present your student ID at the reception desk in the Student Lobby.

- **Enjoy foods from various parts of the world**
  Have you ever tasted hummus from the Middle East? How about tacos from Mexico? Couscous from North Africa? Try them all!
- **Experience different languages and new ways to communicate**
  Write basic expressions such as "hello" and "thank you" in Arabic, Italian, Japanese, and Spanish. Learn how people from these cultures use facial expressions and their hands to communicate.
- **Watch dance performances**
  From 7 p.m. watch flamenco, hula, and samba dance shows on the stage! After each dance, performers will teach some basic steps. Please join in.

Lots of pictures, flags, maps, textiles, crafts, and games will be displayed in the hall. If you have some pictures or items from your home country which can be displayed at the event, let a school staff member know by May 17!

問 1 To join the event free of charge, you must [1].

① bring pictures from your home country
② consult a staff member about the display
③ fill out a form in the Student Lobby
④ show proof that you are a TELS student

問 2 At the event, you can [2].

① learn about gestures in various cultures
② participate in a dance competition
③ read short stories in foreign languages
④ try cooking international dishes

問 1－2

訳 あなたはアメリカの語学学校で英語を勉強しています。その学校がイベントを予定しています。あなたも参加したいので、チラシを読んでいます。

ソープ英語学校

国際交流の夕べ

5月24日（金）午後5時～8時

入場料：5ドル

ソープ英語学校（TELS）は、国際交流イベントを企画しています。TELSの学生は入場料を払う必要はありません。学生ロビーの受付デスクで学生証を提示してください。問1

●世界各地の食べ物を楽しもう

中東のフムスを食べたことはありますか？　メキシコのタコスは？　北アフリカのクスクスは？　全部食べてみてください！

●さまざまな言語と新しいコミュニケーションを経験しよう

「こんにちは」や「ありがとう」などの基本表現を、アラビア語、イタリア語、日本語、スペイン語で書いてみましょう。これらの文化を持つ人たちが、コミュニケーションのために顔の表情や手ぶりをどのように使うのか、学びましょう。問2

●ダンス公演を鑑賞しよう

午後7時から、ステージで行われるフラメンコ、フラダンス、サンバのダンスショーを鑑賞しましょう！　それぞれのダンスの後に、出演者が基本のステップを教えてくれます。どうぞ参加してください。

ホールには、たくさんの写真、旗、地図、布製品、工芸品、ゲームが展示されます。イベントで展示できる自国の写真や品物を持っている人は、5月17日までに学校スタッフに教えてください！

語句

［リード文］

flyer 名 チラシ、ビラ

［チラシ］

entrance fee 熟 入場料

present ～ 他 ～を提示する

reception 名 受付

hummus 名 フムス（中東で食べられている豆のペースト）

taco 名 タコス（トウモロコシを原料とするメキシコ料理）

couscous 名 クスクス（北アフリカから中東にかけて食べられている、小麦粉を細かい粒状にした食べ物）

facial 形 顔の

textile 名 布地、織物製品

craft 名 工芸品

問 1　正解④　**問題レベル【易】　配点 2点**

設　問　**イベントに無料で参加するために、あなたは [1] 必要がある。**

選択肢　① 自国の写真を持っていく
② 展示のことでスタッフに相談する
③ 学生ロビーで書類に記入する
④ TELS の学生であることを証明する

語句　consult ～ 他 ～に相談する　　show proof 熟 証明する
fill out ～ 熟 ～に記入する

基本の❶**「視線の型」を使いながら**、今回は「精読の型」も意識しましょう。まずは❷**設問の精読**からです。

(To join the event free of charge), you must [1].
～するために　無料で　S　V

To ～, SV は「～するために、SV」という意味になることがほとんどです。副詞的用法の不定詞で「目的」を表しています。free of charge は「無料で」なので、文頭の To join the event free of charge は「無料でそのイベントに参加するために」という意味です。カンマの後ろの you must [1] が主語（S）動詞（V）の部分。英文解釈が苦手な人は、せめて SV だけでも意識しておくようにしましょう。must は「～しなければならない」という意味の助動詞なので「無料でイベントに参加するためには何をする必要があるか」を探せばいいのだとわかります。

最初の段落 2 文目 TELS students don't need to pay the entrance fee.「TELS の学生は入場料を払う必要はありません。」で、まず反応してください。join the event free of charge が don't need to pay the entrance fee の言い換えになっています。「TELS の学生」であればいいとのことです。次の文が命令文（Please ～）なので、具体的に「する必要があること」はここに書かれていると考えてください。❸**精読しましょう**。前置詞句など修飾語句をカッコでくくって、文の骨格（SVOC）をあぶりだします。

(Please) present your student ID (at the reception desk) (in the Student Lobby).
V　O

present が動詞、your student ID が目的語ですね（命令文なので主語はありません）。動詞の present は「提示する」という意味です。学生証を受付デスク（the reception desk）で提示することが求められているのですね。精読できていないと present が動詞だと気付かず、「何かプレゼントを持っていけばいいのかな？」などと考えてしまいかねません。該当箇所は特に精読を心がけましょう。

それでは❹**選択肢を精読**しましょう。your student ID を proof that you are a TELS student に言い換えた④が正解ですね。proof の直後の that は同格節を導く接続詞で、proof that ～で「～という証明」という意味です。in the Student Lobby だけを見て③を選ばないようにしましょう。

問2 正解① **問題レベル【易】 配点 2点**

設問 **イベントで、あなたは [2] ことができる。**

選択肢 ① さまざまな文化のジェスチャーについて学ぶ
② ダンス大会に参加する
③ 外国語で短い物語を読む
④ 国際的な料理を作ってみる

語句 participate in ～ 熟 ～に参加する　dish 名 料理
competition 名 競技会、コンテスト

基本の❶**「視線の型」を使いながら**、今回は「精読の型」も意識しましょう。まずは❷**設問の精読**からです。

<At the event>, you can [2].
(you = S, can = V)

「イベントで参加者ができること」が問われています。設問からだけでは探し読みが難しそうですね。だからといって漠然と本文を読んでから答えると時間がかかってしまいます。このような場合は、選択肢でキーワードを先に確認しておくといいでしょう。①は「さまざまな文化のジェスチャー」、②は「ダンス大会」、③は「外国語で短い物語」、④は「国際的な料理」です。

では❸**本文の該当箇所を一つずつ精読**していきます。イベントの詳細は黒丸（●）の項目を上から見ていけばよさそうですね。まず1つ目はEnjoy foods from various parts of the world「世界各地の食べ物を楽しもう」です。一見、選択肢④が該当しそうですね。ここで改めて❹**選択肢④を精読**するとtry cooking ... とあるのであとは「作ってみる」ことができるかどうかを確認すればよさそうです。しかし本文を詳細に読んでも実際に料理するとは書いていません。Try them all! とありますが、その前にHave you ever tasted ...?「食べたことはありますか」と言っているので、Try them all! はあくまで「食べてみて！」という意味で、料理することを促しているわけではありません。よって、④は×です。

2つ目はExperience different languages and new ways to communicate「さまざまな言語と新しいコミュニケーションを経験しよう」なので、選択肢①や③が関係ありそうです。①「ジェスチャー」や③「短い物語」があるかを確認します。facial expressions and their hands「顔の表情や手ぶり」というgestures「ジェスチャー」に該当する内容がでてきているので①が正解ですね。③「短い物語」に関する内容はありませんでした。

なお、②「ダンス」に関しては3つ目の項目にありましたが、「ダンス大会に参加」という記述はなかったので不正解です。

目標解答時間2分

問題番号は実際の番号のままです。

第1問 (配点 10)

A You are studying in the US and your class is going hiking. You are reading a flyer from your teacher.

Welcome to the Falmont Hiking Trails!

There are two hiking trails from Falmont Village. To find the trails, cross the Jaybird Bridge at the end of Main Street and go through the gate. From here, the path divides into two.

Take the left-hand path to enjoy the **Lowland Trail** through the woods, home to many birds and small animals. Return to the beginning of the trail through some farmland. You will see cattle there eating the grass. Don't worry. They are used to hikers and they aren't dangerous!

The right-hand path is the **Hilltop Trail** and takes you to the top of Slate Hill. As you climb, you might catch sight of deer on the slopes. The views from the top are superb on a clear day. If you are lucky, you might observe bald eagles flying overhead! From there, a narrow path takes you back to the village.

問 1 What is included in the flyer? [1]

① Advice on which trail is the quickest
② Directions to the start of the trails
③ Information on the length of the trails
④ Warnings about dangers on the trails

問 2 Hikers on both trails may have the chance to [2].

① admire scenery from the summit
② encounter the farmer's cows
③ enjoy the shade of the forest
④ spot wild animals and birds

問 1 - 2

訳 あなたはアメリカに留学していて、クラスでハイキングに行きます。あなたは先生からもらったチラシを読んでいます。

ファルモント・ハイキングトレイルへようこそ！

ファルモント村からのハイキングトレイルは２つあります。トレイルを見つけるには、メイン通りの端にあるジェイバード橋を渡って、ゲートをくぐってください。ここから、道は二手に分かれます。問 1

左側の道を選ぶと、たくさんの鳥や小動物のすみか 問 2 - 1 である森を抜ける、ローランド・トレイルが楽しめます。農地を幾つか通ってトレイルの出発点へ戻ります。農地では、草を食べている牛たちを目にすることでしょう。ご心配なく。彼らはハイキング客に慣れていますし、危険はありません！

右側の道はヒルトップ・トレイルで、スレート・ヒルの頂上まで連れていってくれます。登っているときに、傾斜地にいる鹿を見かけるかもしれません。晴れた日の頂上からの眺めは素晴らしいものです。運が良ければ、頭上にハクトウワシが飛んでいるのを観察できるかもしれません！ 問 2 - 2 そこから細道を通って村まで戻ります。

語句

[リード文]

flyer	名 チラシ、ビラ

[チラシ]

trail	名 山道、(ハイキングなどの)コース、トレイル
divide into two	熟 ２つに分かれる
cattle	名 牛（の群れ）
catch sight of ～	熟 ～を見かける
superb	形 壮大な、素晴らしい
clear	形 よく晴れた、快晴の
observe ～	他 ～を観察する
bald eagle	熟 ハクトウワシ

問 1　正解②　**問題レベル【易】　配点 2点**

設 問　**チラシには何が含まれているか。** 1

選択肢　① どのトレイルが一番速いかについてのアドバイス

② トレイルの開始点までの道順

③ トレイルの距離についての情報

④ トレイルでの危険に関する警告

語句　direction **名**（～sで）道順、道案内　　warning **名** 警告

基本の❶**「視線の型」を使いながら**、今回は「精読の型」も意識しましょう。❷**設問を精読すると**「チラシに含まれていること」が求められていることがわかります。探し読みすることは難しそうですね。このような場合、先に選択肢を見て、何か**キーワードや選択肢同士の共通点**を見つけておくと探し読みがしやすいです。ただし、この時点で選択肢を精読する必要はありません。ざっと全体を眺めてください。例えば今回は、① Advice on ～「～についてのアドバイス」、② Directions to ～「～への道順」、③ Information on ～「～についての情報」、④ Warnings about ～「～についての警告」と、すべて「名詞＋前置詞句」で構成されており、それぞれの最初の名詞「アドバイス」「道順」「情報」「警告」は、どれも読者に**何かを促すような表現**です。促し、依頼表現、命令文などに注目しながら本文を読んでいくと該当箇所が見つけやすそうですね。第1段落2文目 To find the trails, cross the Jaybird Bridge at the end of Main Street and go through the gate. が命令文なので❸**ここを精読します**。

(To find the trails),
トレイルを見つけるために、

cross the Jaybird Bridge (at the end of Main Street)
V　　O
メイン通りの端にあるジェイバード橋を渡りなさい

and go (through the gate).
V
そしてゲートをくぐってください。

文頭の To ～, は不定詞の副詞的用法で「目的」を表し、cross ～ and go ～は and で動詞の原形を並列した命令文です。trails がよくわからなくても、cross や go という表現から道順に関する指示を出しているのがわかりますね。次の文 From here, the path divides into two.「ここから、道は二手に分かれます」より、道が2つに分かれる前の地点に行くまでの道順の説明だとわかります（なお、ここからトレイルとは「2つに分かれる道」のことなのだと推測できますね）。Directions「道順」という語を含む選択肢②を❹**精読して確認しましょう**。to the start of the trails「トレイルの開始点までの」で問題なさそうなので②を正解とします。

問 2 正解④ **問題レベル【易】 配点 2点**

設問 **どちらのトレイルでハイキングする人も、[2] チャンスがあるかもしれない。**

選択肢 ① 頂上からの景色を堪能する　② 農家の牛に出会う
③ 森の木陰を楽しむ　④ 野生の動物や鳥を見つける

語句

admire ～	他 ～に感嘆する、～を堪能する	summit	名 頂上
scenery	名 景色	encounter ～	他 ～に遭遇する
		spot ～	他 ～を見つける

基本の❶**「視線の型」を使いながら**、今回は「精読の型」も意識しましょう。まずは❷**設問の精読からです**。

Hikers (on both trails) may have the chance (to [2]).
S　V　O

主語は「どちらのトレイルでハイキングする人も」です。both とあるので、２つのトレイルどちらにも書かれていることを選ぶ問題ですね。may have the chance で「チャンスがあるかもしれない」、to ～は選択肢の一単語目が動詞の原形になっていることから不定詞だとわかります。直前の the chance にかかる形容詞的用法です。「両方のトレイルに共通しているチャンスはどんなものなのか」を考えながら読んでいきます。ただこれだけの情報では探し読みが難しそうなので、今回も先に選択肢にざっと目を通しておくと該当箇所を見つけやすいでしょう。

まず、第２段落の「左側の道」の方を確認していきましょう。１文目から読んでいき、❸**選択肢のいずれかに該当しそうな表現が出てきたらスピードを落として精読します**。早速１文目 ... to enjoy the Lowland Trail through the woods, home to many birds and small animals. で「森を抜ける」ということは「森の木陰を楽しむ」ことになるかもしれないので③が、「通り抜ける森は鳥や小動物のすみか」ということは「野生の動物や鳥を見つける」かもしれないので④が、それぞれ該当しそうだとわかります。引き続き読んでいくと３文目に You will see cattle there eating the grass.「そこ（農地）では、草を食べている牛たちを目にすることでしょう」とあり、there が直前の文の farmland「農地」を指していることから、cattle there「そこにいる牛」が選択肢②の the farmer's cows「農家の牛」に該当しそうです。

「両方ともに当てはまるもの」を選ぶ問題なので、こうして第２段落を読み終わった時点で、出てこなかった①は不正解だろうとわかります。第３段落を読み進める前に、あらためて❹**選択肢②、③、④を精読**しておきましょう。

「農家の牛」「森の木陰」「野生の動物や鳥」、どれが第３段落「右側の道」に出てくるのだろうと予測し読んでいき、❸**該当箇所がきたらそこを精読します**。すると２文目に you might catch sight of deer on the slopes「傾斜地にいる鹿を見かけるかもしれません」、４文目に you might observe bald eagles flying overhead「頭上にハクトウワシが飛んでいるのを観察できるかもしれません」と、選択肢④に合致しそうな野生の動物（deer）や鳥（bald eagles）の観測可能性が書かれていました。よって④が正解です。

なお、選択肢①の「頂上からの景色」に関しては第３段落（右側の道）で３文目に言及がありましたが、第２段落（左側の道）には景色について何も書かれていなかったので不正解です。

DAY 03

【告知文読解問題】を攻略する「視線の型」

第1問Bではウェブサイトなどから情報を読み取る問題が出題され、第1問Aと比べるとやや分量が多くなり、情報読み取りの難易度も上がります。今回はチラシやポスターなども含む、「告知文」の情報を素早く読み取る「視線の型」をマスターしましょう。

「視線の型」のステップ

① 場面・状況を把握する

問題にあたる前に設定の説明を読み、場面や状況をイメージしましょう。また、表がある場合は先に表のざっくりとした概要だけでもつかんでおくといいでしょう。内容把握がスムーズになります。

③ 該当箇所を探しながら本文を読む

第1問Bの告知文タイプは最初からすべてを丁寧に読んでいく必要はありません。告知文は各情報がそれを必要とする読者に届くよう、目立つ形で掲載されており、さらに、多くの場合は設問も各情報の掲載順になっているので、問いの該当箇所を見つけやすいからです。関係なさそうなところはさっと読み、関係ありそうなところにじっくり時間をかけてください。読むべき箇所、流していい箇所のスイッチの切り替えが大事です。

①

B　You are a senior high school student interested in improving your English during the summer vacation. You find a website for an intensive English summer camp run by an international school.

GIS

Intensive English Summer Camp

Galley International School (GIS) has provided intensive English summer camps for senior high school students in Japan since 1989. Spend two weeks in an all-English environment!

Dates: August 1-14, 2023
Location: Lake Kawaguchi Youth Lodge, Yamanashi Prefecture
Cost: 120,000 yen, including food and accommodation (additional fees for optional activities such as kayaking and canoeing)

Courses Offered

◆FOREST: You'll master basic grammar structures, make short speeches on simple topics, and get pronunciation tips. Your instructors have taught English for over 20 years in several countries. On the final day of the camp, you'll take part in a speech contest while all the other campers listen.

◆MOUNTAIN: You'll work in a group to write and perform a skit in English. Instructors for this course have worked at theater schools in New York City, London, and Sydney. You'll perform your skit for all the campers to enjoy on August 14.

◆SKY: You'll learn debating skills and critical thinking in this course. Your instructors have been to many countries to coach debate teams and some have published best-selling textbooks on the subject. You'll do a short debate in front of all the other campers on the last day. (Note: Only those with an advanced level of English will be accepted.)

③

内容 第１問Ｂは「告知文」を読み取る問題が出題される傾向にあります。「告知」とは文字どおり「告げ知らせる」こと。告知を出す側には必ず知らせたいメッセージがあり、それをわかりやすく伝える努力がなされています。そもそも告知文を読む時は「知りたい情報」があって、それを探そうと目を動かしながら読みますよね。今から見ていく「視線の型」はそういったごく自然な視線の流れでもあります。

目標解答時間３分

▲Application

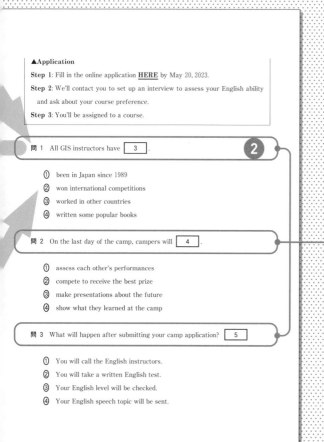

Step 1: Fill in the online application **HERE** by May 20, 2023.

Step 2: We'll contact you to set up an interview to assess your English ability and ask about your course preference.

Step 3: You'll be assigned to a course.

問 1 All GIS instructors have [3].

① been in Japan since 1989
② won international competitions
③ worked in other countries
④ written some popular books

問 2 On the last day of the camp, campers will [4].

① assess each other's performances
② compete to receive the best prize
③ make presentations about the future
④ show what they learned at the camp

問 3 What will happen after submitting your camp application? [5]

① You will call the English instructors.
② You will take a written English test.
③ Your English level will be checked.
④ Your English speech topic will be sent.

2 設問を先読みする

本文を読む前に先に設問を把握します。設問が３問以上ある場合は特に、１問ごとに、問１→本文→解答→問２→本文→解答、の流れで、確実に正解していきましょう。なお、ここでも選択肢は最後です！

では、この「視線の型」を使って、次ページの問題に取り組みましょう！

B You are a senior high school student interested in improving your English during the summer vacation. You find a website for an intensive English summer camp run by an international school.

GIS

Intensive English Summer Camp

Galley International School (GIS) has provided intensive English summer camps for senior high school students in Japan since 1989. Spend two weeks in an all-English environment!

Dates: August 1-14, 2023

Location: Lake Kawaguchi Youth Lodge, Yamanashi Prefecture

Cost: 120,000 yen, including food and accommodation (additional fees for optional activities such as kayaking and canoeing)

Courses Offered

◆**FOREST**: You'll master basic grammar structures, make short speeches on simple topics, and get pronunciation tips. Your instructors have taught English for over 20 years in several countries. On the final day of the camp, you'll take part in a speech contest while all the other campers listen.

◆**MOUNTAIN**: You'll work in a group to write and perform a skit in English. Instructors for this course have worked at theater schools in New York City, London, and Sydney. You'll perform your skit for all the campers to enjoy on August 14.

◆**SKY**: You'll learn debating skills and critical thinking in this course. Your instructors have been to many countries to coach debate teams and some have published best-selling textbooks on the subject. You'll do a short debate in front of all the other campers on the last day. (Note: Only those with an advanced level of English will be accepted.)

▲Application

Step 1: Fill in the online application **HERE** by May 20, 2023.

Step 2: We'll contact you to set up an interview to assess your English ability and ask about your course preference.

Step 3: You'll be assigned to a course.

問 1 All GIS instructors have [3].

① been in Japan since 1989
② won international competitions
③ worked in other countries
④ written some popular books

問 2 On the last day of the camp, campers will [4].

① assess each other's performances
② compete to receive the best prize
③ make presentations about the future
④ show what they learned at the camp

問 3 What will happen after submitting your camp application? [5]

① You will call the English instructors.
② You will take a written English test.
③ Your English level will be checked.
④ Your English speech topic will be sent.

問 1 - 3

訳 あなたは夏休みの間に英語力を上げたいと考えている高校生です。インターナショナル・スクールが主催する短期集中英語サマーキャンプのウェブサイトを見つけます。

GIS

短期集中英語
サマーキャンプ

ギャリー・インターナショナル・スクール（GIS）では、1989年以来、日本で高校生向けの短期集中英語サマーキャンプを主催しています。英語だけの環境で２週間過ごしてみましょう！

日程：2023年８月１日～14日 問 2 - 1

場所：山梨県 河口湖ユースロッジ

費用：12万円　食事代と宿泊費含む（カヤックやカヌーなどのオプション活動は別途費用がかかります）

ご用意のコース

◆フォレスト：基本の文法構造を身につけ、簡単なトピックに関して短いスピーチをし、発音のコツを教わります。インストラクターは複数の国で20年以上英語を教えた経験があります。問 1 - 1　キャンプ最終日には、スピーチコンテストに参加し、他のキャンプ参加者全員に聞いてもらいます。問 2 - 2

◆マウンテン：グループの一員として英語の寸劇を書いて演じる作業をします。このコースのインストラクターは、ニューヨークやロンドンやシドニーの演劇学校に勤めていた経験があります。問 1 - 2　８月14日に寸劇の上演をしてキャンプ参加者の皆に楽しんでもらいます。問 2 - 3

◆スカイ：このコースではディベートの仕方と批判的思考を学びます。インストラクターは数々の国でディベートのチームを指導した経験を持ち 問 1 - 3、中にはこのテーマでベストセラーの教本を出した人もいます。最終日には他のキャンプ参加者全員の前で短いディベートを行います。問 2 - 4（注：英語レベルが上級の人しか参加できません）

▲申し込み

ステップ１：2023年５月 20日までにこちらのオンライン申込書に記入してください。

ステップ２：英語力を査定しコースの希望を聞く目的の面接を設定するため、こちらからご連絡します。問 3

ステップ３：コースの割り振りが行われます。

語句

［リード文］		pronunciation	名 発音
intensive	形 短期集中型の	tip	名 コツ、助言
run ～	他 ～を運営する	take part in ～	熟 ～に参加する
［ウェブサイト］		skit	名 寸劇、短い芝居
［案内］		debate	自 討論する 名 ディベート
environment	名 環境	critical thinking	熟 批判的思考
accommodation	名 宿泊設備	advanced	形 上級の
additional	形 追加の	application	名 申し込み
optional	形 オプションの、別途選択できる	assess ～	他 ～を査定する、～を評価する
kayak	自 カヤックに乗る	preference	名 好み、希望
canoe	自 カヌーに乗る	be assigned to ～	熟 ～に割り当てられる
［コース説明］			
structure	名 構造、構文		

問 1　正解 ③　**問題レベル【易】　配点 2点**

設問　**GIS の全インストラクターが 3 。**

選択肢　① 1989年から日本にいる
② 国際大会で優勝経験がある
③ 外国で働いた経験がある
④ 人気の本を執筆している

語句　competition 名 コンテスト

まずは、**❶場面・状況把握です。**「あなたは英語力を上げたいと考えている高校生で、英語キャンプのウェブサイトを見つけた」ということです。ざっと全体像もつかんでおきましょう。最初に主催団体の紹介があって、日程（Dates）、場所（Location）、費用（Cost）が書かれてあり、3つのコースの紹介、そして最後に申し込み（Application）について3つのステップが説明されています。告知文は先に全体像をつかんでイメージし、「自分ごと」として**設定場面に没入しましょう。**

次に**❷設問を先読み**すると、All GIS instructors have (　　) とあるので、「インストラクターたちの共通点」を探せばいいことがわかります。3つのコースがありましたね。それぞれのコースのインストラクターに何らかの共通点があるのでしょう。また、設問が have で終わっていて選択肢は過去分詞から始まっているので、現在完了形になっていることにも気付いてください。経験などインストラクターがこれまでしてきたことを探せばいいのだなとわかります（**共通テストでは文法問題が出ない代わりに、設問やポイントとなる文で重要な文法知識が問われることが多いです**）。

では、**❸本文で該当箇所を探していきましょう。**Courses Offered のところに「フォレスト」「マウンテン」「スカイ」の3コースがあり、インストラクターについての紹介はいずれも2文目にあります。「フォレスト」のインストラクターは Your instructors have taught English for over 20 years in several countries.「複数の国で20年以上英語を教えてきた」、「マウンテン」のインストラクターはInstructors for this course have worked at theater schools in New York City, London, and Sydney.「ニューヨークやロンドンやシドニーの演劇学校に勤めていた」、「スカイ」のインストラクターはYour instructors have been to many countries to coach debate teams「数々の国でディベートのチームを指導した」とあります。共通点は「外国で働いた経験」ですね。よって、正解は③ worked in other countries です。

問 2　正解④　**問題レベル【易】　配点 2点**

設問 **キャンプ最終日に、キャンプ参加者は 4 。**

選択肢 ① お互いの実績を評価し合う

② 最優秀賞をもらうため競う

③ 将来についてのプレゼンテーションをする

④ キャンプで学んだことを見せる

語句 compete 自 競う

まず、❷**設問を先読みします**。On the last day of the camp「キャンプ最終日」とありますが、キャンプの日程については本文の前半に、Dates: August 1-14, 2023とあるので、最終日とは8月14日のことですね。設問の続きにはcampers willとだけあるので、どのコースの参加者も共通して行うことがあるのかなと推測し、❸**本文を確認していきます**。

いずれのコースも最終文に該当箇所がありました。「フォレスト」ではOn the final day of the camp, you'll take part in a speech contest while all the other campers listen.「キャンプ最終日には、スピーチコンテストに参加し、他のキャンプ参加者全員に聞いてもらいます」とあり、「マウンテン」ではYou'll perform your skit for all the campers to enjoy on August 14.「8月14日に寸劇の上演をしてキャンプ参加者の皆に楽しんでもらいます」、「スカイ」ではYou'll do a short debate in front of all the other campers on the last day.「最終日には他のキャンプ参加者全員の前で短いディベートを行います」とあります。共通点は「皆の前で発表する」ですね。では選択肢を見ていきましょう。①はeach other's performances「お互いの実績」が近いと感じるかもしれませんが、assessが違います。「評価する」とは書いてありませんでした。②もcompete「競う」が不正解、③はabout the future「将来について の」が不正解です。ふわっと読んでいるとどれも正解に見えてしまいます。該当箇所をしっかり精読しましょう。④ show what they learned at the camp「キャンプで学んだことを見せる」が該当箇所をうまく言い換えており正解です。

問3 正解③ 問題レベル【普通】 配点 2点

設問 キャンプの申込書を提出した後、何があるか。 5

選択肢 ① あなたが英語のインストラクターに電話する。

② あなたが英語の筆記試験を受ける。

③ あなたの英語レベルがチェックされる。

④ あなたの英語スピーチのトピックが送られてくる。

語句 submit ～ 他 ～を提出する

❷設問を先読みすると、after submitting your camp application「キャンプの申込書を提出した後」に何があるか問われているので、本文最後の Application「申し込み」のステップの中に書かれていそうだと**❸該当箇所にあたりをつけます**。ステップ 1が Fill in the online application「オンライン申込書に記入してください」なのでこの次です。ステップ 2に We'll contact you to set up an interview to assess your English ability and ask about your course preference.「英語力を査定しコースの希望を聞く目的の面接を設定するため、こちらからご連絡します」とあるので、これに合った内容があるか選択肢を確認すると、assess your English ability「あなたの英語力を査定する」を Your English level will be checked「あなたの英語レベルがチェックされる」と言い換えた③が正解だとわかります。先方から連絡がくるはずなので①は You will call「あなたが電話する」のはおかしいですし、②と④は本文中どこにも記載がないため不正解です。

目標解答時間3分

B Your English teacher has given you a flyer for an international short film festival in your city. You want to attend the festival.

Star International Short Film Festival 2023

February 10 (Fri.) -12 (Sun.)

We are pleased to present a total of 50 short films to celebrate the first decade of the festival. Below are the four films that were nominated for the Grand Prize. Enjoy a special talk by the film's director following the first screening of each finalist film.

Grand Prize Finalist Films

 *My Pet Pigs*, USA (27 min.) This drama tells a heart-warming story about a family and their pets.	 *Chase to the Tower*, France (28 min.) A police chase ends with thrilling action at the Eiffel Tower.
▸ Fri. 7 p.m. and Sat. 2 p.m. ▸ At Cinema Paradise, Screen 2	▸ Fri. 5 p.m. and Sun. 7 p.m. ▸ At Cinema Paradise, Screen 1
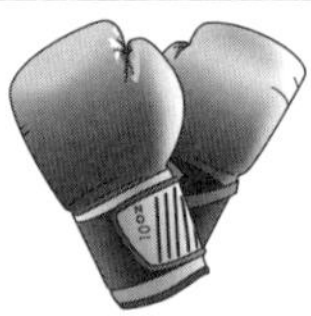 *Gold Medal Girl*, China (25 min.) This documentary highlights the life of an amazing athlete.	 *Inside the Cave*, Iran (18 min.) A group of hikers has a scary adventure in this horror film.
▸ Sat. and Sun. 3 p.m. ▸ At Movie House, Main Screen	▸ Fri. 3 p.m. and Sat. 8 p.m. ▸ At Movie House, Screen 1

Festival Passes	
Type	Price (yen)
3-day	4,000
2-day	3,000
1-day	2,000

- Festival Passes are available from each theater. The theaters will also sell single tickets for 500 yen before each screening.
- Festival Pass holders are invited to attend the special reception in the lobby of Cinema Paradise on February 12 (Sun.) at 8 p.m.

For the complete schedule of the short films showing during the festival, please visit our website.

問 1 If you are free on Sunday evening, which finalist film can you see? [3]

① *Chase to the Tower*
② *Gold Medal Girl*
③ *Inside the Cave*
④ *My Pet Pigs*

問 2 What will happen at Cinema Paradise on the last night of the festival? [4]

① An event to celebrate the festival will take place.
② Nominations will be made for the Grand Prize.
③ One of the directors will talk about *Chase to the Tower*.
④ The movie *My Pet Pigs* will be screened.

問 3 What is true about the short film festival? [5]

① Four talks by film directors will be held.
② Passes can be bought through the website.
③ Reservations are necessary for single tickets.
④ The finalist films can be seen on the same day.

問 1 − 3

訳 英語の先生が、市内で行われる国際ショートフィルム・フェスティバルのチラシをくれました。あなたはフェスティバルに行きたいと思っています。

スター国際ショートフィルム・フェスティバル 2023

2月10日（金）～12日（日） 問2-1

フェスティバル 10 周年を祝して計 50 本のショートフィルムを上映します。グランド・プライズにノミネートされたのは以下の４作品です。それぞれの最終選考作品の１回目の上映後に、その作品の監督によるスペシャルトークをお楽しみください。問3

グランド・プライズ最終選考作品

 『私のペットのブタたち』 アメリカ（27分） このドラマ作品は、ある一家とそのペットたちの心温まる物語を紡ぎます。	 『塔への追跡』フランス（28分） 警察の追跡の行き着く先は、エッフェル塔でのスリリングなアクションです。
▶金曜午後７時と土曜午後２時 ▶シネマパラダイス、スクリーン２にて	▶金曜午後５時と日曜午後７時 問1 ▶シネマパラダイス、スクリーン１にて
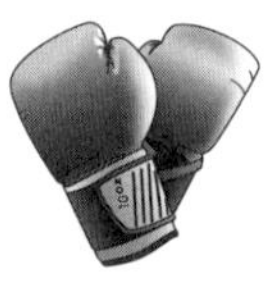 『金メダルの少女』中国（25分） このドキュメンタリーは、驚異的なアスリートの生活に光を当てます。	 『洞窟の中』イラン（18分） このホラー映画では、ハイキングをしているグループが恐ろしい冒険をします。
▶土曜と日曜の午後３時 ▶ムービーハウス、メインスクリーンにて	▶金曜午後３時と土曜午後８時 ▶ムービーハウス、スクリーン１にて

フェスティバル・パス		▶フェスティバル・パスは各劇場でお買い求めいただけます。また、劇場では1回券も上映前に500円で販売いたします。 ▶フェスティバル・パスをお持ちの方は、2月12日（日）午後8時、シネマパラダイスのロビーでの特別レセプションにご参加いただけます。問2-2
種類	値段（円）	
3日間	4,000	
2日間	3,000	
1日	2,000	

フェスティバル期間中のすべてのショートフィルムの上映スケジュールをご覧になるには、ウェブサイトをご覧ください。

語句

［リード文］
flyer　名 チラシ、ビラ
［チラシ］
celebrate ～　他 ～を祝う
decade　名 10年
nominate ～　他 ～をノミネートする、～を候補に選ぶ
director　名 監督
screening　名 上映、映写
finalist　名 決勝出場者、最終選考作品
highlight ～　他 ～に光を当てる、～を大きく取り上げる
amazing　形 驚異的な、素晴らしい
cave　名 洞窟、洞穴
reception　名 祝賀会、レセプション

問1　正解① 問題レベル【易】 配点 2点

設問 日曜日の夜に時間がある場合、どの最終選考作品を見ることができるか。 3

選択肢 ①『塔への追跡』 ②『金メダルの少女』
③『洞窟の中』 ④『私のペットのブタたち』

まずは、❶**場面・状況把握**。国際ショートフィルム・フェスティバルのチラシを見ている、という設定です。ざっと全体を見ると、上からイベント名と開催日、全体の説明、4つの最終選考作品の各概要と日時、場所、それから料金表とその説明です。イラストもあるので映画の内容がイメージしやすいですね。この場面に自分自身を重ねることができたでしょうか。「この映画おもしろそう」くらい頭によぎっていたら立派に没入できている証拠です。問題を解き始める前に、このような感じでできるだけ「自分ごと」にしてください。英文が頭に入ってくるスピードがまるで違うはずです。

次に❷**設問を先読み**すると、If you are free on Sunday evening, とあるので、Sunday evening「日曜日の夜」を探せばいいことがわかります。evening を「夕方」と覚えている人は注意しましょう。「夕方」は一般的には日が沈み始めて夜になるまでの間を指しますが、evening はだいたい日が沈んでから寝るまでの時間を指すため「夜」と訳した方がいいこともあります。

そして設問の後半には which finalist film can you see「どの最終選考作品を見ることができるか」とあり、選択肢に4つの最終選考作品が並んでいるので、❸**本文の該当箇所を確認する**と、日曜日に見られそうなのは右上の *Chase to the Tower* と左下の *Gold Medal Girl* で

すが、この *Gold Medal Girl* の方は3 p.m.「午後3時」とあり evening とは言えません。よって① *Chase to the Tower* が正解です。

問2 正解① **問題レベル【普通】 配点 2点**

設 問 **フェスティバル最終日の夜にシネマパラダイスで何があるか。** 4

選択肢 ① フェスティバルを祝うイベントが開催される。
② グランド・プライズのノミネーションが行われる。
③ 監督の一人が『塔への追跡』について話す。
④ 映画『私のペットのブタたち』が上映される。

まず❷**設問の先読み**です。on the last night of the festival「フェスティバル最終日の夜」とありますが、本文の始めの方に February 10 (Fri.) -12 (Sun.) とあるので、最終日とは2月12日のことですね。What will happen とあるため「何が起きるんだろう」と思いながら❸**本文を探していきます**。

最後の方にある料金表の横の項目2つ目に on February 12 (Sun.) at 8 p.m. とあり、まさしく「フェスティバル最終日の夜」なのでこの部分を精読しましょう。Festival Pass holders are invited to attend the special reception in the lobby of Cinema Paradise on February 12 (Sun.) at 8 p.m.「フェスティバル・パスをお持ちの方は、2月12日（日）午後8時、シネマパラダイスのロビーでの特別レセプションにご参加いただけます」とあります。「何かイベントが催されるのだな」と答えに見当をつけ選択肢を見ると、An event ... will take place「…イベントが開催される」とある①が正解だとわかります。

問3 正解① **問題レベル【易】 配点 2点**

設問 **ショートフィルム・フェスティバルに関して正しいのはどれか。** 5

選択肢 ① 監督によるトークが4回行われる。
② パスはウェブサイトで買うことができる。
③ 1回ごとのチケットは予約が必要だ。
④ 最終選考作品を同じ日に見ることができる。

語句 **reservation** 名 予約

まず❷**設問の先読み**ですが、今回は設問からは該当箇所が探れないタイプの問題です。このような場合は選択肢を一つずつ確認して**それらしい箇所を探していきましょう**（❸）。①のFour talks by film directors will be held.「監督によるトークが4回行われる」は、「監督が話す」ということについて最初の段落3文目にEnjoy a special talk by the film's director following the first screening of each finalist film.「それぞれの最終選考作品の1回目の上映後に、その作品の監督によるスペシャルトークをお楽しみください」とあります。「それぞれの最終選考作品」とは、前文にBelow are the four films that ...「…は以下の4作品です」とあるように、イラスト付きで紹介されている4本の映画のことです。つまり「監督によるトークは4回行われる」ので、①が正解だとわかります。

②のPasses can be bought through the website.「パスはウェブサイトで買うことができる」を選んだ人は、本文の最後の文でplease visit our website「ウェブサイトをご覧ください」を見て勘違いしてしまったかもしれません。この文の始まりはFor the complete schedule ...「すべての上映スケジュールをご覧になるためには…」で、パスの購入の話ではありません。「最後の問題は最後にあるはず」という思い込みで解こうとする人を引っかける罠なので注意しましょう。料金表の隣の項目1つ目にFestival Passes are available from each theater.とあるように、パスは劇場で購入できます。また③の「チケット予約」についてはどこにも記載がありませんし、④も最終選考作品それぞれの上映日時を確認すると4作品に共通する曜日はないので、同じ日に見ることはできないため不正解です。

DAY 04 【告知文読解問題】を攻略する「言い換えの型」

本文や表の中にある解答の根拠となる表現が選択肢ではよく「言い換え」られます。ここでは、Day 03「視線の型」を踏まえつつ「言い換えの型」をマスターし、より素早く正確に解けるようにしていきましょう。

「言い換えの型」のステップ

① 「視線の型」を使う

Day 03の「視線の型」が基本の型となります。読む際の目の動きを再度確認しておいてください。

③ 「言い換えの型」その2：該当箇所を「自分の言葉」にする

本文を読み進め、該当箇所を見つけたら、これまた答えとなっている部分を自分の言葉で説明できる状態にします。例えば、return a callを、直訳の「電話を戻す」で捉えていると、言い換えの選択肢call backを選ぶのに時間がかかります。最初から、return a callを見た時点で、「電話をリターンする？　あ、『かけ直す』か」と自分の言葉にしておくと、対応する英語表現と合致させやすくなります。

①

B You are an exchange student in the US and next week your class will go on a day trip. The teacher has provided some information.

③

Tours of Yentonville

The Yentonville Tourist Office offers three city tours.

The History Tour

The day will begin with a visit to St. Patrick's Church, which was built when the city was established in the mid-1800s. Opposite the church is the early-20th-century Mayor's House. There will be a tour of the house and its beautiful garden. Finally, cross the city by public bus and visit the Peace Park. Opened soon after World War II, it was the site of many demonstrations in the 1960s.

The Arts Tour

The morning will be spent in the Yentonville Arts District. We will begin in the Art Gallery where there are many paintings from Europe and the US. After lunch, enjoy a concert across the street at the Bruton Concert Hall before walking a short distance to the Artists' Avenue. This part of the district was developed several years ago when new artists' studios and the nearby Sculpture Park were created. Watch artists at work in their studios and afterwards wander around the park, finding sculptures among the trees.

The Sports Tour

First thing in the morning, you can watch the Yentonville Lions football team training at their open-air facility in the suburbs. In the afternoon, travel by subway to the Yentonville Hockey Arena, completed last fall. Spend some time in its exhibition hall to learn about the arena's unique design. Finally, enjoy a professional hockey game in the arena.

Yentonville Tourist Office, January, 2024

内容 「言い換え」は今回題材に扱う第１問Ｂだけでなく、あらゆる種類の問題で目にすることになります。「言い換えの型」を使って言い換えを見抜く力を養いましょう。

目標解答時間３分

2 「言い換えの型」その１：設問を「自分の言葉」にする

まず設問を読む段階で、問われている内容をしっかりと理解するようにしましょう。直訳して理解した気になるのではなく、「探す情報はつまりこういうこと」と自分の言葉で説明できる状態になっていることが大事です。例えばOn what day was he born?とあったら、「何の日に彼は生まれたのか」と直訳した後、「つまり彼の『誕生日』を探せばいいんだな」と腹落ちする言葉にしておきましょう。選択肢を先に読む必要がある時は、選択肢も同様に自分の言葉にしておきます。設問を読んだはずなのにすぐ内容を忘れたり、設問と本文を何度も往復したりする傾向がある人は、このわずかな工夫で劇的に時短できることがあります。試してみてください。

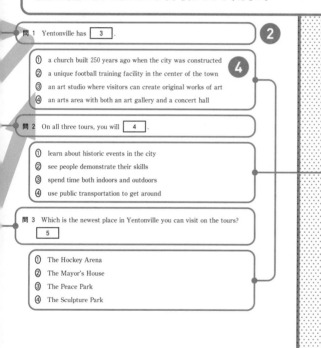

問１ Yentonville has [3].

① a church built 250 years ago when the city was constructed
② a unique football training facility in the center of the town
③ an art studio where visitors can create original works of art
④ an arts area with both an art gallery and a concert hall

問２ On all three tours, you will [4].

① learn about historic events in the city
② see people demonstrate their skills
③ spend time both indoors and outdoors
④ use public transportation to get around

問３ Which is the newest place in Yentonville you can visit on the tours? [5]

① The Hockey Arena
② The Mayor's House
③ The Peace Park
④ The Sculpture Park

4 「言い換えの型」その３：選択肢も「自分の言葉」でわかりやすく言い換える

序盤の問題の選択肢は短い文やフレーズが多いです。１～５単語程度の場合もあります。数語の短いフレーズの選択肢では文法的な誤訳はしないかもしれませんが、「わかった気になりやすい」という怖さがあります。自分の言葉でわかりやすく言い換えて頭の中に状況が思い浮かぶくらいにしておくと早く正解の選択肢を選ぶことができます。

では、この「言い換えの型」を使って、次ページの問題に取り組みましょう！

B You are an exchange student in the US and next week your class will go on a day trip. The teacher has provided some information.

Tours of Yentonville

The Yentonville Tourist Office offers three city tours.

The History Tour

The day will begin with a visit to St. Patrick's Church, which was built when the city was established in the mid-1800s. Opposite the church is the early-20th-century Mayor's House. There will be a tour of the house and its beautiful garden. Finally, cross the city by public bus and visit the Peace Park. Opened soon after World War II, it was the site of many demonstrations in the 1960s.

The Arts Tour

The morning will be spent in the Yentonville Arts District. We will begin in the Art Gallery where there are many paintings from Europe and the US. After lunch, enjoy a concert across the street at the Bruton Concert Hall before walking a short distance to the Artists' Avenue. This part of the district was developed several years ago when new artists' studios and the nearby Sculpture Park were created. Watch artists at work in their studios and afterwards wander around the park, finding sculptures among the trees.

The Sports Tour

First thing in the morning, you can watch the Yentonville Lions football team training at their open-air facility in the suburbs. In the afternoon, travel by subway to the Yentonville Hockey Arena, completed last fall. Spend some time in its exhibition hall to learn about the arena's unique design. Finally, enjoy a professional hockey game in the arena.

Yentonville Tourist Office, January, 2024

問 1 Yentonville has [3].

① a church built 250 years ago when the city was constructed
② a unique football training facility in the center of the town
③ an art studio where visitors can create original works of art
④ an arts area with both an art gallery and a concert hall

問 2 On all three tours, you will [4].

① learn about historic events in the city
② see people demonstrate their skills
③ spend time both indoors and outdoors
④ use public transportation to get around

問 3 Which is the newest place in Yentonville you can visit on the tours? [5]

① The Hockey Arena
② The Mayor's House
③ The Peace Park
④ The Sculpture Park

問 1-3

訳 あなたはアメリカに来ている交換留学生で、来週、あなたのクラスは日帰り旅行に行きます。先生が情報を提供してくれました。

イェントンビルの各種ツアー

イェントンビル観光局では３種類の市内ツアーを用意しています。

歴史ツアー

一日の始めにセント・パトリック教会を訪れます。これは1800年代半ばに当市が設立されたときに建設されました。教会の向かいには、20世紀初めの市長邸 問3② があります。この家とその美しい庭の見学が行われます。問2-3 最後に、公共バスで市内を横切り、平和公園を訪れます。第二次世界大戦のすぐ後に開園し 問3③、1960年代には多くのデモ活動が行われた場所です。

芸術ツアー

午前中はイェントンビル芸術地区で過ごします。ヨーロッパとアメリカの絵がたくさんある美術館からスタートします。昼食後、通りの反対側のブルトン・コンサートホールでコンサートを楽しんで 問1 から、少し歩いてアーティスト・アベニューに行きます。問2-1 この地区の中でもこの場所は数年前に開発され、その際、新しく芸術家向けスタジオと近くの彫刻公園が作られました。問3④ 芸術家たちがスタジオで作業する様子を見た後、公園を散策し 問2-2、木立の間の彫刻を見つけましょう。

スポーツツアー

朝一番に、フットボールチーム「イェントンビル・ライオンズ」が郊外の屋外施設で練習する様子が見られます。問2-4 午後は、去年の秋に完成したイェントンビル・ホッケーアリーナ 問3① まで地下鉄で移動します。展示ホールで少し時間を取って 問2-5、このアリーナの独特のデザインについて学びます。最後に、プロのホッケーの試合をアリーナで楽しみます。問2-6

イェントンビル観光局、2024年１月

語句

［リード文］		wander (〜)	自 歩き回る
exchange student	熟 交換留学生		他 〜をさまよい歩く
［広告］		open-air	形 野外の
establish 〜	他 〜を創設する	facility	名 施設
site	名 場所、会場	suburb	名 (〜sで) 郊外
demonstration	名 デモ活動	complete 〜	他 〜を完成させる
sculpture	名 彫刻	exhibition	名 展示

問 1 正解④ **問題レベル【普通】 配点 2点**

設問 **イェントンビルには [3] がある。**

選択肢 ① 250年前、市が建設されたときに建てられた教会
② 市の中心部に独特なフットボールの練習施設
③ 来場者が独自の芸術作品を作ることのできる芸術スタジオ
④ 美術館とコンサートホールの両方を備えた芸術エリア

語句 construct 〜 他 〜を建設する

まずは、**❶視線の型**です。設問が短すぎるので選択肢をざっと見て**共通点**に目を向けましょう。それぞれ最初の一語は a church「教会」、a unique football training facility「独特なフットボールの練習施設」、an art studio「芸術スタジオ」、an arts area「芸術エリア」ですべて「建物」ですね。設問 Yentonville has [3].（イェントンビルは [3] を持っている）はつまり「イェントンビルにはどんな建物があるか」という問題だということですね。このように**設問を自分の言葉にして理解しやすくしておきます**（❷）。

では、該当箇所を探していきましょう。The History Tour のところ１文目に St. Patrick's Church「セント・パトリック教会」があるのでこの文を選択肢①と照らし合わせます。本文には which was built when the city was established in the mid-1800s「1800年代半ばに当市が設立されたときに建設された」とあります。「市ができたときに作られた」と**かみくだいて理解し**（❸）、選択肢①を確認しましょう。「市が作られたとき」はよさそうですね。「250年前に建てられた」はどうでしょうか。**数字が言い換えられているときは必ず計算して合致しているか確認**しましょう。問題文の一番下に January, 2024とあるので、この情報は2024年のものです。1800年代半ばは約170年前となり、「250年前」とは大幅に開きがありますね。よって①は不正解です。

次に The Arts Tour のところです。１文目に the Yentonville Arts District「イェントンビル芸術地区」とあるので、選択肢③の an art studio「芸術スタジオ」や選択肢④の an arts area「芸術エリア」がこのパートに出てきそうです。**ここでこの２つの選択肢をしっかり読んで自分の言葉で理解しておくといいでしょう**（❹）。③は where visitors can create original works of art「来場者が独自の芸術作品を作ることのできる」→「来た人がそこでアート作品を作れる」のですね。④は with both an art gallery and a concert hall「美術館とコンサートホールの両方を備えた」→「アートも音楽も楽しめる」エリアだということです。２〜３文目 We will begin in the Art Gallery where .... After lunch, enjoy a concert across the street at the Bruton Concert Hall ....「…の美術館からスタートします。昼食後、通りの反対側のブルトン・コンサートホールでコンサートを楽しんで…」より、④が正解だとわかります。③は、5文目にスタジオの説明がありましたが、Watch artists at work in their studios「芸術家たちがスタジオで作業する様子を見る」、つまり「作業を見学する」(❸) としかなかったので、自分でアート作品を作る体験はできなさそうです。

なお、The Sports Tour のところで1文目に their open-air facility in the suburbs「郊外の屋外施設」とありますが、郊外というのは「市外」ということ (❸) なので、選択肢②は in the center of the town「市の中心部」、が×です。また、unique「独特な」もおかしいですね。unique design「独特なデザイン」という言葉が使われているのは練習施設ではなくアリーナの方です。

問2 正解③ **問題レベル【普通】 配点 2点**

設問 **3つのツアーのどれに参加しても、[4] ことになる。**

選択肢 ① 市の歴史的な出来事について学ぶ
② 人々が技能を実演するのを見る
③ 屋内と屋外の両方で時間を過ごす
④ 移動に公共交通機関を使う

語句 historic 形 歴史的な　public transportation 熟 公共交通機関

設問に all three tours「3つのツアーすべて」とあるので、**共通点を探せばいい**ことがわかります (❷)。選択肢を先に確認しておきましょう。①は「その市の歴史を学ぶ」、②は「能力を披露しているところを見る」、③は「建物の中と外両方で過ごす」、④は「バスとか電車とかに乗る」ということですね (❹)。「すべて」ということは3つのツアーのどれか1つをしっかり読んで、該当しないものを消していく、という作業をしていけばいいですね。運がよければ1つのツアーを読むだけで正解が出るかもしれません。今回は問1を解く段階で一番しっかり読み込んだであろう The Arts Tour から確認してみましょう。まず2～3文目で美術館やコンサートに行き、その後歩いて大通りに出たり（3文目 walking a short distance to the Artists' Avenue)、芸術家が作業するスタジオ見学の後に公園を散策したりしている（5文目 Watch artists at work in their studios and afterwards wander around the park) ことから、建物の中にも外にも行っていることがわかります (❸)。選択肢③はよさそうです。また、同じ5文目の「芸術家たちがスタジオで作業する様子を見る」から、選択肢②もよさそうですね。歴史を学んだり移動に公共交通機関を使ったりはしていないので、この時点で選択肢①と④が消えます。次に The History Tour を見てみましょう。もはや2択になっているので、どちらがあるのか、ないのか、に焦点を絞って読んでいきます。3文目に There will be a tour of the house and its beautiful garden.「この家とその美しい庭の見学が行われます」とあることから選択肢③は OK ですね。「家」の見学は屋内、「庭」は屋外のはずです (❸)。また、他にもツアー前半で教会、後半で公園を訪れることが書かれており、やはり屋内と屋外の両方で過ごすことがわかります。5文目 Opened soon after World War II, it was the site of many demonstrations in the 1960s.「第二次世界大戦のすぐ後に開園し、1960年代には多くのデモ活動が行われた場所です」で引っかからないよう気を付けてください！この demonstrations は「デモ活動」のことですよね。しかも過去の話です。選択肢②の

demonstrate their skills「技能を実演する」とは無関係です。よって正解は③になります。The Sports Tourのところでも、1文目 you can watch ... training at their open-air facility in the suburbs「…が郊外の屋外施設で練習する様子が見られます」とあり、the open-air facilityなので「屋外」、3文目 Spend some time in its exhibition hall「展示ホールで少し時間を取る」や4文目 Finally, enjoy a professional hockey game in the arena.「最後に、プロのホッケーの試合をアリーナで楽しむ」より「屋内」でも過ごしていると判断できます。

問3 正解① **問題レベル【普通】 配点 2点**

設問 **ツアーで訪れることのできるイェントンビルで最も新しい場所はどれか。** 5

選択肢 ① ホッケーアリーナ
② 市長邸
③ 平和公園
④ 彫刻公園

設問の the newest place「最も新しい場所」と選択肢より「一番最近できた施設」を探すのだとわかります（❷）。選択肢の上から順に該当箇所を見ていきましょう。① The Hockey ArenaはThe sports Tourの2文目にthe Yentonville Hockey Arena, completed last fall「去年の秋に完成したイェントンビル・ホッケーアリーナ」とあります。② The Mayor's Houseは、The History Tourの2文目にthe early-20th-century Mayor's House「20世紀初めの市長邸」、③ The Peace Parkは、The History Tourの4～5文目にvisit the Peace Park. Opened soon after World War II, it was ...「平和公園を訪れます。それは第二次世界大戦のすぐ後に開園し…」、④ The Sculpture Parkは、The Arts Tourの4文目に ... was developed several years ago when ... and the nearby Sculpture Park were created.「…は数年前に開発され、その際、…と近くの彫刻公園が作られました」とあります。①は去年の秋、②は20世紀初め、③は第二次世界大戦後、④は数年前、ということで、比較すると①が一番最近できた施設だとわかります。よって正解は①です。

B You are studying in the US and are interested in volunteering during your stay. You find this advertisement on your school website.

Volunteers Wanted!
Join the Animal Support Mission!

Do you love animals? While you are a student in Marston, how about volunteering to care for animals in our town? The Animal Support Mission, opened in 2020, needs student-volunteers to assist our full-time staff. No previous experience with animals is needed, but you must be at least 18 years old to join. Once you start, the project leaders will train you to take care of the animals. Working on a project, you may begin to feel fond of the animals and many volunteers become pet owners. The projects are briefly introduced below.

<u>The Dog House Project</u>
Service dogs work very hard helping people who have difficulties seeing or hearing. The Dog House is a place for retired service dogs, where they can relax and enjoy the rest of their lives. Volunteers play with the dogs and help exercise them.

<u>The Cat Home Project</u>
The Cat Home gives a temporary home to cats with no owner. Volunteers help feed and care for the cats. Information on the cats is collected and put on the Cat Home website. People can search for a cat to adopt and give it a "forever home."

<u>The Children's Zoo Project</u>
The Marston Children's Zoo is a place where young children can come to meet sheep, goats, and other small animals. Volunteers wash the animals and help keep them safe when the children come to visit.

問 1　According to the advertisement, a volunteer [3].

① might develop affection for the animals
② must live and work in the Marston area
③ needs to have owned a pet before
④ should be over 20 years of age

問 2　What is true about the Cat Home Project? [4]

① It is the cats' permanent home in Marston.
② Owners can register cats through the website.
③ People can look for a pet cat online.
④ Volunteers may live in the Cat Home.

問 3　What is true about the Animal Support Mission? [5]

① Staff should find owners for all of the animals.
② Student-volunteers sometimes adopt animals.
③ The animals were abandoned by their owners.
④ Volunteers will receive training before joining.

問 1 - 3

訳 あなたはアメリカに留学していて、滞在中にボランティアをすることに興味を持っています。あなたは、学校のウェブサイトで次の広告を見つけます。

ボランティア募集！
アニマルサポート・ミッションに参加しよう！

動物は好きですか？　マーストンの学生でいる間に、この町で動物たちのお世話をするボランティアをするのはどうでしょう？　2020年に開業したアニマルサポート・ミッションは、専従スタッフの補助をしてくれる学生ボランティアを求めています。これまでの動物との経験は必要ありませんが、参加するには18歳以上でなければなりません。始めることになったら、プロジェクトリーダーが動物の世話の仕方の訓練をします。プロジェクトで活動をしていると、動物への愛情が生まれてくるかもしれません 問1 し、ペットを飼うようになるボランティアもたくさんいます。問3　プロジェクトを以下に簡単に紹介します。

ドッグハウス・プロジェクト
介助犬は、視覚や聴覚が不自由な人を、とても頑張って助けます。ドッグハウスは、引退した介助犬のための、のんびりと余生を楽しむことができる場所です。ボランティアは犬と遊んだり、運動の手助けをしたりします。

キャットホーム・プロジェクト
キャットホームは、飼い主のいない猫に一時的な住まいを提供します。ボランティアは、猫に餌をあげたり世話をしたりするのを手伝います。猫たちに関する情報が収集され、キャットホームのウェブサイトに掲載されます。人々は、引き取る猫を探し、「ずっといられる家」を提供することができます。問2

子ども動物園プロジェクト
マーストン子ども動物園は、小さな子どもがヒツジやヤギやその他の小動物に会いに来られる場所です。ボランティアは、動物を洗ったり、子どもたちが遊びに来ているときに動物の安全を確保する手伝いをしたりします。

語句

［リード文］

volunteer (~)	自	ボランティア活動をする
	他	～を自発的に行う
	名	ボランティア
advertisement	名	広告

［広告］

previous	形	以前の
fond of ~	熟	～が好きで
briefly	副	手短に、簡潔に
service dog	熟	介助犬

have difficulties (V)ing 熟 Vすることに困難がある、Vするのが不自由である
temporary 形 一時的な
adopt ～ 他 ～を養子にする、～を家族として迎え入れる

問 1 正解① **問題レベル【易】 配点 2点**

設問 **広告によると、ボランティアは 3 。**

選択肢
① 動物に愛情を抱くようになるかもしれない
② マーストン地域に居住かつ勤務していなければならない
③ これまでにペットを飼ったことがなければならない
④ 年齢が20歳以上であるべきだ

語句 develop ～ 他 ～を育む、～（感情）を抱く
affection 名 愛情、好意

設問を読むと、「ボランティアが」としかないので、選択肢からキーワードや共通点を探します。するといずれも助動詞（③ need toは厳密には動詞ですが意味的に助動詞扱いとします）から始まっています。**助動詞というのは書き手の気持ちや判断を表す**ので、「ボランティアがこうである、こうなる」といった**主観的な表現がキーワードになりそうです**（❷）。本文を読んでいくと、4文目 No previous experience with animals is needed, but you must be at least 18 years old to join.「これまでの動物との経験は必要ありませんが、参加するには18歳以上でなければなりません」、や6文目 Working on a project, you may begin to feel fond of the animals「プロジェクトで活動をしていると、動物への愛情が生まれてくるかもしれません」が助動詞を含む文なので該当箇所のようですね。「18歳以上じゃなきゃボランティアできない」「ボランティアは動物を好きになるかも」などと自分の言葉で**言い換え**て（❸）、こういった選択肢がないかと探すと①が正解だとわかります。本文 begin to feel fond of ～「～を好きだと感じ始める」が選択肢では develop affection for ～「～への愛情を抱く」に言い換えられています。

問 2　正解③　**問題レベル【易】　配点 2点**

設　問 **キャットホーム・プロジェクトに関して正しいのはどれか。** 4

選択肢 ① マーストンにある、猫の永続的な住まいである。
② 飼い主はウェブサイトを通じて猫の登録をすることができる。
③ 人々はペットにする猫をオンラインで探すことができる。
④ ボランティアはキャットホームに住んでもいい。

語句 permanent 形 永続的な　register ～ 他 ～を登録する

設問より、本文中で読む箇所はthe Cat Home Projectのところだけでよさそうだとわかります（❷）。該当箇所が絞られているので、本文を先に読み通してから選択肢を見た方が早そうです。**自分の言葉で言い換えながら、頭の中に絵が浮かぶ状態を目指しましょう**（❸）。1～2文目ではキャット・ホームについて「そこは飼い主がいない猫の一時的な住まいを提供し、ボランティアが猫の世話をするのを手伝う」とあります。イメージできましたか。3～4文目には「猫の情報はウェブサイトに掲載され、引き取りたい猫を検索できる」ということが書かれていました。ネットで猫を検索する人の状況が浮かぶでしょうか。では選択肢を確認していきます。正解は③ですね。①はpermanent home「永続的な住まい」が、②はOwners can register「飼い主が登録できる」が、④はVolunteers may live「ボランティアが住んでもいい」がそれぞれ×です。

問3　正解②　**問題レベル【易】　配点 2点**

設問 アニマルサポート・ミッションに関して正しいのはどれか。 5

選択肢 ① スタッフはすべての動物の飼い主を探さなくてはならない。

② 学生ボランティアが動物を引き取ることもある。

③ そこの動物たちは飼い主に捨てられた。

④ ボランティアは参加する前に訓練を受けるだろう。

語句 abandon ～ 他 ～を捨てる

設問から the Animal Support Mission 全体のことについての理解を聞いているのだとわかります（❷）。第１段落に該当箇所がありそうですね。第１段落６文目 many volunteers become pet owners「ペットを飼うようになるボランティアもたくさんいます」より、② Student-volunteers sometimes adopt animals.「学生ボランティアが動物を引き取ることもある」が正解です。ボランティアをしているうちに「自分が飼いたい！」と思うようになるのでしょうね（❸、❹）。選択肢①や③は本文に記載ありません。④は紛らわしかったかもしれません。第１段落５文目に Once you start, the project leaders will train you to take care of the animals.「始めることになったら、プロジェクトリーダーが動物の世話の仕方の訓練をします」とありますが、Once は「いったん～すると」という接続詞で、ボランティアを開始したあとに訓練を受けるということです。選択肢④は before joining「参加する前に」といっているので本文と合致しません。

DAY 05 【事実／意見問題】を攻略する「視線の型①」

第2問Aではこれまで、「事実」と「意見」を区別して答えることを求める問題が出題されてきました。このような共通テスト特有の問題に対応する「型」をDay 05～08で確認していきます。

「視線の型」のステップ

❶ 場面・状況を把握する

ここまでの「視線の型」と同じように、問題に当たる前に設定を読み、場面や状況をイメージしましょう。

❷ 見出し、小見出し、図のタイトルやイラストから本文全体の流れを把握する

見出しや小見出し、図がある場合はそのタイトルにも目を通し、全体像を把握しましょう。どこにどんな情報があるのかをあらかじめ把握しておくことで、解くスピードが劇的に上がります。イラストもちゃんと参照しましょう。出題者が補助として必要と判断したから掲載している可能性があります。

第2問 (配点 20) ❶

A You want to buy a good pair of shoes as you walk a long way to school and often get sore feet. You are searching on a UK website and find this advertisement.

❷

Navi 55 presents the new *Smart Support* shoe line

Smart Support shoes are strong, long-lasting, and reasonably priced. They are available in three colours and styles.

nano-chip

Special Features

Smart Support shoes have a nano-chip which analyses the shape of your feet when connected to the *iSupport* application. Download the app onto your smartphone, PC, tablet, and/or smartwatch. Then, while wearing the shoes, let the chip collect the data about your feet. The inside of the shoe will automatically adjust to give correct, personalised foot support. As with other Navi 55 products, the shoes have our popular Route Memory function.

Advantages

Better Balance: Adjusting how you stand, the personalised support helps keep feet, legs, and back free from pain.

Promotes Exercise: As they are so comfortable, you will be willing to walk regularly.

❹-1

Route Memory: The chip records your daily route, distance, and pace as you walk.

Route Options: View your live location on your device, have the directions play automatically in your earphones, or use your smartwatch to read directions.

❹-1 「キーワードあり設問」は該当箇所を本文から探し、狙い読みする

該当箇所を探しに本文にいきましょう。選択肢を先に読んでも時間の無駄になることが多く、また、出題者の誘導にハマりやすくなるので、極力選択肢は見ずに本文の該当箇所を狙い読みします。

内容 第２問Ａではこれまで「図表読解問題」「案内文」「広告文」など、さまざまな英文タイプが出題されています。設問の種類も多様化してくるので、全体を俯瞰しながら、柔軟に解き方を変えることが求められています。Day 05では、第３回共通テスト（2023年実施）を使ってこれまでの「視線の型」をパワーアップさせていきます。

目標解答時間 7 分

※第２問Ａは３ページ構成ですが、ここでは３ページ目を割愛しています。

Customers' Comments

- I like the choices for getting directions, and prefer using audio guidance to visual guidance.
- I lost 2 kg in a month!
- I love my pair now, but it took me several days to get used to them.
- As they don't slip in the rain, I wear mine all year round.
- They are so light and comfortable I even wear them when cycling.
- Easy to get around! I don't need to worry about getting lost.
- They look great. The app's basic features are easy to use, but I wouldn't pay for the optional advanced ones.

問 1 According to the maker's statements, which best describes the new shoes? [6]

① Cheap summer shoes
② High-tech everyday shoes
③ Light comfortable sports shoes
④ Stylish colourful cycling shoes

問 2 Which benefit offered by the shoes is most likely to appeal to you? [7]

① Getting more regular exercise
② Having personalised foot support
③ Knowing how fast you walk
④ Looking cool wearing them

③ 設問を先読みする

問われている内容を把握します。１問ずつで十分です。「どこを見て」「何を答えればいいのか」を正確に捉えましょう。
なお、設問にはキーワードあり（④-1）・キーワードなし（④-2）の２タイプあるので、それぞれ以下で説明するように対応します。

④-2 「キーワードなし設問」は選択肢を一つずつ本文と照らし合わせながら検討する

第２問は消去法を使って解く問題も多いです。消去法タイプの場合は「○」「?」「×」など印を付けながら選択肢を一つずつ本文に照らし合わせて処理しましょう。

では、この「視線の型」を使って、次ページの問題に取り組みましょう！

第 2 問 （配点　20）

A　You want to buy a good pair of shoes as you walk a long way to school and often get sore feet. You are searching on a UK website and find this advertisement.

Navi 55 presents the new *Smart Support* shoe line

Smart Support shoes are strong, long-lasting, and reasonably priced. They are available in three colours and styles.

Special Features

Smart Support shoes have a nano-chip which analyses the shape of your feet when connected to the *iSupport* application. Download the app onto your smartphone, PC, tablet, and/or smartwatch. Then, while wearing the shoes, let the chip collect the data about your feet. The inside of the shoe will automatically adjust to give correct, personalised foot support. As with other Navi 55 products, the shoes have our popular Route Memory function.

Advantages

Better Balance: Adjusting how you stand, the personalised support helps keep feet, legs, and back free from pain.

Promotes Exercise: As they are so comfortable, you will be willing to walk regularly.

Route Memory: The chip records your daily route, distance, and pace as you walk.

Route Options: View your live location on your device, have the directions play automatically in your earphones, or use your smartwatch to read directions.

Customers' Comments

- I like the choices for getting directions, and prefer using audio guidance to visual guidance.
- I lost 2 kg in a month!
- I love my pair now, but it took me several days to get used to them.
- As they don't slip in the rain, I wear mine all year round.
- They are so light and comfortable I even wear them when cycling.
- Easy to get around! I don't need to worry about getting lost.
- They look great. The app's basic features are easy to use, but I wouldn't pay for the optional advanced ones.

問 1 According to the maker's statements, which best describes the new shoes? [6]

① Cheap summer shoes
② High-tech everyday shoes
③ Light comfortable sports shoes
④ Stylish colourful cycling shoes

問 2 Which benefit offered by the shoes is most likely to appeal to you? [7]

① Getting more regular exercise
② Having personalised foot support
③ Knowing how fast you walk
④ Looking cool wearing them

問 3　One **opinion** stated by a customer is that [8].

① the app encourages fast walking
② the app's free functions are user-friendly
③ the shoes are good value for money
④ the shoes increase your cycling speed

問 4　One customer's comment mentions using audio devices. Which benefit is this comment based on? [9]

① Better Balance
② Promotes Exercise
③ Route Memory
④ Route Options

問 5　According to one customer's opinion, [10] is recommended.

① allowing time to get accustomed to wearing the shoes
② buying a watch to help you lose weight
③ connecting to the app before putting the shoes on
④ paying for the *iSupport* advanced features

問 1－5

訳 あなたは徒歩で長距離通学をしていて足が痛くなることが多いので、いいシューズを買いたいと思っています。イギリスのウェブサイトを検索していて次のような広告を見つけます。

ナビ55から新しく「スマートサポート」シューズのシリーズが登場

「スマートサポート」シューズは強くて長持ち、しかもお手頃な価格です。色とスタイルが３種類あります。

特色

「スマートサポート」シューズにはナノチップが搭載されていて、「アイサポート」アプリに接続するとあなたの足の形を分析します。問１
スマホや PC、タブレット、スマートウォッチにアプリをダウンロードしてください。そして、シューズを履いた状態で、チップに足のデータを収集させましょう。シューズの内部が自動的に、ぴったりとその人に合わせた足の支えになるよう調節してくれます。他のナビ55製品同様、シューズには人気のルートメモリー機能が付いています。

長所

バランス改善：個人に合わせた支えが、あなたの立ち方を調整するので、足先や脚部や腰の痛みから解放されます。問２
運動推進：とても快適なので、定期的に歩きたくなります。
ルートメモリー：チップがあなたの毎日のルート、距離、歩くペースを記録します。
ルートオプション：ご自身のデバイスでその時々の位置情報を確認したり、イヤフォンで自動的に道案内を流したり問４-２、スマートウォッチで道順の確認をしたりできます。

お客さまからのコメント

- 道案内機能が気に入りました。目で見る案内よりも音声案内の方が好きです。問４-１
- １カ月で２キロ体重が落ちました！
- 今は自分のシューズが気に入っていますが、慣れるまで数日かかりました。問５
- 雨でも滑らないので、年中履いています。
- 軽くて快適なのでサイクリングの時にも履いています。
- 歩き回るのが楽！　道に迷う心配もありません。
- 見た目がとてもいいです。アプリの基本機能も使いやすいのですが、オプションの拡張機能にお金を出そうとは思いません。問３

語句

[リード文]
sore feet 熟（靴擦れなどによる）足の痛み
advertisement 名 広告、宣伝
[広告]
line 名 商品ライン、シリーズ
long-lasting 形 長持ちする
reasonably 副（値段などが）手頃で
[特色]
analyse ～ 他 ～を分析する（イギリス式つづり）
application 名（コンピューターの）アプリケーション、アプリ（= app）
automatically 副 自動的に
adjust 自 順応する、適応する
personalise ～ 他 ～を個人に合わせる（イギリス式つづり）
as with ～ 熟 ～と同様に
function 名 機能
[長所]
location 名 所在地、位置
direction 名（～sで）道順、道案内
[コメント]
get used to ～ 熟 ～に慣れる

問1 正解② **問題レベル【易】 配点 2点**

設問 **メーカーの記述に従って、新製品のシューズを最もよく説明しているのはどれか。** 6

選択肢 ① 安価な夏用シューズ
② ハイテクな日常シューズ
③ 軽くて快適なスポーツシューズ
④ おしゃれでカラフルなサイクリングシューズ

まずは❶**場面・状況把握**から。状況の説明文には、You want to buy a good pair of shoes as you walk a long way to school and often get sore feet.「あなたは徒歩で長距離通学をしていて足が痛くなることが多いので、いいシューズを買いたいと思っています」とあります。この前提をしっかり頭に入れておきましょう。

さて、❷**広告文の見出しと小見出しを確認します。**見出しは読みづらいので無視したくなるかもしれませんが、少しでもいいから情報を拾ってください。Navi 55 presents the new Smart Support shoe line は「ナビ55から新しく「スマートサポート」シューズのシリーズが登場」という意味ですが、new「新しい」、Smart Support「スマートサポート」などの表現から最先端の技術を組み込んだ感じがしますね。シューズのイラストからも「ナノチップ」なるものが埋め込まれていることがわかります。小見出しは“Special Features”「特色」、“Advantages”「長所」、“Customers' Comments”「お客さまからのコメント」です。このように全体像を把握してから**設問を確認しましょう**（❸）。

問1は「製品を最もよく説明しているのは」という問題です。**該当箇所を本文から探します**（❹-1）。“Special Features”「特色」のところに答えがありそうですね。**英語では段落1文目に「その段落のまとめ」と言える文がくることが多い**です。1文目に特に力を入れて読解しましょう（Day 18「論理的読解の型」でも詳しく扱います）。*Smart Support* shoes have a nano-chip which analyses the shape of your feet when connected to the *iSupport* application. とあります。要するに「ナノチップが搭載されていて、アプリに接続するシューズ」で、これがこの製品の特徴です。見出しやイラストからも予測していたように、テクノロ

ジーを組み込んだシューズのようですね。ここで選択肢を見ると High-tech「ハイテク」とある②が正解だとわかります。

①は、広告1文目に reasonably priced「お手頃価格の」とあり、cheap がその言い換えかと思ったかもしれませんが、summer が不可です。どこにも「夏用」とはありません。③の comfortable は“Advantages「長所」や“Customers' Comments”「お客さまからのコメント」にありましたが、sports shoes「スポーツシューズ」という説明はありませんでした。④も広告1文目で three colours and styles と、色とスタイルについての言及はありましたが、cycling shoes「サイクリングシューズ」ではありません。

こう説明されると「本文に書かれていないかどうかは隅から隅まで全部読まないといけないから大変」と思われるかもしれませんが、そもそも①・③・④は「製品を最もよく説明している」とは言えないですよね。この製品の特徴はハイテクなスマートシューズです。ナノチップの場所を示すイラストまでついています。選択肢一つ一つ照らし合わせて消去法で解くやり方だと時間がかかってしまいます。あくまで、「**該当箇所と思われるところを狙い読みして（余計なところは読まずに）すぐに選択肢を確認する**」が正攻法です。今回は見出し、イラスト、そして“Special Features”の1文目から、「テクノロジーが売りってことね」と判断して選択肢を見れば、他の選択肢には目もくれず②を正解として選べます。

なお、設問に According to the maker's statement とあるので、「お客さまからのコメント」に解答の根拠を求めないよう気を付けましょう。

問2 正解② **問題レベル【普通】 配点 2点**

設問 **このシューズで得られる利点のうち、どれがあなたに最も魅力的でありそうか。** 7

選択肢
① 定期的な運動が増えること
② 個人に合わせて足が支えられること
③ 自分の歩く速さがわかること
④ それを履くとおしゃれに見えること

語句 benefit 名 有益なこと、メリット

まず❸**設問を読み**、「あなたに最も魅力的でありそうな、このシューズの利点」を答えるのだと把握します。そもそも「あなた」がこの広告に目を通している理由は、リード文にあったように「徒歩で長距離通学をしていて足が痛くなることが多い」からでした。ということは、読み手がこのスマートシューズを選ぶポイントは何ですか。長距離通学にも向いている、足が痛くならない、ですよね。このスマートシューズはそういった要望に応えてくれそうです。もうこの時点で選択肢② Having personalised foot support「個人に合わせて足が支えられること」が正解だとわかります。今回の解答根拠（❹-1）は“Advantages”「長所」の1つ目の項目、Adjusting how you stand, the personalised support helps keep feet, legs, and back free from pain.「個人に合わせた支えが、あなたの立ち方を調整するので、足先や脚部や腰の痛みから解放されます」ですが、実際はこの箇所を参照しなくても②が正解だろうと思うことができます。

この問題のように、共通テストでは、リード文の場面設定から容易に答えが絞られてしまう問題も出題されています。特に広告文や案内文では場面設定の把握を怠らないようにしましょう。

問3 正解② 問題レベル【易】 配点 2点

設問 客が述べている意見の一つは、[8]ということだ。

選択肢 ① アプリが速く歩くことを促す
② アプリの無料機能が利用しやすい
③ このシューズが値段の割にいいものである
④ このシューズでサイクリングのスピードが上がる

❸設問を読むと「客が述べている意見の一つは」とあり、「お客さまからのコメント」から答えを探すことがわかります。「事実」「意見」を識別する問題で、今回は意見を選ぶ方です（「意見読み取りの型」は Day 06で扱います）。設問だけからは狙い読みができないので選択肢を先に読みます（❹-2）。選択肢①や④は製品の性能っぽいので（性能であれば「事実」）後回しにしましょう。②の user-friendly「利用しやすい」や③の good value for money「値段の割にいい」は共に主観を表す形容詞が使われており明らかな意見なので、どちらかが書かれてあれば正解となりえます。

それでは「お客さまからのコメント」を探し読みします。まず②「無料機能」については、一番下のコメント（7つ目）に The app's basic features are very easy to use「アプリの基本機能も使いやすい」とありますが、ここを読んだだけでは basic features「基本機能」が「無料」なのか判断がつきません。そのまま読んでいくと、but I wouldn't pay for the optional advanced ones.「でもオプションの拡張機能にお金を出そうとは思いません」とあるので、基本機能は無料なのだとわかります。これは明らかに意見なので②が正解です。③の「値段の割にいい」というコメントはどこにもありません。広告文自体には1文目に reasonably priced とありますが、「客が述べている意見」を問われているのでコメント以外は見ないようにしましょう。

問4 正解④ 問題レベル【易】 配点 2点

設問 1人の客がオーディオ機器の利用に言及している。そのコメントはどの利点についてのものか。[9]

選択肢 ① バランス改善 ② 運動推進 ③ ルートメモリー ④ ルートオプション

❸設問を読むと、「1人の客がオーディオ機器の利用に言及している。」とあり、「お客さまからのコメント」の中からオーディオ機器について言及している箇所を探せばいいのだとわかります（❹-1）。1つ目のコメント I like the choices for getting directions, and prefer using audio guidance to visual guidance.「道案内機能が気に入りました。目で見る案内よりも音声案内の方が好きです」にありますね。「道案内機能」→「音声案内の方が好き」、という流れなので、今度は「道案内」の機能を広告の"Advantages"から探すと4つ目の"Route Options"のところに have the directions play automatically in your earphones「イヤフォンで自動的に道案内を流す」とあります。ここから④が正解だとわかります。

問5 正解① 問題レベル【普通】 配点 2点

設問 1人の客の意見では、 10 が薦められている。

選択肢 ① シューズの着用に慣れるための時間を考慮に入れること

② 体重を減らす役に立つよう腕時計を買うこと

③ シューズを履く前にアプリに接続すること

④「アイサポート」拡張機能を使うための料金を払うこと

語句

recommend ～	他 ～を薦める		考慮する
allow time to (V)	熟 Vする時間を	get accustomed to ～	熟 ～に慣れる

❸**設問**の「1人の客の意見では」より、これも「お客さまからのコメント」の中から該当箇所の意見を探す問題だとわかります。「何が薦められているか」ということなので、読者に何らかの行動を促すことにつながっていそうなコメントを狙い読みしていきましょう（❹-1）。3つ目のコメント、I love my pair now, but it took me several days to get used to them.「今は自分のシューズが気に入っていますが、慣れるまで数日かかりました」より、① allowing time to get accustomed to wearing the shoes「シューズの着用に慣れるための時間を考慮に入れること」が正解です。この選択肢は理解しづらかったかもしれません。ここでは allow が「許可する」の意味ではなく「考慮する」の意味で使われています。一見、定番の allow O to do の形に見えますが、to get ～は time にかかる形容詞的用法の不定詞です。また、get accustomed to ～「～に慣れる」はコメント内の get used to の**言い換え**となっています。「慣れるまで数日かかりました」というコメントから、「慣れる時間を考慮に入れること」が薦められていると考えられます。

②は2つ目のコメントに「体重が落ちました！」とありましたが、「シューズのおかげで体重が落ちた」ということであり a watch「腕時計」は関係ないので不正解。③④はそのようなコメントはなかったので不正解です。

第2問 （配点　20）

A You are a member of a school newspaper club and received a message from Paul, an exchange student from the US.

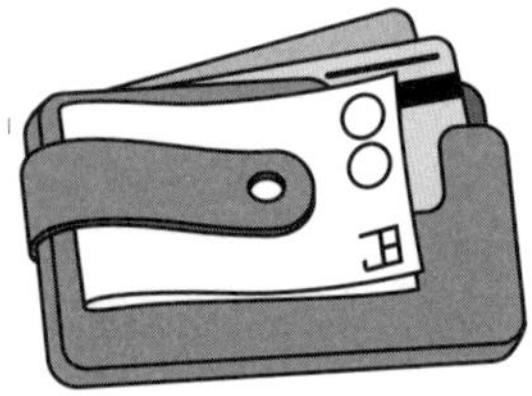

I have a suggestion for our next issue. The other day, I was looking for a new wallet for myself and found a website selling small slim wallets which are designed to hold cards and a few bills. Weighing only 60 g, they look stylish. As I mainly use electronic money, this type of wallet seemed useful. I shared the link with my friends and asked them what they thought. Here are their comments:

- I use a similar wallet now, and it holds cards securely.
- They look perfect for me as I walk a lot, and it would be easy to carry.
- I'd definitely use one if the store near my house accepted electronic money.
- Cards take up very little space. Cashless payments make it easier to collect points.
- I use both electronic money and cash. What would I do with my coins?
- Interesting! Up to 6 cards can fit in it, but for me that is a card-holder, not a wallet.
- I like to keep things like receipts in my wallet. When I asked my brother, though, he told me he wanted one!
- They are so compact that I might not even notice if I lost mine.

When I talked with them, even those who don't like this type of wallet pointed out some merits of using cards and electronic money. This made me wonder why many students still use bills and coins, and I thought this might be a good topic for our newspaper. What do you think?

共通テスト2023年追試験に掲載されたイラストとは異なります。

問 1　Which question did Paul probably ask his friends? [6]

① Do you carry a wallet?
② Do you use electronic money?
③ What do you keep in your wallet?
④ What do you think about these wallets?

問 2　A **fact** about a slim wallet mentioned by one of Paul's friends is that it [7].

① can hold half a dozen cards
② can slip out of a pocket easily
③ is ideal for walkers
④ is lighter than 80 g

問 3　One response shows that one of Paul's friends [8].

① finds slim wallets cool but doesn't want to use one
② prefers the capacity of a regular wallet
③ thinks slim wallets will be less popular in the future
④ uses a slim wallet with another wallet for coins

問 4　According to Paul's friend, using the wallet with electronic money makes it easier to [9].

① carry safely
② receive benefits
③ record receipts
④ use at any shop

問 5 Paul wants to find out more about [10].

① different types of electronic money
② students' reasons for using cash
③ the benefits of slim wallets for young people
④ the differences between small and large wallets

問 1－5

訳 あなたは学校の新聞部員で、アメリカからの交換留学生ポールからメッセージを受け取りました。

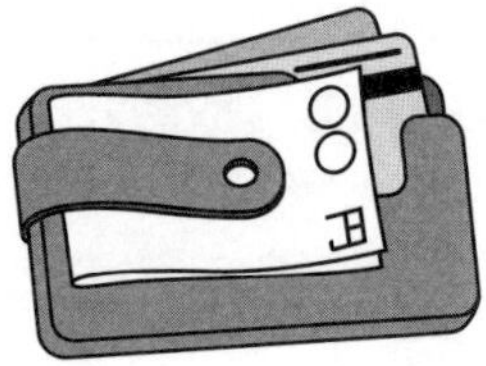

次の号の提案があります。この前、自分用の新しい財布を探していて、カードを何枚かとお札を数枚入れられるようになっているスリムな財布を売っているウェブサイトを見つけました。重さわずか60グラムで、見た目もおしゃれです。僕は主に電子マネーを使っているので、このタイプの財布は便利に思えました。友人にリンクをシェアして彼らの意見を聞いてみました。彼らのコメントは次のとおりです：問1

- 今、同じような財布を使ってるけど、カードはしっかり収まるよ。
- たくさん歩く自分にはちょうど良さそうに見える、それに持ち歩きやすそう。
- 家の近所の店で電子マネーが使えたら絶対に自分でもこういうのを使うんだけどな。
- カードは場所を取らない。キャッシュレス決済でポイントを貯めやすくなる。問4
- 自分は電子マネーと現金の両方を使ってる。硬貨はどうしたらいい？
- 面白い！ カードを６枚まで収納できるんだね問2、でも僕からするとこれは財布というよりカード入れだな。
- 私はレシートみたいなものも財布に入れておきたい。問3 でも弟に聞いてみたら、こういうのが欲しいって言ってたよ！
- とてもコンパクトだから、なくしたとしても気付かないかもしれない。

彼らと話していると、このタイプの財布が好みでない人もカードや電子マネーを使うメリットを指摘していました。このことから、多くの学生がまだ紙幣や硬貨を使っているのはなぜなのか不思議に感じた問5のですが、これは新聞のいいトピックになるかもしれないと思いました。どう思いますか？

語句

［リード文］
exchange student　熟 交換留学生
［メッセージ］
［第１段落］
issue　名（定期刊行物の）号
be designed to (V)　熟 Vするように作られている、Vするようになっている
electronic money　熟 電子マネー
［コメント］
securely　副 しっかりと
definitely　副 間違いなく、絶対に
take up ～　熟 ～（場所）を占める
receipt　名 レシート、領収書
［第２段落］
bill　名 紙幣、札

問1　正解④　**問題レベル【易】　配点 2点**

設問 **ポールは友人たちにおそらくどの質問をしたか。** 6

選択肢 ① あなたは財布を持ち歩きますか。
② あなたは電子マネーを使っていますか。
③ あなたは財布に何を入れていますか。
④ こういう財布についてあなたはどう思いますか。

まずは❶**場面・状況把握**から。状況の説明文によると「あなたは学校の新聞部員」で「交換留学生ポールからメッセージを受け取った」とあります。本文がそのメッセージ内容でしょうね。

次に❷**全体を把握しましょう。**メッセージには見出しも小見出しもありませんが、イラストと8つの"●"に目がとまりますね。"●"が並ぶ直前に Here are their comments:「彼らのコメントは次のとおりです」とあるので、コメント（つまり意見）が並んでいるのだと把握します。

そして❸**設問の先読みです。**「ポールは友人たちにおそらくどの質問をしたか」ということなので、**コメントが出てくる直前に特に注意を払えばいいことがわかります**（❹-1）。コメント紹介の前には I shared the link with my friends and asked them what they thought.「友人にリンクをシェアして彼らの意見を聞いてみました。」とありますが、ここだけでは何についての意見を聞いたのかわかりません。さらにその前にさかのぼると、this type of wallet seemed useful.「このタイプの財布は便利に思えました」とあるため、イラストにあるようなカードとお札を挟むタイプの財布についての意見を聞いているのだとわかります。よって答えは④です。

問 2 正解① 問題レベル【易】 配点 2点

設問 **ポールの友人の一人が述べているスリムな財布に関する事実は、それが [7] ということだ。**

選択肢 ① カードを半ダース入れられる
② ポケットから滑り落ちやすい
③ 歩く人にとって理想的だ
④ 80グラムよりも軽い

語句 ideal 形 理想的な

Day 05

❸**まず設問**から、友人のコメントから「事実」を探すことがわかります。狙い読みができないので選択肢を先に読みます（❹-2）。選択肢②の easily や③の ideal は主観表現で意見寄りなので後回しにしましょう。一方、① can hold half a dozen cards「カードを半ダース入れられる」や④ is lighter than 80 g「80グラムよりも軽い」は数字なので事実寄りです（「事実読み取りの型」は Day 08で詳しく扱います）。なお dozen は12を指すので、half a dozen cards は「6枚のカード」という意味。これは6つ目のコメントにある Up to 6 cards can fit in it「カードを6枚まで収納できる」に一致します。よって①が正解です。④に関してはポールが第1段落3文目で Weighing only 60 g「重さわずか60グラム」と言っているので事実ですが、友人のコメントではないので不正解です。

問 3　正解②　**問題レベル【普通】　配点 2点**

設　問　**一つの反応から、ポールの友人の一人が　8　ことがわかる。**

選択肢　① スリムな財布はかっこいいと思うが使いたいとは思っていない
② 普通の財布の容量の方を好んでいる
③ スリムな財布は今後、人気がなくなるだろうと思っている
④ スリムな財布と硬貨用にもう一つ財布を使っている

語句　capacity 名 収容能力、容量

❸**設問から、**友人のコメントから答えを探すことがわかります。狙い読みができないので選択肢を先に読みます（❹-2）。スリムな財布についての好意的な記述と否定的な記述が混在しているので、このような場合は**どちら側なのかを整理しながら解く**と速く解けます。

選択肢①は「スリムな財布はかっこいいと思うけど使いたくない」なので結局は否定的。②「普通の財布の容量の方を好む」、③「スリムな財布は今後人気がなくなるだろうと思っている」も否定的です。④「スリムな財布以外にもう一つ財布を使っている」はスリムな財布も使っているという点で好意的、ですね。

ではコメントを見ていきます。選択肢の意見の４分の３を否定的な意見が占めていたので、本文からも否定的な意見を中心に探すと速く解けそうですね。否定的な意見は５つ目と７つ目のコメントに見られます。ここを読むと、７つ目の「レシートみたいなものも入れたい」という発言から、普通の財布の容量（=capacity）を気に入っていると言えるので、正解は②だとわかります。なお、どちらのコメントもcoolというようなことは言っていないため①は不正解、どちらも人気については言及していないため③も不正解、④はコメント５つ目に「電子マネーと現金の両方を使ってる」という発言はありますが、２つの財布を使っている、とは言っていないので不正解です。

問 4　正解 ②　**問題レベル【普通】　配点 2点**

設　問　**ポールの友人によると、電子マネーを入れた財布を使うと [9] ことが簡単になる。**

選択肢　① 安全に持ち運ぶ
② 特典を受け取る
③ レシートの記録をする
④ あらゆる店で使う

まず❸**設問を読みましょう**。設問の英文、～ make it easier to (V) は「～によってVすることがより簡単になる」という意味です（make + O + C「OをCにする」文型で、形式目的語 it が to 不定詞以下を指しています）。電子マネーを入れた財布を使うと何が簡単になるのか、ということで、スリムな財布に好意的な意見から該当箇所を探します（**❹-1**）。まず2つ目のコメントで、it would be easy to carry「持ち歩きやすそう」とあります。選択肢を見ると①が該当しそうだと思うかもしれませんが、これは引っかけですね。safely「安全に」とは言っていません。ここでは答えが出なさそうなので別の該当箇所を探しに戻ると、4つ目のコメントで make it easier to collect points「ポイントを貯めやすくなる」とあります。選択肢② receive benefits「特典を受け取る」が言い換えとして適切ですね。正解は②です。

問 5　正解 ②　**問題レベル【易】　配点 2点**

設　問　**ポールは [10] についてもっと知りたいと思っている。**

選択肢　① さまざまな種類の電子マネー
② 学生たちが現金を使う理由
③ 若者にとってのスリムな財布の利点
④ 小型の財布と大型の財布の違い

まず❸**設問を確認しましょう**。今回も**狙い読み**ができそうです。「ポールがもっと知りたいと思っていること」を本文から探します（**❹-1**）。今度はポールの主観を追う問題ですね。最後の段落の2文目で This made me wonder why many students still use bills and coins「このことから、多くの学生がまだ紙幣や硬貨を使っているのはなぜなのか不思議に感じた」とあります。ここにあたりをつけて選択肢を見ていくと、② students' reasons for using cash「学生たちが現金を使う理由」がピッタリですね。よって、②が正解です。

DAY 06

【事実／意見問題】を攻略する「意見読み取りの型」

第2問Aで毎回問われる「事実」と「意見」を区別する問題で確実に得点するために、「意見読み取りの型」と「事実読み取りの型」を、Day 06とDay 08に分けて扱います。ここでは「意見読み取りの型」をマスターしていきましょう。

「意見読み取りの型」のステップ

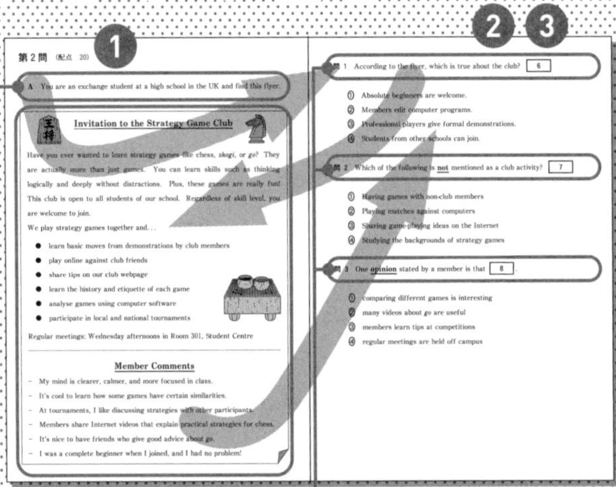

第2問 (配点 20)

A You are an exchange student at a high school in the UK and find this flyer.

Invitation to the Strategy Game Club

Have you ever wanted to learn strategy games like chess, *shogi*, or *go*? They are actually more than just games. You can learn skills such as thinking logically and deeply without distractions. Plus, these games are really fun! This club is open to all students of our school. Regardless of skill level, you are welcome to join.

We play strategy games together and...

- learn basic moves from demonstrations by club members
- play online against club friends
- share tips on our club webpage
- learn the history and etiquette of each game
- analyse games using computer software
- participate in local and national tournaments

Regular meetings: Wednesday afternoons in Room 301, Student Centre

Member Comments

- My mind is clearer, calmer, and more focused in class.
- It's cool to learn how some games have certain similarities.
- At tournaments, I like discussing strategies with other participants.
- Members share Internet videos that explain practical strategies for chess.
- It's nice to have friends who give good advice about *go*.
- I was a complete beginner when I joined, and I had no problem!

問1 According to the flyer, which is true about the club? [6]

① Absolute beginners are welcome.
② Members edit computer programs.
③ Professional players give formal demonstrations.
④ Students from other schools can join.

問2 Which of the following is **not** mentioned as a club activity? [7]

① Having games with non-club members
② Playing matches against computers
③ Sharing game-playing ideas on the Internet
④ Studying the backgrounds of strategy games

問3 One **opinion** stated by a member is that [8].

① comparing different games is interesting
② many videos about *go* are useful
③ members learn tips at competitions
④ regular meetings are held off campus

1 「視線の型」を使う

Day 05の「視線の型」が基本の型となります。

2 「意見読み取りの型」その1：「意見」問題だと気付く

まずは設問から「意見を答える問題だ」と気が付くことが大切です。「意見」と「事実」の区別を問う場合、2024年までの共通テストでは設問内のopinionまたはfactの文字を太字にし、かつ下線を引いて目立たせてありましたが、今後もそのような形式の問われ方が続くとは限りません。また、明らかなfact / opinion問題ではなくても、「これは意見を問われているのだな」と気付くことで、該当箇所に早く正確にたどりつくことがあります。

内容 第2問Aでは毎回、与えられた情報が誰かの「意見」なのか、それとも客観的な「事実」なのかを判断させる問題が出題されています。最近は見極めが難しい問題が出題されなくなってきている傾向にありますが、HP上の報告書などを見るに、共通テスト問題作成部会が「事実」「意見」の見極めを軽視し始めているというわけではありません。問い方を工夫し形を変えて出題され続けることが予想されるため、依然見極めは重要です。Day 06では、「意見読み取りの型」を中心に扱います。

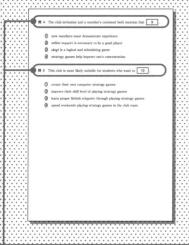

目標解答時間7分

問 4 The club invitation and a member's comment both mention that [9].

① new members must demonstrate experience
② online support is necessary to be a good player
③ *shogi* is a logical and stimulating game
④ strategy games help improve one's concentration

問 5 This club is most likely suitable for students who want to [10].

① create their own computer strategy games
② improve their skill level of playing strategy games
③ learn proper British etiquette through playing strategy games
④ spend weekends playing strategy games in the club room

③ 「意見読み取りの型」その２:「主観表現」に反応する

「意見が割れる」「意見を戦わせる」などというように、「意見」とは「あることに対する考え」で、100人いれば100通りの意見があります。賛同者の数は関係ありません。99人が同意しても1人でも「違うと思う」と言う人がいそうならそれは意見です。
例えば「戦争は絶対にしてはいけない」という主張を、いかに事実を元に組み立てたとしても、「だからダメだ」という最後の結論は意見です。同じ事実を元に「だから時には戦争が必要なこともある」という意見もありうるからです。
結局は「主観的な考え」なのです。よって意見を述べる時は、主観を表明する合図として、
①思考動詞（think「思う」やseem「ようだ」など）
②助動詞（could「かも」やshould「すべき」など）
③主観・感情を表す語（necessary「必要だ」やinterestingly「興味深いことに」など）
がよく使われるので覚えておきましょう。
※このような「主観表現」が事実を述べる文の中で使われている場合もあるので、最終的には文脈で判断する必要があります。

では、この「意見読み取りの型」を使って、次ページの問題に取り組みましょう！

第2問 (配点 20)

A You are an exchange student at a high school in the UK and find this flyer.

Invitation to the Strategy Game Club

Have you ever wanted to learn strategy games like chess, *shogi*, or *go*? They are actually more than just games. You can learn skills such as thinking logically and deeply without distractions. Plus, these games are really fun! This club is open to all students of our school. Regardless of skill level, you are welcome to join.

We play strategy games together and. . .

- learn basic moves from demonstrations by club members
- play online against club friends
- share tips on our club webpage
- learn the history and etiquette of each game
- analyse games using computer software
- participate in local and national tournaments

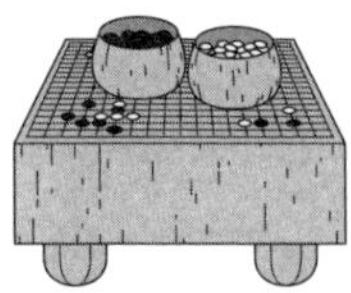

Regular meetings: Wednesday afternoons in Room 301, Student Centre

Member Comments

– My mind is clearer, calmer, and more focused in class.
– It's cool to learn how some games have certain similarities.
– At tournaments, I like discussing strategies with other participants.
– Members share Internet videos that explain practical strategies for chess.
– It's nice to have friends who give good advice about *go*.
– I was a complete beginner when I joined, and I had no problem!

問 1　According to the flyer, which is true about the club? [6]

① Absolute beginners are welcome.
② Members edit computer programs.
③ Professional players give formal demonstrations.
④ Students from other schools can join.

問 2　Which of the following is **not** mentioned as a club activity? [7]

① Having games with non-club members
② Playing matches against computers
③ Sharing game-playing ideas on the Internet
④ Studying the backgrounds of strategy games

問 3　One **opinion** stated by a member is that [8].

① comparing different games is interesting
② many videos about *go* are useful
③ members learn tips at competitions
④ regular meetings are held off campus

問 4 The club invitation and a member's comment both mention that [9].

① new members must demonstrate experience
② online support is necessary to be a good player
③ *shogi* is a logical and stimulating game
④ strategy games help improve one's concentration

問 5 This club is most likely suitable for students who want to [10].

① create their own computer strategy games
② improve their skill level of playing strategy games
③ learn proper British etiquette through playing strategy games
④ spend weekends playing strategy games in the club room

DAY 06 > 例 題 [解 説]

問 1 − 5

訳 あなたはイギリスの高校に来ている交換留学生で、このチラシを見つけます。

戦略ゲームクラブへのお誘い

チェスや将棋や囲碁といった戦略ゲームを学んでみたいと思ったことはありませんか？　これらは実のところ、単なるゲーム以上のものです。気を散らすことなく論理的に深く思考する、といったスキルを学ぶことができます。問4-1　しかも、これらのゲームはとても楽しいのです！　当クラブは当校の全ての生徒に開かれています。スキルレベルにかかわらず、入部を歓迎します。問1

一緒に戦略ゲームをして……

- 部員の実演から基本の動きを学びます
- 部内の友人とオンライン対戦をします
- クラブのウェブページでコツを共有します問2③
- それぞれのゲームの歴史とマナーを学びます問2④
- コンピューターソフトを使ってゲーム分析をします
- 地方大会や全国大会に参加します問2①

定例活動：水曜午後、学生センター 301号室

部員のコメント

・授業中も頭がスッキリと落ち着いて、集中できるようになりました。問4-2
・複数のゲームに特定の共通点があることを知るのは楽しい。問3
・大会で他の参加者と指し手について話し合うのが好きです。
・チェスの実戦での指し手を解説するインターネット動画を、部員同士で共有しています。
・囲碁のいいアドバイスをしてくれる友達がいるのはうれしい。
・入部したときは全くの初心者でしたが、全然問題ありませんでした！

語句

［案内本文］

- strategy game　熟 戦略ゲーム
- logically　副 論理的に
- distraction　名 気が散ること
- plus　副 加えて、さらに
- regardless of ～　熟 ～にかかわらず
- demonstration　名 実演
- tip　名 秘訣、コツ
- etiquette　名 エチケット、マナー
- analyse ～　他 ～を分析する（イギリス式つづり）
- tournament　名 トーナメント大会
- centre　名 センター（イギリス式つづり）

［コメント］

- focused　形 集中した

similarity	名 類似点、共通点	strategy	名 戦略、（駒などの）動かし方、手

問1 正解① **問題レベル【易】 配点 2点**

設 問 **チラシによると、クラブに関して正しいのはどれか。** 6

選択肢 ① 全くの初心者も歓迎である。

② 部員はコンピュータープログラムの編集をする。

③ プロのプレーヤーが公式の実演をしてくれる。

④ 他校の生徒も入部できる。

語句 absolute 形 全くの　edit ～ 他 ～を編集する

まずは**視線の型で場面・状況把握、タイトルやサブタイトルの把握後、設問を見ていきます**（❶）。問1は「クラブに関して正しいのはどれか」という問題です。探し読みが難しいので選択肢を先にざっと見てキーワードをおさえておくといいですね。①全くの初心者も歓迎、②部員がプログラム編集をする、③プロが実演してくれる、④他校の生徒も入部OK、これらの情報を探しながら本文を読んでいきます。**ふつう「チラシ」という媒体は全体的な特徴をざっくりと述べた後に具体的な説明に移ります。**問1ですし、最初の段落に書かれてあるクラブの大まかな特徴について聞かれているのだろうと考えましょう。最初の段落最終文 Regardless of skill level, you are welcome to join.「スキルレベルにかかわらず、入部を歓迎します」とあることから①が正解だとわかります。

問2 正解② **問題レベル【普通】 配点 2点**

設 問 **次のうち、クラブの活動として言及されていないのはどれか。** 7

選択肢 ① 部員以外とゲームをすること

② コンピューターを相手に対戦すること

③ インターネットでゲームのやり方のアイデアを共有すること

④ 戦略ゲームの背景知識を学ぶこと

視線の型（❶）により、設問から「クラブの活動として言及されていないもの」を答えるのだとまず把握します。「でないもの」を選ぶいわゆる「not 問題」は、先に選択肢を見ておくと解きやすいです。①部員以外とゲームをする、②コンピューターと対戦する、③ネット上でアイデアを共有する、④ゲームの背景知識を学ぶ、です。クラブの活動については、チラシの真ん中にある●に詳細がありそうですね。まず、まず3つ目の●で share tips on our club webpage「クラブのウェブページでコツを共有します」とあるので③はOKです。次に4つ目の●で learn the history and etiquette of each game「それぞれのゲームの歴史とマナーを学びます」とあるので④はOK、そして6つ目の●で participate in local and national tournaments「地方大会や全国大会に参加します」とあるので①もOKです。大会で部員以外と試合をしますね。よって正解は書かれていない②です。対戦相手については2つ目の●で「部内の友人とオンライン対戦をする」とありますが、コンピューターを相手に対戦とは書かれていません。

問 3 正解① 問題レベル【やや難】 配点 2点

設問 部員が述べている意見の一つは、[8]ということだ。

選択肢 ① 異なるゲームを比較するのは興味深い
② 囲碁に関する動画の多くが役に立つ
③ 部員は競技会でコツを学ぶ
④ 定例活動が学外で行われる

語句 off campus 熟 キャンパス外で、学外で

視線の型により、設問を読む（❶）と、部員のコメントから答えを探すことがわかります。**「事実」「意見」を識別する問題で、今回は意見を選ぶ方です**（❷）。まず設問だけからは狙い読みができないので選択肢を先に読みます。選択肢③や④は事実っぽいので後回しにしましょう。①の interesting「興味深い」や②の useful「役に立つ」は共に主観形容詞が使われており明らかな「意見」なので、どちらかが書かれてあれば正解となりえます（❸）。

それでは「部員のコメント」を探し読みします。まず①「異なるゲームの比較」については、2つ目のコメントで It's cool to learn how some games have certain similarities.「複数のゲームに特定の共通点があることを知るのは楽しい」と書かれているので問題なさそうです。正解は①ですね。②の動画に関しては4つ目のコメントに Members share Internet videos that explain practical strategies for chess.「チェスの実戦での指し手を解説するインターネット動画を、部員同士で共有しています」とありましたが、囲碁ではなくチェスの動画ですし、そもそもその動画が役に立つかどうかも書かれていないので誤りです。

問 4 正解④ 問題レベル【普通】 配点 2点

設問 クラブの案内と部員のコメントの両方で、[9]と述べられている。

選択肢 ① 新入部員は経験を披露しなければならない
② いいプレーヤーになるためにオンラインサポートは必要だ
③ 将棋は論理的かつ刺激的なゲームだ
④ 戦略ゲームは集中力を高めるのに役立つ

語句 stimulating 形 刺激的な concentration 名 集中力

視線の型により、まず設問を読む（❶）と、チラシの前半の案内部分と後半のコメント部分の両方で言及されているものを選べばいいのだとわかります。「両方」なので片側をしっかり読んで、そこに書かれていなければ消去していくことができます。今回はチラシの前半の案内部分を見ると、3文目に You can learn skills such as thinking logically and deeply without distractions.「気を散らすことなく論理的に深く思考する、といったスキルを学ぶことができます」とあり、これが④ strategy games help improve one's concentration「戦略ゲームは集中力を高めるのに役立つ」の該当箇所です。without distraction「気を散らすことなく」はつまり「集中」している状態ですね。①〜③については言及されていませんでした。正解は④です。なお、部員のコメントでは1つ目で My mind is clearer, calmer, and more focused in class.「授業中も頭がスッキリと落ち着いて、集中できるようになりました」と書

かれています。

問5 正解② **問題レベル【易】 配点 2点**

設問 **このクラブは、[10] ことを望む生徒に最も適している可能性が高い。**

選択肢 ① 独自のコンピューター戦略ゲームを製作する
② 戦略ゲームをプレーするスキルレベルを上げる
③ 戦略ゲームを通じて正しいイギリスのエチケットを学ぶ
④ 週末を部室で戦略ゲームをして過ごす

語句 suitable for ～ 熟 ～にふさわしい、～に適している
proper 形 きちんとした、正式な

視線の型により、設問をまず読む（❶）と、「何をしたい生徒に最もふさわしい可能性が高いか」という問題だとわかります。探し読みタイプの問題ではなさそうですね。likely「可能性が高い」という語を使っていることから推測問題だとわかります。ここまでである程度全体に目を通しているはずなので、早速選択肢から確認していきましょう。正解は②です。案内文も部員のコメントも、試合やコンピューター、部員同士のアドバイスなどを通していかに戦略ゲームのスキルが上がるかについて書かれていました。①のようなゲームを製作する話はどこにも書かれていませんし、③の「イギリスのエチケット」についても書かれていません。案内文の最後にRegular meetings: Wednesday afternoons in Room 301, Student Centreと書かれており、定期的に集まるのが水曜日だとわかるので、④は「週末」がふさわしくないと考えられます。

目標解答時間 7 分

問題番号は実際の番号のままです。

第2問 (配点 20)

A You are studying at Plainburg Community College in the US. You go to college by bicycle and find this advertisement on campus from a local bicycle shop.

Maintain your bicycle at <u>Super Cycle</u>

Store Location: on the corner of Maple Street and 4th Avenue
(across the street from the campus main gate)

In Plainburg, we are always being encouraged to exercise more and drive less—a great option for this rural area is a bicycle. You can enjoy daily exercise while reducing your environmental impact on our town.

- Do you have any concerns about your bicycle?
- Does it need upgraded gears or long-lasting tires?
- Do you want to avoid mechanical problems miles from home?

A well-maintained bicycle will support your cycling life!

Maintenance Plans and Customer Comments

Silver ($30/year)
Maintenance twice a year:
- Oil the chain
- Adjust the brake cables
- Check the pressure of the tires

Customer A: *I have no worries now. My bicycle can be kept in good condition and I can enjoy my weekend rides.*

Gold ($50/year)
Maintenance four times a year
Silver level, plus:
- Every part checked thoroughly
- 10% discount on selected replacement parts

Customer B: *I cycle to college every day, which takes only 15 minutes. This plan is the most cost-effective for commuters!*

Customer C: *Thanks to this plan, my bicycle stays in great shape. The shop staff are so helpful, knowledgeable, and super friendly.*

Diamond ($75/year)
Maintenance once a month
Gold level, plus:
- Free brake cables whenever required
- Additional 20% off on selected replacement parts

Customer D: *Though it seems expensive, the service is worth the price for long-distance riders like myself.*

問 1 The shop suggests that [6].

① cycling offers a superb opportunity for regular exercise
② public transportation should be environmentally sustainable
③ the college should help maintain bicycles
④ upgraded gears are safe, long-lasting, and eco-friendly

Day 06

問 2 All the plans refer to [7].

① free replacement parts
② frequency of the service
③ rates of discount
④ reliability of the products

問 3 Which of the following matches one customer's **opinion**? [8]

① Customer A goes on weekday rides.
② Customer B spends a quarter of an hour commuting to college.
③ Customer C believes the staff could be more informative.
④ Customer D values the top-level plan.

問 4 According to the comments, one customer [9].

① checked other shops' prices
② has experience repairing bicycles
③ rides to faraway destinations
④ wants to upgrade the maintenance plan

問 5 According to the advertisement, the shop [10].

① gives lessons to first-time cyclists
② improves driver safety
③ promotes second-hand parts
④ targets local residents

問 1 - 5

訳 あなたはアメリカのプレインバーグ・コミュニティーカレッジに留学しています。カレッジには自転車通学をしていますが、キャンパスで次のような地元の自転車店の広告 問5-1 を見つけます。

スーパーサイクルで自転車のメンテナンスをしましょう

当店の場所：メイプル通りと４番アベニューの角 問5-2
（キャンパス正門から通りを渡る）

プレインバーグでは常々、体をもっと動かして車に乗るのを減らすよう奨励されています――この地方部での優れた手段は自転車です。問1 問5-3 自分たちの町 問5-4 への環境的な影響を減らしながら、日々の運動を楽しむことができます。

自分の自転車について心配事はありますか？
もっと高性能なギアや長持ちするタイヤが必要ではありませんか？
家から何マイルも離れた場所での故障を避けたいと思いますか？

よく手入れされた自転車があなたのサイクリング生活をサポートします！

メンテナンス・プランとお客様のコメント

シルバー（30ドル／年）
年に２回のメンテナンス： 問2-1
―チェーンにオイル塗布
―ブレーキケーブルの調整
―タイヤの空気圧チェック

お客様A：もう心配はありません。私の自転車はいい状態を保っていられるので、週末のサイクリングを楽しむことができます。

ゴールド（50ドル／年）
年に4回のメンテナンス 問2-2
シルバーレベルに加えて：
—あらゆる部品を徹底的にチェック
—当店指定の交換部品10%割引

お客様B：毎日、大学まで自転車通学していますが、15分しかかかりません。通勤・通学者にはこのプランが一番コスパがいいです！

お客様C：このプランのおかげで、私の自転車は絶好調を保っています。お店のスタッフはとても親切で知識豊富、そして超フレンドリーです。

ダイヤモンド（75ドル／年）
月に一度のメンテナンス 問2-3
ゴールドレベルに加えて：
—必要なときはいつでも無料でブレーキケーブルご提供
—当店指定の交換部品をさらに20%割引

お客様D：高いように思えるかもしれませんが、私のような長距離自転車乗りにとってこのサービスは値段分の価値があります。 問3 問4

語句

［広告本文］

maintain ～	他	～のメンテナンスをする、～の手入れをする
location	名	所在地
encourage ～ to (V)	他	～にVすることを奨励する
option	名	選択肢、手段
rural	形	地方の、田舎の
reduce ～	他	～を減らす
environmental	形	環境の
impact	名	影響
upgrade ～	他	～の性能を良くする
long-lasting	形	長持ちする
mechanical	形	機械的な

［プランとコメント］

maintenance	名	メンテナンス、手入れ
oil ～	他	～に油を差す
adjust ～	他	～を調整する
thoroughly	副	徹底的に、全面的に
selected	形	選定された、（割引の適用などが）一部の
replacement	名	交換
cost-effective	形	費用効率のいい、コスパのいい
commuter	名	通勤者、通学者
stay in shape	熟	好調を維持する
knowledgeable	形	知識が豊富な
additional	形	追加の、さらなる

問 1 正解① **問題レベル【易】 配点 2点**

設 問 **この店は [6] と言おうとしている。**

選択肢 ① サイクリングは定期的な運動の絶好の機会を提供する
② 公共交通機関は環境に関して持続可能であるべきだ
③ 大学は自転車のメンテナンスを手伝うべきだ
④ 高性能にしたギアは安全かつ長持ちで環境にも優しい

語句 opportunity 名 好機、チャンス
public transportation 熟 公共交通機関
sustainable 形 持続可能な

まずは**視線の型**（❶）です。該当箇所を素早く見つけられるよう、必ず先に全体像をつかんでおきましょう。設問は「この店が言おうとしていること」なので、前半の方に該当箇所がありそうですね。後半は具体的なメンテナンス・プランとお客様のコメントなので関係なさそうです。該当箇所の分量がそこまで多くないので、全体の内容把握も兼ねて先に本文を読み進めましょう。1文目 In Plainburg, we are always being encouraged to exercise more and drive less — a great option for this rural area is a bicycle.「プレインバーグでは常々、体をもっと動かして車に乗るのを減らすよう奨励されています―この地方部での優れた手段は自転車です」より、選択肢①が適切ですね。「運動することが大事。自転車に乗ろう！」という主張です。②「公共交通機関は環境に関して持続可能であるべきだ」については、広告の中で「車に乗るのを減らす」「優れた手段は自転車」「町への環境的な影響を減らす」などと書かれていますが、公共交通機関についての話ではないので×。④「高性能にしたギアは安全かつ長持ちで環境にも優しい」については、同じく広告の中で「もっと高性能なギアや長持ちするタイヤが必要ではありませんか？」とありますが、ギアが「安全」「環境にも優しい」といっているわけではないので×です。③に関してはどこにも記載ありません。

問2 正解② 問題レベル【易】 配点 2点

設問 全部のプランで [7] に言及している。

選択肢 ① 無料の交換部品
② サービスの頻度
③ 割引率
④ 製品の信頼性

語句 refer to ～ 熟 ～に言及する　reliability 名 信頼性
frequency 名 頻度

視線の型（❶）により、メンテナンス・プランすべてに共通していることを探す問題だとわかります。3つのプランが提示されていますが、いずれも表示形式が揃っていて共通点が見つけやすいですね。プラン名の横に年間費用、その下にメンテナンスの頻度、その下に具体的なプランの詳細が書かれてあり、それぞれにお客様からのコメントがついています。選択肢を確認すると、② frequency of the service「サービスの頻度」が正解だとわかります。メンテナンスの頻度はいずれのプランでも提示されていました。①「無料の交換部品」に関してはDiamondプランのみ、③「割引率」に関してはGoldプランとDiamondプランのみ、④「製品の信頼性」に関しては具体的な言及がどこにもありません。

問3 正解④ 問題レベル【普通】 配点 2点

設問 一人の客の意見と合致しているのは次のうちどれか。[8]

選択肢 ① 顧客Aは平日にサイクリングに出掛ける。
② 顧客Bは大学までの通学に15分かける。
③ 顧客Cはスタッフがもっと情報を提供してくれてもいいのにと考えている。
④ 顧客Dは最高レベルのプランを高く評価している。

語句 informative 形 情報を提供してくれる　value ～ 他 ～を高く評価する

視線の型（❶）により、お客様の意見と合致しているものを選ぶ問題だということがわかります。さあ、**「事実」「意見」の識別が必要な問題**（❷）です。①と②は事実描写に過ぎませんね。③か④が正解でしょう。**③の believes「信じる」、④の values「評価する」が主観表現です**（❸）。選択肢③の could は仮定法で、「もっと情報を提供できるのに」という意味ですが、Customer C は The shop staff are so helpful, knowledgeable, and super friendly.「お店のスタッフはとても親切で知識豊富、そして超フレンドリーです」とあるので合致しているとは言えませんね。**if 節のない仮定法はよく選択肢や本文の該当箇所で出てくる**ので注意しましょう。助動詞の過去形が「仮定法かも」と気付くヒントです。正解は④です。Customer D は the service is worth the price for long-distance riders like myself「私のような長距離自転車乗りにとってこのサービスは値段分の価値があります」と最も高額なプランを評価しています。なお、②を選んだ人も多いかと思います。確かに Customer B は I cycle to college every day, which takes only 15 minutes.「毎日、大学まで自転車通学していますが、15分しかかかりません」と言っており、選択肢②に内容は合致しますが、これは「意見」ではなく「事実」になるのでこの問題では不正解となります。どのような文が事実としてみなされるかはDay 08で詳しく説明しているのでそちらを参照してください。

問 4 正解③ **問題レベル【易】 配点 2点**

設　問 **コメントによると、一人の客は 9 。**

選択肢 ① 他の店の値段をチェックした
② 自転車修理の経験がある
③ 遠くの目的地まで自転車に乗る
④ メンテナンスのプランを上のレベルに変えたい

語句 faraway 形 遠く離れた　destination 名 目的地

視線の型（❶）により、お客様のコメントと合致しているものを選ぶ問題だとわかります。今回は問3と違って「意見」「事実」などは気にせず選べそうですね。設問だけからでは探し読みは難しそうなので、選択肢を先に確認してお客様のコメントを再度確認していきましょう。①は他の店の値段チェック、②は自転車修理の経験、③は遠くに行く、④はプランのレベルを上げたい、ですね。問3でも見ましたが、Customer D が the service is worth the price for long-distance riders like myself「私のような長距離自転車乗りにとってこのサービスは値段分の価値があります」と言っているので、③が正解です。

問 5 正解④ **問題レベル【普通】 配点 2点**

設　問 **広告によると、この店は 10 。**

選択肢 ① 初心者のサイクリストにレッスンを施す
② ドライバーの安全性を高める
③ 中古部品の販売を進めている
④ 地元住民をターゲットにしている

語句 promote ～ 他 ～を宣伝する、～の販売を促進する　second-hand 形 中古の　resident 名 居住者、住民

視線の型（❶）により、前半の広告の方を見て答えを選ぶ問題だとわかります。設問だけでは何を問われているかわからないので選択肢を先読みしましょう。①は初心者向けレッスンがある、②は車の運転手（drive は車の運転のことです）の安全性を高める、③は中古部品の販売、④は地元住民をターゲット、です。消去法で解きましょう。①～③はどこにも記載がなく、このようなことをしていると推測できる根拠もないため、④を正解に選びます。「地元住民をターゲット」であれば根拠があります。まずリード文に「地元の自転車店の広告」とあります。さらに、広告の見出しの下の住所が Store Location: on the corner of Maple Street and 4th Avenue (across the street from the campus main gate)「当店の場所：メイプル通りと4番アベニューの角（キャンパス正門から通りを渡る）」と大きな枠組みの地名などが書かれておらず、地元民にしかわからないような表示です。また、その下の段落では In Plainburg, we ～「プレインバーグでは、私たちは～」、for this rural area「この地方の地域にとって」や on our town「私たちの街に」といった文言はその土地に暮らす人向けの表記だとわかります。よってこの店は「地元住民をターゲットにしている」と言えます。

DAY 07

【事実／意見問題】を攻略する「視線の型②」

第２問Bでは、意見を対立させたり情報を比較させたりといった対比型の設問が含まれる傾向にあります。対比をうまく捉えるには、対比軸の照合が必須です。

「視線の型」のステップ

❶ 場面・状況を把握する

問題に当たる前に設定の説明を読み、場面や状況をイメージしましょう。すべての「視線の型」で説明しているとおり、「こういう背景でこの英文を読んでいるんだ」と理解することで本文が読みやすくなります。

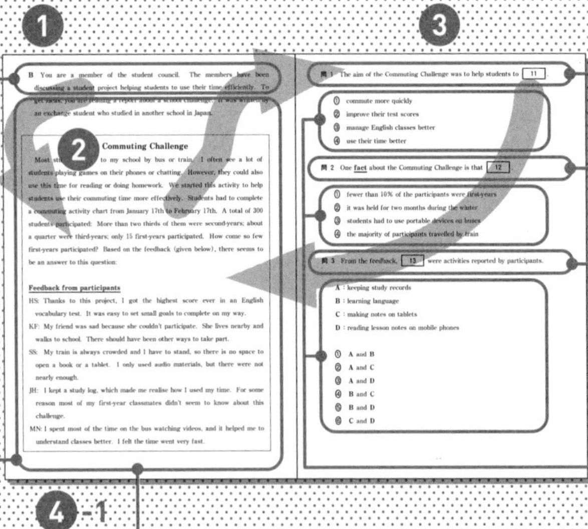

B You are a member of the student council. The members have been discussing a student project helping students to use their time efficiently. To get ideas, you are reading a report about a school challenge. It was written by an exchange student who studied in another school in Japan.

Commuting Challenge

Most st[illegible] to my school by bus or train. I often see a lot of students playing games on their phones or chatting. However, they could also use this time for reading or doing homework. We started this activity to help students use their commuting time more effectively. Students had to complete a commuting activity chart from January 17th to February 17th. A total of 300 students participated: More than two thirds of them were second-years; about a quarter were third-years; only 15 first-years participated. How come so few first-years participated? Based on the feedback (given below), there seems to be an answer to this question:

Feedback from participants

HS: Thanks to this project, I got the highest score ever in an English vocabulary test. It was easy to set small goals to complete on my way.

KF: My friend was sad because she couldn't participate. She lives nearby and walks to school. There should have been other ways to take part.

SS: My train is always crowded and I have to stand, so there is no space to open a book or a tablet. I only used audio materials, but there were not nearly enough.

JH: I kept a study log, which made me realise how I used my time. For some reason most of my first-year classmates didn't seem to know about this challenge.

MN: I spent most of the time on the bus watching videos, and it helped me to understand classes better. I felt the time went very fast.

問 1 The aim of the Commuting Challenge was to help students to [11].

① commute more quickly
② improve their test scores
③ manage English classes better
④ use their time better

問 2 One fact about the Commuting Challenge is that [12].

① fewer than 10% of the participants were first-years
② it was held for two months during the winter
③ students had to use portable devices on buses
④ the majority of participants travelled by train

問 3 From the feedback, [13] were activities reported by participants.

A : keeping study records
B : learning language
C : making notes on tablets
D : reading lesson notes on mobile phones

① A and B
② A and C
③ A and D
④ B and C
⑤ B and D
⑥ C and D

❷ 全体像を把握し、「比較」「対立」の有無を確認する

複数の情報を比較したり意見を対立させたりする問題を読み解くには、その「軸」をつかむ必要があります。設問にあたる前に見出しなどを通してざっと全体を把握し、比較や対立がありそうかどうか見ておくと設問に取り組みやすくなります。

❹-1 「キーワードあり設問」は該当箇所を本文から探し、狙い読みする

設問を読んで該当箇所を探しに本文にいきましょう。意見対立型問題では論理関係を把握する必要があるので、濃淡を付けつつも本文を１文目からしっかり読んで、ちゃんと理解しながら該当箇所を探していきましょう。

内容 第2問Bではこれまで、「ペットを飼うことのメリット・デメリット」「ある学校の方針についての賛否」「学校での携帯電話の使用の是非」、といった「賛成」「反対」の意見を読み取るタイプの問題が出題されてきました。最近はそこまで意見を対立させた英文ではなくなってはいますが、情報を比較したり、それに伴う照合作業を求められたりといった解きにくい問題が出題されています。ここではそのような問題にも対応する「視線の型」をマスターしていきましょう。

目標解答時間 7分

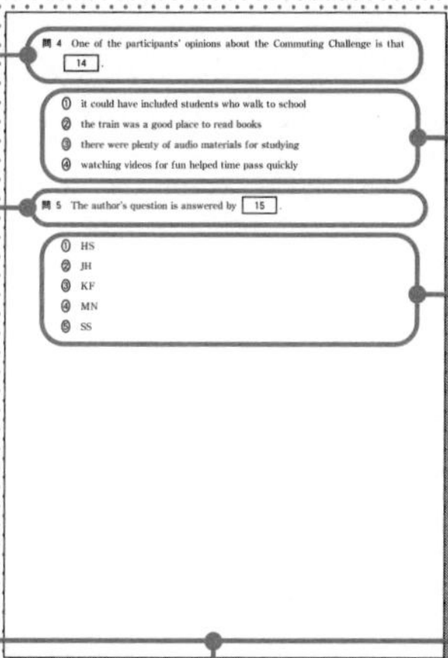

問4 One of the participants' opinions about the Commuting Challenge is that [14].

① it could have included students who walk to school
② the train was a good place to read books
③ there were plenty of audio materials for studying
④ watching videos for fun helped time pass quickly

問5 The author's question is answered by [15].

① HS
② JH
③ KF
④ MN
⑤ SS

③ 設問を先読みする

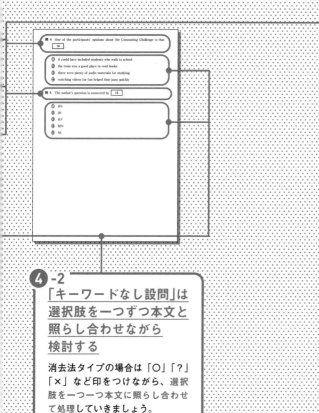

問われている内容を把握します。1問ずつで十分です。「どこを見て」「何を答えればいいのか」を正確に捉えましょう。Day 05の「視線の型」と同様、設問のタイプによって対応の仕方は、❹-1と❹-2に分かれますが、いずれにせよ比較を問う問題であれば「比較軸」を明確化しながら解く意識を持つようにしてください。「軸」とは共通点です。赤と青を比較できるのは「色」という軸があるからですね。「相違点を探す」という作業は同時に「共通点を探す」ということでもあるのです。

❹-2 「キーワードなし設問」は選択肢を一つずつ本文と照らし合わせながら検討する

消去法タイプの場合は「○」「?」「×」など印をつけながら、選択肢を一つ一つ本文に照らし合わせて処理していきましょう。

では、この「視線の型」を使って、次ページの問題に取り組みましょう！

B You are a member of the student council. The members have been discussing a student project helping students to use their time efficiently. To get ideas, you are reading a report about a school challenge. It was written by an exchange student who studied in another school in Japan.

Commuting Challenge

Most students come to my school by bus or train. I often see a lot of students playing games on their phones or chatting. However, they could also use this time for reading or doing homework. We started this activity to help students use their commuting time more effectively. Students had to complete a commuting activity chart from January 17th to February 17th. A total of 300 students participated: More than two thirds of them were second-years; about a quarter were third-years; only 15 first-years participated. How come so few first-years participated? Based on the feedback (given below), there seems to be an answer to this question:

Feedback from participants

HS: Thanks to this project, I got the highest score ever in an English vocabulary test. It was easy to set small goals to complete on my way.

KF: My friend was sad because she couldn't participate. She lives nearby and walks to school. There should have been other ways to take part.

SS: My train is always crowded and I have to stand, so there is no space to open a book or a tablet. I only used audio materials, but there were not nearly enough.

JH: I kept a study log, which made me realise how I used my time. For some reason most of my first-year classmates didn't seem to know about this challenge.

MN: I spent most of the time on the bus watching videos, and it helped me to understand classes better. I felt the time went very fast.

問 1 The aim of the Commuting Challenge was to help students to [11].

① commute more quickly
② improve their test scores
③ manage English classes better
④ use their time better

問 2 One **fact** about the Commuting Challenge is that [12].

① fewer than 10% of the participants were first-years
② it was held for two months during the winter
③ students had to use portable devices on buses
④ the majority of participants travelled by train

問 3 From the feedback, [13] were activities reported by participants.

A : keeping study records
B : learning language
C : making notes on tablets
D : reading lesson notes on mobile phones

① **A** and **B**
② **A** and **C**
③ **A** and **D**
④ **B** and **C**
⑤ **B** and **D**
⑥ **C** and **D**

問 4 One of the participants' opinions about the Commuting Challenge is that [14].

① it could have included students who walk to school
② the train was a good place to read books
③ there were plenty of audio materials for studying
④ watching videos for fun helped time pass quickly

問 5 The author's question is answered by [15].

① HS
② JH
③ KF
④ MN
⑤ SS

問 1－5

訳 あなたは生徒会のメンバーです。メンバーたちは、生徒たちが時間を効率的に使うのに役立つような生徒プロジェクトについて話し合ってきました。アイデアを求めて、あなたはスクールチャレンジのレポートを読んでいます。それは日本の別の学校に通っていた交換留学生が書いたものでした。

通学チャレンジ

私の学校の大半の生徒はバスか電車で通学している。大勢の生徒がスマホでゲームをしたりおしゃべりをしたりしているのをよく見掛ける。しかし、その時間を読書や宿題に使うこともできるはずだ。私たちは、生徒たちに通学時間をもっと有効に活用してもらうため、この活動を始めた。問1 生徒たちは1月17日から2月17日にかけて、通学活動表の記入をすることになった。合計300人の生徒が参加した。問2-1 そのうちの3分の2以上が2年生で、約4分の1が3年生、1年生は15人しか参加しなかった。問2-2 1年生の参加者がこんなに少なかったのはなぜだろうか。感想（下記）を参考にすると、その疑問の答えがあるようだ。問5-1

参加者からの感想

HS：このプロジェクトのおかげで、英語の語彙力テストでこれまでの最高点を取りました。問3-1 通学中に達成できるちょっとした目標を設定するのは簡単でした。

KF：友人が参加できなくて残念そうでした。彼女は近くに住んでいて徒歩通学です。参加方法が他にもあれば良かったと思います。問4

SS：私の乗る電車はいつも混んでいて立っていなくてはいけないので、本やタブレットを開くスペースがありません。音声素材だけを利用していましたが、とても十分とは言えませんでした。

JH：学習記録をつけていた問3-2 ので、それで自分の時間の使い方が自覚できました。どういうわけか1年生の同級生のほとんどがこのチャレンジのことを知らないようでした。問5-2

MN：バスの乗車時間のほとんどを、動画を見て過ごしましたが、おかげで授業の理解が深まりました。時間が早く過ぎるように感じました。

語句

［リード文］

student council	熟 生徒会
efficiently	副 効率的に
exchange student	熟 交換留学生

［レポート本文］

commuting	名 通勤、通学
effectively	副 効果的に、有効に
chart	名 表、グラフ
participate	自 参加する
how come	熟 どうして、なぜ
based on ～	熟 ～を基に、～を参考にして

feedback ［参加者からの感想］	名 反応、感想	not nearly ～	熟 ～には程遠い、とても～とは言えない
participant	名 参加者	log	名 日誌、記録
thanks to ～	熟 ～のおかげで	for some reason	熟 何らかの理由で、どういうわけか
material	名 素材、題材		

問 1　正解④　**問題レベル【易】　配点 2点**

設問 **通学チャレンジの狙いは、生徒たちが［11］のを助けることだった。**

選択肢 ① もっと短時間で通学する
② 試験の点数を上げる
③ 英語のクラスでもっとうまくやる
④ 時間をもっとうまく使う

まずは❶**場面・状況把握**です。リード文によると、「生徒たちが時間を効率的に使うことに役立つプロジェクトのヒントをもらおうとして、あるレポートを読んでいる」ということです。❷**次に全体像を把握しましょう**。まずは Commuting Challenge「通学チャレンジ」というタイトルをチェック。今回の英文は前半でこのプロジェクトの概要、後半で参加者からの感想が出てきています。感想が複数あるので、ここで「比較」が起きていると考えられます。

❸**設問を読みます**。「通学チャレンジの狙いは」ということですが、commuting の意味がわからなかったとしても、すでにリード文にあるように「時間を効率的に使うのに役立つプロジェクト」なのではと予測がつきますね。そして本文を確認すると（**❹-1**）、第１段落４文目に We started this activity to help students use their commuting time more effectively.「私たちは、生徒たちに通学時間をもっと有効に活用してもらうため、この活動を始めた」とあります。正解は④です。more effectively が better と**言い換え**られています。

問 2　正解①　**問題レベル【易】　配点 2点**

設問 **通学チャレンジに関する事実の一つは、［12］ことである。**

選択肢 ① １年生が参加者の10パーセント未満だった
② 冬の間の２カ月間、実施された
③ 生徒たちがバスで携帯デバイスを使う必要があった
④ 参加者の大半が電車通学だった

語句 portable **形** 持ち運びできる、携帯用の

❸**設問を先読みする**と、事実を探せばいいことがわかります。狙い読みできないので選択肢に先に目を通します（**❹-2**）。すると、①は参加人数の割合について、②は実施期間について、③は生徒の参加条件について、④は大多数の参加者の通学手段について、です。いずれも感想とは関係なく、本文前半の概要に書かれていそうだとわかります。第１段落を読んでいくと、まず５文目に実施期間が「１月17日から２月17日」とあり、１カ月間だとわかるので②は不正解ですね。次に６文目で参加人数が書かれており、選択肢①で言及されている「１年生の参加割合」を確認すると、前半に「合計300人の生徒が参加」、後半に only 15 first-years participated「１年生は15人しか参加しなかった」とあります。300人中の15人は明らかに10パーセント未満なので①が正解です。③と④についてはどこにも書いてありません。

問 3　正解①　問題レベル【易】　配点 2点

設　問 感想を見ると、13 が参加者の報告にある活動だった。

A：学習記録をつける
B：外国語の勉強をする
C：タブレットでノートを取る
D：携帯電話で授業のノートを読む

選択肢 ① A と B
② A と C
③ A と D
④ B と C
⑤ B と D
⑥ C と D

Day 07

❸設問を先読みすると、「感想を見ると」とあるので、「参加者からの感想」から該当箇所を探せばいいとわかります。狙い読みできないのでまず選択肢を先に読んで照らし合わせていきます（❹-2）。A「学習記録をつける」、B「外国語の勉強をする」、C「タブレットでノートを取る」、D「携帯電話で授業のノートを読む」。短いので４つとも一気に頭に入れて、感想を上から読んでいきましょう。まず１つ目のコメントにThanks to this project, I got the highest score ever in an English vocabulary test.「このプロジェクトのおかげで、英語の語彙力テストでこれまでの最高点を取りました」とあり、外国語の勉強をしているということなので、Bのlearning language「外国語の勉強をする」は正しいとわかります。また、上から４つ目のJHのコメントにI kept a study log「学習記録をつけた」とあることから、Aのkeeping study records「学習記録をつける」が正しいとわかります。よって選択肢①が答えです。

問 4　正解①　**問題レベル【普通】　配点 2点**

設　問 **通学チャレンジに関する参加者の意見の一つは、［14］ということである。**

選択肢 ① 徒歩通学の生徒も含めるようにできたのではないか

② 電車は読書にいい場所だった

③ 学習用の音声素材がたくさんあった

④ 楽しむために動画を見ていると時間のたつのが早くなる

❸設問を先読みすると「参加者の意見の一つは」とあるので、参加者の感想の中から意見を探せばいいことがわかります。これも狙い読みは難しいので選択肢を一つずつ照らし合わせていきましょう（**❹-2**）。① it could have included students who walk to school「徒歩通学の生徒も含めるようにできたのではないか」は少し訳が難しかったかもしれません。助動詞の過去形が使われていることから仮定法だと考えましょう。could have 過去分詞で「～できただろうに（だが実際にはしなかった）」という意味になります。② the train was a good place to read books は「電車は読書にいい場所だ」で、ここで①は「徒歩」、②は「電車」で「通学手段」という共通点がありますね。選択肢間にこのような比較軸が見られるときは、そこに線を引くなどして意識しておくと、本文から該当箇所を見つけやすくなり、記憶の負担も減ります。③ there were plenty of audio materials for studying「学習用の音声素材がたくさんあった」と④ watching videos for fun helped time pass quickly「楽しむために動画を見ていると時間のたつのが早くなる」も同様です。「音声素材」と「動画」で「媒体」という共通点、「学習用」と「楽しむため」で「目的」という共通点があります。つまり、参加者からの感想を「通学手段」「媒体」「目的」という3つの比較軸をもとに読んでいけばいいのです。

本文を読んでいくと、2つ目のKFのコメントで、My friend was sad because she couldn't participate. She lives nearby and walks to school. There should have been other ways to take part.「友人が参加できなくて残念そうでした。彼女は近くに住んでいて徒歩通学です。参加方法が他にもあれば良かったと思います」とあります。should have 過去分詞で「～すべきだったのに（だが実際にはしなかった）」という表現が選択肢①の言い換えとしてぴったりです。正解は①ですね。

3つ目のSSのコメントで、My train is always crowded and I have to stand, so there is no space to open a book or a tablet.「私の乗る電車はいつも混んでいて立っていなくてはいけないので、本やタブレットを開くスペースがありません」とあるので②は不可。同じSSのコメントの後半でI only used audio materials, but there were not nearly enough.「音声素材だけを利用していましたが、とても十分とは言えませんでした」とあり、③も不可。④は最後のMNのコメントI spent most of the time on the bus watching videos, and it helped me to understand classes better. I felt the time went very fast.「バスの乗車時間のほとんどを、動画を見て過ごしましたが、おかげで授業の理解が深まりました。時間が早く過ぎるように感じました」が紛らわしかったかもしれませんが、ここでは授業動画のことを言っているのに対し、選択肢ではfor fun「楽しむために」とエンタメ系の動画のことを言っているので違います。比較軸に注目しておけばこのような引っかけにも気付きやすくなりますね。

問5　正解②　**問題レベル【普通】　配点 2点**

設問　**筆者の疑問に答えているのは [15] だ。**

選択肢　① HS

② JH

③ KF

④ MN

⑤ SS

語句　author 名 著者、筆者

❸設問を見ると「筆者の疑問に答えているのは」とあり、選択肢には感想を述べた参加者の名前が並んでいるので、２つの離れた情報を照合する問題だとわかります（**❹-1**）。まずはThe author's questionが何を指すのかを正確につかみましょう。第１段落最終文とその前文、How come so few first-years participated? Based on the feedback (given below), there seems to be an answer to this question「１年生の参加者がこんなに少なかったのはなぜだろうか。感想（下記）を参考にすると、その疑問の答えがあるようだ」とあるように、１年生の参加人数が少なかった理由がThe author's questionで、その答えが感想の中にあるようです。４つ目のJHのコメントの中に、For some reason most of my first-year classmates didn't seem to know about this challenge.「どういうわけか１年生の同級生のほとんどがこのチャレンジのことを知らないようでした」とあり、ここがその疑問の答えになっていますね。要は、ほとんどの１年生は「知らなかったから」参加人数が少なかった、ということなので、正解は②です。

このような**離れた情報とひもづけて解く問題**は一見難しく感じますが、慣れてくると逆に解きやすくなります。作問者の仕掛けに反応できるようになるからです。例えば、**婉曲的な言い方やほのめかす言い方がされている箇所**は「あ、これは問題で問われるな」と最初から反応でき、情報と情報をひもづけながら読んでいくことができるようになります。予想どおり設問で出るので、自信を持って正解できる、というわけです。ひもづけ問題だけに限ったことではありません。**本文を読みながら、「ここは問題に問われそう」という「勘」**が働くようになると、やはりそういった箇所は記憶に残るので、必然的に、速く正確に解けるようになっていくものです。このような「勘どころ」は**過去問分析と類似問題の演習**で着実に養われていきます。本当は自分で分析する方が身につくのですが、もう時間がありませんよね。代わりに本書の分析を利用して、「共通テスト力」を高めていってください。

目標解答時間7分

B You are reading the following article as you are interested in studying overseas.

Summer in Britain

Chiaki Suzuki

November 2022

This year, I spent two weeks studying English. I chose to stay in a beautiful city, called Punton, and had a wonderful time there. There were many things to do, which was exciting. I was never bored. It can get expensive, but I liked getting student discounts when I showed my student card. Also, I liked window-shopping and using the local library. I ate a variety of food from around the world, too, as there were many people from different cultural backgrounds living there. Most of the friends I made were from my English school, so I did not practice speaking English with the locals as much as I had expected. On the other hand, I came to have friends from many different countries. Lastly, I took public transport, which I found convenient and easy to use as it came frequently.

If I had stayed in the countryside, however, I would have seen a different side of life in Britain. My friend who stayed there had a lovely, relaxing experience. She said farmers sell their produce directly. Also, there are local theatres, bands, art and craft shows, restaurants, and some unusual activities like stream-jumping. However, getting around is not as easy, so it's harder to keep busy. You need to walk some distance to catch buses or trains, which do not come as often. In fact, she had to keep a copy of the timetables. If I had been in the countryside, I probably would have walked around and chatted with the local people.

I had a rich cultural experience and I want to go back to Britain. However, next time I want to connect more with British people and eat more traditional British food.

問 1　According to the article, Chiaki [11].

① ate food from different countries
② improved her English as she had hoped
③ kept notes on cultural experiences
④ worked in a local shop

問 2　With her student ID, Chiaki was able to [12].

① enter the local library
② get reduced prices
③ join a local student band
④ use public transport for free

問 3　Chiaki thinks [13] in Punton.

① it is easy to experience various cultures
② it is easy to make friends with the local people
③ there are many restaurants serving British food
④ there are many unusual local events

問 4　One **fact** Chiaki heard about staying in the countryside is that [14].

① local people carry the bus timetable
② people buy food from farms
③ the cost of entertainment is high
④ there are fewer interesting things to do

問 5　Which best describes Chiaki's impression of her time in Britain? [15]

① Her interest in craft shows grew.
② She enjoyed making lots of local friends.
③ She found the countryside beautiful.
④ Some of her experiences were unexpected.

問 1 - 5

訳 あなたは留学に興味があるので、以下の記事を読んでいます。

イギリスの夏

チアキ・スズキ
2022年11月

[第1段落]
今年、私は英語を学びながら2週間過ごした。プントンという美しい都市に滞在することにして、そこで素晴らしい時を過ごした。することがたくさんあり、それは楽しかった。退屈することがなかった。お金がかかることもあるが、学生証を見せると学生割引が受けられるので良かった。問2 また、ウィンドウショッピングをしたり地元の図書館を利用したりするのも好きだった。世界中のさまざまな料理も食べた問1、というのも、いろいろな文化的背景を持つ人たちがたくさんそこに住んでいたからだ。友だちになったのはほとんどが英語学校の仲間だったので、地元の人を相手に英会話を実践することは、予想していたほどはなかった。問5-2 その一方で、いろいろな出身国の友だちを作ることができた。最後に、私は公共交通機関を使ったが、それが頻繁に来るので便利で使いやすいと思った。

[第2段落]
しかし、もし地方に滞在していたなら、イギリス生活の別の側面を目にしただろう。そこに滞在した友人は気持ちよくリラックスできる経験をした。農家の人たちが作物を直接売っていたという。問4 また、地元の劇場やバンド、美術工芸の見本市、レストラン、そして小川飛び越えのような珍しいアクティビティーもある。とはいえ、移動があまり楽ではないので、スケジュールを詰め込むのは難しい。バスや電車に乗るにはかなりの距離を歩く必要があるし、それらは頻繁には来ない。実際、友人は時刻表のコピーを常備しなければならなかった。もし私が地方に行っていたら、たぶん歩き回って地元の人たちとおしゃべりしていただろう。

[第3段落]
豊かな文化体験をしたので、またイギリスに行きたい。問3 ただし、次回はもっとイギリスの人たちとつながりを持って、伝統的なイギリス料理をもっと食べてみたい。問5-1

語句

[リード文]
article　名 記事
[記事]
[第1段落]
local　形 地元の　名 地元の人
cultural background　熟 文化的背景
on the other hand　熟 その一方で、それに対して

come to (V)	熟 V するようになる	unusual	形 珍しい
public transport	熟 公共交通機関	timetable	名 時刻表
［第２段落］		chat	自 おしゃべりする
produce	名 農産物、農作物	［第３段落］	
theatre	名 劇場（イギリス式つづり）	connect with ～	熟 ～とつながりを持つ、～と付き合う
art and craft	熟 美術工芸		

問 1　正解①　**問題レベル【易】　配点 2点**

設問 **記事によると、チアキは 11 。**

選択肢 ① さまざまな国の料理を食べた　② 望んでいたとおり英語を上達させた　③ 文化体験をノートに記録した　④ 地元の店で働いた

まずは**❶場面・状況把握、❷全体像の把握をしましょう**。リード文とタイトルから「留学の話だな」と予測します。今回は「比較」「対立」の有無を把握することはこの時点では難しいですね。実際は第１段落と第２段落で「都市」と「地方」の留学生活について対比されているのですが、それは問題を解きながら把握することになるかと思います。

では**❸設問**を見ます。しかし今回は設問だけだと狙い読みができないので、選択肢も先にチェックしておきましょう（**❹-2**）。①は食事について、②は英語力向上について、③は文化体験について、④は仕事について、です。いずれも留学でありそうなトピックですね。④は現地でのアルバイトのことでしょうか。ざっくりとでいいので選択肢を把握し、本文を読み進めていきます。しっかり１文目から読んでいきましょう。すると第１段落７文目 I ate a variety of food from around the world「世界中のさまざまな料理を食べた」と食事の話がありますね。選択肢①と見比べて問題なさそうなので①が正解とわかります。from around the world が from different countries に**言い換え**られていました。８文目に I did not practice speaking English with the locals as much as I had expected「地元の人を相手に英会話を実践することは、予想していたほどはなかった」とあるので英語の上達はあまりなかったように思われます。ここから②は不正解です。③や④は本文に言及がありませんでした。

問 2　正解②　**問題レベル【易】　配点 2点**

設問 **学生証を使って、チアキは 12 ことができた。**

選択肢 ① 地元の図書館に入る　② 値引きを受ける　③ 地元の学生バンドに参加する　④ 公共交通機関を無料で利用する

語句 reduce ～ 他 ～を減らす、～を値引きする

まずは**❸設問の先読み**です。「学生証を使ってできたこと」を本文から探し、狙い読みしましょう（**❹-1**）。第１段落５文目に I liked getting students discounts when I showed my student card.「学生証を見せると学生割引が受けられるので良かった」とあります。ここから選択肢②が正解です。問１の該当箇所よりも前にあるため、順々に解いていた人は該当箇所

を探すのに手間取ったかもしれません。このようなことを避けるために、最初に設問を全部先読みしておくのも有効です。特に今回のような、段落が少ないシンプルな英文構成に対して段落数以上の設問がある場合は、**設問の順番を散らかすことで難易度を上げてきます**。「解きやすそうだ」と思った時ほど設問全体を先読みしておいた方がいいかもしれません。

問3 正解① **問題レベル【易】 配点 2点**

設問 **プントンでは [13] とチアキは思っている。**

選択肢
① さまざまな文化を簡単に体験することができる
② 地元の人と簡単に友だちになることができる
③ イギリス料理を出すレストランがたくさんある
④ 珍しい地元のイベントがたくさんある

❸**設問に**、in Punton「プントンでは」と固有名詞があります。第1段落2文目にI chose to stay in a beautiful city, called Punton「私はプントンという美しい都市に滞在することを選んだ」とあることから、チアキが滞在していた街がプントンです。第2段落1文目にIf I had stayed in the countryside, however, I would have seen a different side of life in Britain.「しかし、もし地方に滞在していたなら、イギリス生活の別の側面を目にしただろう」とあることから、「対比」がスタートしているため、今回の答えはこれより前、つまり第1段落の中にありそうです。さらに、設問のChiaki thinks「チアキは思っている」より、チアキの「意見」を探す問題だとわかります。問1・問2を通してある程度第1段落は読んでいるはずなので、ここで選択肢を確認しましょう（❹-2)。すると選択肢① it is easy to experience various culturesがぴったりだとわかります。第3段落1文目でもI had a rich cultural experience「豊かな文化経験をした」と言っていたように、Chiakiは留学先のPuntonで「いろんな異文化体験を通して」留学生活をエンジョイしていました。第1段落8文目にI did not practice speaking English with the locals as much as I had expected「地元の人を相手に英会話を実践することは、予想していたほどはなかった」とあるように、地元の人との交流は少なかったようなので②は不可、③や④もChiakiがPuntonで体験したこととして書かれていないので不正解です。

問4 正解② **問題レベル【普通】 配点 2点**

設問 **チアキが聞いた地方滞在に関する事実の一つは、[14] ということだ。**

選択肢
① 地元の人たちがバスの時刻表を持ち歩いている
② 人々が農場から食べ物を買っている
③ 娯楽の費用が高い
④ 面白い活動が少ない

❸**まず設問を見る**と、「地方滞在に関して聞いた事実」が問われています。本文の第1段落と第2段落では「都市」V.S.「地方」という比較を「留学生活」という共通点を軸に描写しているので、第2段落に答えがあることがわかります。海外の地方で留学生活をしているところをイメージしながら読むと読みやすいはずです。なお、この問題は狙い読みできないので選択肢を先に読み、一つずつ照らし合わせていきましょう（❹-2)。①地元の人がバスの時刻表を

持ち歩く、②農家の人から食べ物を買う、③娯楽の費用が高い、④面白い活動が少ない、ですね。

では本文の第2段落を、1文目から丁寧に読んでいきます。すると3文目に She said farmers sell their produce directly.「農家の人たちは作物を直接売っていると言っていた」とあります。ここの箇所を言い換えた② people buy food from farms「人々が農場から食べ物を買っている」が正解ですね。主語を変えて「売る」⇔「買う」を逆にした**言い換え**になっています。①は第2段落5文目に getting around is not as easy「移動はあまり楽ではない」とあることから選びたくなるかもしれませんが、時刻表を持ち歩かなければならなかったのは友人で（7文目）、地元の人たちがそうだとは書いてありません。

問5　正解④　**問題レベル【普通】　配点 2点**

設問　**チアキのイギリス滞在期間の感想を最もよく表しているのはどれか。** 15

選択肢
① 工芸の見本市に対する関心が高まった。
② 地元の友人をたくさん作った。
③ 地方は美しいと思った。
④ 経験のいくつかは想定外だった。

語句　unexpected 形 予想外の、思いがけない

まずは❸**設問**です。... Chiaki's impression of her time in Britain? とありますが、her time をチェックできているでしょうか。今回の英文は、都市に滞在した Chiaki と地方に滞在した友人の2パターンの留学生活が対比的に描かれていました。しっかり設問を読んで、どちらについて問われているのかをはっきりさせておくことが速く解く上で重要です。この her time の her は直前の Chiaki を指しています。つまり、チアキ自身の過ごした時間についてです。チアキの経験についての総括は第3段落にまとまっていますね。該当箇所を確認すると（❹-1）、2文目、However, next time I want to connect more with British people and eat more traditional British food「でも次回はもっとイギリスの人たちとつながりを持って、伝統的なイギリス料理をもっと食べてみたい」と締めくくっているように、チアキは今回の留学では少し後悔が残ったようです。よって選択肢の中で唯一ネガティブな感情を表している、④ Some of her experience were unexpected.「経験のいくつかは想定外だった」が正解です。イギリスの人たちと予想していたほど話せなかったことは第1段落8文目にもありました。

DAY 08 【事実／意見問題】を攻略する「事実読み取りの型」

Day 07では事実/意見問題の「視線の型」を見ていきましたが、ここでは事実/意見問題に出題される「事実読み取りの型」を深めていきます。

「事実読み取りの型」のステップ

❶ 「視線の型」を使う

問題を解くに当たっては、Day 07の「視線の型」が基本の型となります。どのような流れで設問を解いていけばいいのか、不安の残る人は、p. 98に戻って確認しましょう。

❶

B You are a college student going to study in the US and need travel insurance. You find this review of an insurance plan written by a female international student who studied in the US for six months.

There are many things to consider before traveling abroad: pack appropriate clothes, prepare your travel expenses, and don't forget medication (if necessary). Also, you should purchase travel insurance.

When I studied at Fairville University in California, I bought travel insurance from TravSafer International. I signed up online in less than 15 minutes and was immediately covered. They accept any form of payment, usually on a monthly basis. There were three plans. All plans include a one-time health check-up.

The Premium Plan is $100/month. The plan provides 24-hour medical support through a smartphone app and telephone service. Immediate financial support will be authorized if you need to stay in a hospital.

The Standard Plan worked best for me. It had the 24-hour telephone assistance and included a weekly email with tips for staying healthy in a foreign country. It wasn't cheap: $75/month. However, it was nice to get the optional 15% discount because I paid for six months of coverage in advance.

If your budget is limited, you can choose the Economy Plan, which is $25/month. It has the 24-hour telephone support like the other plans but only covers emergency care. Also, they can arrange a taxi to a hospital at a reduced cost if considered necessary by the support center.

I never got sick or hurt, so I thought it was a waste of money to get insurance. Then my friend from Brazil broke his leg while playing soccer and had to spend a few days in a hospital. He had chosen the Premium Plan and it covered everything! I realized how important insurance is—you know that you will be supported when you are in trouble.

❸ 「事実読み取りの型」その2：わかりにくい場合は相対的に判断する

中には「事実」の判断が難しいものもあります。例えば「未開封のペットボトルの水は長持ちする」はどうでしょう。未開封であれば雑菌が入らないため数年もつという「科学的根拠」があるため、現代社会においてこれはある程度「事実」とみてもいいでしょう。しかし、「長い」は主観形容詞であるため、「明らかな事実」とは言い難いでしょう。「長いかどうか」は人によるからです。実際、第1回共通テスト（二次日程）において「未開封のボトルの水は長持ちする」を「事実」とする問題が出題されました。このような紛らわしいものは近年出題されなくなっていますが、他の選択肢と比較して相対的に判断するしかないことがある、ということを覚えておきましょう。

インターネット上に情報があふれる時代です。高度なAIの発達で発信者が人間かどうかもわからなくなってきており、ますます「事実」と「意見」の見極めが重要さを増してきています。この「事実」「意見」を識別させる問題は、問われ方は変わるかもしれませんが、どこかで出題され続けることが予想されます（難問と評されている2023年度実施の第３回共通テスト第６問Bの問５もこの延長線上ではないでしょうか）。共通テスト問題作成部会からの、「現代社会を生き抜くにはこのような判断力・思考力が大事ですよ」というメッセージとして受け止め、しっかり対策していきましょう。

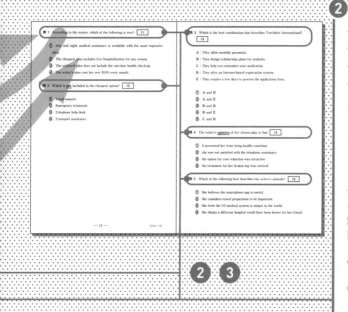

内容 第２問Ｂでは毎回、与えられた情報が誰かの「意見」なのか、それとも客観的な「事実」なのかを判断させる問題が出題されています。Day 08では、「事実読み取りの型」を中心に扱います。

目標解答時間**7**分

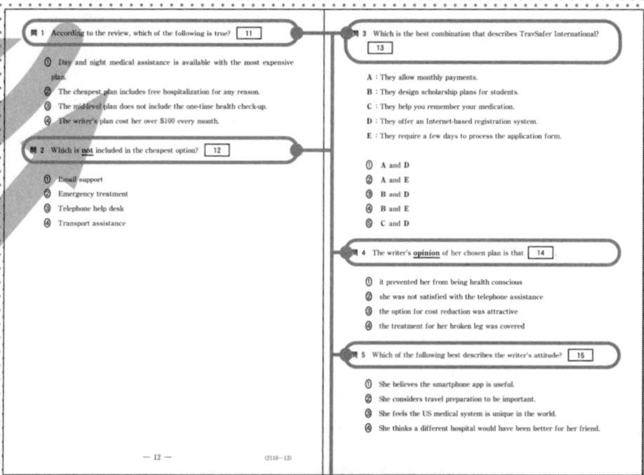

問 1 According to the review, which of the following is true? [11]

① Day and night medical assistance is available with the most expensive plan.
② The cheapest plan includes free hospitalization for any reason.
③ The mid-level plan does not include the one-time health check-up.
④ The writer's plan cost her over $100 every month.

問 2 Which is **not** included in the cheapest option? [12]

① Email support
② Emergency treatment
③ Telephone help desk
④ Transport assistance

— 12 —　(2110—12)

問 3 Which is the best combination that describes TravSafer International? [13]

A : They allow monthly payments.
B : They design scholarship plans for students.
C : They help you remember your medication.
D : They offer an Internet-based registration system.
E : They require a few days to process the application form.

① A and D
② A and E
③ B and D
④ B and E
⑤ C and D

問 4 The writer's **opinion** of her chosen plan is that [14].

① it prevented her from being health conscious
② she was not satisfied with the telephone assistance
③ the option for cost reduction was attractive
④ the treatment for her broken leg was covered

問 5 Which of the following best describes the writer's attitude? [15]

① She believes the smartphone app is useful.
② She considers travel preparation to be important.
③ She feels the US medical system is unique in the world.
④ She thinks a different hospital would have been better for her friend.

2　3

2 「事実読み取りの型」その１：「事実」と「意見」の切り替えを意識して読む

「雪が降っている。今日は寒い。気温は氷点下２度。こんな日は家でこたつの中にいるのが一番だ」という文は事実→意見→事実→意見となっていますが、このように「事実」と「意見」が交錯して出てくる英文を読む時は、その切り替えを意識するようにしましょう。「事実」とは誰から見ても明らかな、客観的なこと。この「誰から見てもそうだ」というのが最もわかりやすいのは「科学的に明らかにされていること」です。「水は0℃で凍り始める」は明らかに事実と言えます。また、データなど数字を含む文や、動詞が現在形になっている文は「事実」として扱われがちなので覚えておきましょう。

Day 08

それではまず次ページの問題に取り組みましょう！

B You are a college student going to study in the US and need travel insurance. You find this review of an insurance plan written by a female international student who studied in the US for six months.

There are many things to consider before traveling abroad: pack appropriate clothes, prepare your travel expenses, and don't forget medication (if necessary). Also, you should purchase travel insurance.

When I studied at Fairville University in California, I bought travel insurance from TravSafer International. I signed up online in less than 15 minutes and was immediately covered. They accept any form of payment, usually on a monthly basis. There were three plans. All plans include a one-time health check-up.

The Premium Plan is $100/month. The plan provides 24-hour medical support through a smartphone app and telephone service. Immediate financial support will be authorized if you need to stay in a hospital.

The Standard Plan worked best for me. It had the 24-hour telephone assistance and included a weekly email with tips for staying healthy in a foreign country. It wasn't cheap: $75/month. However, it was nice to get the optional 15% discount because I paid for six months of coverage in advance.

If your budget is limited, you can choose the Economy Plan, which is $25/month. It has the 24-hour telephone support like the other plans but only covers emergency care. Also, they can arrange a taxi to a hospital at a reduced cost if considered necessary by the support center.

I never got sick or hurt, so I thought it was a waste of money to get insurance. Then my friend from Brazil broke his leg while playing soccer and had to spend a few days in a hospital. He had chosen the Premium Plan and it covered everything! I realized how important insurance is—you know that you will be supported when you are in trouble.

問 1 According to the review, which of the following is true? [11]

① Day and night medical assistance is available with the most expensive plan.

② The cheapest plan includes free hospitalization for any reason.

③ The mid-level plan does not include the one-time health check-up.

④ The writer's plan cost her over $100 every month.

問 2 Which is **not** included in the cheapest option? [12]

① Email support

② Emergency treatment

③ Telephone help desk

④ Transport assistance

問 3 Which is the best combination that describes TravSafer International?
13

A : They allow monthly payments.

B : They design scholarship plans for students.

C : They help you remember your medication.

D : They offer an Internet-based registration system.

E : They require a few days to process the application form.

① **A** and **D**
② **A** and **E**
③ **B** and **D**
④ **B** and **E**
⑤ **C** and **D**

問 4 The writer's **opinion** of her chosen plan is that 14 .

① it prevented her from being health conscious
② she was not satisfied with the telephone assistance
③ the option for cost reduction was attractive
④ the treatment for her broken leg was covered

問 5 Which of the following best describes the writer's attitude? 15

① She believes the smartphone app is useful.
② She considers travel preparation to be important.
③ She feels the US medical system is unique in the world.
④ She thinks a different hospital would have been better for her friend.

問 1 - 5

訳 あなたはアメリカ留学を予定している大学生で、旅行保険が必要です。6カ月間アメリカで学んだ女子留学生の書いた、次のような保険プランのレビューを見つけます。

[第1段落]
海外旅行の前に考えることはたくさんあります。適切な服を荷造りする、旅費を用意する、それに（必要であれば）薬も忘れてはいけません。また、旅行保険にも入っておくべきです。

[第2段落]
私がカリフォルニア州のフェアビル大学に留学したときには、TravSafer インターナショナルの旅行保険に加入しました。オンラインで15分もかからずに申し込みをして、すぐに適用されました。問3-2 どんな支払い方法も可能ですが、通常は月額制です。問3-1 3つのプランがありました。どのプランにも一回の健康診断が含まれます。

[第3段落]
プレミアムプランは月額100ドルです。このプランでは、スマートフォンのアプリと電話サービスによる24時間の医療サポートが提供されます。問1 入院が必要な場合、すぐに費用の支援が認められます。

[第4段落]
スタンダードプランは私に一番向いていました。24時間の電話サポートがあり、外国で健康に過ごすためのアドバイスが書かれた週に一度のメールも含まれていました。月額75ドルと、安くはありませんでした。ですが、任意で6カ月分の保険料を前払いしたので15%の割引を受けられたのは良かったです。問4

[第5段落]
予算が限られているのなら、月額25ドルのエコノミープランを選ぶこともできます。他のプランと同じように24時間電話サポートがあります問2③が、救急治療しかカバーされません。問2② また、サポートセンターが必要と判断した場合、病院まで割引料金でタクシーを手配してくれます。問2④

[第6段落]
私は病気も怪我もしなかったので、保険に入るのはお金の無駄だったと思いました。その後、ブラジル出身の友人がサッカーをしていて足を骨折し、数日間入院しなければならなくなりました。彼はプレミアムプランを選んでいたので、全額補償されました！ 私は保険の大切さを理解しました問5——困ったときにサポートを受けられるのがわかっているのですから。

語句

［リード文］		one-time	形 一回限りの
insurance	名 保険	health check-up	熟 健康診断
		［第３段落］	
［レビュー］		app	名 アプリ
［第１段落］		financial	形 金銭の、費用の
appropriate	形 適切な	authorize ～	他 ～を承認する
expense	名（～sで）費用、経費	［第４段落］	
medication	名 医薬品	work	自 機能する、役に立つ
purchase ～	他 ～を購入する、～（保険）に加入する	optional	形 選択制の、任意の
		pay ～ in advance	熟 ～を前払いする
［第２段落］		coverage	名 保険負担
sign up	熟 申し込む	［第５段落］	
cover ～	他 ～に保険を適用する	budget	名 予算
on a monthly basis	熟 月決めで、月額制で	emergency	名 緊急事態、救急

問1　正解①　**問題レベル【普通】　配点 2点**

設問 **レビューによると、次のうち正しいものはどれか。** 11

選択肢 ① 最も高価なプランでは、日夜を問わない医療サポートが利用できる。
② 最も安価なプランには、どんな理由であれ無料の入院が含まれる。
③ 真ん中のレベルのプランには、健康診断一回分は含まれない。
④ 筆者のプランは毎月100ドル以上かかった。

語句 hospitalization 名 入院

まずは❶**視線の型**です。タイトルはありませんでしたが、リード文から「旅行保険プランのレビュー」だということがわかります。サブタイトルもありませんが、段落同士のスペースが広く、明らかに段落ごとに情報が整理されている感じがしますね。このような場合、**1文目がサブタイトルの役割を担っていることが多いです。各段落の1文目だけでもざっと見ておくと全体像がつかめる**かと思います。第1段落はThere are many things to consider「考慮すべきことがたくさんある」より一般論を述べているようですね。第2段落はTravSafer Internationalという筆者が利用した旅行保険会社の概要説明のようです。第3段落は「プレミアムプラン」、第4段落は「スタンダードプラン」（かつ、筆者が選んだプラン）、第5段落は「エコノミープラン」の説明であることがすぐにわかります。第6段落はI never got sick or hurt, so ...「私は病気も怪我もしなかったので…」と個人の経験の話をしてまとめているようです。このようにどこにどんな情報があるかを先につかんでおくと該当箇所を見つけやすくなり、スピーディーに解けます。

では問1です。設問からは探し読みできそうにないので、選択肢からキーワードや共通点を探しましょう。すると、①は「最も高いプラン」（＝プレミアムプラン）について、②は「最も安いプラン」（＝エコノミープラン）について、③は真ん中のプラン（＝スタンダードプラン）について、④は筆者が選んだプランについて、ということがわかります。1つずつ確認していきましょう。まず①のDay and night medical assistance is available「日夜を問わない医療サポートが利用できる」について第３段落を確認すると、２文目 The plan provides 24-hour medical support「24時間の医療サポートが提供されます」とあるので、合致します。正解は①ですね。②の free hospitalization for any reason「どんな理由であれ無料の入院」は、該当する内容が第５段落に出てこないので×です。③の does not include the one-time health check-up「健康診断一回分は含まれない」も、第４段落の説明に出てきていないので×です。ちなみに第２段落最終文で All plans include a one-time health check-up.「どのプランにも一回の健康診断が含まれます」とあるので、ここから明らかに×ですね。④は筆者が選んだプランの料金が月100ドル以上かどうかですが、第４段落１文目 The Standard plan worked best for me.「スタンダードプランは私に一番向いていました」より筆者が選んだプランはこのプランだとわかり、同段落３文目に「月75ドル」とあるので×です。

問2　正解①　**問題レベル【普通】　配点 2点**

設問 **最も安価なプランに含まれていないのはどれか。** 12

選択肢 ① メールによるサポート

② 救急治療

③ 電話サポート受付

④ 搬送補助

語句 treatment 名 治療　　transport 名 搬送、輸送

設問を先読みする（❶）と、「最も安価なプラン」なので第５段落を読んで解く問題だということがわかります。選択肢を照らし合わせながら読むと、①「メールによるサポート」だけ言及がないことがわかります。②「救急治療」は２文目後半に only covers emergency care とあるのでサポート対象ですね。③「電話サポート受付」は２文目前半に It has the 24-hour telephone support とあります。３文目 they can arrange a taxi to a hospital at a reduced cost「病院まで割引料金でタクシーを手配してくれます」とあるので④「搬送補助」もプランに含まれています。

Day 08

問 3　正解①　**問題レベル【普通】　配点 2点**

設問 TravSafer インターナショナルの説明として最も良い組み合わせはどれか。

13

A：月ごとの支払いが可能である。

B：学生向けの奨学金プランを設定している。

C：服薬を思い出す手助けをする。

D：インターネットでの登録システムを用意している。

E：申込書の処理をするのに数日を要する。

選択肢 ① A と D

② A と E

③ B と D

④ B と E

⑤ C と D

語句

scholarship	名 奨学制度、奨学金	application	名 申請、申し込み
registration	名 登録		

設問を先読みする（❶）と、この旅行保険会社自体の内容を聞かれているので第２段落を参照したらよさそうだとわかります。まずＡの「月ごとの支払い」は第２段落３文目に usually on a monthly basis「通常は月額制」とあるので問題ありません。ＢやＣは第２段落で言及がなく、Ｄの「インターネットでの登録システム」は２文目 I signed up online in less than 15 minutes and was immediately covered.「オンラインで15分もかからずに申し込みをして、すぐに適用されました」とあるので問題なさそうです。また、この文からＥは×だとわかります。よって合致するのはＡとＤで選択肢①が正解です。

問 4　正解③　**問題レベル【普通】　配点 2点**

設 問　**筆者の自分が選んだプランに関する意見は、［14］というものである。**

選択肢　① 自分の健康意識を阻害した
② 電話サポートに満足しなかった
③ 費用が割引されるオプションが魅力的だった
④ 足の骨折治療が補償された

語句　health conscious　熟 健康を意識した　　reduction　名 減額、割引

設問を先読みする（❶）と、筆者の選んだプランに関する意見を探せばいいことがわかります。第4段落の2文目以降を**「事実」「意見」の切り替えを意識して読んでいきましょう（❷）**。また、ここでは筆者の意見が問われているので「主観表現」に意識を向けながら読んでいきます。まず2文目の「24時間電話サポートがあり、週に一度のメールも含まれていた」は事実ですね。3文目「月額75ドルと、安くはありませんでした」は意見と事実が混じっています。筆者は「料金は安くはない」と思っているようです。しかし4文目でHowever「しかしながら」とポジティブな流れに変わります。it was nice to get the optional 15% discount「15%の割引を受けられたのは良かったです」とあります。主観形容詞 nice があるのでここは意見ですね。この文の言い換えとしてピッタリの選択肢③ the option for cost reduction was attractive が正解です。

問 5　正解②　**問題レベル【易】　配点 2点**

設 問　**次のうち筆者の考え方を最もよく表しているのはどれか。［15］**

選択肢　① 彼女はスマートフォンアプリが便利だと考えている。
② 彼女は旅行準備を重要視している。
③ 彼女はアメリカの医療制度が世界でも独特だと感じている。
④ 彼女は、別の病院の方が友人には良かったのではないかと思っている。

語句　attitude　名 態度、考え方

設問を先読みする（❶）と、筆者の「考え方」なので問4と同じく「意見」をしっかり押さえていきましょう。また、最終段落を読むのであろうと予測がつきますね。まだ一度も最終段落は参照させられていないですし、経験談から筆者の「考え方」が見えてきそうです。なお最終段落をまとめると「自分は病気も怪我もしなかった」（事実）ので「保険に入るのはお金の無駄だと思った」（意見）が「友人が骨折して入院し、保険で全額補償された」（事実）ので「保険の大切さを理解した」（意見）と、まさに**事実と意見が交互に出てきています（❷）**。ここから正解は②です。第1段落でも旅行準備の大切さに触れ、「旅行保険にも入っておくべき」と書かれていましたね。①、③、④はいずれも本文で言及されていませんでした。

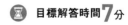

B While planning your six-month study programme in an English city called Twiggsbury, you find this online article about a unique transport project written by a member of the local promotion committee.

Emma Crossland
10 December 2023

Get Points for Travel

Wouldn't it be great to benefit from the miles you travel? Well, in Twiggsbury, you can! 'Point-to-Point,' or 'P-to-P' as it is known, gives you one point for every mile you travel on a train, bus, or even taxi within the local area. Your travel will be rewarded!

I only recently signed up for P-to-P but have already received so many benefits. An electronic travel card records my journeys and I receive a weekly email summary.

How about the benefits? Exchanging 100 points gives you a £3 coupon for future travel, and for 1,000 points you'll get a two-day unlimited pass for local travel! I took a trip to a castle and also visited other ancient buildings and monuments. I would never have done that without the unlimited pass. You can also use points to buy things at local supermarkets. All these benefits make life a little nicer.

I think the greatest benefit comes if you convert 5,000 points (which takes about a year to save) into an Elite Pass. With that, you can use the Elite Lounge at Twiggsbury Station any time! You also receive unlimited Wi-Fi access on all local transport.

The Twiggsbury government said as more people join, their saved points can be used in other places such as restaurants and cinemas. Last year, over 25,000 passengers registered for P-to-P and the government hopes to double that this year. Registration takes just a few minutes (click here), so sign up and start collecting points today!

問 1 Travelling locally for free on any successive Saturday and Sunday requires [11] points.

① 100
② 1,000
③ 5,000
④ 25,000

問 2 Emma implies that [12].

① modern buildings and monuments are attractive
② she dislikes the service of the Elite Lounge
③ she feels reluctant to expand the P-to-P project
④ the distance she travels has merit

問 3 According to the article, which is true? [13]

① Every user can freely access the Elite Lounge.
② Points are used at restaurants and cinemas.
③ Registration does not take much time.
④ The email summary is delivered twice a month.

問 4 According to the article, one **opinion** of the Twiggsbury government is that [14].

① the local economy is stimulated by the P-to-P project
② the P-to-P project should be expanded
③ the use of public transportation should be discouraged
④ travel diaries are beneficial for local cinemas

問 5 Which is the best combination that describes the P-to-P project? [15]

A : It's better to add more people to your P-to-P account.

B : Miles travelled can be converted into groceries.

C : People receive information about their travel history.

D : People should wait until next year to register.

E : The amount of Wi-Fi data usage can be exchanged for points.

① **A** and **D**

② **A** and **E**

③ **B** and **C**

④ **B** and **D**

⑤ **B** and **E**

⑥ **C** and **E**

問 1－5

訳 トゥイグズベリーというイングランドの町で6カ月間の留学プログラムを予定しているときに、あなたは、地元の推進委員会のメンバーが書いたユニークな交通プロジェクトに関する次のようなオンライン記事を見つけます。

エマ・クロスランド
2023年12月10日

移動でポイントを貯めよう

［第1段落］
移動した分のマイルで得ができたら、すてきではありませんか？　実は、トゥイグズベリーでは、できるんです！「P-to-P」として知られている「Point-to-Point」では、地域内を電車やバス、さらにはタクシーで移動したマイルごとに、1ポイントがつきます。移動で特典が得られるのです！ 問2

［第2段落］
私がP-to-Pに申し込んだのは最近になってからですが、既にたくさんの特典をもらっています。電子乗車カードが私の移動距離を記録してくれて、毎週メールでサマリーが届きます。 問5-2

［第3段落］
特典はどんなものでしょう？　100ポイントを交換すると今後の乗車で使える3ポンドのクーポン、1000ポイントなら地域の乗車に使える2日間無制限パスがもらえます！ 問1 私はお城まで旅行して、他の古代建造物や遺跡も見てきました。無制限パスがなかったら、そんなことはきっとしていなかったでしょう。また、ポイントは地域のスーパーで買い物をするのにも使えます。 問5-1 こうしたいろいろな特典が、生活をちょっと潤してくれます。

［第4段落］
私が思う一番お得な特典は、5000ポイント（貯めるのに1年ぐらいかかります）をエリートパスに交換することです。そうすると、トゥイグズベリー駅のエリートラウンジをいつでも使えるのです！また、地元のすべての交通機関で無制限のWi-Fiアクセスが利用できます。

［第5段落］
トゥイグズベリー当局によると、参加者がさらに増えると、貯めたポイントをレストランや映画館などの他の場所でも使えるようになると言っていました。去年は2万5000人以上の乗客がP-to-Pに登録しましたが、当局は今年それを倍増させたいと願っています。 問4 登録にはほんの数分しかかかりません 問3（ここをクリック）ので、今日にでも申し込んでポイント集めを始めてください！

語句

［リード文］

programme	名 プログラム（イギリス式つづり）
article	名 記事
transport	名 運輸、交通
committee	名 委員会

［記事］

［第１段落］

benefit from ～	熟 ～から恩恵を受ける、～で得をする
reward ～	他 ～に見返りを与える、～に特典を受けさせる

［第２段落］

sign up for ～	熟 ～に申し込む
electronic	形 電子の
summary	名 要約、まとめ

［第３段落］

unlimited	形 無制限の
ancient	形 古代の
monument	名 遺跡、記念碑、モニュメント

［第４段落］

convert A into B	熟 AをBに変換する

［第５段落］

government	名 行政、自治体
double ～	他 ～を倍増させる
registration	名 登録

問１　正解②　**問題レベル【普通】　配点 2点**

設問 **土曜から日曜日にかけて無料で地元の旅行をするのには ［11］ ポイント必要だ。**

選択肢 ① 100　② 1000
③ 5000　④ 2万5000

語句 successive 形 連続の

まずは❶**視線の型**です。リード文とタイトルから「移動でポイントを貯めるという地域の交通プロジェクト」についてだと大枠をつかみます。サブタイトルなどはありませんが、サブタイトル代わりに各段落１文目にざっと目を通しておきましょう。第１段落は「ポイント制度の紹介」、第２段落は個人の経験とポイント制度の説明、第３段落は特典内容の詳細、第４段落は特典内容の詳細の続き（最大の特典）、第５段落はこの町の自治体が目指すものと、ポイント制度への登録の促しのようです。

では問１の設問です。ポイントによる特典の詳細が問われていることがわかりますね。「土曜から日曜日にかけて無料で地元を旅行するために何ポイント必要か」という問題です。特典内容の詳細は第３段落と第４段落でした。探し読みしていくと、第３段落２文目後半で for 1,000 points you'll get a two-day unlimited pass for local travel「1000ポイントなら地域の乗車に使える２日間無制限パスがもらえます」とあります。「土日祝日は追加でポイントが必要」などありそうですが、この段落を最後まで読んでも特にそのようなことは書かれていなかったので、２文目だけから素直に選択肢②1,000ポイントを選べば正解です。

問2　正解④　**問題レベル【普通】　配点 2点**

設問　**エマは 12 ということを伝えている。**

選択肢
① 現代的な建物やモニュメントが魅力的だ
② エリートラウンジのサービスが嫌いだ
③ P-to-P プロジェクトを拡大することに乗り気でない
④ 移動する距離に価値がある

語句

imply that SV	熟 SVであると示唆する		進まない
dislike ～	他 ～を嫌う	expand ～	他 ～を拡大する
reluctant	形 気乗りがしない、気が	merit	名 利点、価値

まずは❶**視線の型**です。設問からだけでは探し読みができなさそうなので、選択肢からキーワードや共通点を探しておきましょう。すると① attractive「魅力的な」、② dislikes「嫌いだ」、③ feels reluctant「乗り気ではない」、④ has merit「価値がある」と、「いい・悪い」といった主観表現が並んでいますね。第1段落から**「意見」に注目しながら読んでいく**（❷）と解きやすいでしょう。第1段落3文目で移動するマイルごとにポイントがもらえるという説明のあと、Your travel will be rewarded!「移動で特典が得られるのです！」とあります。助動詞は主観表現です。will は「～だろう」という推量の助動詞。「移動に価値が出るようになる」という話し手の気持ちを表しています。「移動する距離に価値がある」ということは、移動すればするほど特典がもらえる、ということです。この点に注目できると、④が正解だとすぐにわかりますね。

Day 08

問3　正解③　**問題レベル【普通】　配点 2点**

設問　**記事によると、正しいのはどれか。 13**

選択肢
① 利用者全員がエリートラウンジに自由に入れる。
② ポイントはレストランや映画館で使われている。
③ 登録にはあまり時間がかからない。
④ メールによるサマリーは月2回送られてくる。

まずは❶**視線の型**です。探し読みができないタイプの問題なので選択肢を先読みし、キーワードや共通点をチェックしておきましょう。①はエリートラウンジ、②はレストランや映画館、③は登録にかかる時間、④はサマリーのメール、ですね。キーワードがわかりやすく探しやすそうです。まず段落のどのあたりに書いてそうか、のアタリをつけましょう。①や②は特典内容の詳細なので第3～4段落、③や④は特典内容というよりポイント制度そのものについてなので第1～2段落、そして第5段落のどこかにありそうです。まず①エリートラウンジについては第4段落2文目に With that, you can use the Elite Lounge at Twiggsbury Station any time!「そうすると、トゥイグズベリー駅のエリートラウンジをいつでも使えるのです！」とありますが、これは前の文によると5,000ポイントを貯めてエリートパスに交換した時の話です。①をよく読むと Every user「利用者全員」と書いてあるので①は×だとわかります。②のレストランや映画館については、第3～4段落に出てきませんでした。第5段落1文目に自治体が言った内容として出てきますが、as more people join, their saved points can be used in other places such as restaurants and cinemas「参加者がさらに増えると、貯めたポイントをレストランや映画館などの他の場所でも使えるようになる」は未来の話をしており、②は are used が現在形なので×です。本文の can be used からは未来のことだとわかりにくいですが、直前の as more people join「より多くの人が参加したとき」から未来のことだとわかります。join は現在形ですが現在形は「いつもそうだ」という習慣や状態を表すので、そのままふつうの現在形と解釈すると「より多くの人がいつも参加する」となり、おかしいですね。この join は未来のことが現在形になっていて、「(これから) より多くの人が参加するようになった時に」と解釈するべきです。「時・条件の副詞節は未来のことでも現在形」という文法ルールを見抜く力が問われていますね。**共通テストではいわゆる「文法問題」が出ない代わりに、文中の該当箇所や選択肢で文法力がないと誤読するような文を置いてくるので、英文法の学習も疎かにしないようにしましょう。**③は第5段落3文目 Registration takes just a few minutes「登録にはほんの数分しかかかりません」より正解です。④は第2段落2文目に I receive a weekly email summary.「毎週メールでサマリーが届きます」とあるので twice a month「月2回」が×です。

問 4　正解②　**問題レベル【普通】　配点 2点**

設問 **記事によると、トゥイグズベリー当局の意見の一つは、[14] というものだ。**

選択肢 ① 地域経済が P-to-P プロジェクトで刺激される
② P-to-P プロジェクトは拡大されるべきである
③ 公共交通機関の利用はやめさせるべきである
④ 旅日記は地元の映画館にとって有益である

語句
stimulate ～　他 ～を刺激する
discourage ～　他 ～を思いとどまらせる、～をやめさせる
beneficial　形 有益な、役に立つ

まず**設問を見る**(❶)と、この町の自治体の意見を探す問題だとわかります。第5段落を、**意見と事実を区別**しながら読めましたか(❷)。1～2文目前半は事実が書かれており、2文目後半、and the government hopes to double that this year「当局は今年それを倍増させたいと願っています」より、登録者数を増やしたいと思っているのだとわかります。hope が思考動詞であることからこの文に注目できれば、正解の②に早くたどり着けます。②では助動詞 should が使われており、これも主観表現なので「意見」です。他の選択肢も確認していきます。まず選択肢①はどうでしょうか。①は主観表現もなく現在形で書かれているので「事実」っぽいですね。確かに地域経済を刺激したいという狙いがあるのかもしれませんが、その場合選択肢は will be stimulated や should be stimulated となっているはずですし、そもそもそのような狙いは本文のどこにもありませんでした。難しい場合は②と比べて**相対的に判断**してみてください(❸)。「経済が刺激される」と「プロジェクトは拡大されるべきだ」のどちらが「意見寄り」かと言われたら②のはずです。なお、③は should が、④は主観形容詞 beneficial が「意見」ですが、いずれも本文の内容と合致しないので×です。

問5　正解③　**問題レベル【普通】　配点 2点**

設問 **P-to-P プロジェクトを最もよく説明している組み合わせはどれか。** 15

A：P-to-P のアカウントに、より多くの人を加えた方がいい。

B：移動したマイルは食料品に交換することができる。

C：人々は自分の移動履歴に関する情報を受け取る。

D：人々は登録するのを来年まで待つべきだ。

E：Wi-Fi のデータ使用量をポイントに交換できる。

選択肢 ① A と D

② A と E

③ B と C

④ B と D

⑤ B と E

⑥ C と E

語句 **grocery** 名（-iesで）食料雑貨、食料品

Day 08

まずは❶**視線の型**です。選択肢を一つ一つ確認していくしかなさそうですね。まずAは、「アカウントに人を加える方がいい」という内容はどこにもありません。Bは、特典の内容についてなので第３～４段落を確認しましょう。第３段落５文目 You can also use points to buy things at local supermarkets.「また、ポイントは地域のスーパーで買い物をするのにも使えます」より、ポイントを使ってスーパーで食料品も買えると推測できます。Cは特典の内容というよりポイント制度自体についてなので第１、２、５段落を確認しましょう。第２段落２文目に An electronic travel card records my journeys and I receive a weekly email summary.「電子乗車カードが私の移動距離を記録してくれて、毎週メールでサマリーが届きます」とあり、移動履歴に関する情報を受け取ることがわかります。Dは、記事の最後で早めの申し込みを勧めており、「登録を待つべき」とは言っていません。Eは、Wi-Fiの話が第４段落に出てきますが、使用量をポイントに交換できるとは書かれていません。よって、正解は③です。

DAY 09

【ビジュアル照合型問題】を攻略する「視線の型」

第3問Aでは、英文と図（ビジュアル）の情報を照らし合わせて解くタイプの問題が出題されます。今回はこのような「ビジュアル照合型問題」に対応する「視線の型」を練習していきましょう。

「視線の型」のステップ

❶ 場面・状況を把握する

問題に当たる前に設定の説明を読み、場面や状況をイメージしましょう。毎回言っていますがここを飛ばさないようにしましょう。直接問題に関係していなくても、英文が断然読みやすくなります。

❷ 英文のタイトルや図(ビジュアル)から全体像を把握する

❶につながりますが、あらかじめタイトルや図（ビジュアル）に目を通し、全体像を把握しておくことで内容がつかみやすくなります。

第3問 （配点 15）

❶

A You are studying at Camberford University, Sydney. You are going on a class camping trip and are reading the camping club's newsletter to prepare.

❷

Going camping? Read me!!!

Hi, I'm Kaitlyn. I want to share two practical camping lessons from my recent club trip. The first thing is to divide your backpack into three main parts and put the heaviest items in the middle section to balance the backpack. Next, more frequently used daily necessities should be placed in the top section. That means putting your sleeping bag at the bottom; food, cookware and tent in the middle; and your clothes at the top. Most good backpacks come with a "brain" (an additional pouch) for small easy-to-reach items.

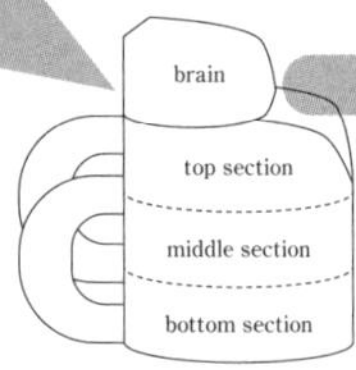

Last year, in the evening, we had fun cooking and eating outdoors. I had been sitting close to our campfire, but by the time I got back to the tent I was freezing. Although I put on extra layers of clothes before going to sleep, I was still cold. Then, my friend told me to take off my outer layers and stuff them into my sleeping bag to fill up some of the empty space. This stuffing method was new to me, and surprisingly kept me warm all night!

I hope my advice helps you stay warm and comfortable. Enjoy your camping trip!

内容 第3問Aではこれまで、「ある場所への行き方」「遊園地やイベントでの経験」「キャンプの準備」など、身近なテーマが図と共に出題されています。ここではそのような「ビジュアル照合型問題」を正しく早く読み取る「視線の型」をマスターしていきましょう。

目標解答時間3分

3

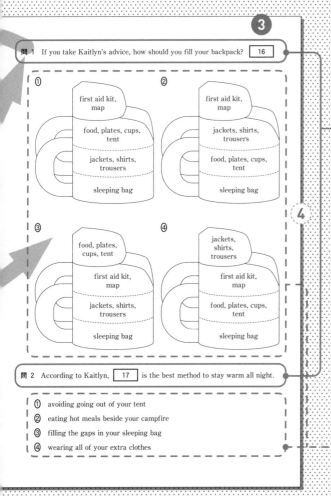

問 1　If you take Kaitlyn's advice, how should you fill your backpack?　16

①
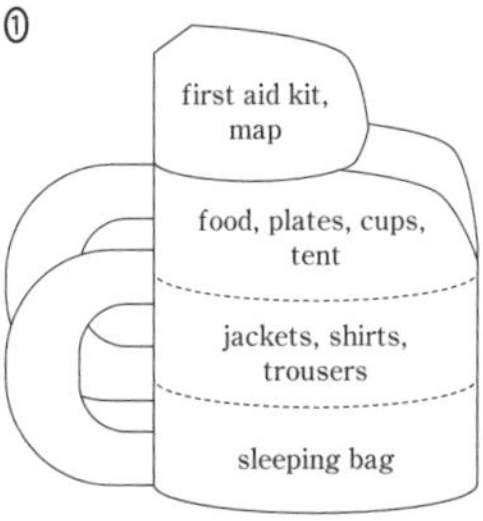

②
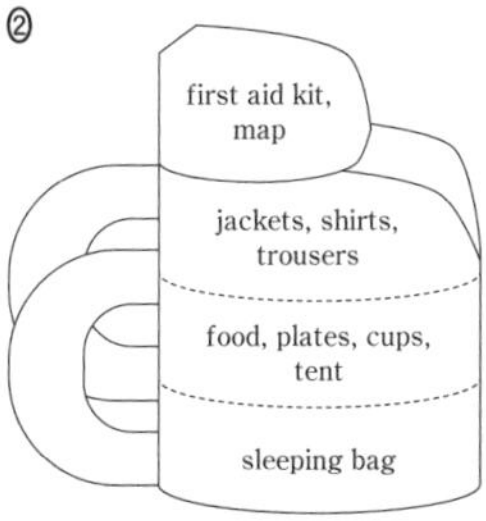

③
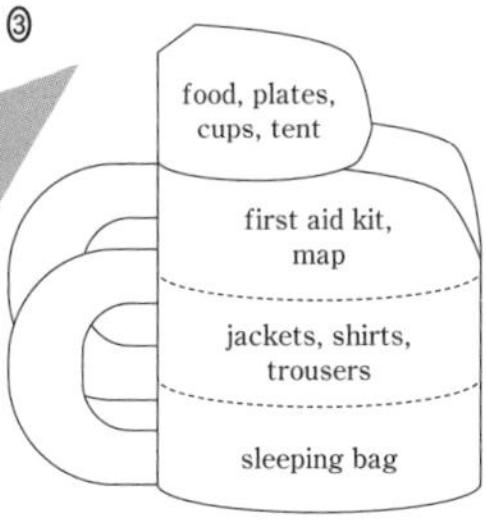

④
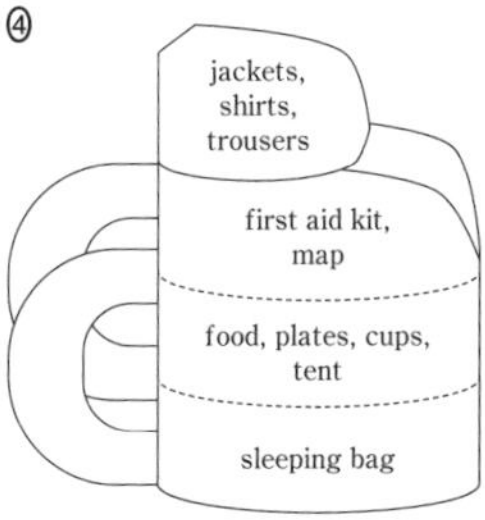

問 2　According to Kaitlyn, 　17　 is the best method to stay warm all night.

① avoiding going out of your tent
② eating hot meals beside your campfire
③ filling the gaps in your sleeping bag
④ wearing all of your extra clothes

3

設問を先読みする

問われている内容を把握します。設問に情報（狙い読みのキーワード）が少ない場合は、一通り選択肢を先読みしてキーワードをつかんでおくと素早く該当箇所を見つけることができるので、解答時間の短縮につながります。

4

該当箇所を探しに本文・図（ビジュアル）へ

設問（や場合によっては選択肢も）を読んだら該当箇所を探しに本文にいきましょう。1文目からしっかり読んで、濃淡をつけつつもちゃんと理解しながら該当箇所を探します。その際、図に関係していそうであれば図も照合しながら読んでください（具体的な方法はDay 10［p. 145］で述べます）。

では、この「視線の型」を使って、次ページの問題に取り組みましょう！

第3問 (配点　15)

A You are studying at Camberford University, Sydney. You are going on a class camping trip and are reading the camping club's newsletter to prepare.

Going camping? Read me!!!

Hi, I'm Kaitlyn. I want to share two practical camping lessons from my recent club trip. The first thing is to divide your backpack into three main parts and put the heaviest items in the middle section to balance the backpack. Next, more frequently used daily necessities should be placed in the top section. That means putting your sleeping bag at the bottom; food, cookware and tent in the middle; and your clothes at the top. Most good backpacks come with a "brain" (an additional pouch) for small easy-to-reach items.

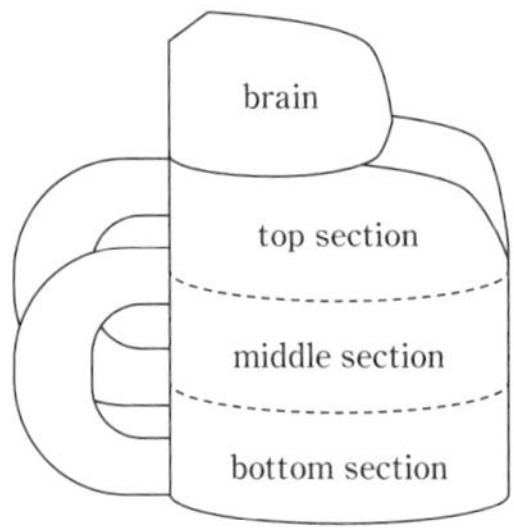

Last year, in the evening, we had fun cooking and eating outdoors. I had been sitting close to our campfire, but by the time I got back to the tent I was freezing. Although I put on extra layers of clothes before going to sleep, I was still cold. Then, my friend told me to take off my outer layers and stuff them into my sleeping bag to fill up some of the empty space. This stuffing method was new to me, and surprisingly kept me warm all night!

I hope my advice helps you stay warm and comfortable. Enjoy your camping trip!

問 1 If you take Kaitlyn's advice, how should you fill your backpack? [16]

①

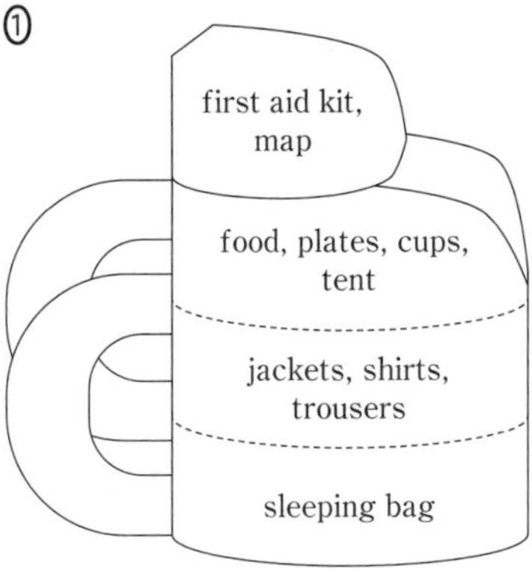

②

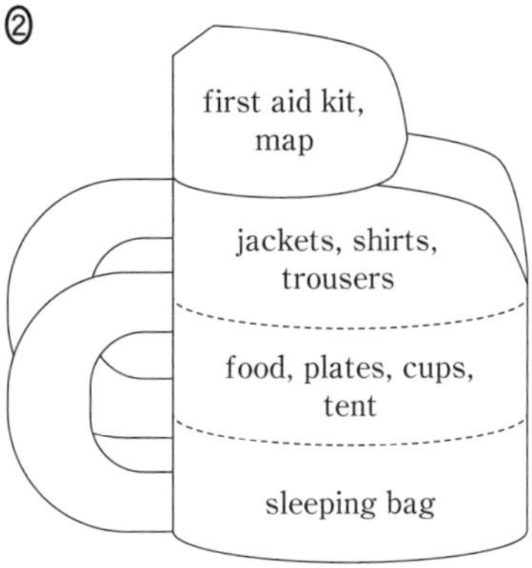

③

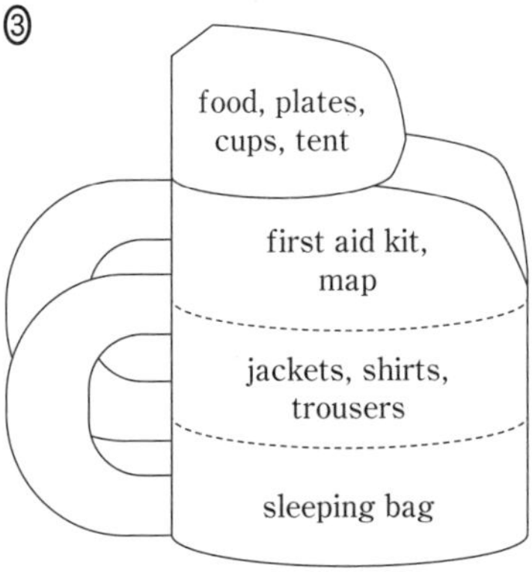

④

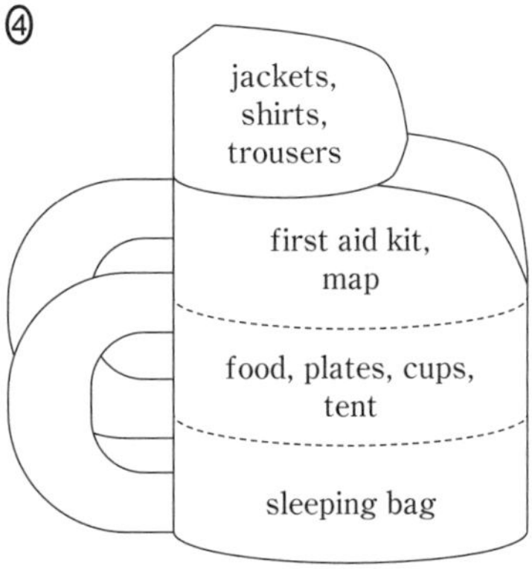

問 2 According to Kaitlyn, [17] is the best method to stay warm all night.

① avoiding going out of your tent

② eating hot meals beside your campfire

③ filling the gaps in your sleeping bag

④ wearing all of your extra clothes

問 1－2

訳 あなたはシドニーのキャンバーフォード大学に通っています。クラスのキャンプ旅行に行くので、準備としてキャンピング部のニュースレターを読んでいます。

キャンプに行く？　これを読んで!!!

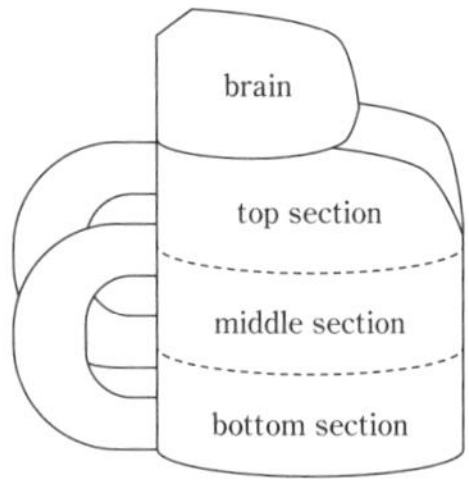

[第１段落]

こんにちは、私はケイトリンです。最近の部活の旅行からの実用的なキャンプの教訓を２つ、お伝えしたいと思います。１つ目は、バックパックを大きく３分割して、バックパックのバランスを取るために一番重いものを真ん中部分に入れることです。次に、よく使う日用品は上の部分に入れるべきです。つまり、寝袋が一番下、食料、調理用具とテントが真ん中、衣服が一番上になるように入れます。問1　いいバックパックにはたいてい、細かいものが取り出しやすいように「ブレイン」（追加の小型収納）が付いています。

[第２段落]

去年、夜に屋外で料理や食事を楽しみました。キャンプファイアの近くに座っていましたが、テントに戻ったときには凍えそうでした。寝る前に余分に重ね着したのですが、それでも寒いのです。すると友達が私に、外側に着ているものを脱ぎ寝袋に詰めて隙間を埋めるようにと言いました。こんなふうに詰め込むやり方は初めて知ったのですが、驚くことに一晩中暖かく過ごすことができました！
問2

[第３段落]

私のアドバイスが、暖かく快適に過ごすためのお役に立てばと思います。キャンプ旅行を楽しんでください！

語句

［ニュースレター］

［第１段落］

share ～	他 ～（情報）を共有する、～を伝える
practical	形 実用的な、実際に役立つ
divide ～	他 ～を分ける、～を分割する
frequently	副 頻繁に、しばしば
necessity	名（～-iesで）生活必需品
cookware	名 調理器具
come with ～	熟 ～が付属する
pouch	名 パウチ、ポーチ、小袋

［第２段落］

put on layers of clothes	熟 重ね着する
fill up ～	熟 ～（隙間）をふさぐ
method	名 方法、手法

問 1　正解②　**問題レベル【易】　配点 3点**

設　問 **ケイトリンのアドバイスに従うとしたら、バックパックをどう荷造りするべきか。** 16

選択肢 ① 救急セット、地図／食べ物、皿、カップ、テント／上着、シャツ、ズボン／寝袋
② 救急セット、地図／上着、シャツ、ズボン／食べ物、皿、カップ、テント／寝袋
③ 食べ物、皿、カップ、テント／救急セット、地図／上着、シャツ、ズボン／寝袋
④ 上着、シャツ、ズボン／救急セット、地図／食べ物、皿、カップ、テント／寝袋

語句 trouser 名（～s で）ズボン

まずは❶**場面・状況を把握します**。リード文に「クラスのキャンプ旅行に行くので、そのための準備としてキャンピング部のニュースレターを読んでいる」とあります。次に❷**英文のタイトルや図（ビジュアル）で全体像を把握**します。タイトルは Going camping? Read me!!! とわかりやすいですね。タイトル右下のイラストだけ見ても何のイラストかわからないですが、問１に同じようなイラストがあることがすぐ目に入るので、気にせず**問１の設問に進みましょう**（❸）。「バックパックをどう荷造りするべきか」とあるので、このイラストがバックパックだとわかります。

では❹**本文を見ていきましょう**。第１段落３～４文目に put the heaviest items in the middle section「一番重いものを真ん中部分に入れる」、more frequently used daily necessities should be placed in the top section「よく使う日用品は上の部分に入れるべきです」とありますが、まだ抽象的ではっきりしないのでそのまま読み進めます。すると５文目に、That means putting your sleeping bag at the bottom; food, cookware and tent in the middle; and your clothes at the top.「つまり、寝袋が一番下、食料、調理用具とテントが真ん中、衣服が一番上になるように入れます」と具体的にあります。**ミスを防ぐため、本文のイラストに一つ一つ書き込みましょう**。例えば一番下の bottom section に sleeping bag で「s/b」、下から二番目の middle section に food ... なので「food」、上から２番目の top section に clothes なので「服」などと書き込みます。自分がわかればいいので、頭文字だけ書く、複数ある場合は最初の１つだけ書く、見やすさを重視して日本語で書く、など自分に合った書き込み方の「マイルール」が徐々にできてくるといいですね。選択肢と照らし合わせて②を正解に選びます。

問 2 正解③ **問題レベル【易】 配点 3点**

設問 **ケイトリンによると、[17] は一晩中暖かく過ごすための最も良い方法だ。**

選択肢 ① テントから出ないこと ② キャンプファイアの近くで温かい食事をとること
③ 寝袋の隙間を埋めること ④ 余分な服を全部着ること

語句 fill a gap 熟 隙間を埋める

❸設問の先読みから入りましょう。「一晩中暖かく過ごす方法」を本文から探せばいいのだとわかります。

では**❹本文**です。本文第２段落を上から読んでいくと、４～５文目に Then, my friend told me to take off my outer layers and stuff them into my sleeping bag to fill up some of the empty space. This stuffing method was new to me, and surprisingly kept me warm all night!「すると友達が私に、外側に着ているものを脱ぎ寝袋に詰めて隙間を埋めるようにと言いました。こんなふうに詰め込むやり方は初めて知ったのですが、驚くことに一晩中暖かく過ごすことができました！」とあります。精読をして、「寝袋の空きスペースに服を詰め込むと暖かいのだな」と理解した上で選択肢を見ると③が正解だとわかります。empty space を gap「隙間」と**言い換え**ていました。

目標解答時間3分

問題番号は実際の番号のままです。

第3問 (配点 15)

A The exchange student in your school is a koi keeper. You are reading an article he wrote for a magazine called *Young Fish-Keepers*.

My First Fish

Tom Pescatore

I joined the Newmans Koi Club when I was 13, and as part of my club's tradition, the president went with me to buy my first fish. I used money I received for my birthday and purchased a 15 cm baby ghost koi. She now lives with other members' fish in the clubhouse tank.

I love my fish, and still read everything I can about ghosts. Although not well known in Japan, they became widely owned by UK koi keepers in the 1980s. Ghosts are a hybrid type of fish. My ghost's father was a Japanese ogon koi, and her mother was a wild mirror carp. Ghosts grow quickly, and she was 85 cm and 12 kg within a couple of years. Ghosts are less likely to get sick and they can survive for more than 40 years. Mine is now a gorgeous, four-year-old, mature, platinum ghost koi.

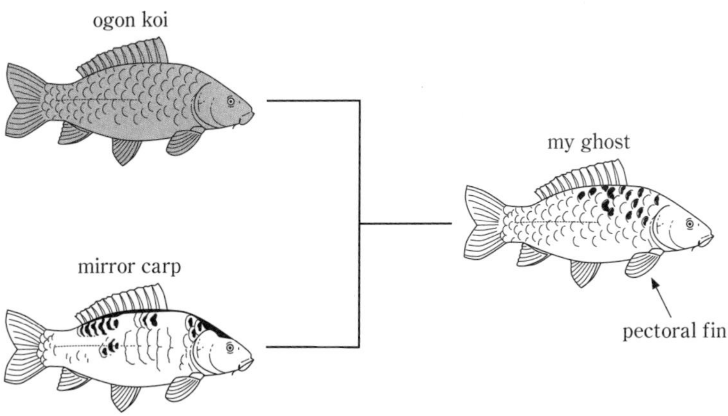

Ghosts are not considered as valuable as their famous "pure-bred" Japanese cousins, so usually don't cost much. This makes them affordable for a 13 year old with birthday present money. The most striking parts of my ghost are her metallic head and flashy pectoral fins that sparkle in the sunlight. As the name "ghost koi" suggests, these fish can fade in and out of sight while swimming. They are super-cool fish, so why not start with a ghost?

問 1 From the article, you know that Tom's fish is **not** [16].

① adult
② cheap
③ pure-bred
④ tough

問 2 The species was named "ghost koi" because [17].

① their appearance is very frightening
② their shadowy fins flash when they swim
③ they can live secretly for a long time
④ they seem to mysteriously vanish in water

問 1－2

訳 あなたの学校の交換留学生は鯉の愛好者です。あなたは『ヤング・フィッシュキーパー』という雑誌に彼が書いた記事を読んでいます。

僕の初めての魚

トム・ペスカトーレ

［第1段落］
僕は13歳のときにニューマンズ・コイ・クラブに入りましたが、クラブの伝統の一部として、僕が初めての魚を飼うときに会長が同行してくれました。僕は誕生日にもらったお金を使って15センチのゴーストコイの稚魚を買いました。この子は今、他のメンバーの魚と一緒にクラブハウスの水槽で暮らしています。

［第2段落］
僕は自分の魚が大好きで、今もゴーストに関して読めるものは何でも読みます。日本ではあまり知られていませんが、この魚は1980年代にイギリスの鯉愛好者に広く飼われるようになりました。ゴーストは交雑種の魚です。問1　僕のゴーストの父親は日本の黄金鯉、母親は野生の鏡鯉です。ゴーストは成長が早く、この子は2年ほどで85センチ、12キログラムになりました。ゴーストは病気になりにくく、40年以上生き抜くこともあります。僕のは今、立派な4歳の成魚となったプラチナ色のゴーストコイです。

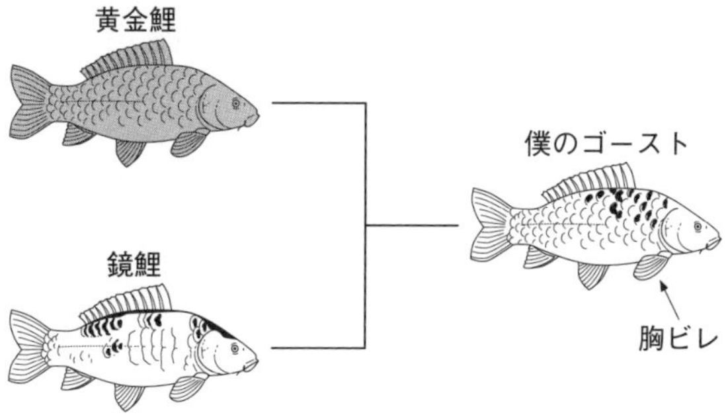

［第3段落］
ゴーストは有名な「純血種の」日本のいとこたちのように貴重とは見なされないので、普通はあまり高価ではありません。このため、13歳の子が誕生日プレゼントのお金で買えるほど手頃なのです。僕のゴーストの一番すてきなところは、メタリックな頭部と、日の光にきらめくキラキラした胸ビレです。「ゴーストコイ」という名前が示すとおりこの魚は泳いでいる間に姿を現したり見えなくなったりします。問2　すごくクールな魚なので、ゴーストから始めてみてはどうですか？

語句

［リード文］		platinum	形 プラチナ（色）の
keeper	名 飼育者、愛好者	［第３段落］	
［記事］		valuable	形 貴重な、高価な
［第１段落］		pure-bred	形 純血種の
tradition	名 伝統、習わし	affordable	形 値段が手頃な
［第２段落］		striking	形 印象的な、魅力的な
own ～	他 ～を所有する、～を飼う	flashy	形 キラッと光る、華やかな
hybrid	形 交配の、交雑の	pectoral fin	熟 胸ビレ
carp	名 鯉	sparkle	自 きらめく
gorgeous	形 見事な、美しい	fade in	熟 徐々に見えてくる
mature	形 成熟した、大人の	fade out of sight	熟 徐々に見えなくなる

問 1　正解③　**問題レベル【易】　配点 3点**

設　問 **記事から、トムの魚は［16］ないとわかる。**

選択肢 ① 大人で　② 安く　③ 純血種で　④ 丈夫で

まずは**❶場面・状況を把握します**。リード文によると鯉についての英文のようですね。**❷タイトルや図（ビジュアル）から**も魚の鯉の話だとわかります。

❸設問を見ると not 問題なので選択肢を先にチェックしておきましょう。① adult「大人」、② cheap「安い」、③ pure-bred「純血種」、④ tough「丈夫」。どれかがトムの魚に当てはまらないということです。イラストがあるので本文を読み始める前に確認しておきます。右側の魚に my ghost と書かれているので、これがトムの魚でしょうね。勘が鋭い人はこのイラストを見ただけで答えがわかったかもしれませんが、しっかり本文も確認していきましょう。

❹本文を読んでいきます。第１段落は主に魚を買うまでの流れで、魚の詳細はあまり書かれていないですが、baby ghost koi とあります。ゴーストというのは鯉の種類のようですね。なお、baby とありますがここでは飼った当時の話をしており、今は大人です（第２段落最終文に mature とあります）。第２段落にいきます。読み進めると３文目に Ghosts are a hybrid type of fish.「ゴーストは交雑種の魚です」とあり、ここから「純血種」ではないことがわかります。正解は③です。

今回の問題はイラストもヒントになり、かなり解きやすかったはずです。選択肢の pure-bred や本文の hybrid type of fish だけだと、受験生にとって難し過ぎるという判断からきたイラストだと思います。**このように、イラストはただのおまけではなく、理解の助けになることが多い**ので、積極的に活用するようにしましょう。

問 2 正解④ 問題レベル【普通】 配点 3点

設問 この種は 17 ので「ゴーストコイ」と名付けられた。

選択肢 ① その外見がとても恐ろしい
② 影のようなヒレが泳ぐと光る
③ 長い間ひっそりと生きることができる
④ 神秘的に水中に消えるように見える

語句

species	名（生物の）種	shadowy	形 影のような、謎めいた
appearance	名 外見、見た目	mysteriously	副 神秘的に
frightening	形 恐ろしい	vanish	自 消える、見えなくなる

❸**設問より**、「ゴーストコイ」という名前の由来が聞かれているのだとわかります。❹**本文に探しにいくと**、第3段落4文目に As the name “ghost koi” suggests, these fish can fade in and out of sight while swimming.「『ゴーストコイ』という名前が示すとおり、この魚は泳いでいる間に姿を現したり見えなくなったりします」とあり、ここから正解は④だとわかります。fade in and out of sight が vanish に**言い換え**られていました。

DAY 10

【ビジュアル照合型問題】を攻略する「照合の型」

Day 09ではビジュアル照合型問題の「視線の型」を見ていきました。ここでは照合問題の解き方にフォーカスし、「照合の型」を深めていきます。

「照合の型」のステップ

1 「視線の型」を使う

問題を解くに当たっては、Day 09の「視線の型」が基本の型となります。p. 132で説明した型を確実にものにしておきましょう。

2→2

第3問 (配点 15)

1

A Susan, your English ALT's sister, visited your class last month. Now back in the UK, she wrote on her blog about an event she took part in.

Hi!

I participated in a photo rally for foreign tourists with my friends: See the rules on the right. As photo rally beginners, we decided to aim for only five of the checkpoints. In three minutes, we arrived at our first target, the city museum. In quick succession, we made the second, third, and fourth targets. Things were going smoothly! But, on the way to the last target, the statue of a famous samurai from the city, we got lost. Time was running out and my feet were hurting from walking for over two hours. We stopped a man with a pet monkey for help, but neither our Japanese nor his English were good enough. After he'd explained the way using gestures, we realised we wouldn't have enough time to get there and would have to give up. We took a photo with him and said goodbye. When we got back to Sakura City Hall, we were surprised to hear that the winning team had completed 19 checkpoints. One of our photos was selected to be on the event website (click here). It reminds me of the man's warmth and kindness: our own "gold medal."

Sakura City Photo Rally Rules

- Each group can only use the **camera** and **paper map**, both provided by us
- Take as many photos of **25 checkpoints** (designated sightseeing spots) as possible
- **3-hour** time limit
- Photos must include **all 3 team members**
- All members must move **together**
- **No** mobile phones
- **No** transport

内容 第3問Aは何らかの図（ビジュアル）が混じって出題されます。ここでは本文と図（ビジュアル）、そして、設問を照合して正答をスムーズに導き出すための「照合の型」を扱います。

目標解答時間3分

2-①

問1 You click the link in the blog. Which picture appears? [16]

2-③

問2 You are asked to comment on Susan's blog. Which would be an appropriate comment to her? [17]

① I want to see a picture of you wearing the gold medal!
② You did your best. Come back to Japan and try again!
③ You reached 19 checkpoints in three hours? Really? Wow!!
④ Your photo is great! Did you upgrade your phone?

② 「照合の型」：書き込みをしながら問題を解く

頭の中だけで処理しようとすると、ミスにつながります。共通テストは書き込み禁止の試験ではありません。照合を正確に行うために、積極的に書き込みをしましょう。具体的には、

①設問で問われているキーワードはビジュアル（地図やイラスト）の中から探して○で囲んでおく

②図や表の中に書かれていない情報（特に数字）が英文中に出てきたら、図や表の該当箇所に書き込む

③選択肢の英文中に「？」「○」「×」などを書き込んだり、本文中の重要そうな英文に線を引いたりする

などです。これはすべての問題で言えることですが、特にこの「ビジュアル照合型問題」で重要なので、ここで「型」として取り上げておきます。スマートに解こうとしてミスをしてしまっては元も子もありません。手を動かすことで脳が活性化し、理解力も高まるので結果的にスピードも上がります。ガンガン書き込みながら照合問題で確実に得点しましょう。

それでは、「照合の型」を使ってまず次ページの問題に取り組みましょう！

第 3 問 (配点 15)

A Susan, your English ALT's sister, visited your class last month. Now back in the UK, she wrote on her blog about an event she took part in.

Hi!

I participated in a photo rally for foreign tourists with my friends: See the rules on the right. As photo rally beginners, we decided to aim for only five of the checkpoints. In three minutes, we arrived at our first target, the city museum. In quick succession, we made the second, third, and fourth targets. Things were going smoothly! But, on the way to the last target, the statue of a famous samurai from the city, we got lost. Time was running out and my feet were hurting from walking for over two hours. We stopped a man with a pet monkey for help, but neither our Japanese nor his English were good enough. After he'd explained the way using gestures, we realised we wouldn't have enough time to get there and would have to give up. We took a photo with him and said goodbye. When we got back to Sakura City Hall, we were surprised to hear that the winning team had completed 19 checkpoints. One of our photos was selected to be on the event website (click here). It reminds me of the man's warmth and kindness: our own "gold medal."

Sakura City Photo Rally Rules

- Each group can only use the **camera** and **paper map**, both provided by us
- Take as many photos of **25 checkpoints** (designated sightseeing spots) as possible
- **3-hour** time limit
- Photos must include **all 3 team members**
- All members must move **together**
- **No** mobile phones
- **No** transport

問 1　You click the link in the blog. Which picture appears? [16]

①

②

③

④

問 2　You are asked to comment on Susan's blog. Which would be an appropriate comment to her? [17]

① I want to see a picture of you wearing the gold medal!

② You did your best. Come back to Japan and try again!

③ You reached 19 checkpoints in three hours? Really? Wow!!

④ Your photo is great! Did you upgrade your phone?

問 1 - 2

訳 あなたの英語ALTの妹スーザンが、先月あなたのクラスを訪れました。もうイギリスに戻った彼女は、ブログに自分が参加したイベントのことを書きました。

こんにちは！
外国人観光客向けのフォトラリーに参加しました。右のルールを見てください。フォトラリー初心者である私たちは、チェックポイントのうち５つだけを目指すことにしました。３分のうちに最初の目標である市の博物館に到着しました。立て続けに、２つ目、３つ目、４つ目の目標を達成しました。順調に進んでいました！でも、最後の目標である、この市出身の有名な武士の像へ向かう途中、私たちは道に迷ってしまいました。時間が残り少なくなってきて、２時間以上歩いて足も痛くなってきました。私たちは、ペットのサルを連れた男性を呼び止めて協力を求めました 問 1 - 1 が、私たちの日本語も、彼の英語も、十分には通じませんでした。彼が身振りで道を教えてくれた後、私たちは、そこに到着するには時間が足りないだろうから諦めざるを得ないと気付きました。私たちはその人と一緒に写真を撮ってお別れを言いました。 問 1 - 2
サクラ市役所に戻ったとき、優勝チームが19のチェックポイントを達成したと聞いて驚きました。私たちの写真のうちの一枚が選ばれてイベントのウェブサイトに掲載されました（ここをクリック）。この写真は男性の優しさと親切を思い出させてくれます。それが私たちの「金メダル」です。 問 1 - 3

サクラ市フォトラリーのルール
- 各グループが使うことができるのは**カメラ**と**紙の地図**だけで、どちらも私たちが配布します
- **25のチェックポイント**（指定観光スポット）のうち、できるだけたくさんの写真を撮ってください
- 制限時間は**３時間**
- 写真には**チームメンバー３人全員**が写っていること
- メンバー全員が**一緒に**移動すること
- **携帯電話禁止**
- **乗り物禁止**

語句

［リード文］

blog	名 ブログ
take part in ～	熟 ～に参加する

［ブログ本文］

photo rally	熟 フォトラリー
aim for ～	熟 ～を狙う、～を目指す
in quick succession	熟 立て続けに
statue	名 彫像
run out	熟 尽きる、なくなる
realise ～	他 ～だとわかる（イギリス式つづり）
warmth	名 心の温かさ、優しさ

［ルール］

designated	形 指定された
sightseeing	名 観光
mobile phone	熟 携帯電話

問 1　正解②　**問題レベル【普通】　配点 3点**

設　問　**あなたはブログのリンクをクリックする。現れるのはどの写真か。** 16

選択肢

①

②

③

④

まずは❶**視線の型**です。リード文に、「あなたのクラスに来たALTの妹がイギリスに戻って、参加したイベントについてのブログを書いた」とあります。**タイトルはありません。こういう時はまず最初の１～２文に目を通して概要をつかんでおくといいでしょう。** I participated in a photo rally for foreign tourists with my friends: See the rules on the right.「外国人観光客向けのフォトラリーに参加しました。右のルールを見てください」とあるので、日本にいた時に参加したイベントなのだと推測できます。フォトラリーとはチェックポイントごとに写真撮影をしながらゴールに向かう競技です。問１はその写真の一部を選ぶ問題のようです。ざっと見て特徴を確認しておきましょう。まずサルを肩に載せた男が写っているのと写っていないパターンがありますね。あとは背景が①像、②山、③ゴール、④博物館、という違いです。

さて、それではまずルールを確認しておきましょう。ブログ冒頭で See the rules on the right.「右のルールを見てください」と言っていますから、このルールの内容を前提にしてブログが書かれているのでしょう。確認したらブログを上から読んでいきます。まず４文目 In three minutes, we arrived at our first target, the city museum.「３分のうちに最初の目標である市の博物館に到着しました」より、写真④はよさそうですね。イラストの博物館に○をつけておきましょう（❷)。７文目 But, on the way to the last target, the statue of a famous samurai from the city, we got lost.「でも、最後の目標である、この市出身の有名な武士の像へ向かう途中、私たちは道に迷ってしまいました」で「像」が出てきますが、まだ到達していないのでここでは①は保留です。そして９文目で We stopped a man with a pet monkey for help「私たちは、ペットのサルを連れた男性を呼び止めて協力を求めた」と、ここでサルを連れた男性が登場します。この男性に道を教えてもらおうと助けを求めるのですが、結局は10文目に we realised we wouldn't have enough time to get there and would have to give up.「私たちは、そこに到着するには時間が足りないだろうから諦めざるを得ないと気付きました」とあるように、制限時間内のゴールは諦めることになりました。そして11文目

We took a photo with him と、その道に迷った場所でサルを連れた男性と写真を撮っています。ここで②と③のサルを連れた男性のイラストに○を入れ、同時に③は背景のゴールに×を入れます（❷）。13 ～ 14文目 One of our photos was selected to be on the event website (click here). It reminds me of the man's warmth and kindness: our own "gold medal."「私たちの写真のうちの一枚が選ばれてイベントのウェブサイトに掲載されました(ここをクリック)。この写真は男性の優しさと親切を思い出させてくれます。それが私たちの『金メダル』です」より、掲載されている写真はそのサルを連れた男性と写っている写真だとわかるので、②を正解に選びましょう。

最後の「金メダル」にだまされないでください。ダブルクォーテーションマークを使って"gold medal"となっていることからもわかるように、「いわゆる金メダル」と言っており、実際の金メダルではなく「男性の優しさと親切」を、「いいものをもらった」ということで「金メダル」と呼んでいるだけです。ダブルクォーテーションマーク（" "）で囲まれた語は、文字どおりの意味ではない、ということを表すことがあるので覚えておきましょう。

問 2　正解②　**問題レベル【普通】　配点 3点**

設問　**あなたはスーザンのブログにコメントするよう頼まれる。彼女に対する適切なコメントはどれか。** 17

選択肢
① あなたが金メダルをつけている写真が見たいです！
② 精いっぱい頑張ったんですね。また日本に来て再挑戦してください！
③ あなたたちは3時間で19のチェックポイントを達成したんですか？　本当に？　すごい!!
④ すてきな写真ですね！　スマホを買い換えたのですか？

語句　upgrade ～ 他 ～の機能を高くする

設問を読むと（❶）、適切なコメントを選ぶ問題ですね。最後まで読み切ってから消去法で選びましょう。①は問1で解説したように実際に金メダルをもらったわけではないので×です。②はコメントとして特に不自然ではないのでいったん保留にします。③は、12文目 we were surprised to hear that the winning team had completed 19 checkpoints「優勝チームが19のチェックポイントを達成したと聞いて驚きました」とありますが、これはスーザンのチームのことではないので×、④は、ブログの内容ではなく、写真のクオリティーにのみ言及しているということが「頼まれて行うブログのコメント」としてズレていますし、そもそもルール1つ目に Each group can only use the **camera** and **paper map**, both provided by us「各グループが使うことができるのは**カメラ**と**紙の地図**だけで、どちらも私たちが配布します」とあったように、撮影は主催者側が用意したカメラを使用しているはずです。また、ルールの最後から2つ目に **No** mobile phones とありますね。携帯電話は使用禁止です。よって④は×で、保留にしていた②を正解とします。

目標解答時間3分

問題番号は実際の番号のままです。

第3問 (配点 15)

A You are staying by yourself in Sydney, Australia, and thinking of eating out. You are searching for tips and find a blog.

Solo Dining

As someone who frequently travels abroad alone, one thing I enjoy is dinner in an elegant restaurant, but sometimes I feel uncomfortable. In many English-speaking countries, eating out by yourself, "solo dining," is not common. So, what do you do if it's just you? Finding a "table for one" to enjoy dinner can be a big task.

Interestingly, on a recent trip alone to Australia I discovered that solo diners are increasing. I ate dinner at The Weir, a riverside restaurant in Adelaide. Before I went in, I could see diners eating alone on the terrace, while checking their phones. When I entered, in the lounge there were only couples and groups of guests. I was warmly welcomed, taken to the terrace, and enjoyed a delicious meal.

My experience in Adelaide was a turning point in my feelings towards solo dining. Later, I learnt that the rise of the smartphone and social media has led to changes in attitudes towards it for both restaurants and guests. On my next trip to Paris, I will try solo dining at one of the restaurants I have long wanted to go to.

問 1 Before the trip to Australia, the author of the blog [16].

① had mixed feelings about solo dining and worried about finding a table just for himself

② had never experienced solo dining because he had always had someone to dine with

③ was negative about solo dining because his requests for a table to dine alone had been rejected

④ was positive about solo dining thanks to a good experience at his favourite restaurant in Paris

問 2 Choices ① to ⑥ show the state of each table. Which one best illustrates the situation when the author entered the restaurant? [17]

①

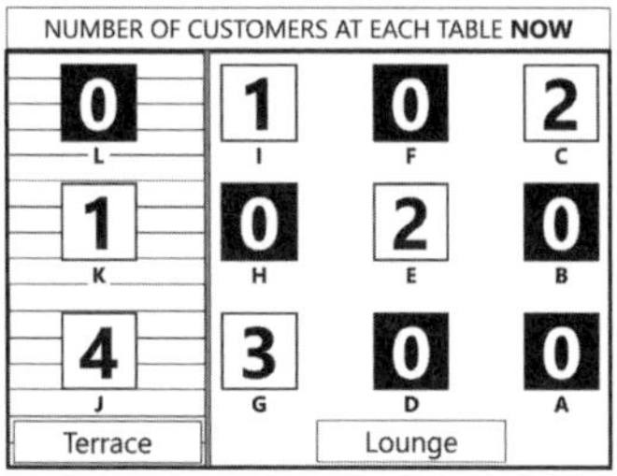

②

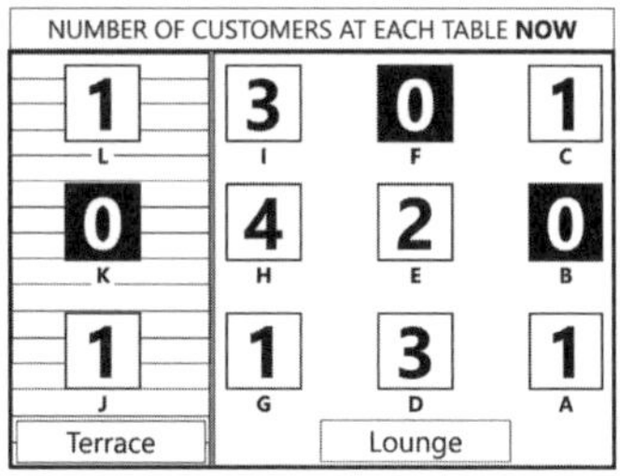

③

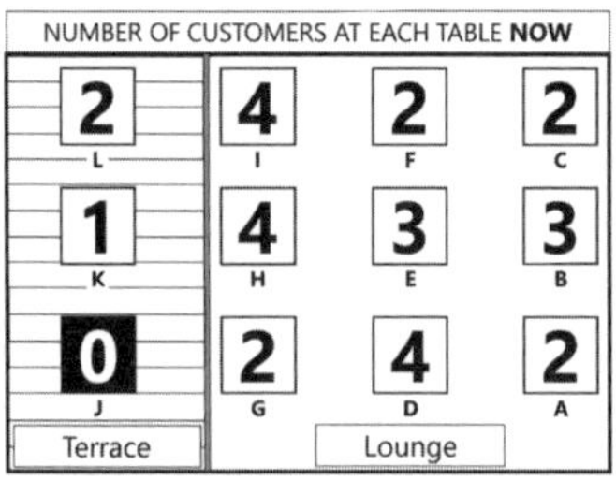

④

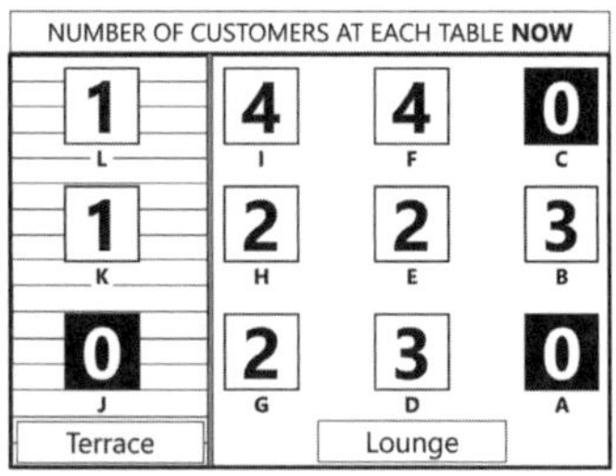

⑤

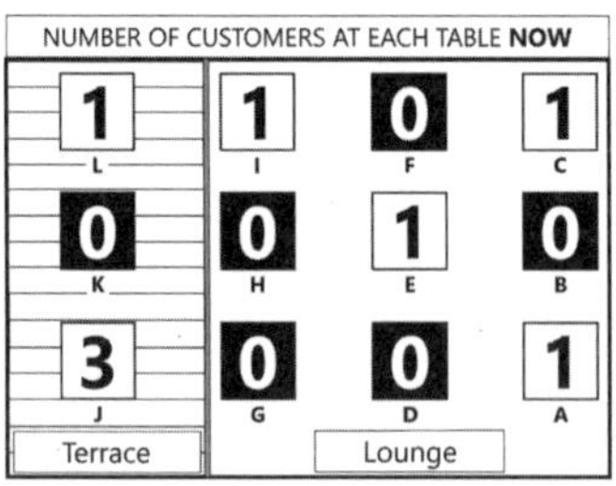

⑥

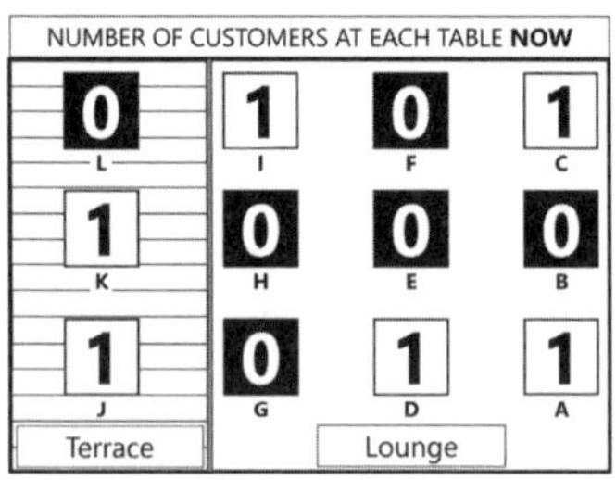

問 1－2

訳 あなたはオーストラリアのシドニーに一人で滞在していて、外食しようと思っています。アドバイスを検索していて、あるブログを見つけます。

ソロ・ダイニング

［第１段落］

一人で海外旅行によく出かける者として、私が楽しむことの一つは優雅なレストランでの食事だが、時折気まずい思いをすることもある。英語圏の多くの国では、一人だけで外食する「ソロ・ダイニング」は一般的ではない。では、自分一人だけだったらどうするのか。ディナーを楽しめる「一人用のテーブル」を見つけることは、大仕事にもなり得る。問1

［第２段落］

面白いことに、最近一人でオーストラリアに行った際、単独の食事客が増えていることに気付いた。私はアデレードの川辺にあるレストラン「ウィアー」でディナーを食べた。店に入る前に、テラス席で携帯電話をチェックしながら一人で食事をしている人たちが見えた。入店すると、ラウンジにはカップルとグループ客しかいなかった。問2　私は温かく迎えられ、テラスに案内され、おいしい食事を楽しんだ。

［第３段落］

アデレードでの経験は、ソロ・ダイニングに対する気持ちの転換点となった。その後、私は、スマートフォンやソーシャルメディアの台頭によって、レストランと客の両方にそれ（ソロ・ダイニング）への考え方の変化が生まれたのだと知った。次にパリに旅行するときには、長い間行きたいと思っていたレストランの一つでソロ・ダイニングを試してみよう。

語句

［リード文］

eat out	熟	外食する
tip	名	コツ、アドバイス
blog	名	ブログ

［ブログ］

solo	形	単独の、一人で行う
dining	名	（きちんとした）食事
frequently	副	頻繁に
elegant	形	優雅な、洗練された
uncomfortable	形	居心地の悪い、気まずい
diner	名	食事客
terrace	名	テラス
lounge	名	ラウンジ
learn ～	他	～だと知る（learntはイギリス式の過去形・過去分詞）
attitude	名	態度、考え方

問1 正解① **問題レベル【易】 配点 3点**

設問 オーストラリアに旅行する前、ブログの筆者は [16]。

選択肢 ① ソロ・ダイニングに関して複雑な気持ちを抱いていて、自分一人のためのテーブルを見つけられるか心配していた

② 一緒に食事をする人がいつもいたので、ソロ・ダイニングを経験したことがなかった

③ 一人で食事をするためのテーブルを頼んだら断られたことがあったので、ソロ・ダイニングに否定的だった

④ パリにあるお気に入りのレストランでいい経験をしたおかげで、ソロ・ダイニングに肯定的だった

語句

author	名 著者、筆者	thanks to ～	熟 ～のおかげで
reject ～	他 ～を拒否する、～を断る	favourite	形 お気に入りの（イギリス式つづり）

まずは❶**視線の型**です。リード文によると「一人での外食についてアドバイスを検索していて見つけたブログを読んでいる」のですね。タイトルは「ソロ・ダイニング」。「一人で外食をすること」がテーマのようです。設問（と選択肢の最初）を先読みすると、オーストラリアに旅行に行く前にブログの筆者が「どう思っていたのか」という問題だとわかります。この設問のように主語だけが設問にある場合、どんな内容を答えればいいのかわかりません。選択肢の最初に並ぶ動詞（+α）を**ざっと縦読みして共通点を探しておく**と探しやすいですね。今回は① had mixed feelings、② had never experienced、③ was negative、④ was positive、とあり、4つ中3つが感情についてなので「一人外食に対してどう思っていたのか」を聞かれているのでは、と予測します。

それでは本文を読んでいきます。第1段落1文目で早速 As someone who frequently travels abroad alone, one thing I enjoy is dinner in an elegant restaurant「一人で海外旅行によく出かける者として、私が楽しむことの一つは優雅なレストランでの食事だ」とプラスの感情が出てきますが、but sometimes I feel uncomfortable「だが時折気まずい思いをすることもある」とあることからマイナスの感情もあるようだとわかります。uncomfortable な理由は、次の文に、英語圏の多くの国では一人での外食は not common「一般的ではない」とあり、So, what do you do if it's just you? Finding a "table for one" to enjoy dinner can be a big task.「では、自分一人だけだったらどうするのか。ディナーを楽しめる『一人用のテーブル』を見つけることは、大仕事にもなり得る」と、そもそも一人用の席を見つけることができるのか不安に思っていることがわかります。第2段落からはオーストラリアへ旅行したときの一人外食の経験について述べられており、設問では「オーストラリアに旅行する前」の感情が問われているので、ここで正解を出しましょう。選択肢を見ると①が正解だとわかります。mixed feelings は「複雑な感情」という意味で「一人で外食したいけど気まずい思いをすることもある」というプラス・マイナスが入り交じった感情を表しています。②の「経験したことがなかった」、③の「断られたことがあった」、④の「パリでいい経験をした」、はここでは述べられていないので不正解だと判断します。

問 2　正解④　**問題レベル【普通】　配点 3点**

設問 **選択肢①～⑥は各テーブルの状態を示している。筆者がレストランに入ったときの状況を最もよく表しているのはどれか。** 17

選択肢

①
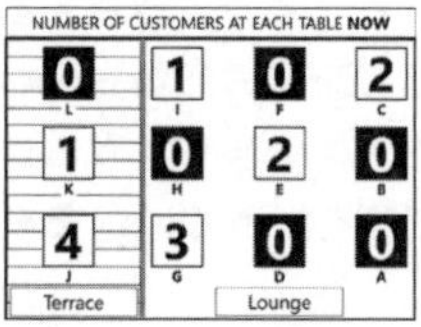

②
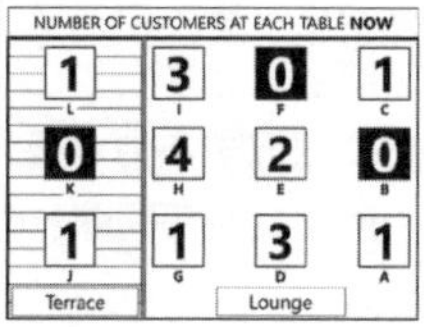

③
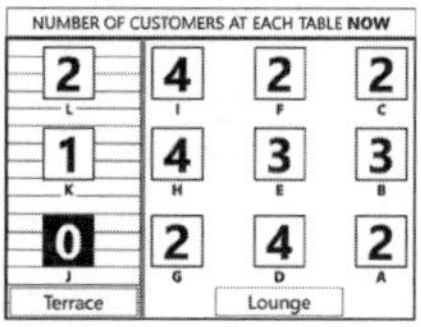

④
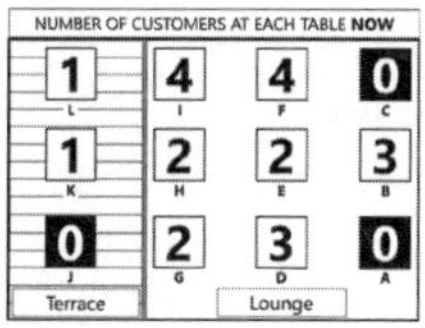

⑤
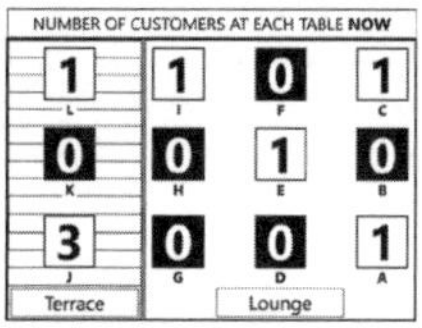

⑥
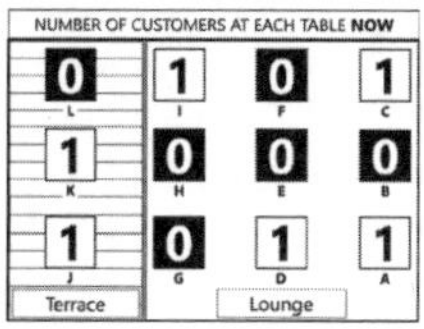

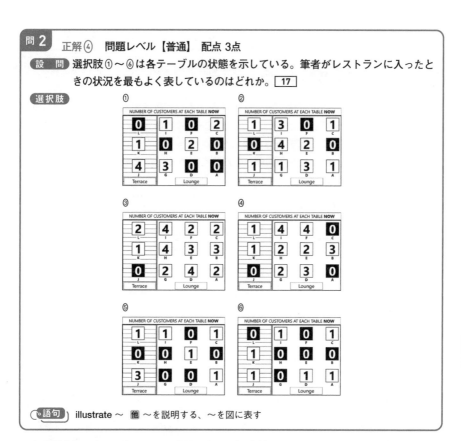

語句 illustrate ～ 他 ～を説明する、～を図に表す

まず**設問とイラストをしっかり確認しましょう**（❶）。問われていることを曖昧にしたまま本文を読むと、解くのに時間がかかってしまいます。まず設問は「筆者がレストランに入った時の状況」として適切なものを選べ、ということです。筆者が席に着く前だということを念頭においてください。各イラストの説明として NUMBER OF CUSTOMERS AT EACH TABLE NOW「現在の各テーブルのお客様の数」とあり、Terrace「テラス席」と Lounge「ラウンジ席」に別れていることがわかります。

それでは本文を読んでいきましょう。第2段落3文目 Before I went in, I could see diners eating alone on the terrace「店に入る前に、テラス席で一人で食事をしている人たちが見えた」とあります。alone にチェックです。diners と複数形になっていることから、テラス席では「一人で食事をしている人」が複数人いることがわかります。ここでイラストを確認すると、①、③、⑤は×ですね。一人で食事をしている席が1席しかありません。もう検討する必要はないので①、③、⑤のテラス席のところに×をつけておきましょう（❷）。

次に第2段落4文目です。When I entered, in the lounge there were only couples and groups of guests.「入店すると、ラウンジにはカップルとグループ客しかいなかった」とあります。only にチェックです。イラストを見ると、②と⑥はラウンジ席に一人で食事をしている人がいるのでおかしいですね。消去法で④が正解です。

DAY 11 【ストーリー型英文読解問題】を攻略する「視線の型」

第3問Bでは、出来事を流れに添って叙述するストーリー型の英文が出題されます。ここでは出来事の順番も問われるため、時系列を正確に把握する力が要求されています。今回はこのような「ストーリー型英文読解問題」の対策を練っていきます。

「視線の型」のステップ

❶ 場面・状況を把握する

問題に当たる前に設定の説明を読み、場面や状況をイメージしましょう。全体像をつかむことで英文が読みやすくなることが狙いです。

❷ 英文のタイトルとイラストを確認する

タイトルは英文内容を最も端的に要約したものです。無視せずちゃんと読んで「こういう内容かな」と想像した上で読解に入りましょう。また、イラストも内容を把握する上で大きなヒントになります。

❶

B Your English club will make an "adventure room" for the school festival. To get some ideas, you are reading a blog about a room a British man created.

Create Your Own "Home Adventure" ❷

Last year, I took part in an "adventure room" experience. I really enjoyed it, so I created one for my children. Here are some tips on making your own.

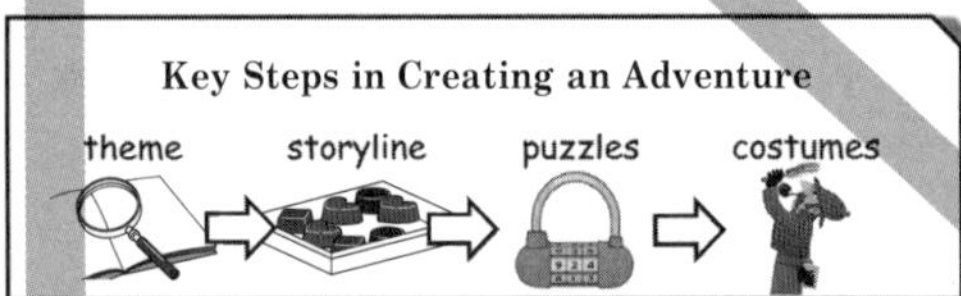

❹

First, pick a theme. My sons are huge Sherlock Holmes fans, so I decided on a detective mystery. I rearranged the furniture in our family room, and added some old paintings and lamps I had to set the scene.

Next, create a storyline. Ours was *The Case of the Missing Chocolates*. My children would be "detectives" searching for clues to locate the missing sweets.

The third step is to design puzzles and challenges. A useful idea is to work backwards from the solution. If the task is to open a box locked with a three-digit padlock, think of ways to hide a three-digit code. Old books are fantastic for hiding messages in. I had tremendous fun underlining words on different pages to form mystery sentences. Remember that the puzzles should get progressively more difficult near the final goal. To get into the spirit, I then

内容 第3問Bでは、出来事を起こった順番に並べ替える問題が出題されます。短時間で時系列や因果関係をつかみながら本文を正確に読むのは至難の業です。選択肢を先読みし、該当箇所を探し読みする「視線の型」がここでも大きな力を発揮します。

目標解答時間5分

had the children wear costumes. My eldest son was excited when I handed him a magnifying glass, and immediately began acting like Sherlock Holmes. After that, the children started to search for the first clue.

This "adventure room" was designed specifically for my family, so I made some of the challenges personal. For the final task, I took a couple of small cups and put a plastic sticker in each one, then filled them with yogurt. The "detectives" had to eat their way to the bottom to reveal the clues. Neither of my kids would eat yogurt, so this truly was tough for them. During the adventure, my children were totally focused, and they enjoyed themselves so much that we will have another one next month.

問1 Put the following events (①～④) into the order in which they happened.
18 → 19 → 20 → 21

① The children ate food they are not fond of.
② The children started the search for the sweets.
③ The father decorated the living room in the house.
④ The father gave his sons some clothes to wear.

問2 If you follow the father's advice to create your own "adventure room," you should 22 .

① concentrate on three-letter words
② leave secret messages under the lamps
③ make the challenges gradually harder
④ practise acting like Sherlock Holmes

③ 設問を先読みする

問われている内容を把握します。「出来事の並べ替え問題」は選択肢をすべて先読みしキーワードを押さえておくと解きやすいです。その他の問題は設問だけで大丈夫ですが、設問に情報が少ない場合は一通り選択肢を先読みしてキーワードをつかんでおく必要があります。英文を読み始める前に一気にすべての問題を確認しておくと解きやすいでしょう。

④ 該当箇所を探しに本文へ

設問を確認したら本文へ該当箇所を探しにいきましょう。「出来事の並べ替え問題」は特に注意しながら、1文目からしっかり読んでいきます。先に出てきた英文が先に起こった出来事とは限らないので、安易に順番を決めつけないように注意しましょう（具体的には「並べ替えの型」をDay 12で扱います）。

では、この「視線の型」を使って、次ページの問題に取り組みましょう！

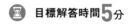

B　Your English club will make an "adventure room" for the school festival. To get some ideas, you are reading a blog about a room a British man created.

Create Your Own "Home Adventure"

Last year, I took part in an "adventure room" experience. I really enjoyed it, so I created one for my children. Here are some tips on making your own.

First, pick a theme. My sons are huge Sherlock Holmes fans, so I decided on a detective mystery. I rearranged the furniture in our family room, and added some old paintings and lamps I had to set the scene.

Next, create a storyline. Ours was *The Case of the Missing Chocolates*. My children would be "detectives" searching for clues to locate the missing sweets.

The third step is to design puzzles and challenges. A useful idea is to work backwards from the solution. If the task is to open a box locked with a three-digit padlock, think of ways to hide a three-digit code. Old books are fantastic for hiding messages in. I had tremendous fun underlining words on different pages to form mystery sentences. Remember that the puzzles should get progressively more difficult near the final goal. To get into the spirit, I then had the children wear costumes. My eldest son was excited when I handed him a magnifying glass, and immediately began acting like Sherlock Holmes. After that, the children started to search for the first clue.

This "adventure room" was designed specifically for my family, so I made some of the challenges personal. For the final task, I took a couple of small cups and put a plastic sticker in each one, then filled them with yogurt. The "detectives" had to eat their way to the bottom to reveal the clues. Neither of my kids would eat yogurt, so this truly was tough for them. During the adventure, my children were totally focused, and they enjoyed themselves so much that we will have another one next month.

問 1 Put the following events (①～④) into the order in which they happened.

[18] → [19] → [20] → [21]

① The children ate food they are not fond of.
② The children started the search for the sweets.
③ The father decorated the living room in the house.
④ The father gave his sons some clothes to wear.

問 2 If you follow the father's advice to create your own "adventure room," you should [22].

① concentrate on three-letter words
② leave secret messages under the lamps
③ make the challenges gradually harder
④ practise acting like Sherlock Holmes

問 3 From this story, you understand that the father [23].

① became focused on searching for the sweets
② created an experience especially for his children
③ had some trouble preparing the adventure game
④ spent a lot of money decorating the room

問 1－3

訳 あなたのいる英語部は学園祭で「アドベンチャー・ルーム」を作ります。アイデアを求めて、あなたはイギリスの男性が作ったある部屋に関するブログを読んでいます。

［ブログ］

自分だけの「ホーム・アドベンチャー」を作ろう

［第1段落］
去年、私は「アドベンチャー・ルーム」体験に参加した。とても楽しかったので、子どもたちのために作ってみた。自作する際のコツを以下に紹介する。

［図］

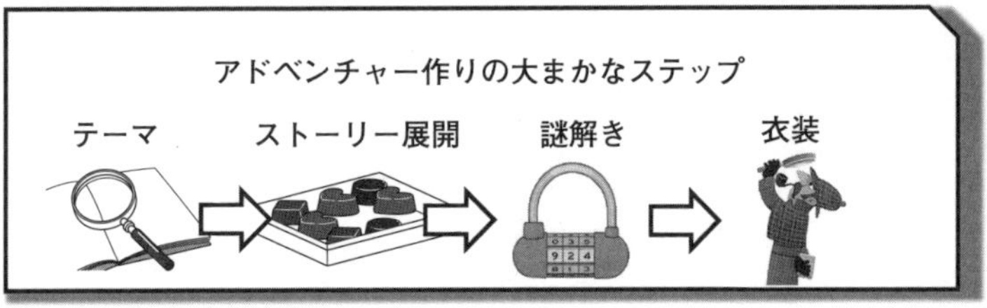

［第2段落］
最初にテーマを選ぶ。うちの息子たちはシャーロック・ホームズの大ファンなので、推理ミステリーに決めた。居間の家具を並べ替えて 問1③、持っていた古い絵やランプを加え、場面設定をした。

［第3段落］
次に、ストーリーを作る。わが家の場合は『消えたチョコレート事件』だ。子どもたちが、消えたお菓子を見つけ出すための手掛かりを探す「探偵」となる。
問1②-1

［第4段落］
3番目のステップは謎と課題を考えることだ。やりやすい考え方は、答えからさかのぼって作ることだ。課題が3桁の数字の南京錠のかかった箱を開けることであれば、3桁の数字を隠す方法を考えるのだ。古い本はメッセージを隠すのにとてもいい。謎の文を作るためにあちこちのページの単語に下線を引くのはとても楽しかった。最終ゴールに近づくにつれ、謎が徐々に難しくなるようにするのを忘れてはいけない。問2 雰囲気を出すため、ここで子どもたちに衣装を着せた。問1④ 私が虫眼鏡を渡すと長男は喜んで、すぐにシャーロック・ホームズのまねを始めた。その後、子どもたちは最初の手掛かりを探し始めた。問1②-2

［第5段落］
この「アドベンチャー・ルーム」は家族向けに特別に作ったもの 問3 なので、課題の一部を個人的なものにした。最後の課題として、小さなカップを用意してそれぞれにプラスチックシールを貼り、ヨーグルトを入れた。手掛かりを明らか

にするために「探偵たち」は底まで食べ切らなければならない。どの子もヨーグルトを食べたがらないので、彼らにとってこれはとても大変だった。問1① アドベンチャーの間中、子どもたちはすっかり集中していたし、とても楽しんでくれたので、来月もまた開催する予定だ。

語句

[ブログ]		padlock	名 南京錠
[図]		fantastic	形 素晴らしい、とても良い
theme	名 テーマ	tremendous	形 とても大きな、途方もない
puzzle	名 謎	progressively	副 徐々に、だんだんと
[第２段落]		get into the spirit	熟 雰囲気を満喫する、その気になる
huge	形 とても大きな、熱烈な	eldest	形 一番年上の、最年長の
detective	形 探偵物の、推理の 名 探偵	magnifying glass	熟 拡大鏡、虫眼鏡
rearrange ～	他 ～を並べ替える	[第５段落]	
[第３段落]		sticker	名 ステッカー、シール
clue	名 手掛かり	reveal ～	他 (隠れていた) ～を明らかにする
locate ～	他 ～を探し当てる	focused	形 集中した
[第４段落]			
solution	名 解答		
task	名 課題		
～-digit	形 ～桁の		

問 1　正解 18 ③　19 ④　20 ②　21 ①

問題レベル【普通】　配点 3点（すべて正解で）

設　問 次の出来事（①～④）を起こった順番に並べなさい。

18 → 19 → 20 → 21

選択肢 ① 子どもたちが、好きでない食べ物を食べた。

② 子どもたちがお菓子を探し始めた。

③ 父親が家のリビングの飾り付けをした。

④ 父親が息子たちに着る服を渡した。

語句 be fond of ～ 熟 ～を好む　　decorate ～ 他 ～を飾り立てる

まずは❶**場面・状況を把握**しましょう。リード文によれば、「アドベンチャー・ルームを作ること」がテーマだとわかります。そして❷**英文のタイトルとイラストを確認**すると、アドベンチャー・ルームの作り方をステップを追って説明している文だとわかります。

続けて、❸**設問の先読み**です。「出来事の並べ替え問題」は**選択肢もすべて先読みしておきましょう**。①は be fond of ～「～が好き」がわかれば、「子どもたちが、好きでない食べ物を食べた」と理解できたと思います。food と they の間に関係代名詞が省略されています。②は大丈夫ですね。「子どもたちがお菓子を探し始めた」、①も②も主語は子どもたちで、どちらも食べ物に関することです。③は「父親が家のリビングの飾り付けをした」、④は「父親が息子たちに着る服を渡した」とあり、主語はどちらも父親です。それでは❹**本文**を見ていきます。まず第1段落2文目のI created one for my children. より、書き手は父親のようですね。I=Fatherとして読み進めます。すると、まず第2段落3文目にI rearranged the furniture in our family room「居間の家具を並べ替えた」とあります。これは選択肢③ですね。rearrangedがdecoratedに、family roomがliving roomに**言い換え**られていました。後でひっくり返る可能性もありますが、とりあえず選択肢③のところに「1」と書いておきましょう。

次に出てくるのは父親が子どもに服を渡す場面です。第4段落7文目にTo get into the spirit, I then had the children wear costumes.「雰囲気を出すため、ここで子どもたちに衣装を着せた」とあります。選択肢④ですね。had the children wear costumesが選択肢ではgave his sons some clothes to wearと**言い換え**られていました。選択肢④の隣に「2」と書いておきます。

そして第4段落9文目にAfter that, the children started to search for the first clue.「その後、子どもたちは最初の手掛かりを探し始めた」とあります。第3段落3文目My children would be "detectives" searching for clues to locate the missing sweets.「子どもたちが、消えたお菓子を見つけ出すための手掛かりを探す『探偵』となる」より、このthe first clueは「お菓子を探す最初の手掛かり」のことだとわかります。つまり、子どもたちがお菓子を探し始めた、ということなので選択肢②と一致します。隣に「3」と書きましょう。残った選択肢①の該当箇所を探しに本文に戻ると、最終段落4文目でNeither of my kids would eat yogurt, so this truly was tough for them.「どの子もヨーグルトを食べたがらないので、彼らにとってこれはとても大変だった」とあります。子どもたちの嫌いな食べ物はヨーグルトだったのですね。同段落2文目でFor the final taskとしてヨーグルトを使い、続く3文目で「手掛かりを明らかにするために『探偵たち』は底まで食べ切らなければならない」とあるので、子どもたちが嫌いなヨーグルトを食べ切ったというのが最後の出来事だとわかります。よって正解は③→④→②→①です。

問2 正解③ **問題レベル【普通】 配点 3点**

設問 **あなたがこの父親の助言に従って自分の「アドベンチャー・ルーム」を作るとしたら、 22 べきだ。**

選択肢
① 3文字の単語に集中する
② ランプの下に秘密のメッセージを置いておく
③ 課題を徐々に難しくする
④ シャーロック・ホームズのように振る舞う練習をする

語句 concentrate on ～ 熟 ～に集中する　practise ～ 他 ～を練習する（イギリス式つづり）

❸**設問**のfather's adviceやyou shouldという表現から、「提案・要求・命令表現」を探せばいいのだと考えます。そして❹**本文を見る**と、第4段落6文目にRemember that the puzzles should get progressively more difficult near the final goal.「最終ゴールに近づくにつれ、謎が徐々に難しくなるようにするのを忘れてはいけない」という命令文があります。正解は③ make the challenges gradually harder「課題を徐々に難しくする」です。

progressivelyがgraduallyに、more difficultがharderに**言い換え**られています。この問題は設問から求められているものがわかりやすかったので、本文を読み始める前に問2の設問を頭に入れておくと、該当箇所にきた時に気付きやすかったと思います。ただ、問1の選択肢を4つも頭に入れた上で問2まで目を通すのは負担だという人は、一通り本文を読んで問1を解答した後、再度最初から読み直すのも手です。このあたりの順番は、本文の読みやすさ、設問のわかりやすさ、選択肢の長さなどによって変わってきますので、柔軟に変えていきましょう。

問3 正解② **問題レベル【普通】 配点 3点**

設問 **この話から、この父親が 23 ことがわかる。**

選択肢
① お菓子を探すのに夢中になった
② 自分の子どもたちのためだけの経験を作った
③ アドベンチャー・ゲームを準備するのに苦労した
④ 部屋の飾り付けに大金を使った

語句 have trouble (V)ing 熟 Vするのに苦労する、うまくVできない

❸**設問**から、「父親がしたこと」について探せばいいとわかりますが、この情報だけでは狙い読みができないので、**選択肢を一つずつ本文と照らし合わせていきましょう**（❹）。まず① become focused on searching for the sweets「お菓子を探すのに夢中になった」、は違いますね。お菓子を探していたのは子どもたちです。この文を「父親が（作ったアドベンチャー・ゲームに子どもが）夢中になった」のように都合よくねじまげて解釈してしまう人がいます。勝手に補って解釈してしまうクセがある人は、選択肢など大事な文は、S、V、Oをしっかりチェックしながら丁寧に訳すようにしましょう。②のcreated an experience especially for his children「自分の子どもたちのためだけの経験を作った」は、アドベンチャー・ルームを自分の子ども用にオリジナルで作ったということですね。最後の段落の1文目にThis "adventure room" was designed specifically for my familyとあるので、これが正解です。specificallyがespeciallyに**言い換え**られていました。③「準備するのに苦労した」や④「部屋の飾り付けに大金を使った」はどこにも書かれていませんでした。

目標解答時間5分

問題番号は実際の番号のままです。

B You have entered an English speech contest and you are reading an essay to improve your presentation skills.

Gaining Courage

Rick Halston

In my last semester in college, I received an award for my final research presentation. I wasn't always good at speaking in front of people; in fact, one of my biggest fears was of making speeches. Since my primary school days, my shy personality had never been ideal for public speaking. From my first day of college, I especially feared giving the monthly class presentations. I would practise for hours on end. That helped somewhat, but I still sounded nervous or confused.

A significant change came before my most important presentation when I watched a music video from my favourite singer's newly released album. I noticed it sounded completely different from her previous work. She had switched from soft-rock to classical jazz, and her style of clothes had also changed. I thought she was taking a huge professional risk, but she displayed such confidence with her new style that I was inspired. I would change my sound and my look, too. I worked tirelessly to make my voice both bolder and calmer. I wore a suit jacket over my shirt, and with each practice, I felt my confidence grow.

When I started my final presentation, naturally, I was nervous, but gradually a sense of calm flowed through me. I was able to speak with clarity and answer the follow-up questions without tripping over my words. At that moment, I actually felt confident. Right then, I understood that we can either allow anxiety to control us or find new ways to overcome it. There is no single clear way to become a confident presenter, but thanks to that singer I realised that we need to uncover and develop our own courage.

問 1 Put the following events (①～④) into the order in which they happened.

[18] → [19] → [20] → [21]

① He felt nervous at the start of his final presentation.
② He made short presentations on a regular basis.
③ He was given a prize for his presentation.
④ He was motivated to take a risk and act more confidently.

問 2 Rick was moved by his favourite singer and [22].

① accepted his own shy personality
② decided to go to her next concert
③ found new ways of going to class
④ learnt from her dramatic changes

問 3 From the essay, you learnt that Rick [23].

① began to deal with his anxiety
② decided to change professions
③ improved his questioning skills
④ uncovered his talent for singing

問 1－2

訳 あなたは英語スピーチコンテストに参加申し込みをしていて、自分のプレゼンテーションスキルを伸ばすため、あるエッセーを読んでいます。

［エッセー］

勇気を出すこと

リック・ハルストン

［第１段落］

大学での最終学期に、私は期末の研究プレゼンテーションで賞をもらった。問１③ 私は人前で話すことが必ずしも得意ではなかった。むしろ、最大の恐怖の一つがスピーチをすることだった。小学校時代から、私の内気な性格は人前で話すことに向いているとは決して言えなかった。大学の初日から、毎月の授業でのプレゼンテーションが特に怖かった。問１② 何時間もかけて練習していた。それは多少の役には立ったが、それでも緊張やドギマギが声に出ていた。

［第２段落］

大きな変化が起きたのは最も大事なプレゼンテーションの前のことで、その時私は大好きな歌手が新しく出したアルバムのミュージックビデオを見ていた。それが彼女のそれ以前の作品と全く違っていることに私は気付いた。ソフトロックからクラシックジャズに転向して、彼女の衣装のスタイルも変わっていた。キャリアの上で大きな冒険をしていると思ったが、彼女は新しいスタイルに自信たっぷりな様子だったので、私は触発された。私も声と見た目を変えてみよう。問２ 私は自分の声が力強くかつ落ち着いた響きになるよう懸命に努めた。シャツの上にスーツジャケットを着て、練習を重ねるごとに自信が大きく感じられるようになっていった。問１④

［第３段落］

期末のプレゼンテーションを始めると、当然のことだが緊張を感じた問１①、が、徐々に落ち着きが体の中を流れていった。私ははっきりと話すことができたし、終了後の質疑にも言葉につかえることなく答えることができた。そのときには心から自信を感じていた。その瞬間に理解したのだ、私たちは不安に自分をコントロールされてしまうこともあれば、それを克服する新しい道を見つけ出すこともあるのだと。自信あるプレゼンターになるために一つだけの明確な道があるのではないが、あの歌手のおかげで私は、人は自分で自分の勇気を探し出し高めていかなければならないのだと理解できた。

語句

［リード文］

enter ～	他 ～に参加する、～	（競技会など）に出場する

［エッセー］		display ～	他 ～を見せる
［第1段落］		confidence	名 自信
semester	名 学期	inspire ～	他 ～を鼓舞する
award	名 賞	tirelessly	副 辛抱強く
primary school	熟（イギリスの）小学校	bold	形 力強い、堂々とした
practise	自 練習する（イギリス式つづり）	［第3段落］	
		gradually	副 次第に、だんだんと
on end	熟 立て続けに、連続で	with clarity	熟 はっきりと、明確に
confused	形 混乱した	trip over one's words	熟 口ごもる
［第2段落］		overcome ～	他 ～を克服する
significant	形 意義深い、著しい	realise ～	他 ～とわかる（イギリス式つづり）
favourite	形 お気に入りの（イギリス式つづり）	uncover ～	他 ～（隠れていたもの）を見つけ出す
professional	形 職業上の		

問1 正解 18 ② 19 ④ 20 ① 21 ③

問題レベル【易】 配点 3点（すべて正解で）

設問 **次の出来事（①～④）を起こった順番に並べなさい。**

18 → 19 → 20 → 21

選択肢 ① 彼は期末プレゼンテーションの始めに緊張を感じた。
② 彼は定期的に短いプレゼンテーションをした。
③ 彼はプレゼンテーションで賞をもらった。
④ 彼は思い切ってもっと自信のある態度を取ろうという気持ちになった。

語句 on a regular basis 熟 定期的に　be motivated to (V) 熟 Vする気になる

まずは❶**場面・状況を把握**しましょう。リード文から「英語スピーチコンテスト・プレゼンテーションスキル」に関連する話であることがわかります。次に❷**英文のタイトルとイラストを確認**します。「勇気を出すこと」というタイトルと、優勝カップを掲げているイラストから、勇気を出すことがコンテストの優勝につながるという話かな、と予想します。

続けて、❸**設問の先読み**です。問1は起こった順に出来事を並び替える問題なので、選択肢も先読みしておきましょう。①は「プレゼンの初めに緊張を感じた」、②は「定期的に短いプレゼンをした」、③は「プレゼンで賞をもらった」、④は「思い切って自信のある態度を取ろうという気になった」、ということです。

では❹**本文**です。第1段落1文目で早速「大学の最終学期に期末の研究プレゼンで賞をもらった」と選択肢③の内容がありますが、エッセーはこのあと小学校、大学の初日、とさかのぼっているので保留です。最初に出てきたからといって出来事の一番目とは限りません。起承転結で話すのを好む日本人からすると信じがたいかもしれませんが、**英語では結論を先に言ってから説明していくスタイルが多い**です。

読み進めていくと、4文目に giving the monthly class presentations「毎月の授業のプレゼン」とあります。ここが選択肢②に該当します。monthly が選択肢では on a regular basis と**言い換え**られていました。

次に第２段落で、お気に入りの歌手がリスクをとって頑張っているのを見たのがきっかけで、声や見た目を変えて自信をつけていきます。ここが選択肢④です。

続けて見ていくと、第３段落１文目で「期末のプレゼンテーションを始めると、緊張を感じた」とあります。選択肢①です。そしてこのプレゼンに対して賞をもらうわけですから最初に戻って、選択肢③が最後、つまり②→④→①→③が正解です。

問 2　正解④　**問題レベル【普通】　配点 3点**

設　問 **リックは好きな歌手に感動して、 22 。**

選択肢 ① 自分の内気な性格を受け入れた
② 彼女の次のコンサートに行こうと決心した
③ 授業に行く新しい方法を見つけた
④ 彼女の劇的な変化から学んだ

語句 learn ～ 他 ～を学ぶ（learntは過去形・過去分詞のイギリス式つづり）

❸設問を見ると、本文の第２段落を読めばわかりそうだと判断できます（❹）。４～５文目、I thought she was taking a huge professional risk, but she displayed such confidence with her new style that I was inspired. I would change my sound and my look, too.「キャリアの上で大きな冒険をしていると思ったが、彼女は新しいスタイルに自信たっぷりな様子だったので、私は触発された。私も声と見た目を変えてみよう」から、好きな歌手に影響を受けて自分も変わろうと決心した様子がわかります。ここから④ learnt from her dramatic changes が正解です。

問 3　正解①　**問題レベル【普通】　配点 3点**

設　問 **このエッセーから、リックは 23 とわかる。**

選択肢 ① 自分の不安に対処するようになった　② 職業を変える決心をした
③ 質問する能力を向上させた　④ 自分の歌の才能を発見した

語句 deal with ～ 熟 ～に対処する　profession 名 職業

❸設問を先読みします。ただ**情報量が少ないので、選択肢を先読みしキーワードを拾っておくと解きやすい**でしょう。①「不安に対処し始めた」、②「職業を変える決心をした」、③「質問する能力を向上させた」、④「自分の歌の才能を発見した」とざっくりつかんで本文へいきます（❹）が、すでにこの時点で全文読み終わっている場合はすぐに答えが出ますね。「リックは元々プレゼンが苦手だったが、ある歌手に影響を受けて、自信を持ってプレゼンすることができるようになった」という内容なので、②③④は的外れです。正解は① began to deal with anxiety「自分の不安に対処するようになった」です。最後の問題だからといって、最終段落だけを何となく読むと、２文目 I was able to ... answer the follow-up questions から③を、最終文 thanks to that singer I realised that we need to uncover and develop our own courage から②や④を選びたくなるかもしれません。しかしよく読むと一部単語がかぶっているだけで、内容は的外れなものになっています。②③④を選ぶのは全体の流れを理解せず部分部分だけを読んでいる証拠です。このようなストーリー型は全体の流れをつかむことが重要です。部分読み・飛ばし読みはしないようにしましょう。

Day 11

DAY 12

【ストーリー型英文読解問題】を攻略する「並べ替えの型」

Day 11では、出来事を流れに添って叙述する、ストーリー型の英文を読み解く問題の「視線の型」を見ていきました。ここでは、出来事が発生した順番をしっかり読んで理解できているかを問う、並べ替え問題に焦点を当てていきます。

「照合の型」のステップ

❶ 「視線の型」を使う

問題を解く際には、Day 11の「視線の型」が基本の型となります。p. 156で説明した型を確実にものにしておきましょう。

❶

B You are going to participate in an English Day. As preparation, you are reading an article in the school newspaper written by Yuzu, who took part in it last year.

Virtual Field Trip to a South Sea Island

This year, for our English Day, we participated in a virtual science tour. The winter weather had been terrible, so we were excited to see the tropical scenery of the volcanic island projected on the screen.

First, we "took a road trip" to learn about the geography of the island, using navigation software to view the route. We "got into the car," which our teacher, Mr Leach, sometimes stopped so we could look out of the window and get a better sense of the rainforest. Afterwards, we asked Mr Leach about what we'd seen.

Later, we "dived into the ocean" and learnt about the diversity of marine creatures. We observed a coral reef via a live camera. Mr Leach asked us if we could count the number of creatures, but there were too many! Then he showed us an image of the ocean 10 years ago. The reef we'd seen on camera was dynamic, but in the photo it was even more full of life. It looked so different after only 10 years! Mr Leach told us human activity was affecting the ocean and it could be totally ruined if we didn't act now.

❷

In the evening, we studied astronomy under a "perfect starry sky." We put up tents in the gymnasium and created a temporary planetarium on the ceiling using a projector. We were fascinated by the sky full of constellations, shooting stars, and the Milky Way. Someone pointed out one of the brightest lights and asked Mr Leach if it was Venus, a planet close to Earth. He nodded and explained that humans have created so much artificial light that hardly anything is visible in our city's night sky.

On my way home after school, the weather had improved and the sky was now cloudless. I looked up at the moonless sky and realised what Mr Leach had told us was true.

内容 これまでのところ第３問Ｂでは毎年ストーリーを時系列で並べ替える問題が出題されています。ここではそのような問題に対処するための「並べ替えの型」を習得していきましょう。

目標解答時間5分

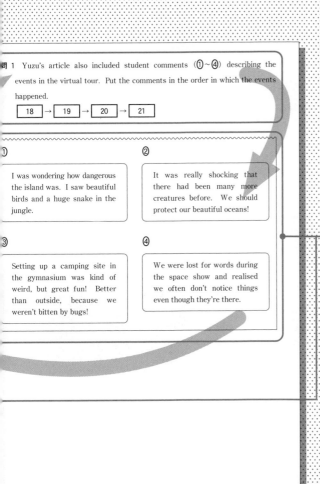

問 1 Yuzu's article also included student comments (①～④) describing the events in the virtual tour. Put the comments in the order in which the events happened.

18 → 19 → 20 → 21

①
I was wondering how dangerous the island was. I saw beautiful birds and a huge snake in the jungle.

②
It was really shocking that there had been many more creatures before. We should protect our beautiful oceans!

③
Setting up a camping site in the gymnasium was kind of weird, but great fun! Better than outside, because we weren't bitten by bugs!

④
We were lost for words during the space show and realised we often don't notice things even though they're there.

❷ **「並べ替えの型」：選択肢を先読みし、言い換え箇所を追っていく**

並べ替え問題を正しくスピーディーに解くには、本文を読みながら「ここがポイントだ」と反応していく必要があります。そのためには、並べ替える選択肢をあらかじめ先読みし、各出来事の情景をくっきりイメージしておきましょう。その上で本文を読んでいくと、該当箇所（たいていは言い換えられています）に出会った瞬間、反応できるようになり、解くスピードが上がります。

それでは、「並べ替えの型」を使ってまず次ページの問題に取り組みましょう！

目標解答時間5分

B You are going to participate in an English Day. As preparation, you are reading an article in the school newspaper written by Yuzu, who took part in it last year.

Virtual Field Trip to a South Sea Island

This year, for our English Day, we participated in a virtual science tour. The winter weather had been terrible, so we were excited to see the tropical scenery of the volcanic island projected on the screen.

First, we "took a road trip" to learn about the geography of the island, using navigation software to view the route. We "got into the car," which our teacher, Mr Leach, sometimes stopped so we could look out of the window and get a better sense of the rainforest. Afterwards, we asked Mr Leach about what we'd seen.

Later, we "dived into the ocean" and learnt about the diversity of marine creatures. We observed a coral reef via a live camera. Mr Leach asked us if we could count the number of creatures, but there were too many! Then he showed us an image of the ocean 10 years ago. The reef we'd seen on camera was dynamic, but in the photo it was even more full of life. It looked so different after only 10 years! Mr Leach told us human activity was affecting the ocean and it could be totally ruined if we didn't act now.

In the evening, we studied astronomy under a "perfect starry sky." We put up tents in the gymnasium and created a temporary planetarium on the ceiling using a projector. We were fascinated by the sky full of constellations, shooting stars, and the Milky Way. Someone pointed out one of the brightest lights and asked Mr Leach if it was Venus, a planet close to Earth. He nodded and explained that humans have created so much artificial light that hardly anything is visible in our city's night sky.

On my way home after school, the weather had improved and the sky was now cloudless. I looked up at the moonless sky and realised what Mr Leach had told us was true.

問 1　Yuzu's article also included student comments (①～④) describing the events in the virtual tour. Put the comments in the order in which the events happened.

[18] → [19] → [20] → [21]

①

I was wondering how dangerous the island was. I saw beautiful birds and a huge snake in the jungle.

②

It was really shocking that there had been many more creatures before. We should protect our beautiful oceans!

③

Setting up a camping site in the gymnasium was kind of weird, but great fun! Better than outside, because we weren't bitten by bugs!

④

We were lost for words during the space show and realised we often don't notice things even though they're there.

問 2 From the tour, Yuzu did **not** learn about the [22] of the south sea island.

① marine ecosystem
② night-time sky
③ seasonal weather
④ trees and plants

問 3 On the way home, Yuzu looked up and most likely saw [23] in the night sky.

① a shooting star
② just a few stars
③ the full moon
④ the Milky Way

問 1－3

訳 あなたはイングリッシュデイに参加する予定です。準備として、去年参加したユズの書いた、学校新聞の記事を読んでいます。

南洋の島へのバーチャル見学ツアー

[第1段落]

今年、イングリッシュデイでバーチャル科学ツアーに参加しました。冬の天気が厳しかったので、私たちは、スクリーンに映し出される熱帯の火山島の景色を見るのが楽しみでした。

[第2段落]

最初に、島の地理について学ぶため、ナビゲーションソフトを使ってルートを見ながら「車での旅」をしました。私たちは「車に乗り込み」ましたが、リーチ先生が車を時々止めて、私たちが窓の外を見て熱帯雨林をよく理解できるようにしてくれました。問1① 後で、私たちはリーチ先生に、見たものについて質問をしました。問2④

[第3段落]

その後、私たちは「海に飛び込み」、海洋生物の多様性を学びました。問1② 問2① 私たちはライブカメラを通してサンゴ礁を観察しました。リーチ先生が私たちに、生物の数を数えることができるかと聞きましたが、多過ぎました！ すると先生は10年前の海の画像を見せてくれました。カメラで見たサンゴ礁もダイナミックでしたが、写真はもっとたくさんの生命があふれていました。わずか10年でとても違って見えました！ リーチ先生は、人間の活動が海に影響を与えていて、今すぐ行動しないと海をすっかり破滅させてしまうかもしれないと話してくれました。

[第4段落]

夕方には「完璧な星空」の下で天文学の勉強をしました。問1④ 問2② 私たちは体育館にテントを張り、プロジェクターを使って天井に仮設プラネタリウムを作りました。問1③ 星座と流れ星と天の川でいっぱいの空に、私たちはうっとりしました。誰かが一番明るい星を指して、それが地球に一番近い惑星の火星かとリーチ先生に聞きました。先生はうなずいて、人間が人工的な光をたくさん生み出したために、私たちの市の夜空ではほとんど何も見ることができないと説明しました。問3-2

[第5段落]

学校が終わって家に帰る途中、天気が良くなって空は雲一つなくなっていました。私は月のない空を見上げて、リーチ先生の言ったことが本当だと実感しました。問3-1

語句

[リード文]		marine creature	熟 海洋生物
preparation	名 準備	coral reef	熟 サンゴ礁
article	名 記事	via ～	前 ～経由で、～を通じて
[記事]		dynamic	形 ダイナミックな、生き生きした
[タイトル]			
virtual	形 バーチャルの、仮想の	[第４段落]	
		astronomy	名 天文学
field trip	熟 遠足、見学ツアー	starry	形 星の多い
[第１段落]		gymnasium	名 体育館
scenery	名 景色	temporary	形 一時的な、臨時の
volcanic	形 火山の		
project ～	他 ～を投影する、～を映し出す	planetarium	名 プラネタリウム
		fascinate ～	他 ～の心を捉える、～を魅了する
[第２段落]			
geography	名 地理、地形	constellation	名 星座
get a better sense of ～	熟 ～をよく理解する	Venus	名 火星
		artificial	形 人工の
rainforest	名 熱帯雨林	visible	形 目に見える
[第３段落]			
diversity	名 多様性		

問1 正解 18 ① 19 ② 20 ③ 21 ④

問題レベル【普通】 配点 3点（すべて正解で）

設問 **ユズの記事にはバーチャルツアーのことを述べた生徒のコメント（①～④）も含まれていた。コメントを出来事が起こった順番に並べなさい。**

18 → 19 → 20 → 21

選択肢
① 島はどれぐらい危険なのだろうと思っていました。ジャングルできれいな鳥と大きなヘビを見ました。
② 以前はもっと多くの生物がいたというのが衝撃的でした。美しい海を守らなくては！
③ 体育館にキャンプ場を設営するのは、変な感じだったけど、楽しかった！虫に刺されないから、外よりもいい！
④ 宇宙ショーの間、私たちは言葉を失い、存在しているはずの物事に気付いていないことも多いのだと実感した。

語句

weird	形 妙な、変な	bug	名 虫
bite ～	他 （虫が）～を刺す	lost for words	熟 言葉を失った

まずは❶**視線の型**です。リード文とタイトルを確認し、「イングリッシュデイでのバーチャル見学ツアー」がテーマであることを確認し、設問にあたります。起こった順に出来事を並び替える問題です。**選択肢を先読みしましょう**（❷）。長い選択肢なのでキーワードをおさえる

だけでも大丈夫です。

①島が危険、ジャングルにいるきれいな鳥と大きなヘビ

→森を見ているイメージ

②以前はもっと多くの生物、美しい海を守るべき

→海を見ているイメージ

③体育館の中にキャンプ場を設営、虫に刺されない

→体育館の中でキャンプのイメージ

④宇宙ショー、存在しているはずの物事に気付かないことが多い

→宇宙を見ているイメージ

ですね。イメージ化することで、該当箇所にすぐに反応できるようになります。「並べ替えの型」における選択肢先読みというのは、**ただ目を通すだけでなく、情景を頭に浮かばせる行為**のことだと思ってください。

それでは本文を見ていきます。まず第1段落はバーチャル科学ツアー全体の説明で、第2段落から詳細の説明が始まっています（First とあるのでわかりやすいです）。1文目“took a road trip”「車での旅」、2文目“got into the car”「車に乗り込んだ」、rainforest「熱帯雨林」より、森を見ているイメージの①ではないかと予測がつきます。第3段落に進みましょう。1文目“dived into the ocean”「海に飛び込んだ」、the diversity of marine creatures「海洋生物の多様性」より、海を見ているイメージの②がここに当てはまりそうですね。第4段落は1文目 astronomy under a “perfect starry sky”「『完璧な星空』の下で天文学」より、宇宙を見ているイメージの④が当てはまりそうです。そして、2文目 We put up tents in the gymnasium and created a temporary planetarium on the ceiling using a projector.「私たちは体育館にテントを張り、プロジェクターを使って天井に仮設プラネタリウムを作りました」が、③に該当しますね。テントを設営し仮設プラネタリウムを作って宇宙ショーを見た、と考えられるので、③→④の順になり、①→②→③→④が正解です。

Day 12

問2　正解③　**問題レベル【普通】　配点 3点**

設問 ツアーで、ユズは南洋の島の 22 については学んでいない。

選択肢 ① 海の生態系
② 夜の空
③ 季節の天候
④ 草木

語句 ecosystem　名 生態系　seasonal　形 季節の

not 問題です（❶）。選択肢を読んで消去法で解いていきます。一つずつ該当箇所を確認していきましょう。問1ですでに全文読んでいるはずなので大体の場所を覚えているかと思います。① marine ecosystem「海の生態系」は marine という語から第3段落に該当箇所がありそうです。第3段落を見直すと1文目 learnt about the diversity of marine creatures「海洋生物の多様性について学んだ」とあります。② night-time sky「夜の空」は sky から第4段落に答えがありそうです。1文目に we studied astronomy under a “perfect starry sky”「『完璧な星空』の下で天文学の勉強をしました」とありますね。これも問題なさそうです。③ seasonal weather「季節の天候」についてはどこにも書かれていなかったはずです。消去法

で解く問題なので、わからない場合はすぐ保留として④を確認しましょう。④ trees and plants「草木」は森に関係するので第2段落にありそうですね。2文目後半 so we could look out of the window and get a better sense of rainforest「私たちが窓の外を見て熱帯雨林をよく理解できるように」や、3文目 Afterwards, we asked Mr Leach about what we'd seen.「後で、私たちはリーチ先生に、見たものについて質問をしました」から「草木」についても理解を深めていることがわかります。よって残った③が正解です。

問3 正解② **問題レベル【普通】 配点 3点**

設問 **家に帰る途中、ユズは空を見上げて、夜空に [23] を見た可能性が最も高い。**

選択肢 ① 流れ星
② ほんの少しの星
③ 満月
④ 天の川

設問を先読みして答えを探します(❶)。On the way home「家に帰る途中」をヒントにOn my way home after school「学校が終わって家に帰る途中」から始まる最終段落に答えがありそうだとわかります。most likely「可能性が最も高い」という表現があることから、推測して答える問題なのでしょう。はっきり答えが書かれていないので文脈を頼りにする必要がありますね。in the night sky「夜空に」とあることから直前の第4段落を理解していないと解けなさそうです。第4段落の内容を忘れてしまっている場合は第4段落を改めて読み直した上で最終段落を確認するといいでしょう。最終段落2文目にI looked up at the moonless sky and realised what Mr Leach had told us was true.「私は月のない空を見上げて、リーチ先生の言ったことが本当だと実感しました」とありますが、「先生が言ったこと」とは何でしょう。第4段落最終文 He nodded and explained that humans have created so much artificial light that hardly anything is visible in our city's night sky.「先生はうなずいて、人間が人工的な光をたくさん生み出したために、私たちの市の夜空ではほとんど何も見ることができないと説明しました」とあります。ここが先生が言っていたことですね。この文は長い上にいわゆる so ～ that...構文「とても～なので…」が使われており、読みにくかったかもしれません。また hardly は否定語「ほとんど～ない」で、hardly anything は「(数量が) ほとんど～ない」という意味です。共通テストではこのような読みづらい文がよく該当箇所になっています。1文1文を正しく理解する「英文解釈力」もしっかりつけておきましょう。正解は②「ほんの少しの星」ですね。

目標解答時間5分

問題番号は実際の番号のままです。

B You have been asked to keep an online diary available only to other students in the class, to follow at least one other student, and to respond to their posts. You chose to read Christina's diary because you are also thinking of moving into an apartment.

> I'm so happy to be leaving the university dorm and moving into a quiet apartment ☺! Renting an apartment is expensive in Osaka! The day before yesterday, I finally received a money transfer from my mum and dad in Singapore and was able to pay the apartment agency. I'd wanted to move in this Wednesday, but they say the earliest I can move in is Thursday. But that's my birthday, and I have other more important things to do ☺, so I'll be getting my key on Friday the 24th at 9 am.
>
> 2023.03.19 Sun. 11:16

> Because of the design of my new apartment, I've had to think carefully about the order I'm having stuff delivered. You have to walk through the kitchen/living room to get to the bedroom, and the only place I can put my second-hand washing machine is right next to the *genkan*. So my big wardrobe, a present from my mum and dad, is being delivered first, tomorrow, with the special permission of the agency. I decided to have the washing machine delivered the week after I move in and everything has settled down. The delivery of my fridge and kitchen table is scheduled for late afternoon on the day I move in.
>
> 2023.03.21 Tue. 22:24

I had my birthday party today ☺! Very busy—moving in tomorrow! Also very annoyed—my wardrobe wasn't delivered ☹. They've promised me it'll come next week, but I don't know if that'll be before or after the washing machine...

2023.03.23 Thur. 23:08

Almost done ☺. Bought some dishes and a rug at a discount store this afternoon. It's great to be out of the dorm and have some privacy.

2023.03.25 Sat. 18:46

Both the wardrobe and the washing machine came today (see photos). Luckily, they came in the right order ☺. Got to start studying again, I've done very little at all for more than a week now...

2023.03.29 Wed. 14:20

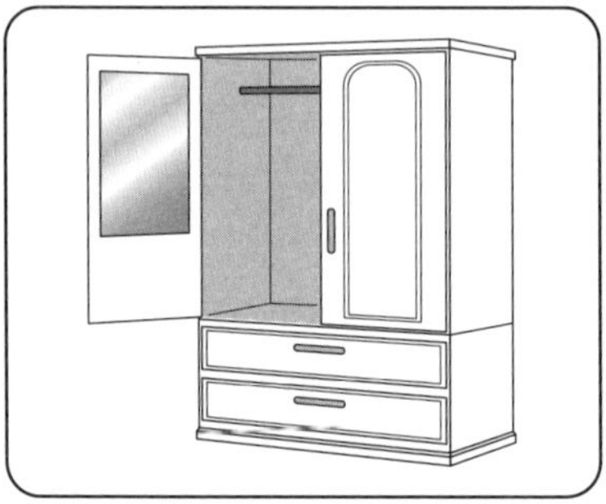

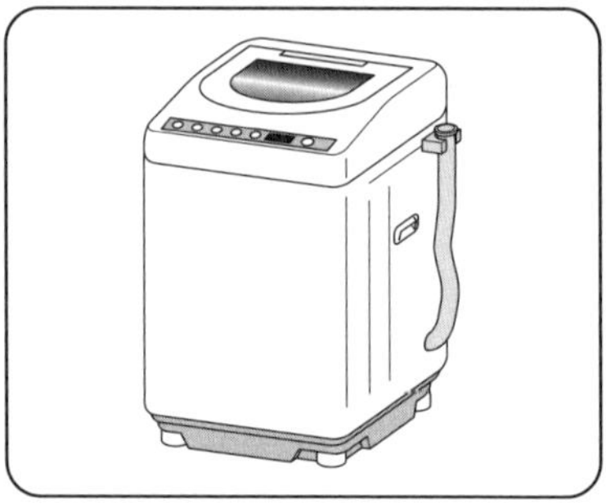

問 1 The following events are described in Christina's online diary:

① Christina buys a rug and dishes.

② Christina has her birthday party.

③ Christina moves into her apartment.

④ Christina's fridge comes.

⑤ Christina's parents send her money.

⑥ Christina's wardrobe is delivered.

⑦ Christina's washing machine arrives.

Which of ①, ③ and ④ happened **first**? [18]

Which of ②, ③ and ⑤ happened **first**? [19]

Which of ①, ② and ⑥ happened **last**? [20]

Which of ④, ⑥ and ⑦ happened **last**? [21]

(You must have **all** of [18] ~ [21] correct to get points.)

Day 12

問 2 You are checking all the student responses to Christina's 2023.03.23. post. Which response appears to be a **misunderstanding**? [22]

①

Calm down!
Try not to get so angry!
Tomorrow is another day!

②

Do you need any help moving in? I'd really love to give you a hand.

③

Good to hear your wardrobe will come tomorrow!
Best of luck!

④

Which delivery company are you using? I don't want to use them...

問 3 Which of these is **not** true about Christina? [23]

① Her birthday is important to her.
② She frequently gets very lonely.
③ She is a very organised person.
④ She is quite careful with money.

問 1－2

訳 あなたは、クラスの生徒だけが見られるオンライン日記をつけること、最低一人は他の生徒をフォローしてその人の投稿にコメントを入れることを求められました。自分もアパートへの引っ越しを考えているので、あなたはクリスティーナの日記を読むことにしました。

大学の寮を出て静かなアパートに引っ越せるのはすごくうれしい☺！大阪でアパートを借りるのは高いけど！問3④-1 一昨日、シンガポールのママとパパからようやく送金があった問1⑤から、不動産屋さんに支払いができた。今度の水曜日に引っ越したかったんだけど、引っ越せるのは早くて木曜日だと言われた。でもその日は私の誕生日問1②-1で、他にもっとしなくちゃいけない大事なことがある☺問3①、だから24日金曜日の午前９時に鍵を受け取ることにするつもり。問1③

2023年３月19日（日）11:16

新しいアパートの間取りのせいで、荷物を配達してもらう順番をよく考えなくてはいけなかった。問3③ 寝室に入るにはキッチン兼リビングを通る必要があるし、中古の洗濯機問3④-2を置ける場所は玄関脇しかない。だから、ママとパパからプレゼントされた大きな洋服ダンスが一番初めで、不動産屋さんから特別の許可をもらって、明日、配達してもらう。問1⑥-1 洗濯機は引っ越した次の週、いろいろ落ち着いてから届けてもらうことにした。問1⑦-1 冷蔵庫とキッチンテーブルは、引っ越しの日の午後遅くに届けてもらう予定だ。問1④

2023年３月21日（火）22:24

今日は私の誕生日パーティーだった☺！問1②-2 すごく忙しい――明日が引っ越しだから！問2② それにすごくイライラしてる問2①――洋服ダンスが届かなかった問1⑥-2 問2④から☹。来週には届くと約束してくれたけど、それが洗濯機の前になるか後になるかはわからない……。

2023年３月23日（木）23:08

ほぼ終了☺。午後はディスカウントストアで食器とラグを買った。問1①
問3④-3 寮を出てプライバシーが持てるのはすごくいい。

2023年３月25日（土）18:46

洋服ダンスと洗濯機、両方とも今日届いた（写真参照）。幸い、いい順番で届いた☺。問1⑥-3 問1⑦-2 勉強を再開しないといけない、もう1週間以上ろくに勉強してないから……

2023年3月29日（水）14:20

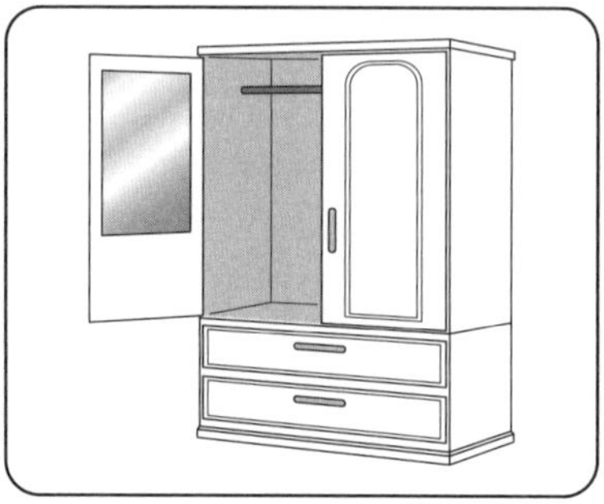

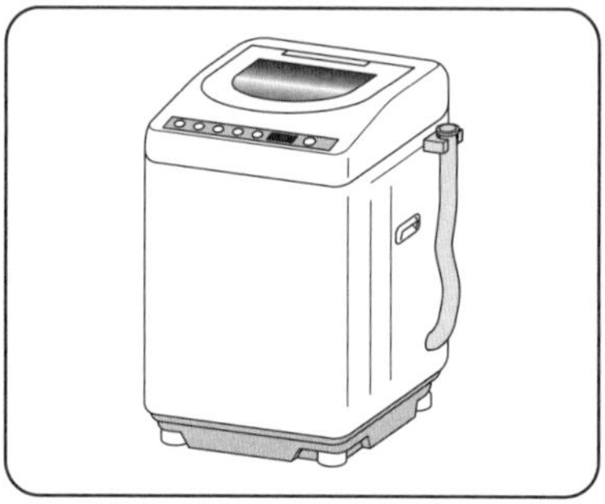

語句

［リード文］

available to ～ 熟 ～が利用できる、～が入手できる

respond 自 反応する、レス（リプ、コメント）をつける

post 名 投稿

［日記］

［投稿1］

dorm 名 寮

money transfer 熟 送金

mum 名 ママ、お母さん（イギリス英語）

agency 名 仲介業者

［投稿2］

wardrobe 名 洋服ダンス

permission 名 許可

settle down 熟（状況などが）落ち着く

fridge 名 冷蔵庫

［投稿3］

annoyed 形 イライラした、腹を立てた

［投稿4］

privacy 名 プライバシー

問1 正解 18 ③ 19 ⑤ 20 ⑥ 21 ⑦

問題レベル【やや難】 配点 3点（すべて正解で）

設問 **次の出来事はクリスティーナのオンライン日記に書かれていることである：**

選択肢 ① クリスティーナがラグと食器を買う。

② クリスティーナが自分の誕生日パーティーをする。

③ クリスティーナがアパートに引っ越す。

④ クリスティーナの冷蔵庫が届く。

⑤ クリスティーナの両親が彼女にお金を送る。

⑥ クリスティーナの洋服ダンスが配達される。

⑦ クリスティーナの洗濯機が到着する。

①③④のうち、一番早く起こったのはどれか。 18

②③⑤のうち、一番早く起こったのはどれか。 19

①②⑥のうち、一番後に起こったのはどれか。 20

④⑥⑦のうち、一番後に起こったのはどれか。 21

(得点するには 18 **～** 21 **の全部を正しく答えなければならない。)**

まずは❶**視線の型**です。まずリード文は正しく読めましたか。You have been asked to keep an online diary available only to other students in the class, to follow at least one other student, and to respond to their posts.「あなたは、クラスの生徒だけが見られるオンライン日記をつけること、最低一人は他の生徒をフォローしてその人の投稿にコメントを入れることを求められました」です。カンマと接続詞andが3つのto不定詞（to keep ....、to follow ....、to respond ...）を並列しています。そしてYou chose to read Christina's diary「あなたはクリスティーナの日記を読むことにしました」と言っているので、この日記はすべて、ある1人の生徒の日記だとわかります。そしてbecause you are also thinking of moving into an apartment「自分もアパートへの引っ越しを考えているので」より、今から読む日記は「引っ越し」に関する内容なのだとわかります。

では設問です。出来事を順番に並び替えて答える問題ですね。選択肢は多いですが、一つ一つの選択肢の長さは短く読みやすいです。先に選択肢を読んで、**内容をイメージし、情景を頭に浮かべておきましょう**（❷）。

①は「ラグ（敷物のことです）と食器を買う」、②は「自分の誕生日パーティーをする」、③は「引っ越す」、④は「冷蔵庫がくる」、⑤は「親がお金を送る」、⑥は「洋服ダンスがくる」、⑦は「洗濯機がくる」です。fridge「冷蔵庫（refrigeratorの短縮形）」、wardrobe「洋服ダンス」など単語が少し難しかったかもしれませんが、「引っ越しの話題」とわかっていればcomesやdeliveredという語から「家具などかな？」と近い予測がついたことと思います。さて、7つもあるので混乱しそうですね。出てくるたびに日付を書き込みながら整理していきましょう。

まず1つ目の3月19日（日）の日記です。3文目The day before yesterday, I finally received a money transfer from my mum and dad「一昨日、ママとパパからようやく送金があった」とあることから、19日の2日前なので⑤のとなりに「17」と書いておきましょう（曜

Day 12

日より日付の方が混乱がしないと思います)。次に4〜5文目 I'd wanted to move in this Wednesday, but they say the earliest I can move in is Thursday. But that's my birthday「今度の水曜日に引っ越したかったんだけど、引っ越せるのは早くて木曜日だと言われた。でもその日は私の誕生日」とあるので、「次の木曜日」つまり23日が誕生日なのですね。数えるのがめんどうですが、3つ目の「木曜日の日記」の存在に気付けば、日付も書いてあるので早く正確にわかりますね。**どの問題でもそうですが、書かれている情報は利用し尽くしましょう。真面目一辺倒では時間が足りません。**選択肢②の隣に「23」と書きます。そして1つ目の日記の最後に so I'll be getting my key on Friday the 24th at 9 am.「だから24日金曜日の午前9時に鍵を受け取ることにするつもり」とあります。この流れから「鍵を受け取る日=引っ越し日」と考えてよさそうです。③の隣に「24」と書きます。「鍵だけ受け取って引っ越さないかも」「『予定』と言っているだけで、後日変更する可能性も十分あるぞ」と思うのはもっともですが、いったん書き込んでおきましょう。不安なら「24?」と「?」マークでもつければ「要検討」という印になりますね。あとで違ったと思ったら書き直せばいいだけです。**メモして「もうそのことは忘れてもいい」と脳に信号を送り、新しい情報が入ってくる容量(スペース)を確保**しましょう。

2つ目の3月21日(火)の日記を確認していきます。3文目 So my big wardrobe, a present from my mum and dad, is being delivered first, tomorrow, with the special permission of the agency.「だから、ママとパパからプレゼントされた洋服ダンスが一番初めで、不動産屋さんから特別の許可をもらって、明日、配達してもらう」とあるので、⑥の隣に「22」と書き込みます。続く4文目、I decided to have the washing machine delivered the week after I move in and everything has settled down.「洗濯機は引っ越した次の週、いろいろ落ち着いてから届けてもらうことにした。」より、次の週の何日かわからないですが、とりあえず引っ越し予定である24日のちょうど1週間後である31日と想定して、「31 ?」と⑦の隣に書いておくといいでしょう。そして最終文 The delivery of my fridge and kitchen table is scheduled for late afternoon on the day I move in.「冷蔵庫とキッチンテーブルは、引っ越しの日の午後遅くに届けてもらう予定だ」とあるので、④の隣に「24」と書いておきます。なお、わざわざ「午後遅く」と書いてあるということは引っ越しが終わったあとに配達してもらうということでしょう。「24−2」などとして③と区別しておいた方がいいですね。

3つ目の3月23日(木)の日記2文目 Very busy — moving in tomorrow!「すごく忙しい—明日が引っ越しだから!」とあるので、やはり引っ越し日は24日のようだとわかります。そして3文目 Also very annoyed — my wardrobe wasn't delivered.「それにすごくイライラしてる—洋服ダンスが届かなかったから」とあるので、洋服ダンスの配達日に変更があったようですね。4文目に They've promised me it'll come next week, but I don't know if that'll be before or after the washing machine...「来週には届くと約束してくれたけど、それが洗濯機の前になるか後になるかはわからない」とあり、はっきりとわからないのでいったん⑥の隣に書いた「22」に×を入れておきましょう。

4つ目の3月25日(土)の日記2文目 Bought some dishes and a rug at a discount store this afternoon.「午後はディスカウントストアで食器とラグを買った」より、①の隣に「25」と書きます。

5つ目の3月29日(水)の日記1文目 Both the wardrobe and the washing machine came today「洋服ダンスと洗濯機、両方とも今日届いた」とあることから、洋服ダンスと洗濯機の到着日が共に29日だとわかります。また、2文目 Luckily, they came in the right order.「幸い、いい順番で届いた」とあることから、最初の計画どおり「洋服ダンス」→「洗濯機」の順番で届いたのだとわかります。よって⑥の隣に「29－1」、⑦の隣に「29－2」とでも書いておきましょう。

さて、以上で順番がわかりました。⑤（17日）→②（23日）→③（24日－1）→④（24日－2）→①（25日）→⑥（29日－1）→⑦（29日－2）ですね。これにより、①、③、④の中で最初に起こったのは③。②、③、⑤の中で最初に起こったのは⑤。①、②、⑥の中で最後に起こったのは⑥。④、⑥、⑦の中で最後に起こったのは⑦です。時間がかかる上に4つすべて正解しないと点がもらえない、時間対効率が非常に悪い問題でした。

問2　正解③　**問題レベル【普通】　配点 3点**

設問　**設問　あなたはクリスティーナの2023年3月23日の投稿に対する生徒のコメント全部をチェックしている。勘違いをしていると思われるコメントはどれか。** 22

選択肢
① 落ち着いて！
そんなに腹を立てないようにして！
明日はいいことがあるかも！
② 引っ越しに手伝いは必要？　喜んで手伝うよ。
③ 洋服ダンスが明日届くというのは良かった！
順調に進むといいね！
④ どこの配送業者を使ってるの？　そんなとこ使いたくないな……。

語句
- response　名 反応、リプ、コメント
- calm down　熟 気を落ち着ける
- Tomorrow is another day.　慣 明日はまた別の日だ。今日うまくいかなくても明日はいい日になるかもしれない。
- give ～ a hand　熟 ～に手を貸す、～を手伝う
- Best of luck.　慣 幸運を祈ります。うまくいくといいですね。

❶**視線の型**で解いていきましょう。設問から「3月23日の日記」の内容にそぐわないものを選べばいいのだとわかります。正解は③です。洋服ダンスが予定どおり届かず来週になるということで腹を立てていたので、Good to hear your wardrobe will come tomorrow!「洋服ダンスが明日届くというのは良かった！」というのは内容に合いません。①は very annoyed「すごくイライラしてる」に対するコメント、②は moving in tomorrow!「明日が引っ越しだから！」に対するコメント、④は my wardrobe wasn't delivered「洋服ダンスが届かなかった」に対するコメントとしてそれぞれ適切だと考えられます。

問3　正解②　**問題レベル【普通】　配点 3点**

設問 次のうち、クリスティーナについて正しくないのはどれか。 23

選択肢 ① 自分の誕生日は彼女にとって大切だ。

② 彼女はよく、とても寂しくなる。

③ 彼女はとても順序立った考え方のできる人だ。

④ 彼女はお金に関してしっかりしている。

語句 organised　**形** 順序立った、きちんとした性格の（イギリス式つづり）

❶**視線の型**です。まずは**設問**ですが、not 問題なので消去法で解くことがわかります。①は1つ目の3月19日の日記の5文目 But that's my birthday, and I have other more important things to do「でもその日は私の誕生日で、他にもっとしなくちゃいけない大事なことがある」と誕生日を理由に引っ越し日をずらしていたことから、クリスティーナが誕生日を気にかける人物だということがわかるので問題ありません。③は2つ目の3月21日の日記1文目 Because of the design of my new apartment, I've had to think carefully about the order I'm having stuff delivered.「新しいアパートの間取りのせいで、荷物を配達してもらう順番をよく考えなくてはいけなかった」とあるように、きちんと配達の順番を考えるような人物なのでこれも問題ありません。④は1つ目の3月19日の日記の2文目 Renting an apartment is expensive in Osaka!「大阪でアパートを借りるのは高いけど！」と高いアパートに不満を言っていたり、2つ目の3月21日の日記2文目の my second-hand washing machine「中古の洗濯機」や4つ目の3月25日の日記2文目の at a discount store「ディスカウントストアで」という表記から、お金を浪費したくないタイプだというのがうかがえます。よって④も問題ありません。

残った②が正解です。「よく寂しくなる」というような性格描写はどこにもありませんでした。むしろ、I'm so happy to be leaving the university dorm and moving into a quiet apartment!「大学の寮を出て静かなアパートに引っ越せるのはすごくうれしい」（3月19日の日記1文目）や、It's great to be out of the dorm and have some privacy.「寮を出てプライバシーが持てるのはすごくいい」（3月25日の日記2文目）にあるように、寮を出て自分の時間が持てることに対しプラスの感情を抱いています。

あとからこのような書き手の性格を表す箇所を探すのは困難です。**今回のような日記や手紙、SNSの書き込みといった書き手の主観が出るタイプの英文を読むときは、どうせ問われるものと思って、初めから表現の節々に現れる書き手の性格や感情などを感じながら読む**ようにしておくといいでしょう。

MEMO

Day 12

DAY 13

【マルチプルパッセージ+図表問題】を攻略する「視線の型」

第4問では、マルチプル（複数）の文書や図表を照らし合わせて設問に答える問題が出題されます。このような「マルチプルパッセージ＋図表問題」は複数の箇所を照らし合わせて理解する必要があるため、今までと少し異なる「視線の型」が必要です。

「視線の型」のステップ

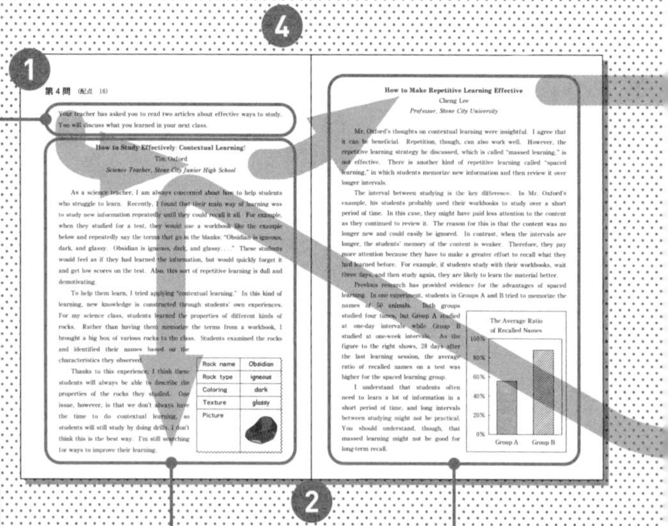

❶ 場面・状況を把握する

問題に当たる前に設定の説明を読み、場面や状況をイメージしましょう。「マルチプルパッセージ＋図表問題」は、状況設定が複雑な時がありますが、ここでしっかりと自分の言葉で説明できるくらいまでに理解しておくと、話の流れにスッと乗れます。

❷ 英文や図表のタイトル、複数のパッセージの関係性を確認する

「マルチプルパッセージ＋図表問題」では、タイトルだけでなく、文書同士や文書と図表がどう関連しているかを先に確認しておきましょう。

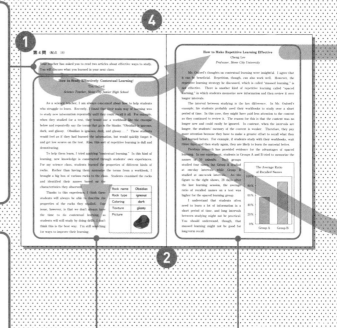

内容 第４問ではこれまで、「メールのやりとり」や「共通のテーマに関する２人の異なった見解」など、複数の文書や図表を照らし合わせる問題が出題されました。ここでは「マルチプルパッセージ＋図表問題」に対応する「視線の型」をマスターしていきましょう。

目標解答時間 10分

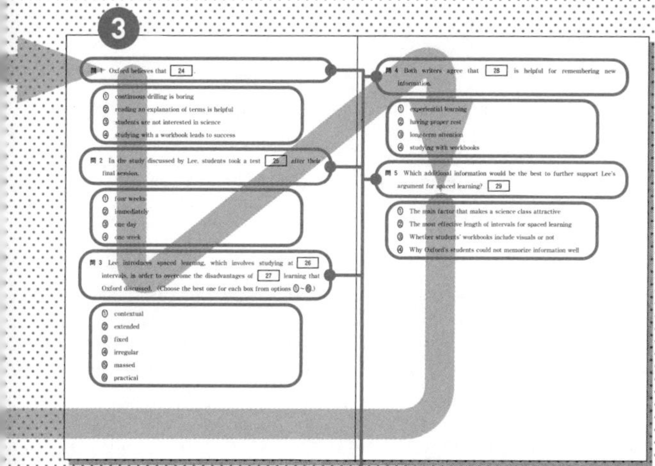

4

該当箇所を探しに本文へ

該当箇所を探しに本文にいきましょう。情報が多いため、複数の文章・図表を照らし合わせて一つ一つ丁寧に問題を解いていきます。

3

設問を先読みする

できるだけすべての設問を先に把握しておきましょう。本文を読み始める前にすべての設問をチェックしておくことで、複数文書の内容を理解する助けになり、後半の設問も該当箇所が見つけやすくなります。ここがこれまでの「視線の型」と大きく異なる点です。情報が多すぎて混乱してしまう、という人は１問ずつの方が解きやすいかもしれませんが、キーワードの把握だけであればそこまで負担にならないはずです。問われる内容をすべて頭に入れた状態で本文を読んでいくのが理想です。

では、この「視線の型」を使って、次ページの問題に取り組みましょう！

第4問 (配点 16)

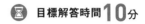

Your teacher has asked you to read two articles about effective ways to study. You will discuss what you learned in your next class.

How to Study Effectively: Contextual Learning!

Tim Oxford

Science Teacher, Stone City Junior High School

As a science teacher, I am always concerned about how to help students who struggle to learn. Recently, I found that their main way of learning was to study new information repeatedly until they could recall it all. For example, when they studied for a test, they would use a workbook like the example below and repeatedly say the terms that go in the blanks: "Obsidian is igneous, dark, and glassy. Obsidian is igneous, dark, and glassy. . . ." These students would feel as if they had learned the information, but would quickly forget it and get low scores on the test. Also, this sort of repetitive learning is dull and demotivating.

To help them learn, I tried applying "contextual learning." In this kind of learning, new knowledge is constructed through students' own experiences. For my science class, students learned the properties of different kinds of rocks. Rather than having them memorize the terms from a workbook, I brought a big box of various rocks to the class. Students examined the rocks and identified their names based on the characteristics they observed.

Rock name	Obsidian
Rock type	igneous
Coloring	dark
Texture	glassy
Picture	

Thanks to this experience, I think these students will always be able to describe the properties of the rocks they studied. One issue, however, is that we don't always have the time to do contextual learning, so students will still study by doing drills. I don't think this is the best way. I'm still searching for ways to improve their learning.

How to Make Repetitive Learning Effective

Cheng Lee
Professor, Stone City University

Mr. Oxford's thoughts on contextual learning were insightful. I agree that it can be beneficial. Repetition, though, can also work well. However, the repetitive learning strategy he discussed, which is called "massed learning," is not effective. There is another kind of repetitive learning called "spaced learning," in which students memorize new information and then review it over longer intervals.

The interval between studying is the key difference. In Mr. Oxford's example, his students probably used their workbooks to study over a short period of time. In this case, they might have paid less attention to the content as they continued to review it. The reason for this is that the content was no longer new and could easily be ignored. In contrast, when the intervals are longer, the students' memory of the content is weaker. Therefore, they pay more attention because they have to make a greater effort to recall what they had learned before. For example, if students study with their workbooks, wait three days, and then study again, they are likely to learn the material better.

Previous research has provided evidence for the advantages of spaced learning. In one experiment, students in Groups A and B tried to memorize the names of 50 animals. Both groups studied four times, but Group A studied at one-day intervals while Group B studied at one-week intervals. As the figure to the right shows, 28 days after the last learning session, the average ratio of recalled names on a test was higher for the spaced learning group.

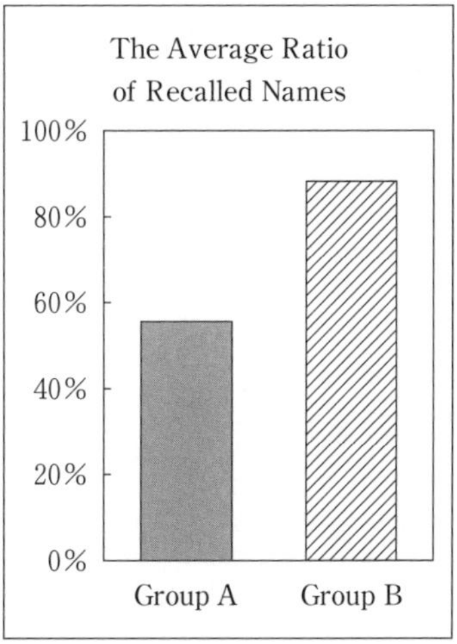

I understand that students often need to learn a lot of information in a short period of time, and long intervals between studying might not be practical. You should understand, though, that massed learning might not be good for long-term recall.

問 1　Oxford believes that [24].

① continuous drilling is boring
② reading an explanation of terms is helpful
③ students are not interested in science
④ studying with a workbook leads to success

問 2　In the study discussed by Lee, students took a test [25] after their final session.

① four weeks
② immediately
③ one day
④ one week

問 3　Lee introduces spaced learning, which involves studying at [26] intervals, in order to overcome the disadvantages of [27] learning that Oxford discussed. (Choose the best one for each box from options ①～⑥.)

① contextual
② extended
③ fixed
④ irregular
⑤ massed
⑥ practical

問 4 Both writers agree that [28] is helpful for remembering new information.

① experiential learning
② having proper rest
③ long-term attention
④ studying with workbooks

問 5 Which additional information would be the best to further support Lee's argument for spaced learning? [29]

① The main factor that makes a science class attractive
② The most effective length of intervals for spaced learning
③ Whether students' workbooks include visuals or not
④ Why Oxford's students could not memorize information well

問 1 - 5

訳 あなたは先生から、効果的な勉強方法に関する２つの記事を読むよう言われました。学んだことを次の授業で論じる予定です。

[１つめの記事]

効果的に勉強する方法：文脈学習！

ティム・オックスフォード

ストーンシティ中学校 理科教師

[第１段落]

理科教師である私は、学習に苦労している生徒たちを手助けする方法に常に関心を寄せている。最近になって、彼らの主な学習法が、全部思い出せるようになるまで新しい情報を繰り返し勉強することだ、と気付いた。例えば、テスト勉強をする際には下の例のようなワークブックを使って、空欄に入る用語を繰り返し口にする：「黒曜石は火成、黒色、ガラス質。黒曜石は火成、黒色、ガラス質……」。こういう生徒たちはその情報を学んだような気になるが、すぐに忘れてテストでは低い点を取る。しかも、この種の反復学習は退屈でやる気を下げる。問１

[第２段落]

彼らの学習を手助けするために、私は「文脈学習」を採用してみた。この種の学習法では、生徒自身の経験を通じて新しい知識が構築される。問４-２　私の理科の授業では、生徒たちがさまざまな岩石の特徴を学んだ。ワークブックの用語を暗記させるのではなく、いろいろな岩石の入った大きな箱を授業に持ち込むことにした。生徒たちはその岩石を調べ、観察した特徴に基づいて名称を特定した。

[第３段落]

この経験のおかげで、生徒たちは自分の調べた岩石の特徴をこの先も常に説明できるはずだ。ただ、一つ問題なのは、文脈学習をする時間がいつもあるとは限らないので、生徒たちはやはりドリルを使って勉強することになる。それが最善の方法とは思わない。私は彼らの学習の改善法をまだ模索しているところだ。

岩石名称	黒曜石
岩石の種類	火成
色	黒色
質感	ガラス質
画像	

[２つめの記事]

反復学習を効果的にする方法

チェン・リー

ストーンシティ大学 教授

[第１段落]

オックスフォード先生の文脈学習の考えは洞察力に富むものだった。これが有益であろうことには同意する。問４-１　しかし、反復もうまく働く場合はある。とはいえ、彼が述べていた反復学習方式――「集中学習」と呼ばれるものだが――は効果的ではない。

「分散学習」と呼ばれる別のタイプの反復学習があり、その場合、生徒は新しい情報を覚えた後、長めの間隔をおいて復習する。問3 問5

[第2段落]

勉強の間隔が大きな違いだ。オックスフォード先生の例では、おそらく短期間にワークブックを使って勉強している。この場合、復習を続けるうちに内容に向ける注意が薄れていた可能性がある。その理由は、内容が目新しいものでなくなり軽視しやすくなっていたせいだ。一方、間隔が長くなると、内容に関する生徒の記憶は弱まる。そのため、以前学んだことを思い出すのに大きな労力が必要となるので、より注意を払うのだ。例えば、生徒たちがワークブックで勉強し、3日間おいてからもう一度勉強すると、内容をよりよく身に付ける可能性が高い。

[第3段落]

過去の調査でも分散学習の効果が証明されている。ある実験では、AとBのグループの生徒が動物の名前を50覚えることになった。どちらのグループも4回勉強したが、グループAは1日おきに勉強し、グループBは1週間おきに勉強した。右の図が示すように、最後の学習セッションから28日後、テストで思い出せた名前の平均割合は、分散学習グループの方が高かった。問2

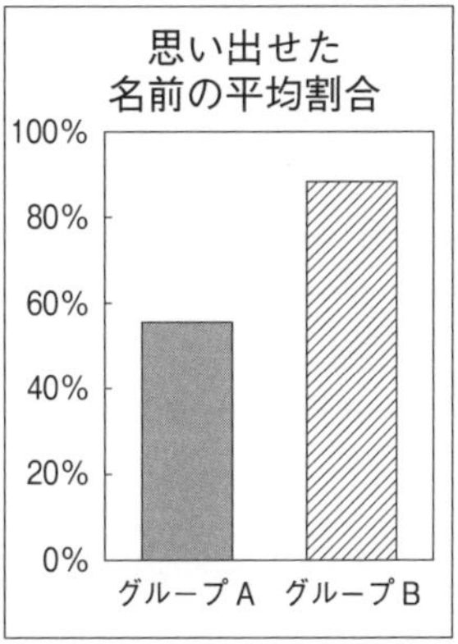

[第4段落]

生徒たちが短期間で多くの情報を覚えなければならないこともよくあるのは理解しているので、学習間隔を長くとるのは実用的でないかもしれない。しかし、集中学習が長期記憶には良くない可能性があることは、理解しておく必要がある。

語句

[1つめの記事]

contextual 形 文脈の

[第1段落]

concerned 形 関心を抱いた
repeatedly 副 繰り返して
recall ～ 他 ～を思い出す 名 思い出すこと
term 名 用語、言葉
obsidian 名 黒曜石
igneous 形 火成の
glassy 形 ガラス状の、ガラス質の
as if ～ 熟 あたかも～な
repetitive 形 繰り返しの、反復の
dull 形 つまらない、退屈な
demotivating 形 やる気を失わせるような

[第2段落]

construct ～ 他 ～を構築する
property 名 特性、性質
memorize ～ 他 ～を暗記する
identify ～ 他 ～を特定する
characteristic 名 (～sで) 特徴、特質
observe ～ 他 ～を観察する

[表]

texture 名 手触り、質感

[2つめの記事]

[第1段落]

insightful 形 洞察力に富んだ
beneficial 形 有益な
repetition 名 繰り返し、反復
strategy 名 戦略、方策
massed 形 集中的な

[第2段落]

ignore ～ 他 ～を無視する
in contrast 熟 対照的に、その一方で

Day 13

問1　正解①　**問題レベル【普通】　配点 3点**

設問 **オックスフォードは [24] と考えている。**

選択肢 ① 継続的な練習は退屈だ　② 用語の説明を読むのは役に立つ
③ 生徒たちは理科に興味がない　④ ワークブックでの勉強が成功につながる

まずは❶**場面・状況を把握しましょう**。リード文から、「効果的な勉強方法に関する2つの記事を読む」のだとわかります。次に❷**英文や図表のタイトル、複数のパッセージの関係性を確認**します。1つ目の記事はオックスフォード先生による How to Study Effectively: Contextual Learning「効果的に勉強学習する方法：文脈学習」、2つ目の記事はリー先生による How to make Repetitive Learning Effective「反復学習を効果的にする方法」で、いずれも表や図がついていますね。別の記事のようですが、第4問では情報をひもづけて解く問題が出題されますので「どこかで2つの記事を照合する必要があるかもしれない」という意識はもっておきましょう。

では❸**設問の先読み**です。オックスフォード先生の考えが問われているので、まずは左側のオックスフォード先生の英文を読んでいきます（❹）。まず第1段落1文目に As a science teacher, I am always concerned about how to help students who struggle to learn.「理科教師である私は、学習に苦労している生徒たちを手助けする方法に常に関心を寄せている」とあります。ここから students who struggle to learn の具体化が続きます。study new information repeatedly until they could recall it all「全部思い出せるようになるまで新しい情報を繰り返し勉強すること」（2文目）を、quickly forget it and get low scores on the test「すぐに忘れてテストでは低い点を取る」（5文目）、this sort of repetitive learning is dull and demotivating「この種の反復学習は退屈でやる気を下げる」（6文目）と批判しています。オックスフォード先生の意見がここではっきりと表明されていますね。問1が解けそうなので選択肢を見ていきましょう。選択肢① continuous drilling is boring が正解です。repetitive learning が continuous drilling に、dull が boring に**言い換え**られていました。

問2 正解① **問題レベル【普通】 配点 3点**

設問 **リーの論じている研究では、生徒たちは最後のセッションの 25 後にテストを受けた。**

選択肢 ① 4週間 ② すぐ ③ 1日 ④ 1週間

❸**設問を見る**と、リー先生の論じる研究について問われているので、今度はリー先生の英文を読んでから解く問題だとわかります。この時点でオックスフォード先生の論文をまだ第1段落しか読めていない人も、まずはオックスフォード先生の英文を読み切ってからリー先生の英文に移った方が混乱しなくて済むのでいったんこの設問は飛ばして問3や問4を先に解いた方が得策かもしれません。今回は全部読んだ前提で解説していきます。

研究のことなので、Previous research has ...「以前行われた調査によると……」から始まる、リー先生の英文第3段落に該当箇所が出てくるはずです。設問に students took a test (　) after their final session とあることから、「生徒たちは最後のセッションのどのくらい後にテストを受けたのかな」を狙い読みで探します（❹）。4文目で28 days after the last learning session とありますが、ここの last が設問中の final と同義語だと気付いたでしょうか。「28日後」を「4週間」と**言い換え**た①が正解です。

問3 正解 26 ② 27 ⑤ **問題レベル【普通】 配点各2点 計4点**

設問 **リーは分散学習を紹介しているが、それは 26 間隔での学習を伴う。オックスフォードが論じていた 27 学習の欠点を克服するためである。(それぞれの空欄に最適なものを選択肢①～⑥から1つ選びなさい)。**

選択肢 ① 文脈的な ② 長期化した ③ 固定された
④ 不定期の ⑤ 集中的な ⑥ 実用的な

Day 13

❸**設問より**、リー先生とオックスフォード先生、2人の学習方法論の相違点を探す問題だとわかります。これに関してはリー先生の英文を読んでいくと（❹）、第1段落4文目で However, the repetitive learning strategy he discussed, which is called “massed learning,” is not effective.「とはいえ、彼が述べていた反復学習方式――『集中学習』と呼ばれるものだが――は効果的ではない」として、5文目で There is another kind of repetitive learning「別の種類の反復学習」である spaced learning「分散学習」を挙げ、そこでは longer intervals「より長い間隔」を空けて復習する、としています。まず一つ目の空所は、longer の**言い換え**として、選択肢② extended を正解に選びます。二つ目はオックスフォード先生が批判的に述べていた学び方なので massed learning ですね。よって、⑤が正解です。

問4 正解① 問題レベル【普通】 配点 3点

設問 どちらの筆者も、新しい情報を覚えるのに [28] が有益だという点で合意している。

選択肢 ① 経験に基づく学習 ② 適切に休息をとること
③ 長期間の注目 ④ ワークブックでの勉強

❸**設問**に Both writers agree とあるので、オックスフォード先生もリー先生も賛同しているものを選びます。❹**本文を見る**と、リー先生の英文第1段落1～2文目に Mr. Oxford's thoughts on contextual learning were insightful. I agree that it can be beneficial.「オックスフォード先生の文脈学習の考えは洞察力に富むものだった。これが有益であろうことには同意する」とあります。また、オックスフォード先生の英文では contextual learning について、第2段落1～2文目で I tried applying "contextual learning." In this kind of learning, new knowledge is constructed through students' own experiences.「私は『文脈学習』を採用してみた。この種の学習法では、生徒自身の経験を通じて新しい知識が構築される」と書いています。つまり2人の先生が同意しているのは、「経験を通じて新しい知識を構築する学習」だとわかります。よって、① experiential learning が正解です。

問5 正解② 問題レベル【普通】 配点 3点

設問 リーの分散学習の主張をさらに支えるのに最適な追加情報はどれか。[29]

選択肢 ① 理科の授業を魅力的にする主な要素
② 分散学習で最も効果的な間隔の長さ
③ 生徒の使うワークブックに視覚教材が含まれるかどうか
④ オックスフォードの生徒たちが情報をうまく記憶できなかった理由

❸**設問より**、推測が必要な問題だとわかります。選択肢を一つ一つ本文と照らし合わせて見ていきましょう（❹）。①は、リー先生は理科の授業に限った話をしていないので、a science class が×。② The most effective length of intervals for spaced learning はリー先生の主張を強化しそうですね。リー先生が第1段落最終文で spaced learning について「longer intervals が必要だ」と主張していましたが、具体的に「最適な長さ」に言及はありませんでした。よってこれが正解です。

③は視覚教材の話は spaced learning には関係ないので不可、④は「オックスフォードの生徒たちが情報をうまく記憶できなかった理由」とありますがその答えが spaced learning そのものであり、spaced learning がよいという主張をさらに支える情報とは言えないので不可です。

目標解答時間 10分

問題番号は実際の番号のままです。

第4問 (配点 16)

You and two friends have rented a section of a community garden for the first time. Your friends have written emails about their ideas for growing vegetables in the garden. Based on their ideas, you reply to finalize the garden plans.

March 23, 2023

Our Garden Plan

Hi! Daniel here! I scanned this great planting chart in a gardening book I got from the library. The black circles show when to plant seeds directly into the soil. The black squares show when to plant seedlings, which are like baby plants. The stars show when to harvest a vegetable.

Planting Schedule

	Mar.		Apr.		May		June		July		Aug.		Sept.		Oct.		Nov.	
beans			●	●	●				☆	☆								
cabbages		●	●						☆	☆		■	■			☆	☆	☆
carrots		●	●						☆	☆								
onions						☆	☆	☆					●	●				
potatoes	●	●					☆	☆			●						☆	☆
tomatoes			●	■	■					☆	☆	☆						

It's already late March, so I think we should plant the potatoes now. We can harvest them in June, and then plant them again in August. Also, I'd like to plant the carrots at the same time as the potatoes, and the cabbages the next month. After harvesting them in July, we can put in cabbage seedlings at the same time as we plant the onions. We won't be able to eat our onions until next year! I have bought tomato seedlings and would like to give them more time to grow before planting them. Let's plant the beans toward the end of April, and the tomatoes the following month.

Let's discuss the garden layout. We will have a 6 × 6 meter area and it can be divided into two halves, north and south. Beans, cabbages, and tomatoes grow above the ground so let's grow them together. How about in the southern part? We can grow the carrots, potatoes, and onions together because they all grow underground. They will go in the northern part.

Day 13

March 24, 2023

Re: Our Garden Plan

Thanks, Daniel!

Rachel here. Your schedule is great, but I'd like to make some changes to your garden layout. We have six vegetables, so why don't we divide the garden into six sections?

We have to be careful about which vegetables we plant next to one another. I did a little research in a gardening book about the vegetables we'll grow. Some of our vegetables grow well together and they are called "friends." Others don't and they are "enemies." Our layout must consider this.

First, the tomatoes should go in the southern part of the garden. Tomatoes and cabbages are enemies and should be separated. Let's plant the cabbages in the southwest corner. The onions can be put in the middle because they are friends of both tomatoes and cabbages.

Next, let's think about the northern part of the garden. Let's put the beans in the western corner because beans and cabbages are friends. Carrots are friends with tomatoes so planting them in the eastern corner would be better. Potatoes can go in the middle. They are friends with beans and neutral with onions.

Well, what do you think of the layout?

March 25, 2023

Re: Re: Our Garden Plan

Hi!

It's me! Thanks for your excellent ideas! Below is the planting schedule Daniel suggested two days ago. First, we need to buy [24] kinds of seeds soon so we can plant them over the next two months!

[25]

Mar.	Early Apr.	Late Apr.	May	Aug.	Sept.
-[A] -potatoes	-[B]	-[C]	-[D]	-potatoes	-onions -cabbages

I made this garden layout using Rachel's idea.

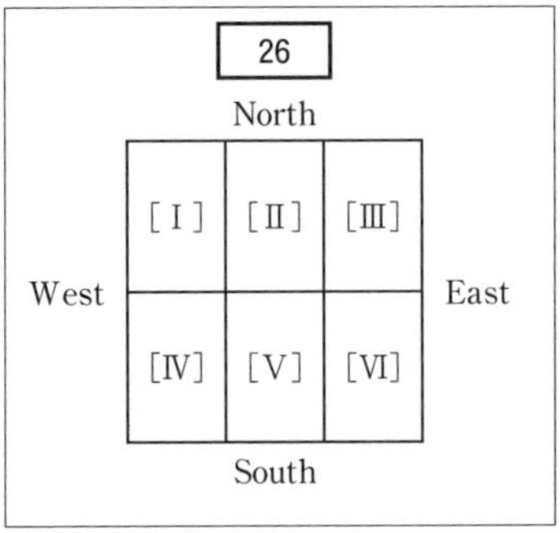

It is similar to Daniel's. The vegetables in the northern and southern halves are almost the same. Only the [27] are in different areas.

Rachel did a good job of considering friends and enemies. For our reference, I have made a chart.

[28]

We have not yet discussed [29], but I think we should.

問 1　Choose the best option for **24**.

① 3
② 4
③ 5
④ 6

問 2　Complete the planting schedule in your email.　Choose the best option for **25**.

	[A]	[B]	[C]	[D]
①	cabbages	carrots	beans	tomatoes
②	cabbages	carrots	tomatoes	beans
③	carrots	cabbages	beans	tomatoes
④	carrots	tomatoes	cabbages	beans

問 3　Complete the garden layout information in your email.

Choose the best option for **26**.

	[I]	[II]	[III]	[IV]	[V]	[VI]
①	beans	onions	tomatoes	cabbages	potatoes	carrots
②	beans	potatoes	carrots	cabbages	onions	tomatoes
③	cabbages	onions	carrots	beans	potatoes	tomatoes
④	cabbages	potatoes	tomatoes	beans	onions	carrots

Choose the best option for **27**.

① beans and onions
② cabbages and potatoes
③ carrots and tomatoes
④ onions and potatoes

問 4　Which chart should appear in 28 ?

(◎：friends, ×：enemies)

①

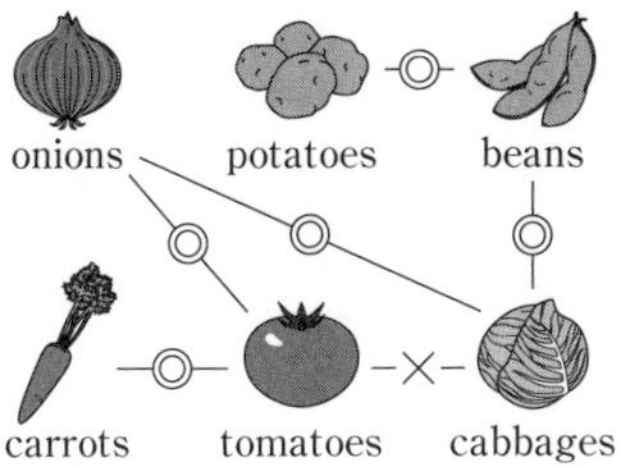

②

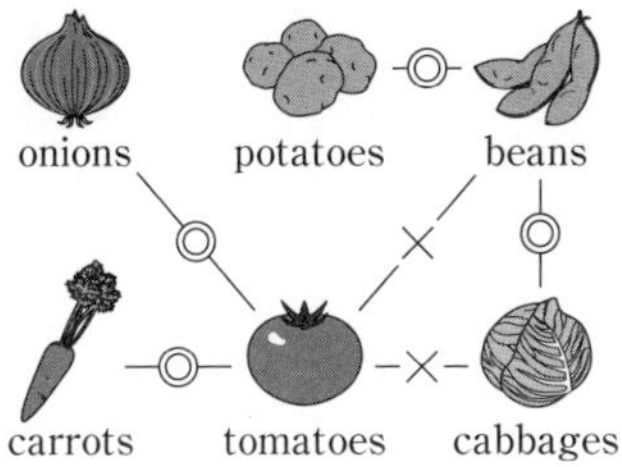

③

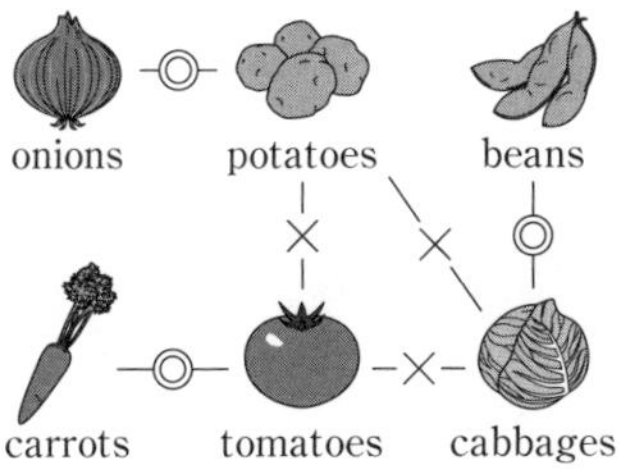

④

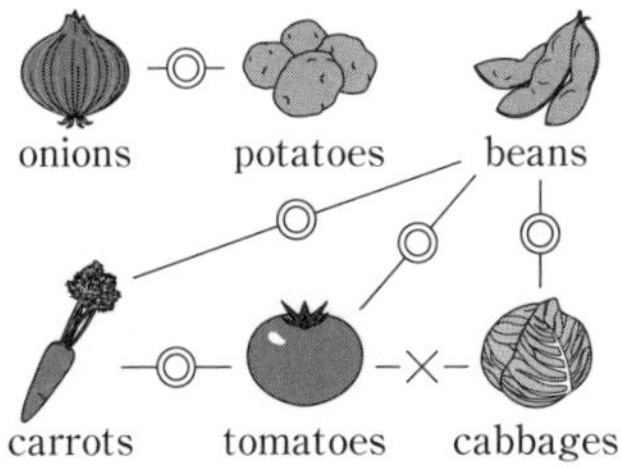

問 5 Choose the best option for [29].

① the difference between seeds and seedlings
② the responsibilities of caring for the garden
③ the timing for collecting the crops
④ vegetables that should be planted together

問 1－5

訳 あなたと2人の友人は、地域の菜園を初めて借りました。友人たちが菜園で野菜を育てる案についてメールを書いてくれました。彼らの案を基にして、あなたが菜園計画をまとめた返信をします。

2023年3月23日

菜園計画

[第1段落]

こんにちは！　ダニエルです！　図書館から借りた園芸の本にあった、すごくいい植え付け表をスキャンしました。黒丸は種を土に直接植える時期を表しています。黒い四角は苗、つまり植物の赤ちゃんみたいなもの 問5① を植える時期を表しています。星印は野菜の収穫時期を表しています。

植え付けスケジュール

	3月		4月		5月		6月		7月		8月		9月		10月		11月	
マメ			●	●	●				☆	☆								
キャベツ		●	●						☆	☆		■	■			☆	☆	☆
ニンジン		●	●						☆	☆								
タマネギ						☆	☆	☆					●	●				
ジャガイモ	●	●					☆	☆			●						☆	☆
トマト			●	■	■					☆	☆	☆						

[第2段落]

もう3月後半なので、今からジャガイモを植えた方がいいと思います。 問1-1 6月に収穫したら 問5③-1 、8月にまた植えられます。それと、ジャガイモと同時にニンジンも植えて、翌月にはキャベツを植えたいところです。 問1-2 これらを7月に収穫したら 問5③-2 、その後、キャベツの苗をタマネギと同時に植えられます。タマネギは来年まで食べられませんね！　トマトの苗を買いましたが、植え付けまでもう少し大きくなる時間を与えたいです。マメは4月の終わりごろに植え、 問1-3 トマトは次の月に植えましょう。 問2

[第3段落]

菜園の配置の話をしましょう。6×6メートルの区画を借りる予定なので、北と南に2分割できます。マメとキャベツとトマトは地上に出るので一緒に育てましょう。南側でどうでしょうか？　ニンジンとジャガイモとタマネギはどれも土の下で育つので一緒に育てることができます。北側にまとめることにしましょう。 問3-1

2023年３月24日

Re: 菜園計画

ありがとう、ダニエル！

[第１段落]
レイチェルです。あなたの立てたスケジュールは素晴らしいけど、菜園の配置は少し変更したいと思います。野菜が６種類なので、菜園も６つの部分に分けてはどうでしょうか。

[第２段落]
どの野菜を隣同士に植えるか注意する必要があります。私たちが育てる野菜について園芸の本で少し調べてみました。野菜には一緒にするとよく育つものがあって、「フレンド」と呼ばれます。問５④　そうでないものもあって、それは「エネミー」と呼ばれます。配置にはこれを考慮する必要があります。

[第３段落]
まず、トマトを菜園の南側に入れるとします。トマトとキャベツはエネミーなので離すべきです。キャベツは南西の隅に植えましょう。間にタマネギを植えられますね、トマトともキャベツともフレンドなので。問３-２ 問４

[第４段落]
次に、菜園の北側を考えましょう。マメとキャベツはフレンドなのでマメを西の隅に植えましょう。ニンジンはトマトとフレンドなのでこれらを東の隅に植えた方がよさそうですね。ジャガイモは真ん中でいいでしょう。問３-３　マメとはフレンド、タマネギとはどちらでもありません。

[第５段落]
さて、この配置をどう思いますか？

2023年３月25日

Re: Re: 菜園計画

こんにちは！

[第１段落]
私です！　素晴らしい案をありがとう！　２日前にダニエルが提案してくれた植え付けスケジュールは下のとおりです。まずは、これから２カ月の間に植えられ

るよう、すぐに 24 種類の種を買う必要がありますね！

25

3月	4月前半	4月後半	5月	8月	9月
- [A] - ジャガイモ	- [B]	- [C]	- [D]	- ジャガイモ	- タマネギ - キャベツ

[第2段落]

レイチェルの案を使って次のように菜園の配置をしてみました。

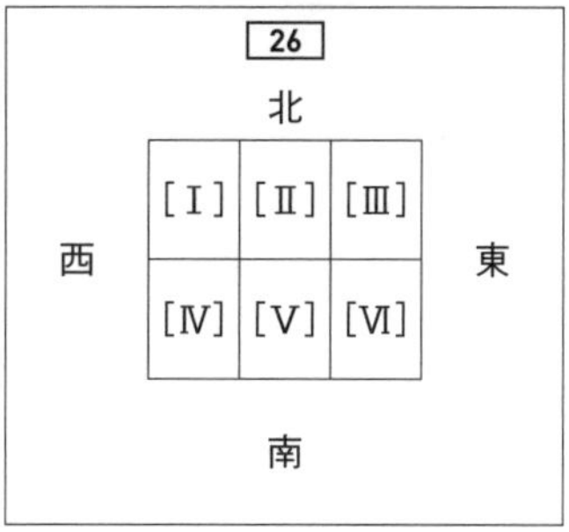

[第3段落]

ダニエルの案にも似ていますね、北半分と南半分の野菜はほとんど同じです。27 だけが違う区画にあります。

[第4段落]

レイチェルは、フレンドとエネミーを考慮するといういい仕事をしてくれました。参照用に表を作ってみました、

28

[第5段落]

29 についてはまだ話し合っていませんが、した方がいいと思います。

語句

[リード文]

rent ～	他（料金を払って）～を借りる
based on ～	熟 ～を基に
finalize ～	他 ～を最終的に仕上げる、～をまとめる

[1つ目のメール]

[第1段落]

soil	名 土壌、（地面の）土
seedling	名 苗、苗木
harvest ～	他 ～を収穫する

[第3段落]

layout	名 配置
divide A into B	熟 AをBに分割する

[2つ目のメール]

[第1段落]

section	名 部分、区画

[第2段落]

enemy	名 敵、害を与えるもの
consider ～	他 ～を考慮する

[第4段落]

neutral	形 中立の、どちらでもない

［３つ目のメール］
［第３段落］
half　名 半分（halvesは複数形）

［第４段落］
for ～'s reference　熟 ～の参考のため、～の参照用に

問1　正解②　**問題レベル【やや難】　配点 3点**

設　問 24 に最も ふさわしい選択肢を選びなさい。

選択肢 ① 3　② 4　③ 5　④ 6

まずは❶**場面・状況を把握しましょう**。リード文によると「菜園で野菜を育てるための案を友人たちからもらって、あなたが菜園計画をまとめた返信をしている」ということですね。次に❷**英文や図表のタイトル、複数のパッセージの関係性を確認**します。今回は３つのパッセージがあります。まずはこの関係性を把握しましょう。友人Aと友人Bからそれぞれ案をもらい、自分が最後にまとめを作って返信しているということです。

❸**設問を確認する**と、空所のある３つ目のメール（自分のまとめの返信）から読んでいく必要があります。First, we need to buy 24 kinds of seeds soon so we can plant them over the next two months! とあります。この２カ月で植えることができるように、すぐに買いに行く必要がある種は何種類か、という問題ですね。日時が絡んでくる問題のようなのでメールの送信日を確認すると３月25日、とあります。ここから over the next two months ですから、３月25日～５月25日あたりを指していると考えてください。

では❹**本文**を１つ目のメールから確認していきましょう。最初の段落はスケジュール表の説明ですね。●（black circle）が when to plant seeds directly into the soil「種を土に直接植える時期」、■（black square）が when to plant seedlings「苗を植える時期」（seedling は難しい単語ですが直後に , which are like baby plants「植物の赤ちゃんみたいなもの」と説明があります）、☆（star）は when to harvest a vegetable「野菜の収穫時期」とあります。今回狙い読みする情報は種（seeds）ですから、●に注目するとよさそうです。

スケジュール表の下、第２段落にいきます。まず１文目に we should plant the potatoes now とあります。必ず表にチェックを入れていきましょう。now は３月後半ということなので、potatoes の Mar. の右側の●をチェックします。１種類目です。２文目は収穫や８月の話をしているので流し、３文目は Also, I'd like to plant the carrots at the same time as the potatoes, and the cabbages the next month. とあります。ここから、carrots の Mar. の●と cabbages の Apr. の●にチェックします。ここまでで３種類です。読み進めると、４文目で onions は After harvesting them in July... という文脈で出てきますしそもそもスケジュールの onion のところを見ると9月に●がついているので関係なさそうです。表の onions に×を付けておきましょう。また６文目に I have bought tomato seedlings とあるのを見て tomatoes にも×をつけます。「すでに買っている」とありますし、seeds ではなく seedlings「苗」とあるので関係なさそうです。残った beans に関しては、７文目で Let's plant the beans toward the end of April とあるので beans の Apr. の右側にチェックします。以上、この２カ月で植える予定の種は４種類ですね。正解は②です。

問2　正解③　**問題レベル【普通】　配点 3点**

設問 あなたのメールの植え付けスケジュールを完成させなさい。**25** に最もふさわしい選択肢を選びなさい。

選択肢

	[A]	[B]	[C]	[D]
①	キャベツ	ニンジン	マメ	トマト
②	キャベツ	ニンジン	トマト	マメ
③	ニンジン	キャベツ	マメ	トマト
④	ニンジン	トマト	キャベツ	マメ

まず❸設問を見ると、実際に植える予定表を完成させる問題だとわかります。これに関しては問1で詳しく見ているので、問1を丁寧に解いた人であれば、もう答えが出ているも同然です。問1で1つ目のメールのスケジュール表に付けていったチェックを見ながら埋めていきましょう。3月はcarrotsとpotatoesにチェックが付いているはずなので（A）はcarrots、4月前半はcabbages、4月後半はbeansです。トマトに関しては1つ目のメール内にあるスケジュール表の下の段落最終文で、「マメは4月の終わりごろに植え」のあとand the tomatoes the following month「そしてトマトはその次の月（＝5月）」とあります。これにより正解は③です。

問3　正解 **26** ②　**27** ①　**問題レベル【普通】　配点各2点　計4点**

設問 あなたのメールの菜園の配置図を完成させなさい。
26 に最もふさわしい選択肢を選びなさい。

選択肢

	[I]	[II]	[III]	[IV]	[V]	[VI]
①	マメ	タマネギ	トマト	キャベツ	ジャガイモ	ニンジン
②	マメ	ジャガイモ	ニンジン	キャベツ	タマネギ	トマト
③	キャベツ	タマネギ	ニンジン	マメ	ジャガイモ	トマト
④	キャベツ	ジャガイモ	トマト	マメ	タマネギ	ニンジン

設問 **27** に最もふさわしい選択肢を選びなさい。

選択肢 ① マメとタマネギ　② キャベツとジャガイモ
③ ニンジンとトマト　④ タマネギとジャガイモ

まずは❸設問を見て、菜園の配置についての問題だと把握します。配置について書かれていた1つ目のメール最終段落と2つ目のメール第3～4段落を見ていきましょう（❹）。

まず1つ目のメール最終段落では、3～4文目にBeans, cabbages, and tomatoes grow above the ground so let's grow them together. How about in the southern part?「マメとキャベツとトマトは地上に出るので一緒に育てましょう。南側でどうでしょうか？」とあり、5～6文目にWe can grow the carrots, potatoes, and onions together because they all grow underground. They will go in the northern part.「ニンジンとジャガイモとタマネギはどれも土の下で育つので一緒に育てることができます。北側にまとめることにしましょう」とあります。ここを読みながら、3つ目のメールの配置図のNorthの方にいったんcar, p, o、Southの方にb, cab, tなどとわかるようにメモを入れておきます（cabbagesとcarrotsはどちらもca始まりのため最初の3文字です）。

次に２つ目のメールを見ていきます。第３段落１文目に the tomatoes should go in the southern part of the garden「トマトを菜園の南側に入れるとします」とあるので配置図を確認すると、トマトは元々南側の予定なのでここは変更ナシですね。２文目 Tomatoes and cabbages are enemies and should be separated.「トマトとキャベツはエネミーなので離すべきです」とあるのでトマトとキャベツは両端にいくことになります。３文目 Let's put the cabbages in the southwest corner.「キャベツは南西の隅に植えましょう」より、左下がキャベツ、右下がトマトで確定です。真ん中には残りのマメがくるかと思いきや、４文目で The onions can be put in the middle because they are friends of both tomatoes and cabbages.「間にタマネギを植えられますね、トマトともキャベツともフレンドなので」とあることから、北だったはずのタマネギがここで南に変更となることがわかります。そしてマメは必然的に北行きですね。混乱しないように配置図に矢印などを書き込みながら読んでいきましょう。

第４段落では北側の話です。２文目 Let's put the beans in the western corner because beans and cabbages are friends.「マメとキャベツはフレンドなのでマメを西の隅に植えましょう」とあります。これにより、マメは左上で確定。３文目 Carrots are friends with tomatoes so planting them in the western corner would be better.「ニンジンはトマトとフレンドなのでこれらを東の隅に植えた方がよさそうですね」より、ニンジンは右上に、４文目に Potatoes can go in the middle.「ジャガイモは真ん中でいいでしょう」とあるように、残ったジャガイモは北側の真ん中に入ります。これにより、[26] の正解は②、１つ目のメールと南北が逆になったのは beans と onions なので [27] の正解は①となります。

問４　正解①　**問題レベル【普通】　配点 3点**

設問　[28] に入るべき図はどれか。
（◎：フレンド、×：エネミー）

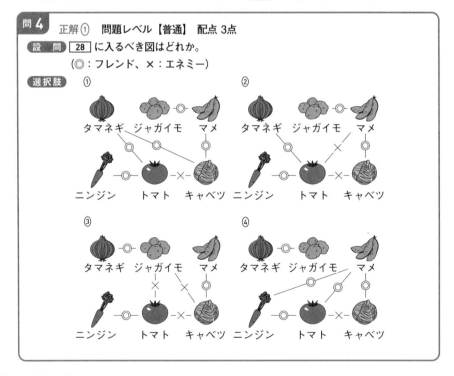

選択肢

①

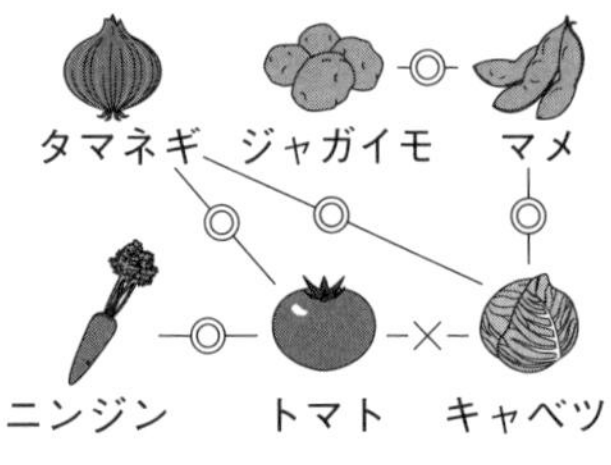

②

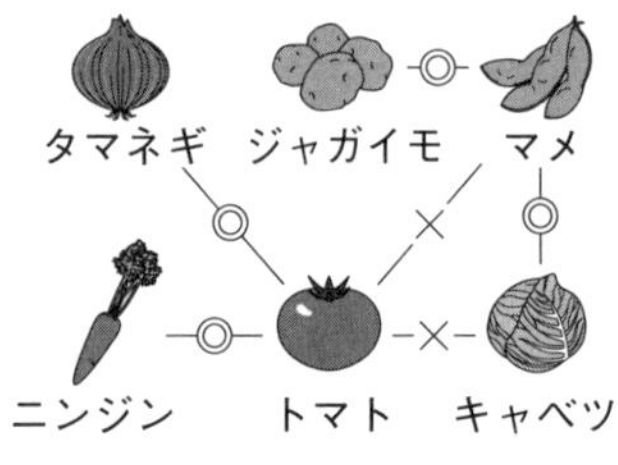

③

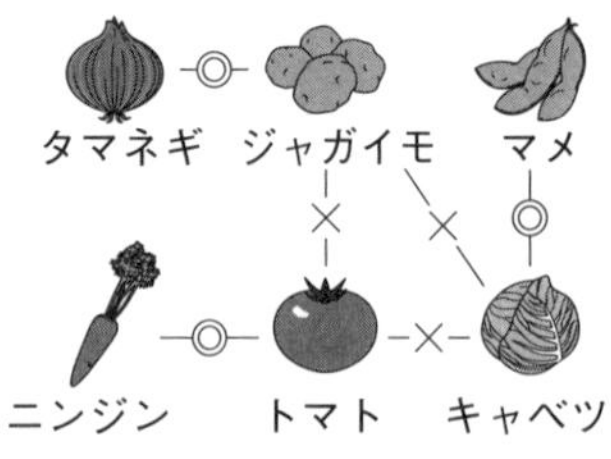

④

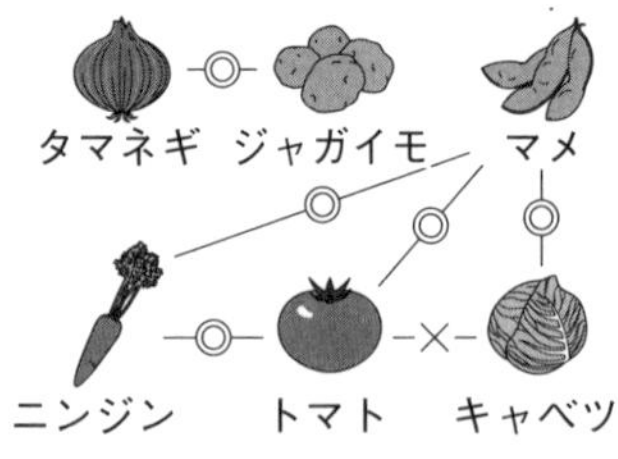

まずは❸**設問を見て**、野菜同士の friends と enemies を答える問題だとわかります。問３で詳しく見ているので、問３を丁寧に解いた人であれば、もう答えが出ているも同然です。すべての friends/enemies を確認する必要はないので、イラストと英文を上から１つずつ照らし合わせていき速さ重視で解きましょう（❹）。２つ目のメール第３段落を読んでいくと４文目 The onions can be put in the middle because they are friends of both tomatoes and cabbages.「間にタマネギを植えられますね、トマトともキャベツともフレンドなので」から答えはすぐに①だとわかります。

問 5　正解②　**問題レベル【普通】　配点 3点**

設問　**29** **に最もふさわしい選択肢を選びなさい。**

選択肢
① 種と苗の違い
② 菜園を手入れする責任
③ 作物の収穫のタイミング
④ 一緒に植えるといい野菜

語句　crop 名 作物

まずは❸**設問の空所を含んだ英文を見る**と、We have not yet discussed **29** , but I think we should. とあるので、まだ話し合われていないことを選べばいいのだとわかります。選択肢を一つ一つ本文の内容と確認していきましょう（❹）。①は１つ目のメール第１段落４～５文目で seeds と seedlings の説明がありました。②に関してはどこにもありませんでした。③ the timing for collecting the crops は、１つ目のメール第２段落で、ジャガイモを６月に収穫、ニンジンとキャベツを７月に収穫、などと言及されていました。④は friends のことなので、２つ目のメール第２段落３文目の Some of our vegetables grow well together and they are called “friends”. と説明があり、続く第３～４段落で詳しく言及されています。よって、正解は②です。

DAY 14

【マルチプルパッセージ+図表問題】を攻略する「情報整理の型」

第４問は複数のパッセージや図表を参照して解く問題が出題されますが、ここではそういった問題を速く解くための「情報整理の型」を中心に説明していきます。

「情報整理の型」のステップ

1 「視線の型」を使う

問題を解く際には、Day 13の「視線の型」が基本の型となります。p. 190で説明した型を確実にものにしておきましょう。

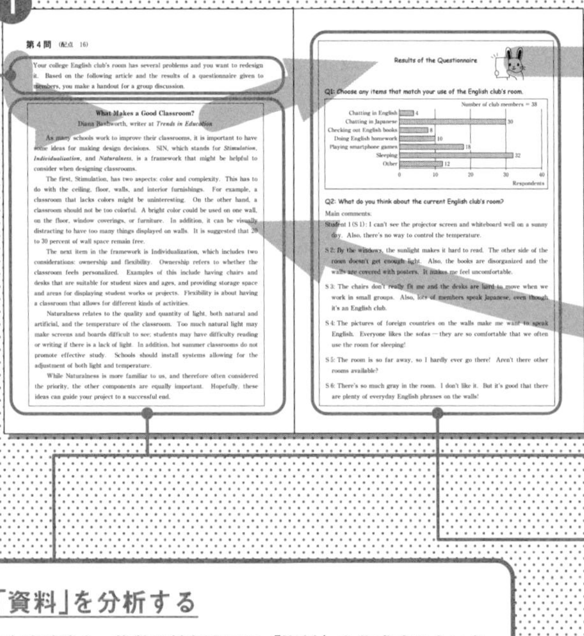

第４問 (配点 16)

Your college English club's room has several problems and you want to redesign it. Based on the following article and the results of a questionnaire given to members, you make a handout for a group discussion.

What Makes a Good Classroom?

Diana Bashworth, writer at *Trends in Education*

As many schools work to improve their classrooms, it is important to have some ideas for making design decisions. SIN, which stands for *Stimulation*, *Individualization*, and *Naturalness*, is a framework that might be helpful to consider when designing classrooms.

The first, Stimulation, has two aspects: color and complexity. This has to do with the ceiling, floor, walls, and interior furnishings. For example, a classroom that lacks colors might be uninteresting. On the other hand, a classroom should not be too colorful. A bright color could be used on one wall, on the floor, window coverings, or furniture. In addition, it can be visually distracting to have too many things displayed on walls. It is suggested that 20 to 30 percent of wall space remain free.

The next item in the framework is Individualization, which includes two considerations: ownership and flexibility. Ownership refers to whether the classroom feels personalized. Examples of this include having chairs and desks that are suitable for student sizes and ages, and providing storage space and areas for displaying student works or projects. Flexibility is about having a classroom that allows for different kinds of activities.

Naturalness relates to the quality and quantity of light, both natural and artificial, and the temperature of the classroom. Too much natural light may make screens and boards difficult to see; students may have difficulty reading or writing if there is a lack of light. In addition, hot summer classrooms do not promote effective study. Schools should install systems allowing for the adjustment of both light and temperature.

While Naturalness is more familiar to us, and therefore often considered the priority, the other components are equally important. Hopefully, these ideas can guide your project to a successful end.

Results of the Questionnaire

Q1: Choose any items that match your use of the English club's room.

Number of club members = 38

	Respondents
Chatting in English	4
Chatting in Japanese	30
Checking out English books	8
Doing English homework	10
Playing smartphone games	18
Sleeping	32
Other	12

Q2: What do you think about the current English club's room?

Main comments:

Student 1 (S 1): I can't see the projector screen and whiteboard well on a sunny day. Also, there's no way to control the temperature.

S 2: By the windows, the sunlight makes it hard to read. The other side of the room doesn't get enough light. Also, the books are disorganized and the walls are covered with posters. It makes me feel uncomfortable.

S 3: The chairs don't really fit me and the desks are hard to move when we work in small groups. Also, lots of members speak Japanese, even though it's an English club.

S 4: The pictures of foreign countries on the walls make me want to speak English. Everyone likes the sofas — they are so comfortable that we often use the room for sleeping!

S 5: The room is so far away, so I hardly ever go there! Aren't there other rooms available?

S 6: There's so much gray in the room. I don't like it. But it's good that there are plenty of everyday English phrases on the walls!

2 「情報整理の型」その１：「資料」を分析する

令和６年度の第４問では、本試験も追試験も、複数の情報を元に「資料」を作成するという前提で問題が作成されていました。まさに、「情報を整理し、活用する力」が問われています。ただ、ゼロから整理する力は問われていません。虫食い状態になっている、「ほぼ整理し終わっている資料」を推敲し、適切な文を入れたり、誤りを修正したりするだけです。資料にはわかりやすい「見出し」があるのがふつうです。そして虫食いになっている箇所は、その前後との論理的なつながりが存在します。このような「見出し」や「論理的なつながりを持った前後の文」をじっくりと観察、分析しましょう。

内容 問題作成部会によると「リーディングは、たくさんの情報をより多く頭に入れることではなく、それらの情報を頭の中で整理して深く理解し、必要に応じて考え、活用すること」ということですが、まさに第４問では「情報を整理し、活用する力」が求められています。ここでは情報を整理するコツを学んでいきましょう。

目標解答時間 10分

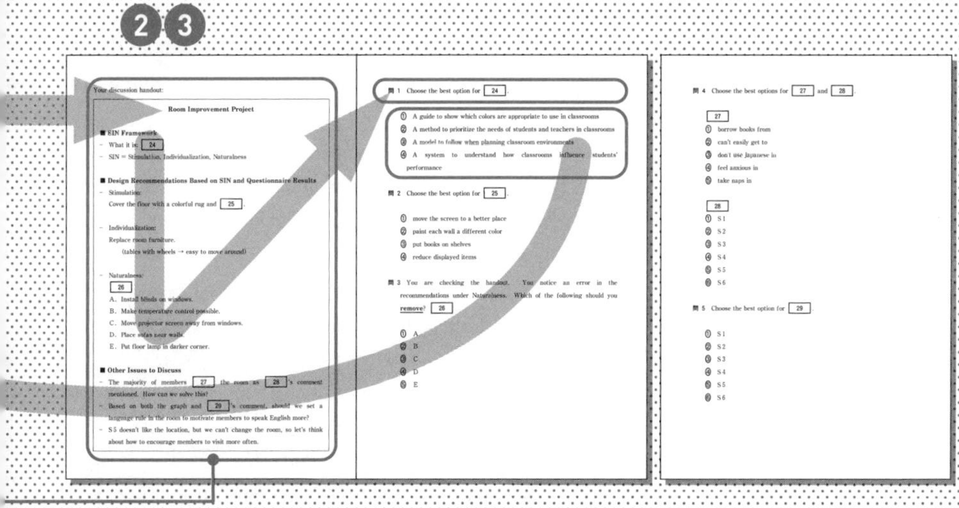

2 3
Your discussion handout:
Room Improvement Project
■ SIN Framework
What it is: 24
SIN = Stimulation, Individualization, Naturalness
■ Design Recommendations Based on SIN and Questionnaire Results
Stimulation:
Cover the floor with a colorful rug and 25 .
Individualization:
Replace room furniture.
(tables with wheels → easy to move around)
Naturalness:
26
A. Install blinds on windows.
B. Make temperature control possible.
C. Move projector screen away from windows.
D. Place sofas near walls.
E. Put floor lamp in darker corner.
■ Other Issues to Discuss
The majority of members 27 the room as 28 's comment mentioned. How can we solve this?
Based on both the graph and 29 's comment, should we set a language rule in the room to motivate members to speak English more?
S5 doesn't like the location, but we can't change the room, so let's think about how to encourage members to visit more often.
問1 Choose the best option for 24 .
① A guide to show which colors are appropriate to use in classrooms
② A method to prioritize the needs of students and teachers in classrooms
③ A model to follow when planning classroom environments
④ A system to understand how classrooms influence students' performance
問2 Choose the best option for 25 .
① move the screen to a better place
② paint each wall a different color
③ put books on shelves
④ reduce displayed items
問3 You are checking the handout. You notice an error in the recommendations under Naturalness. Which of the following should you remove? 26
① A ② B ③ C ④ D ⑤ E
問4 Choose the best options for 27 and 28 .
27
① borrow books from
② can't easily get to
③ don't use Japanese in
④ feel anxious in
⑤ take naps in
28
① S1 ② S2 ③ S3 ④ S4 ⑤ S5 ⑥ S6
問5 Choose the best option for 29 .
① S1 ② S2 ③ S3 ④ S4 ⑤ S5 ⑥ S6

Day 14

③ 「情報整理の型」その２：「読むべき１文」を特定する

分析にもとづいて、必要な情報が書かれていそうな「１文」を特定しましょう。もちろんいつも「１文」とは限りませんが、あえて大げさに「１文」と言っています。「ざっくりこの辺かな」ではなく、よりピンポイントに特定できる力を目指してほしいからです。これまでも、「設問を先に読もう」という主旨のことは繰り返し述べてきましたが、これまでと違うのは「資料の分析」に時間をかけるという点です。本文ではなく、資料側の解釈に力を入れるのです。問題作成部会の言葉を借りれば、重要なのは「たくさんの情報をより多く頭に入れること」ではないのです。「何らかの活動に活かすために」、読む。必要だから読む。「いや、読書の神髄はそのようなことではない」「一文一文すべて読んでこそ」といった声も聞こえてきそうですが、少なくともこの第４問で共通テスト側が求める読解力は「目的となる活動ありき」の読解です。その目的のための「資料」なのですから、じっくりと観察、分析し、「必要とされている読むべき１文」を探し当てる訓練が非常に重要となってきます。

それでは、「情報整理の型」を使ってまず次ページの問題に取り組みましょう！

第4問 (配点 16)

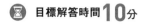

Your college English club's room has several problems and you want to redesign it. Based on the following article and the results of a questionnaire given to members, you make a handout for a group discussion.

What Makes a Good Classroom?

Diana Bashworth, writer at *Trends in Education*

As many schools work to improve their classrooms, it is important to have some ideas for making design decisions. SIN, which stands for *Stimulation, Individualization*, and *Naturalness*, is a framework that might be helpful to consider when designing classrooms.

The first, Stimulation, has two aspects: color and complexity. This has to do with the ceiling, floor, walls, and interior furnishings. For example, a classroom that lacks colors might be uninteresting. On the other hand, a classroom should not be too colorful. A bright color could be used on one wall, on the floor, window coverings, or furniture. In addition, it can be visually distracting to have too many things displayed on walls. It is suggested that 20 to 30 percent of wall space remain free.

The next item in the framework is Individualization, which includes two considerations: ownership and flexibility. Ownership refers to whether the classroom feels personalized. Examples of this include having chairs and desks that are suitable for student sizes and ages, and providing storage space and areas for displaying student works or projects. Flexibility is about having a classroom that allows for different kinds of activities.

Naturalness relates to the quality and quantity of light, both natural and artificial, and the temperature of the classroom. Too much natural light may make screens and boards difficult to see; students may have difficulty reading or writing if there is a lack of light. In addition, hot summer classrooms do not promote effective study. Schools should install systems allowing for the adjustment of both light and temperature.

While Naturalness is more familiar to us, and therefore often considered the priority, the other components are equally important. Hopefully, these ideas can guide your project to a successful end.

Results of the Questionnaire

Q1: Choose any items that match your use of the English club's room.

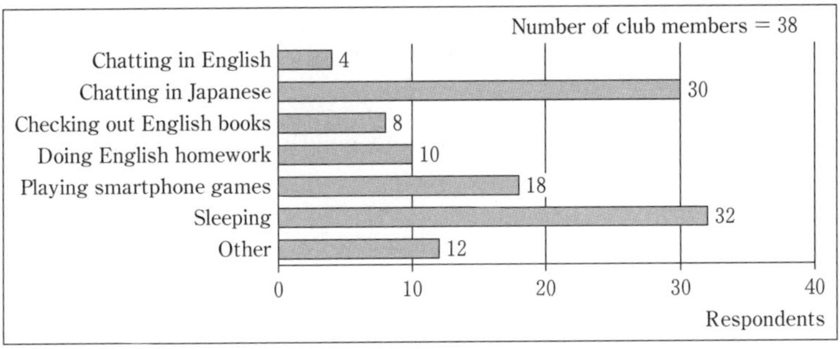

Q2: What do you think about the current English club's room?

Main comments:

Student 1 (S 1): I can't see the projector screen and whiteboard well on a sunny day. Also, there's no way to control the temperature.

S 2: By the windows, the sunlight makes it hard to read. The other side of the room doesn't get enough light. Also, the books are disorganized and the walls are covered with posters. It makes me feel uncomfortable.

S 3: The chairs don't really fit me and the desks are hard to move when we work in small groups. Also, lots of members speak Japanese, even though it's an English club.

S 4: The pictures of foreign countries on the walls make me want to speak English. Everyone likes the sofas — they are so comfortable that we often use the room for sleeping!

S 5: The room is so far away, so I hardly ever go there! Aren't there other rooms available?

S 6: There's so much gray in the room. I don't like it. But it's good that there are plenty of everyday English phrases on the walls!

Day 14

Your discussion handout:

Room Improvement Project

■ **SIN Framework**

- What it is: [24]
- SIN = Stimulation, Individualization, Naturalness

■ **Design Recommendations Based on SIN and Questionnaire Results**

- Stimulation:

  Cover the floor with a colorful rug and [25].

- Individualization:

  Replace room furniture.

  (tables with wheels → easy to move around)

- Naturalness:

  [26]

  A. Install blinds on windows.

  B. Make temperature control possible.

  C. Move projector screen away from windows.

  D. Place sofas near walls.

  E. Put floor lamp in darker corner.

■ **Other Issues to Discuss**

- The majority of members [27] the room as [28]'s comment mentioned. How can we solve this?
- Based on both the graph and [29]'s comment, should we set a language rule in the room to motivate members to speak English more?
- S5 doesn't like the location, but we can't change the room, so let's think about how to encourage members to visit more often.

問 1 Choose the best option for [24].

① A guide to show which colors are appropriate to use in classrooms
② A method to prioritize the needs of students and teachers in classrooms
③ A model to follow when planning classroom environments
④ A system to understand how classrooms influence students' performance

問 2 Choose the best option for [25].

① move the screen to a better place
② paint each wall a different color
③ put books on shelves
④ reduce displayed items

問 3 You are checking the handout. You notice an error in the recommendations under Naturalness. Which of the following should you **remove**? [26]

① A
② B
③ C
④ D
⑤ E

Day 14

問 4　Choose the best options for [27] and [28].

[27]

① borrow books from
② can't easily get to
③ don't use Japanese in
④ feel anxious in
⑤ take naps in

[28]

① S 1
② S 2
③ S 3
④ S 4
⑤ S 5
⑥ S 6

問 5　Choose the best option for [29].

① S 1
② S 2
③ S 3
④ S 4
⑤ S 5
⑥ S 6

問 1－5

訳 あなたの大学の英語部の部室にはいくつか問題があるため、あなたは模様替えをしたいと思っています。次の記事とアンケート結果を基に、グループディスカッション用の資料を作ります。

いい教室の条件とは？

ダイアナ・バッシュワース、『教育トレンド』記者

[第１段落]

教室を改善する取り組みをする学校も多い中、デザイン決定をするためのアイデアをいくつか持つことが大切だ。Stimulation（刺激）、Individualization（個別化）、Naturalness（自然であること）を略したSINは、教室をデザインする際に考慮すると役立つであろう枠組みだ。問1

[第２段落]

１つ目の「刺激」には２つの側面がある。色と、複雑さだ。これは天井、床、壁、内装調度に関係してくる。例えば、色彩に乏しい教室は面白みがないかもしれない。とはいえ、教室をカラフルにし過ぎてはいけない。壁の１面、床、窓の覆い、家具のいずれかになら、明るい色を一色使ってもいいだろう。また、壁にあまりたくさんのものを展示するのも、視覚的に気が散りやすい。問2 壁の20～30パーセントは余白を残すことが推奨される。

[第３段落]

枠組みの次の項目は「個別化」で、これには考慮すべきことが２つ含まれる。所有意識と柔軟性だ。所有意識とは、個人に合わせた感じが教室にあるかどうかを指す。例としては、生徒の体型や年齢に合った椅子と机が備えてあること、収納スペースや生徒の作品や課題を展示するエリアが用意されていることなどがある。柔軟性とは、さまざまな種類の活動ができる教室であることだ。

[第４段落]

「自然であること」は、自然光と人工照明双方の光の質と量、それに教室の温度に関係する。問3 自然光が多過ぎるとスクリーンやボードが見えにくくなるかもしれないし、光が足りないと生徒の読み書きが困難になるかもしれない。加えて、夏の暑い教室では効率的な学習を進められない。学校は、光と温度の両方を調節できるようなシステムを設置すべきだ。

[第５段落]

「自然であること」は私たちに比較的なじみがあり、そのせいで最重要だと思われがちだが、他の構成要素も同等に重要だ。こうした考え方が読者のプロジェクトを成功に導くことを願っている。

アンケート結果

Q1. あなたの英語部の部室の使い方に当てはまるものをいくつでも選んでください。

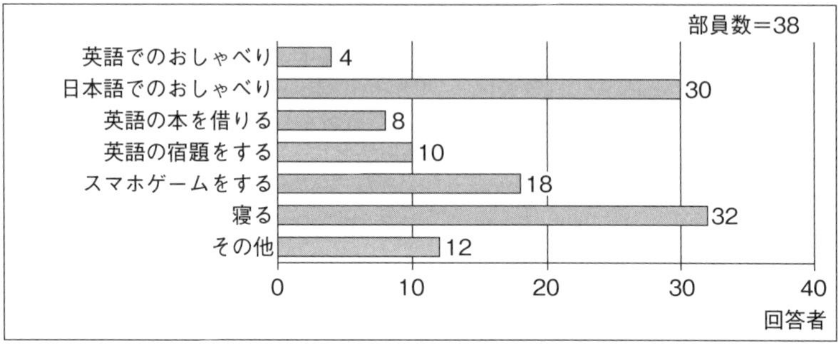

Q2. 今の英語部の部室をどう思いますか。

主な意見：

生徒１（S1）：晴れた日はプロジェクターのスクリーンやホワイトボードがよく見えない。また、室温を調整することができない。

S2：窓際では日の光のせいで字が読みにくい。部屋の反対側は光が足りない。それと、本が散らかっていて壁もポスターに覆われている。そのせいで落ち着かない。

S3：椅子が私にあまり合っていないし、机は小グループで活動するときに動かしにくい。それに、英語部なのに日本語で話している部員が多い。問5

S4：壁に貼られた外国の写真は、英語を話したいという気持ちにさせてくれます。ソファはみんなのお気に入り—とても気持ちよくて、寝るために部室を使うこともよくあります！問4

S5：部屋がすごく遠いので、めったに行きません！　他に使える部屋はないのですか？

S6：部屋の中に灰色が多過ぎる。それは好きではない。でも、日常会話の英語フレーズが壁にたくさん貼ってあるのはいい！

あなたのディスカッション用資料：

部室改善プロジェクト

■ SIN の枠組み

—どういうものか：24

—SIN ＝刺激（Stimulation）、個別化（Individualization）、自然であること（Naturalness）

■ SIN とアンケート結果に基づくデザイン提案

—刺激：

床をカラフルなラグで覆い、25 。

—個別化

部屋の家具を替える。

（キャスター付きのテーブル→移動させやすい）

—自然であること：26

A. 窓にブラインドを取り付ける。

B. 温度調節を可能にする。

C. プロジェクターのスクリーンを窓から撤去する。

D. ソファを壁の近くに置く。

E. 暗い隅にフロアランプを置く。

■その他の話し合うべき問題

—28 のコメントにあるように、部員の大半が部室 27 。これをどう解決するか。

—グラフと 29 のコメントの両方から考えて、部員にもっと英語を話してもらうために部室での言語ルールを決めるべきか。

—S5は場所が嫌だというが、別の部屋にはできないので、部員にもっと来てもらえるよう促す方法を考えよう。

語句

［リード文］

redesign ～	他 ～のデザインを改める
based on ～	熟 ～に基づいて
questionnaire	名 アンケート
handout	名 配布資料、プリント

［記事］

［第１段落］

stand for ～	熟 ～を表す、～の略語である
stimulation	名 刺激
individualization	名 個別化
framework	名 枠組み、構造

［第２段落］

aspect	名 側面、特徴
complexity	名 複雑さ
have to do with ～	熟 ～と関係がある
furnishing	名 調度、装飾
uninteresting	形 面白くない、つまらない
visually	副 視覚的に

Day 14

distracting	形 気を散らすような、集中力をそぐような
［第3段落］	
consideration	名 考慮すべきこと、検討事項
ownership	名 所有権、所有意識
flexibility	名 柔軟性
personalized	形 個人に合わせた
［第4段落］	
quantity	名 量
promote ～	他 ～を促進する
install ～	他 ～を設置する
adjustment	名 調節
temperature	名 温度
［第5段落］	
priority	名 優先事項
component	名 構成要素
equally	副 等しく、同等に
hopefully	副 願わくは、～だといいのだが
［アンケート結果］	
［Q1］	
chat	自 おしゃべりする、雑談する
check out ～	熟 ～を借り出す
respondent	名 回答者
［Q2］	
there's no way to (V)	熟 Vする方法がない、Vできない
disorganized	形 散らかった
uncomfortable	形 居心地が良くない、落ち着かない
［資料］	
recommendation	名 推薦、提案
motivate ～	他 ～にやる気を出させる
location	名 場所、位置

問1　正解③　**問題レベル【普通】　配点 3点**

設問　24 に最も ふさわしい選択肢を選びなさい。

選択肢　① 教室に何色を使うのが適切かを示すガイド
② 教室での生徒と教師のニーズに優先順位を付ける方法
③ 教室環境のプランを立てる際に従うべきモデル
④ 教室が生徒の成績にどう影響を与えるか理解するシステム

語句　prioritize ～　他 ～に優先順位を付ける　performance　名 成果、成績
environment　名 環境

まずは**視線の型**（❶）です。リード文と各タイトルより、「あなたの大学の英語部の部室に問題があり、模様替えするため記事とアンケート結果を基に資料を作る」のだとわかります。それでは**資料の分析**（❷）です。まず大きく3つに見出しが分かれていますね。1つ目は■SIN Frameworkで、ここに問1の穴埋め箇所があります。これはわかりやすいですね。What it isとあるので、おそらくSIN Frameworkとはいったい何なのか、という「定義」のようなことを聞いているのだとわかります。下にSINの説明がStimulation, Individualization, Naturalnessと書かれており、SIN Frameworkの「SIN」の部分はここでわかりました。あとはそのFrameworkとは何なのか、ということですね。分析が終わったので記事の該当箇所を探しにいきます。キーワードの定義づけはふつう第1段落でなされるので、**第1段落を中心にSIN Frameworkという言葉を探しましょう（固有名詞なので言い換えられずにそのままあるはずです）**。するとすぐに見つかります。2文目に**SIN, ... , is a framework** that might be helpful to consider when designing classrooms.「SINは、教室をデザインする際に考慮すると役立つであろう枠組み」とあります。この1文が該当箇所です

ね（❸）。特定したらその文を精読し、同じような内容の選択肢を選びます。選択肢を見ると、③ A model to follow when planning classroom environments「教室環境のプランを立てる際に従うべきモデル」がぴったりだとわかります。when designing classrooms が when planning classroom environments に言い換えられていました。③以外はいずれも具体的過ぎですね。①は which colors とありますが色の話はここでは出てきていないので×、②は prioritize the needs of students and teachers とありますが「生徒と教師のニーズ」のような具体的な話はここでは出てきていません。④ students' performance「生徒の成績」のような語もここでは出てきていません。

問2 正解④ **問題レベル【やや難】 配点 3点**

設問 25 に最もふさわしい選択肢を選びなさい。

選択肢
① スクリーンをもっといい場所に移動する
② 壁ごとに異なる色を塗る
③ 本を棚に並べる
④ 展示物を減らす

視線の型でまず設問を見る（❶）と、やはり資料の穴埋め問題なので、**見出しや周辺を分析していきましょう**（❷）。まず見出しは■ Design Recommendations Based on SIN and Questionnaire Results「SIN とアンケート結果に基づくデザイン提案」です。やはり第4問ではリーディング内容を単に資料にまとめるだけでなく、具体的な活動につなげるための資料作成をさせたいようですね。上から Stimulation, Individualization, Naturalness と小見出しが並んでいて、Stimulation の説明に穴埋め箇所があります。Cover the floor with a colorful rug and 25 とあり、and がつなぐものを確認するために選択肢の最初の一語を確認すると動詞だとわかりますね。「床をカラフルなラグで覆い、(　　) しなさい」という提案のようです。2つ提案があるのですね。「床をカラフルなラグで覆うこと」と、さて、もう一つは何でしょうか、という問題です。資料でこう並列しているということは、記事でもそのような書き方をしているのではという予測がつきます。

それでは記事を見ていきます。この記事は段落できれいに分かれていますが、どのような分かれ方をしているか、最初に確認しておきましょう。1文目を見ればだいたいわかります。第2段落は The first, Stimulation とあり、第3段落は The next item in the framework is Individualization、第4段落は Naturalness refer とあります。小見出しの Stimulation, Individualization, Naturalness が段落できれいに分かれているようですね。となると、問2の該当箇所は第2段落内のどこかにあるとわかります。**できたら「読むべき1文」を特定したいところです。**「ポイントが並列しているのではないか」という予測がありましたね。確認しましょう。第2段落1文目に two aspects: color and complexity「2つの側面がある。色と複雑さだ」とあります。「色」は「床をカラフルなラグで覆う」という提案につながりますね。ということは2つ目は complexity「複雑さ」に関係することではないでしょうか。ここだけではわからないので「複雑さ」に関係しそうな箇所を探しながら読んでいきましょう。4文目に On the other hand「一方」という表現が出てくるので「お？」とここから Complexity かと一瞬思うかもしれませんがまだ「色」の話が続いていますね。6文目 **In addition「加えて」で反応してください。「追加」を表す重要表現です。**もはや「色」の話は出てきていませんね。

Day 14

「複雑さ」の話にシフトしたのだと考えましょう。ここが「読むべき1文」のようです（❸）。In addition, it can be visually distracting to have too many things displayed on walls.「また、壁にあまりたくさんのものを展示するのも、視覚的に気が散りやすい」この文をじっくり精読しましょう。その上で選択肢を見てください。すると選択肢④ reduce displayed items「展示物を減らす」が正解だとすぐにわかると思います。

このように、**「読むべき1文を特定する」とはなにも1文しか読まないで答えを出す、ということではありません。**結果的に多くの英文を読んでいることになると思います。しかしちゃんと資料の分析をしていると、**該当箇所に出くわしたときに「ここだ！」と反応できるようになります。その文を「本気で読む」（精読する）のです。解くスピードが桁違いに速くなります。**

問3　正解 26 ④　**問題レベル【普通】　配点 3点**

設問　**あなたは資料を見直している。「自然であること」の下の提案に間違いがあるのに気付く。削除するべきなのは次のうちどれか。** 26

選択肢
① A
② B
③ C
④ D
⑤ E

視線の型でまず設問を見る（❶）と、誤りを探す問題だとわかります。では**見出しや周辺を分析していきましょう**（❷）。まず小見出しがNaturalnessなので、問2で分析してわかったように、記事の第4段落に答えがありそうです。第4段落を読んで、Naturalnessとはなんなのか、がわかればふさわしくないものを選べそうですね。では読んでいきましょう。まず1文目を精読することが重要です。英語では段落1文目に「トピックセンテンス」といって段落全体のまとめとなる文がくることがよくあるからです（詳しくはDay 18「論理的読解の型」で扱います）。1文目 Naturalness relates to the quality and quantity of light, both natural and artificial, and the temperature of the classroom.「『自然であること』は、自然光と人工照明双方の光の質と量、それに教室の温度に関係する」を読むとまさにNaturalnessの定義をしてくれてる文ですね。早速見つけました。この問題は「Naturalnessとは何か」をつかめばよかったのですから、**この最初の1文こそ「読むべき1文」です**（❸）。このあと具体例が続きますが、この1文さえ読めればあとは読まなくても大丈夫です。1つずつ確認していきましょう。A. Install blinds on windows.「窓にブラインドを取り付ける」C. Move projector screen away from windows.「プロジェクターのスクリーンを窓から撤去する」、E. Put floor lamp in darker corner.「暗い隅にフロアランプを置く」は光の質と量に関係ありますね。B. Make temperature control possible.「温度調節を可能にする」は教室の温度に関係あります。D. Place sofas near walls.「ソファを壁の近くに置く」だけは光にも温度にも関係なさそうです。よって④が正解です。

問4　正解 [27] ⑤　[28] ④　**問題レベル【普通】　配点各2点　計4点**

設 問 **[27] と [28] に最も ふさわしい選択肢を選びなさい。**

選択肢 [27]

① から本を借りている　② に簡単にたどり着けない
③ で日本語を使わない　④ で不安を覚える
⑤ で昼寝をする

[28]

① S1　② S2　③ S3　④ S4　⑤ S5　⑥ S6

語句 take a nap 熟 うたた寝する、昼寝する

視線の型でまず設問を見る（❶）と、やはり資料の穴埋め問題なので、**見出しや周辺を分析していきましょう**（❷）。まず小見出しは■ Other Issues to Discuss「その他の話し合うべき問題」です。「その他」なので、SIN 以外の問題ということですね。The majority of members [27] the room as [28] 's comment mentioned.「[28] のコメントにあるように、部員の大半が部室 [27] 」とあるので**まずアンケート結果から大半の生徒が答えているものを特定しましょう**（❸）。アンケートを見ると Chatting in Japanese「日本語でのおしゃべり」と Sleeping「寝る」がダントツですね。ここでどちらかを決めることはできないので、深く考えずに選択肢を見ましょう。そもそも選択肢にどちらかしかない可能性もありますよね。選択肢を見ると [27] は⑤ take naps in「昼寝する」だとわかります。③は「日本語を使わない」なので×です。問題視されているのは（英語部なのに）日本語でおしゃべりしてしまうことです。**次は「部室で昼寝をする」ことに言及している人を探します**（❸）。すると S4が２文目で the sofas—they are so comfortable that we often use the room for sleeping!「ソファがとても気持ちよくて、寝るために部室を使うこともよくあります！」とコメントしています。よって [28] は④が正解です。

問5　正解③　**問題レベル【普通】　配点 3点**

設 問 **[29] に最もふさわしい選択肢を選びなさい。**

選択肢 ① S1　② S2　③ S3　④ S4　⑤ S5　⑥ S6

視線の型でまず設問を見る（❶）と、やはり資料の穴埋め問題なので、**見出しや周辺を分析していきましょう**（❷）。Based on both the graph and [29] 's comment, should we set a language rule in the room to motivate members to speak English more?「グラフと [29] のコメントから考えて、部員にもっと英語を話してもらうために部室での言語ルールを決めるべきか」とあり、今度は部室であまり英語を話さないということについて言及している人を探せばいいとわかります（❸）。S3が２文目で Also, lots of members speak Japanese, even though it's an English club.「それに、英語部なのに日本語で話している部員が多い」とコメントしています。よって③が正解です。

結局読まなくてもよかった箇所もたくさんありましたね。大幅に時間の短縮ができるので、資料の分析をまずしっかりやる、ということを覚えておいてください。

目標解答時間10分

第4問 (配点 16)

You are a volunteer for a family event at a community center. You get the following handout and write a memo with other members to prepare for the final meeting.

Hello volunteers! There are four new activities this year, so check the descriptions on the back side of this handout. Please read the table and the information below to prepare for the final planning meeting at 9:30 a.m. on September 14.

◆ **"Fun Day" Activities and Locations, September 21**

Activities	**Locations SC = Sports Center, CP = Central Park**	
#1 Three-legged Race	SC	behind main building
#2 Limbo Dance (**M**)		inside gymnasium
#3 Spoon Race		next to playground swings
Refreshment Ⅰ		entrance
#4 Flying Disc Throwing	CP	start at big central tree
#5 Musical Hula Hoops (**M**)		at running track
#6 Sponge Pass		in front of picnic tables
Refreshment Ⅱ		main gate

(M) = Uses music

◆ **Information**

- Set-up: 9:00 a.m. Registration: 9:30 a.m. Start: 10:00 a.m.
- 6 groups (A to F) with 10 people each
- Groups move from one activity to the next in order until all are completed
- Starting points: Group A → #1, Group B → #2, and so on
- Volunteers' Tasks:
  - ● Make schedules for each activity. Check the number of volunteers carefully. We need two volunteers for each of the refreshments and each activity except #1 and #3.
  - ● Explain activities and check participants' understanding (see back for details).
  - ● Make a list of needed materials. SC has enough cones, table tennis balls, ropes, spoons, tape measures, and a children's pool. Also, remember that SC only has two portable music players.

—back—

◆ **New Activities**

(Activities #1 & #3 are the same as last year. Ask the coordinators for details.)

#2 Limbo Dance

A pole is held at about chest height. The players take turns dancing under it, bending their knees and arching their backs while music is playing. The pole height is gradually lowered until no one can pass under.

#4 Flying Disc Throwing

Place a large cone at the starting point and another at the goal about 100 meters away between a hula hoop and a children's pool full of water. Each player throws their own disc toward the goal-cone at the same time. The objective is to land the disc inside the hoop, avoiding the pool. After each throw, players go to their disc and throw it again. The fewer throws, the better. If the disc ends up in the pool, you are out!

#5 Musical Hula Hoops

Put nine hula hoops on the ground in a circle. Play music, turning it off at random, while players walk around the circle. When the music stops, players must quickly jump into a hoop. If two players are in the same hoop, do *janken* to decide who stays. Remove one hoop each time until one player and one hoop remain.

#6 Sponge Pass

Make two lines of five people. Place a bucket of water with a sponge at the front of each line and an empty bucket at the back. The players pass the wet sponges over their heads to the last person in line, who squeezes the remaining water into the other bucket. Then return the sponge to the front. Repeat this until the time is up. See how full the back buckets get. Watch out! Things can get wet!

Your memo for the meeting:

Schedule:

We won't have enough time to set up! Can we start half an hour earlier at [24]?

Volunteers:

Activities	Locations SC = Sports Center CP = Central Park	Volunteer 1 (Coordinator)	Volunteer 2 (if necessary)
#1	SC	Masa	
#2		Rika	
#3		Maria	
Refreshment I		Shion	
#4	CP	Kohei	Tetsuya
#5		Kenta	
#6		Kei	Erika
Refreshment II		Hiromi	

Find at least [25] more volunteers because we're short of them.

Additional Materials for New Activities:

[26]

A. 1 pole
B. 2 buckets
C. 2 sponges
D. 10 discs
E. 10 hula hoops

Problems at Central Park:

- How can we get water?
- We got into trouble for playing music there last year. It's prohibited!

Activity Locations & Layout:

- Because [27], let's switch activities [28].
- Here is the layout for Flying Disc Throwing:

[29]

問 1 Which is the best option for [24]?

① 8:00 a.m.
② 8:30 a.m.
③ 9:00 a.m.
④ 9:30 a.m.

問 2 Which is the best option for [25]?

① 4
② 5
③ 6
④ 7

問 3 There is an error in the Additional Materials for New Activities. Which do you need to **change**? [26]

① **A**
② **B**
③ **C**
④ **D**
⑤ **E**

問 4 Choose the best options for [27] and [28].

[27]

① the big tree is hard for players to find

② the park forbids playing music in public

③ the swings are broken

④ the tables might interfere with the activity

[28]

① #1 and #5

② #2 and #4

③ #3 and #4

④ #4 and #5

問 5 Choose the best option for [29].

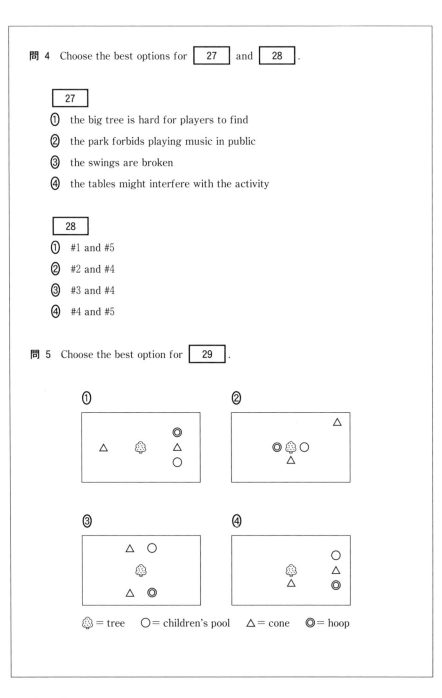

①

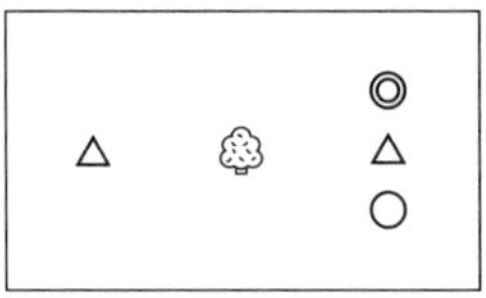

②

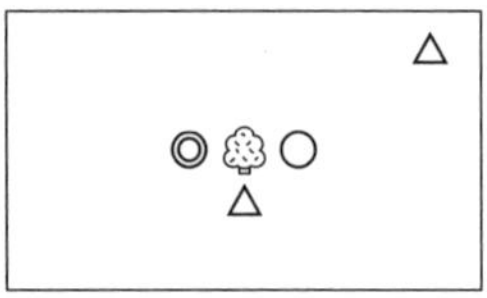

③

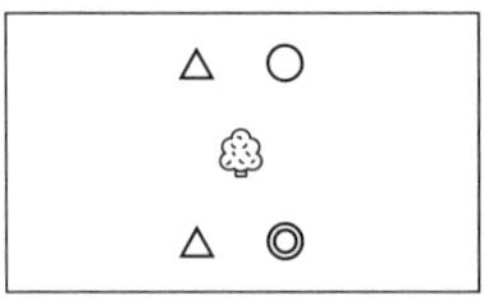

④

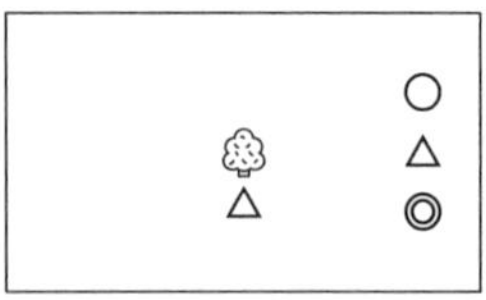

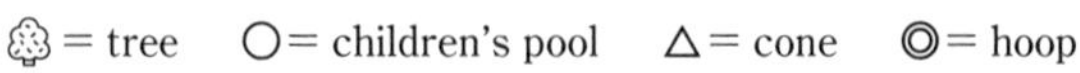

問 1 − 5

訳 あなたはコミュニティーセンターの家族向けイベントのボランティアです。次のようなプリントをもらい、最終ミーティングの準備として他のメンバーと一緒にメモを書きます。

ボランティアの皆さん、こんにちは！　今年は新しい競技が4つありますから、このプリント裏面の説明をよく読んでください。下の表とインフォメーションを読んで、9月14日午前9時30分からの最終計画ミーティングの準備をしてください。

◆9月21日、お楽しみデーの活動と場所

競技	場所 SC スポーツセンター、CP 中央公園	
#1 二人三脚競走	SC	メインビル裏
#2 リンボーダンス（M）		体育館内
#3 スプーン競走		遊び場のブランコ横
飲食コーナー1		エントランス
#4 フリスビー投げ	CP	中央の大木からスタート 問5-2
#5 音楽フラフープ（M）		競技トラック
#6 スポンジパス		ピクニックテーブル前
飲食コーナー2		メインゲート

（M）＝音楽を使用 問4-2

◆インフォメーション
—設営：午前9時 問1　受付：午前9時30分　スタート：午前10時
—6グループ（A～F）各10人
—グループごとに、全部やり終えるまで種目から種目に順番に移動する
—開始ポイント：グループA → #1、グループB → #2、のように続く
—ボランティアの仕事：

- 各競技のスケジュールを作る。ボランティアの人数をしっかり確認する。飲食コーナーそれぞれと、#1と#3以外の各競技に2人ずつボランティアが必要。問2
- 競技の説明をして参加者の理解を確認する（詳しくは裏面を参照）。
- 必要な資材のリストを作る。SC に十分なカラーコーン、卓球ボール、ロープ、スプーン、メジャー、子ども用プールがある。また、SC にはポータブル音楽プレーヤーが2台しかないことに注意。

――裏面――

◆新しい競技

(#1と #3は去年と同じ。詳しくはコーディネーターに聞いてください)

#2 リンボーダンス

ポールを胸ぐらいの高さに持ち上げる。競技者は順番に、音楽が鳴っている間、ひざを曲げ背中を反らして踊りながらくぐる。問3① ポールの高さは、くぐれる人がいなくなるまで徐々に下げていく。

#4 フリスビー投げ

大きなカラーコーンをスタート地点に、もう1つを100メートルほど先、フラフープと水を入れた子ども用プールの間のゴールに置く。問3④ 問3⑤-1 問5-1 各競技者は自分のフリスビーを同時に、ゴールのコーンに向かって投げる。目標は、プールを避けてフープの中にフリスビーを着地させること。一回投げたら、競技者は自分のディスクの所へ行って、また投げる。投げる回数が少ないほどいい。ディスクがプールに落ちてしまったら、アウト!

#5 音楽フラフープ

フラフープ9個を地面に円状に置く。問3⑤-2 音楽をかけ、競技者たちが円の周りを歩いている間に、不規則に音楽を止める。音楽が止まったら、競技者は素早くフープの中にジャンプする。同じフープに競技者が2人入った場合は、じゃんけんをして残る人を決める。残りの競技者が1人、フープが1つになるまで、1回ごとにフープを1つ減らしていく。

#6 スポンジパス

5人ずつ2列になる。水の入ったバケツとスポンジをそれぞれの列の先頭に、空のバケツを列の後ろに置く。問3② 問3③ 競技者たちは水を含んだスポンジを列の最後まで頭上で受け渡していき、最後の人は残った水をもう一方のバケツに絞る。その後スポンジを先頭に戻す。これを、時間が終了するまで繰り返す。最後尾のバケツがどれくらいいっぱいになったか見る。注意! いろいろなものが水でぬれる可能性あり!

ミーティング用のあなたのメモ：

スケジュール：設営の時間が足りない！　30分早めて 24 に始めてもいい？

ボランティア：

競技	場所 SC＝スポーツセンター CP＝中央公園	ボランティア１ (コーディネーター)	ボランティア２ (必要であれば)
#1	SC	マサ	
#2		リカ	
#3		マリア	
飲食コーナー１		シオン	
#4	CP	コーヘイ	テツヤ
#5		ケンタ	
#6		ケイ	エリカ
飲食コーナー２		ヒロミ	

ボランティアが足りないので少なくともあと 25 人見つける

新しい競技のための追加資材：

26

A. ポール１本
B. バケツ２個
C. スポンジ２個
D. フリスビー 10個
E. フラフープ10個

中央公園の問題：
—水をどうやってくむのか？
—去年、そこで音楽をかけて問題になった。禁止されてる！ 問4-1

競技の場所とレイアウト：
— 27 ので、 28 の競技を入れ替えよう。
—フリスビー投げのレイアウトは以下の通り：

29

Day 14

語句

［リード文］

handout	名 配布資料、プリント

［プリント］

description	名 記述、説明
table	名 表

［表］

three-legged race	熟 二人三脚
refreshment	名 軽食、飲食物
flying disc	熟 フリスビー
gymnasium	名 体育館
swing	名 ブランコ

［インフォメーション］

task	名 任務、業務
participant	名 参加者
material	名 資材
cone	名 三角コーン、カラーコーン
tape measure	熟 巻き尺、メジャー

［裏面］

coordinator	名 コーディネーター、取りまとめ役
take turns (V)ing	熟 順番にVする
arch ～	他 ～を弓なりに曲げる
gradually	副 次第に、徐々に
objective	名 目的、目標
end up in ～	熟 結局～に入ってしまう
at random	熟 無作為に、不規則に
squeeze ～	他 ～を絞る
watch out	熟 気を付ける

［メモ］

be short of ～	熟 ～が足りない
additional	形 追加の
get into trouble	熟 困ったことになる
prohibit ～	他 ～を禁止する
layout	名 レイアウト、配置

問 1　正解②　**問題レベル【普通】　配点 3点**

設　問　**24** **に最もふさわしい選択肢はどれか。**

選択肢
① 午前8時
② 午前8時30分
③ 午前9時
④ 午前9時30分

まずは**視線の型**（❶）です。リード文によると「あなたはコミュニティーセンターの家族向けイベントのボランティアで、プリントをもらい、最終ミーティングの準備として他のメンバーと一緒にメモを書く」ということですね。まずはここをしっかり理解しましょう。「家族向けイベント」の「ボランティアをしている人」という仮定です。プリント（表面と裏面）とメモがあります。このメモが資料として機能しているのでまずは**このメモを分析していきましょう**（❷）。見出しは「スケジュール」、「ボランティア」、「新しい競技のための追加資材」、「中央公園の問題」、「競技の場所とレイアウト」です。まずは「スケジュール」の穴埋めから。空所を含む文をしっかり読むことが大事です。We won't have enough time to set up! Can we start half an hour earlier at **24** ?「設営の時間が足りない！ 30分早めて［24］に始めてもいい？」とあります。元の設営スタートの時間がわかれば、それを30分早めれば答えが出そうですね。ではプリントを見ていきましょう。真ん中の◆ Information「インフォメーション」の項目の1つ目に「設営：午前9時」とありますね（❸）。よって30分早めた②午前8時30分が正解です。

問 2 正解 ① 問題レベル【普通】 配点 3点

設問 [25] に最もふさわしい選択肢はどれか。

選択肢 ① 4 ② 5 ③ 6 ④ 7

視線の型よりまずは設問を見て（❶）、やはり資料の穴埋め問題なので、**見出しや周辺を分析していきましょう**（❷）。空所を含む文は Find at least [25] more volunteers because we're short of them.「ボランティアが足りないので少なくともあと [25] 人見つける」とあります。ボランティアの数に言及している箇所を探せばよさそうです。これも◆ Information「インフォメーション」の5つ目に Volunteers' Tasks「ボランティアの仕事」とあり1つ目の●の3文目に We need two volunteers for each of the refreshments and each activity except #1 and #3.「飲食コーナーそれぞれと、＃1と＃3以外の各競技に2人ずつボランティアが必要」とあります（❸）。メモに戻りましょう。ボランティアの表には、Volunteer 1 (Coordinator) と Volunteer 2 (if necessary) と2つの軸があり、Volunteer 1は名前で埋まっていますが、Volunteer 2は空いている箇所がいくつかありますね。「＃1と＃3以外の競技それぞれに2人ずつボランティアが必要」なので#2、Refreshment Ⅰ、#5、Refreshment Ⅱの4カ所をそれぞれもう一人ずつ埋めなくてはならないことがわかります。よって正解は①4です。

問 3 正解 [26] ② 問題レベル【やや難】 配点 3点

設問「新しい競技のための追加資材」に間違いがある。変えるべきなのはどれか。 [26]

選択肢 ① A ② B ③ C ④ D ⑤ E

視線の型でまず設問を見る（❶）と、誤りを探す問題だとわかります。では**見出しや周辺を分析していきましょう**（❷）。Additional Materials for New Activities「新しい競技のための追加資材」という見出しの中に「数字＋必要な道具」らしきリストが並んでいます。プリント裏面の各競技の詳細を見て、「道具の数に関する説明」を探していきましょう。まず参加者の数を確認する必要がありますね。◆ Information「インフォメーション」の2つ目より6 groups(A to F) with 10 people each「6グループ（A～F）各10人」だということを把握します（❸）。それでは各競技を見ていきましょう。各競技の概要をしっかり理解しておかないと道具の数はわかりそうにありません。特に概要が書かれている最初の1～2文に集中して（❸）、競技の内容と、ボランティアとして用意すべき道具の種類と数を把握していきましょう。

まず#2 Limbo Danceの説明1～2文目にA pole is held at about chest height. The players take turns dancing under it「ポールを胸ぐらいの高さに持ち上げる。競技者は順番に踊りながらくぐる」とあり、ポールは1つあればよさそうなので① A（ポール1本）はOKです。次に＃4 Flying Disc Throwingの説明1～2文目 Place a large cone at the starting point and another at the goal about 100 meters away between a hula hoop and a children's pool full of water. Each player throws their own disc toward the goal-cone at the same time.「大きなカラーコーンをスタート地点に、もう1つを100メートルほど先、フラフープと水を入れた子ども用プールの間のゴールに置く。各競技者は自分のフリスビーを

Day 14

同時に、ゴールのコーンに向かって投げる」より、ここでフラフープが1つ、そしてフリスビー(disk)は1人1つ必要で、10人いるので合計10必要ですね。④ D(フリスビー10個)もOKです。次に#5 Musical Hula Hoopsの説明1文目にPut nine hula hoops on the ground in a circle.「フラフープ9個を地面に円状に置く」とあることから先ほどの1つと合わせて合計10必要ということになります。⑤ E(フラフープ10個)もOKです。最後に次に#6 Sponge Passの説明を読んでいきます。Make two lines of five people. Place a bucket of water with a sponge at the front of each line and an empty bucket at the back.「5人ずつ2列になる。水の入ったバケツとスポンジをそれぞれの列の先頭に、空のバケツを列の後ろに置く」より、2列になりバケツは各列前後に1つずつなので合計4つ、スポンジは1つずつでいいので2つ必要だとわかります。ここから③ C(スポンジ2個)はOK、② B「バケツ2個」が2個ではなく4個なので、間違っており正解となります。

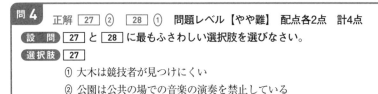

問4 正解 [27] ② [28] ① **問題レベル【やや難】 配点各2点 計4点**

設問 **[27] と [28] に最も ふさわしい選択肢を選びなさい。**

選択肢 [27]

① 大木は競技者が見つけにくい
② 公園は公共の場での音楽の演奏を禁止している
③ ブランコが壊れている
④ テーブルが競技の邪魔になるかもしれない

[28]

① #1と #5
② #2と #5
③ #3と #4
④ #4と #5

語句
forbid ~ 他 ~を禁止する
in public 熟 公衆の面前で、公共の場で
interfere with ~ 熟 ~の邪魔をする

視線の型よりまずは設問を見て(❶)、やはり資料の穴埋め問題なので、**見出しや周辺を分析していきましょう**(❷)。空所を含む文の見出しはActivity Locations & Layout「競技の場所とレイアウト」で、Because [27], let's switch activities [28].「[27]ので、[28]の競技を入れ替えよう」とあります。何らかの不都合が生じたのですね。メモの見出し4つ目にProblems at Central Park「中央公園の問題」とあるのでここを確認しましょう(❸)。2つあります。1つ目はHow can we get water?「水をどうやってくむのか?」、2つ目はWe got into trouble for playing music there last year. It's prohibited!「去年、そこで音楽をかけて問題になった。禁止されてる!」です。選択肢を見ると2つ目に該当する② the park forbids playing music in public「公園は公共の場での音楽の演奏を禁止している」があるのでまず [27] は②が正解です。これは、メモの中だけで解く問題です。メインの英文であるプリントにはどこにも書かれていませんでした。リード文より、場面設定は「プリントを要約している」ではなく「プリントをもらい、最終ミーティングのためのメモを準備している」なので、プリントはあくまでメモのための参考ですね。書かれていない情報がメモに含まれていて

も不思議ではありません。**メモの中だけに解答根拠があるような問題は、今までなかった設問の作り方、新傾向の問題です。**共通テストは毎年少しずつリニューアルされているので、従来の設問形式に捉われ過ぎないようにする柔軟さも必要です。

さて、この問題に対応するにはどの競技を入れ替えればいいでしょうか。当然中央公園で音楽を使用しないようにすればいいだけなので、プリントの中の競技に関する表を見て、右側のLocations「場所」の中央公園（CP）の方にある、Activities「競技」に（M）マーク（表の下に（M）= Uses music とあります）がついている＃５をスポーツセンター（SC）の（M）マークがついていない＃１か＃３と入れ替えればいいことがわかります。よって［28］の正解は①です。

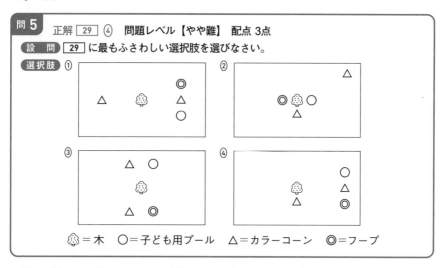

問5　正解［29］④　**問題レベル【やや難】　配点 3点**

設問　［29］**に最もふさわしい選択肢を選びなさい。**

選択肢

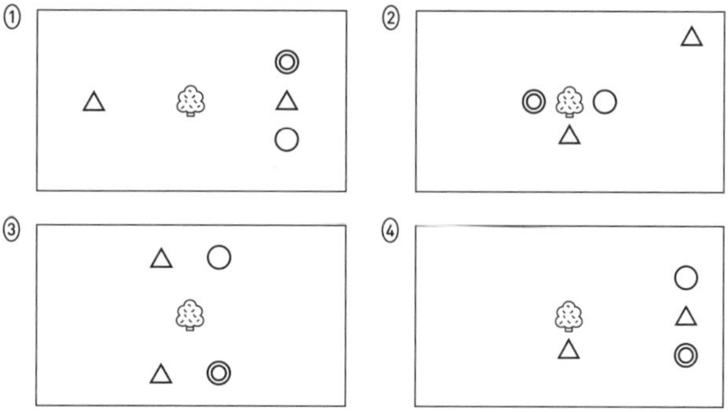

木＝木　○＝子ども用プール　△＝カラーコーン　◎＝フープ

視線の型よりまずは設問を見て（❶）、やはり資料の穴埋め問題なので、**見出しや周辺を分析していきましょう**（❷）。Activity Locations & Layout「競技の場所とレイアウト」の２つ目の項目でHere is the layout for Flying Disc Throwing「フリスビー投げのレイアウトは以下の通り」とあるので、＃４ Flying Disc Throwingの説明の中からレイアウトに関係がある箇所を見つけ出し、正確に理解する必要がありそうです（❸）。１文目Place a large cone at the starting point and another at the goal about 100 meters away between a hula hoop and a children's pool full of water.「大きなカラーコーンをスタート地点に、もう１つを100メートルほど先、フラフープと水を入れた子ども用プールの間のゴールに置く」より、cone をhoop とpool の間に配置している①か④が正解だとわかります。しかしtree に関する情報は出てきていないので見逃しがあるかもしれない、とプリントの競技をまとめた表を確認しましょう。#4　Flying Disc ThrowingのLocations「場所」の説明にstart at big central tree「中央の大木からスタート」とありますね。ここから、スタート地点のコーンが木の隣に配置されている④が正解だとわかります。

DAY 15 【物語文・伝記文読解問題】を攻略する「視線の型」

第５問では、物語文や伝記などストーリー型の長文が出題されます。広告文や論説文などとは少し異なる、このタイプの問題を攻略するための「視線の型」を見ていきましょう。

「視線の型」のステップ

❶ 場面・状況をイメージする

問題に当たる前にリード文を読みましょう。本文を読みやすくするヒントが隠れている場合もあるので、必ず最初に読んでおいてください。

❸ 最初の段落に集中して、人・時・場所を捉える

第１段落が勝負です。ここで登場人物、時代、場所の把握ができていないと第２段落から本気を出しても内容が頭に入ってきません。映画の冒頭部分を見逃してしまうとついていけなくなるのと同じです。第５問にかける全パワーの半分くらいを第１段落で使ってください。読みながら映像として登場人物の顔や背景が浮かんでくるのがベストです。

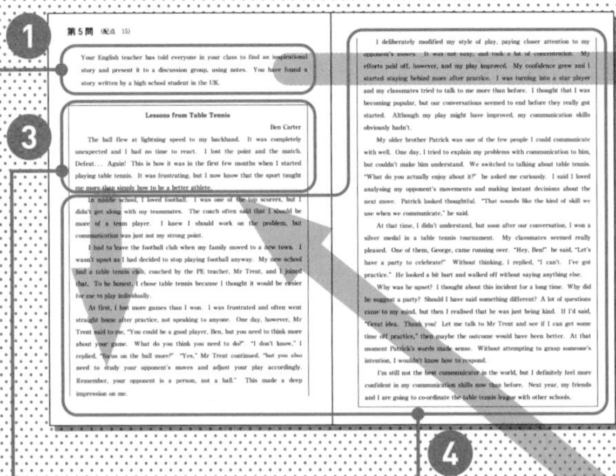

第５問 (配点 15)

Your English teacher has told everyone in your class to find an inspirational story and present it to a discussion group, using notes. You have found a story written by a high school student in the UK.

Lessons from Table Tennis

Ben Carter

The ball flew at lightning speed to my backhand. It was completely unexpected and I had no time to react. I lost the point and the match. Defeat... Again! This is how it was in the first few months when I started playing table tennis. It was frustrating, but I now know that the sport taught me more than simply how to be a better athlete.

In middle school, I loved football. I was one of the top scorers, but I didn't get along with my teammates. The coach often said that I should be more of a team player. I knew I should work on the problem, but communication was just not my strong point.

I had to leave the football club when my family moved to a new town. I wasn't upset as I had decided to stop playing football anyway. My new school had a table tennis club, coached by the PE teacher, Mr Trent, and I joined that. To be honest, I chose table tennis because I thought it would be easier for me to play individually.

At first, I lost more games than I won. I was frustrated and often went straight home after practice, not speaking to anyone. One day, however, Mr Trent said to me, "You could be a good player, Ben, but you need to think more about your game. What do you think you need to do?" "I don't know," I replied, "Focus on the ball more?" "Yes," Mr Trent continued, "but you also need to study your opponent's moves and adjust your play accordingly. Remember, your opponent is a person, not a ball." This made a deep impression on me.

I deliberately modified my style of play, paying closer attention to my opponent's moves. It was not easy, and took a lot of concentration. My efforts paid off, however, and my play improved. My confidence grew and I started staying behind more after practice. I was turning into a star player and my classmates tried to talk to me more than before. I thought that I was becoming popular, but our conversations seemed to end before they really got started. Although my play might have improved, my communication skills obviously hadn't.

My older brother Patrick was one of the few people I could communicate with well. One day, I tried to explain my problems with communication to him, but couldn't make him understand. We switched to talking about table tennis. "What do you actually enjoy about it?" he asked me curiously. I said I loved analysing my opponent's movements and making instant decisions about the next move. Patrick looked thoughtful. "That sounds like the kind of skill we use when we communicate," he said.

At that time, I didn't understand, but soon after our conversation, I won a silver medal in a table tennis tournament. My classmates seemed really pleased. One of them, George, came running over. "Hey, Ben!" he said, "Let's have a party to celebrate!" Without thinking, I replied, "I can't. I've got practice." He looked a bit hurt and walked off without saying anything else.

Why was he upset? I thought about this incident for a long time. Why did he suggest a party? Should I have said something different? A lot of questions came to my mind, but then I realised that he was just being kind. If I'd said, "Great idea. Thank you! Let me talk to Mr Trent and see if I can get some time off practice," then maybe the outcome would have been better. At that moment Patrick's words made sense. Without attempting to grasp someone's intention, I wouldn't know how to respond.

I'm still not the best communicator in the world, but I definitely feel more confident in my communication skills now than before. Next year, my friends and I are going to co-ordinate the table tennis league with other schools.

❹ 段落ごとにリフレッシュしながら読み切る

物語文・伝記文はできたら「本文を最後まで読んでから解く」のをオススメします。難しい場合は、せめて段落が変わるまでは内容に集中して読み切りましょう。理由は、ストーリーに没頭するためです。途中で設問を気にして何度もストーリーから離れていると、内容から心が離れてしまい、変に冷静な頭で考えるようになります。物語文・伝記文のコツは、「読むときは熱い心で、解くときは冷静な頭で」です。ドラマや映画を見ているときに途中で話しかけられると嫌ですよね。現実に引き戻されると再度入り込むまでに時間がかかります。

とはいえ、設問がヒントになって理解が深まることもありますし、また段落の変わり目で「心情や時・場所」が変化することが多いので、段落ごとに問題をチラ見して頭を整理しながら読み進めるのもお勧めです。特に全然英文が理解できていない時（つまり物語に没入できていない時）はそうしてください。その際、解ける問題は途中で解答してもOKです。

内容 論説文ばかりを読んでいる受験生にとっては、「物語文・伝記文」は読みづらいかもしれませんが、他の問題に比べて英語的に難しいわけではありません。「視線の型」で独特の論理展開に慣れ、登場人物の心情と時間・場所の移り変わりを素直に追いかけていければ大丈夫です。

目標解答時間 **15**分

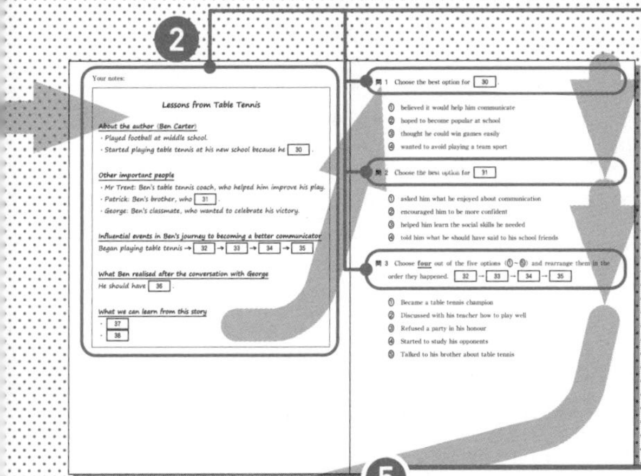

2
Your notes:
Lessons from Table Tennis
About the author (Ben Carter)
· Played football at middle school.
· Started playing table tennis at his new school because he 30 .
Other important people
· Mr Trent: Ben's table tennis coach, who helped him improve his play.
· Patrick: Ben's brother, who 31 .
· George: Ben's classmate, who wanted to celebrate his victory.
Influential events in Ben's journey to becoming a better communicator
Began playing table tennis → 32 → 33 → 34 → 35
What Ben realised after the conversation with George
He should have 36 .
What we can learn from this story
· 37
· 38
問1 Choose the best option for 30 .
① believed it would help him communicate
② hoped to become popular at school
③ thought he could win games easily
④ wanted to avoid playing a team sport
問2 Choose the best option for 31 .
① asked him what he enjoyed about communication
② encouraged him to be more confident
③ helped him learn the social skills he needed
④ told him what he should have said to his school friends
問3 Choose four out of the five options (①～⑤) and rearrange them in the order they happened. 32 → 33 → 34 → 35
① Became a table tennis champion
② Discussed with his teacher how to play well
③ Refused a party in his honour
④ Started to study his opponents
⑤ Talked to his brother about table tennis

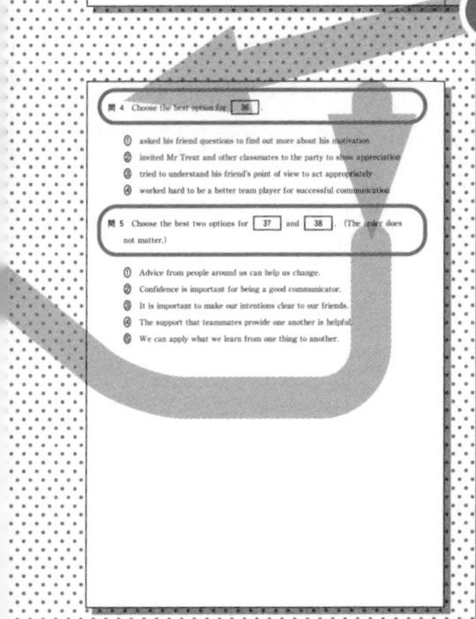

問4 Choose the best option for 36 .
① asked his friend questions to find out more about his motivation
② invited Mr Trent and other classmates to the party to show appreciation
③ tried to understand his friend's point of view to act appropriately
④ worked hard to be a better team player for successful communication
問5 Choose the best two options for 37 and 38 . (The order does not matter.)
① Advice from people around us can help us change.
② Confidence is important for being a good communicator.
③ It is important to make our intentions clear to our friends.
④ The support that teammates provide one another is helpful.
⑤ We can apply what we learn from one thing to another.

5 本文を照らし合わせて解答する

本文を読み終わった後、問題を解いていきます。空所を含む英文の精読が大事です。該当箇所を狙い読みし、スピーディーに解答していきましょう。物語文や伝記文はイメージが湧きやすく、心に残るため該当箇所を見つけやすいと思いますが、読みやすい分、文法を無視して誤訳してしまいがちです。精読を疎かにしないようにしましょう。また、物語文・伝記文では、難しい単語がよく登場します。言い換えにアンテナを張って選択肢を選んでいきましょう。

2 タイトルやメモの内容から、全体像や問われそうなポイントを把握する

本文を読む前に、先に問われそうなポイントをかき集めます。まとめの表やスライドの穴埋め形式を取ることが多いので、表やスライドの見出しの確認をします。「見出し」は要約した短い英文で表現されているため読みにくく感じるかもしれませんが、精読して意味を捉えておきます。設問に関しては、ほとんどの場合、表やスライド中の空所を埋めるのに適切な選択肢を選ばせる問題（Choose the best option for（　）.）になっているはずなので、空所の前後と表の中での位置づけ（どんな見出しにひもづいた問題なのか）をざっくりと確認する程度で大丈夫です。なお、設問の選択肢はここで読む必要はありません。

では、この「視線の型」を使って、次ページの問題に取り組みましょう！

第5問 (配点 15)

Your English teacher has told everyone in your class to find an inspirational story and present it to a discussion group, using notes. You have found a story written by a high school student in the UK.

Lessons from Table Tennis

Ben Carter

The ball flew at lightning speed to my backhand. It was completely unexpected and I had no time to react. I lost the point and the match. Defeat... Again! This is how it was in the first few months when I started playing table tennis. It was frustrating, but I now know that the sport taught me more than simply how to be a better athlete.

In middle school, I loved football. I was one of the top scorers, but I didn't get along with my teammates. The coach often said that I should be more of a team player. I knew I should work on the problem, but communication was just not my strong point.

I had to leave the football club when my family moved to a new town. I wasn't upset as I had decided to stop playing football anyway. My new school had a table tennis club, coached by the PE teacher, Mr Trent, and I joined that. To be honest, I chose table tennis because I thought it would be easier for me to play individually.

At first, I lost more games than I won. I was frustrated and often went straight home after practice, not speaking to anyone. One day, however, Mr Trent said to me, "You could be a good player, Ben, but you need to think more about your game. What do you think you need to do?" "I don't know," I replied, "focus on the ball more?" "Yes," Mr Trent continued, "but you also need to study your opponent's moves and adjust your play accordingly. Remember, your opponent is a person, not a ball." This made a deep impression on me.

I deliberately modified my style of play, paying closer attention to my opponent's moves. It was not easy, and took a lot of concentration. My efforts paid off, however, and my play improved. My confidence grew and I started staying behind more after practice. I was turning into a star player and my classmates tried to talk to me more than before. I thought that I was becoming popular, but our conversations seemed to end before they really got started. Although my play might have improved, my communication skills obviously hadn't.

My older brother Patrick was one of the few people I could communicate with well. One day, I tried to explain my problems with communication to him, but couldn't make him understand. We switched to talking about table tennis. "What do you actually enjoy about it?" he asked me curiously. I said I loved analysing my opponent's movements and making instant decisions about the next move. Patrick looked thoughtful. "That sounds like the kind of skill we use when we communicate," he said.

At that time, I didn't understand, but soon after our conversation, I won a silver medal in a table tennis tournament. My classmates seemed really pleased. One of them, George, came running over. "Hey, Ben!" he said, "Let's have a party to celebrate!" Without thinking, I replied, "I can't. I've got practice." He looked a bit hurt and walked off without saying anything else.

Why was he upset? I thought about this incident for a long time. Why did he suggest a party? Should I have said something different? A lot of questions came to my mind, but then I realised that he was just being kind. If I'd said, "Great idea. Thank you! Let me talk to Mr Trent and see if I can get some time off practice," then maybe the outcome would have been better. At that moment Patrick's words made sense. Without attempting to grasp someone's intention, I wouldn't know how to respond.

I'm still not the best communicator in the world, but I definitely feel more confident in my communication skills now than before. Next year, my friends and I are going to co-ordinate the table tennis league with other schools.

Your notes:

Lessons from Table Tennis

About the author (Ben Carter)

- Played football at middle school.
- Started playing table tennis at his new school because he [30].

Other important people

- Mr Trent: Ben's table tennis coach, who helped him improve his play.
- Patrick: Ben's brother, who [31].
- George: Ben's classmate, who wanted to celebrate his victory.

Influential events in Ben's journey to becoming a better communicator

Began playing table tennis → [32] → [33] → [34] → [35]

What Ben realised after the conversation with George

He should have [36].

What we can learn from this story

- [37]
- [38]

問 1 Choose the best option for [30].

① believed it would help him communicate
② hoped to become popular at school
③ thought he could win games easily
④ wanted to avoid playing a team sport

問 2 Choose the best option for [31].

① asked him what he enjoyed about communication
② encouraged him to be more confident
③ helped him learn the social skills he needed
④ told him what he should have said to his school friends

問 3 Choose **four** out of the five options (①～⑤) and rearrange them in the order they happened. [32] → [33] → [34] → [35]

① Became a table tennis champion
② Discussed with his teacher how to play well
③ Refused a party in his honour
④ Started to study his opponents
⑤ Talked to his brother about table tennis

Day 15

問 4 Choose the best option for [36].

① asked his friend questions to find out more about his motivation
② invited Mr Trent and other classmates to the party to show appreciation
③ tried to understand his friend's point of view to act appropriately
④ worked hard to be a better team player for successful communication

問 5 Choose the best two options for [37] and [38]. (The order does not matter.)

① Advice from people around us can help us change.
② Confidence is important for being a good communicator.
③ It is important to make our intentions clear to our friends.
④ The support that teammates provide one another is helpful.
⑤ We can apply what we learn from one thing to another.

問 1－5

訳 英語の先生があなたのクラスの全員に、心を動かされるストーリーを見つけてメモを使いながらディスカッション・グループで発表するようにと言いました。あなたはイギリスの高校生が書いたストーリーを見つけました。

卓球から得た教訓

ベン・カーター

[第１段落]

ボールが電光石火の速さで僕のバックハンドに飛んできた。全く予想外で反応する時間がなかった。ポイントを失い、試合も失った。敗北……まただ！ これは僕が卓球を始めて数カ月の頃の様子だ。悔しかったけれど、今ならわかる、このスポーツが、単に優れた運動選手になる以上のことを教えてくれたのだと。

[第２段落]

中学生の頃はサッカーが好きだった。僕は得点率の高い選手の一人だったが、チームメイトとは仲良くできなかった。もっとチームプレーができる選手になるように、とコーチによく言われた。この問題に取り組むべきなのは自分でもわかっていたけれど、コミュニケーションはとても自分の得意分野とは言えなかった。

[第３段落]

家族が新しい町に引っ越したのでサッカークラブを去らなければならなくなった。いずれにしてもサッカーはやめるつもりだったので、僕は気にしなかった。新しい学校には卓球部があり、体育教師のトレント先生が指導していて、僕はそこに入部した。正直に言うと、卓球を選んだのは自分にとって個人競技のほうが楽だろうと思ったからだ。問1

[第４段落]

最初は、試合に勝つよりも負ける方が多かった。悔しくて、練習後は誰とも口を利かずまっすぐ家に帰ることが多かった。でもある日、トレント先生が僕に言った問3②、「君はいい選手になれるかもしれないよ、ベン、だけど、もっとゲームに頭を使わなくちゃいけない。何をする必要があると思う？」「わかりません」と僕は答えた、「もっとボールに集中するとか？」「そうだね」とトレント先生は続けた、「それだけでなく、相手の動きを研究して、それに合わせて自分のプレーを調整する必要もある。いいかい、対戦相手は人間なんだ、ボールじゃなくて」。このことは深く印象付けられた。

[第５段落]

僕は意図的にプレースタイルを変えて、相手の動きにもっと注意を向けるようにした。問3④ 簡単ではなかったし、とても集中力が必要だった。けれど、努力が報われて、僕のプレーは上達した。自信がついた僕は練習後も居残りをするようになった。スター選手になりつつあった僕に、クラスメイトも前より話し掛けてくるようになった。自分が人気者になってきたように思ったけれど、会話は本格的に始まる前に終わってしまうように思われた。僕のプレーは上達したかもしれないけれど、コミュニケーション能力はどうやらそうではなかった。

[第6段落]

兄のパトリックは、僕がうまくコミュニケーションできる数少ない相手の一人だった。ある日、僕は自分のコミュニケーション問題を兄に説明しようとしたが、理解してもらえなかった。僕たちは話題を卓球に切り替えた。問3⑤ 「どういうところが楽しいんだい?」と兄は興味深そうに尋ねた。相手の動きを分析して次の動きを即座に判断するところが好きだ、と僕は答えた。パトリックは考え込んでいるようだった。「それはコミュニケーションのときに使うスキルみたいにも聞こえるね」と彼は言った。問2 問5①-1 問5⑤-1

[第7段落]

その時は理解できなかったけれど、その会話から間もなくして、僕は卓球の大会で銀メダルを獲得した。クラスメイトもとても喜んでくれたようだった。その一人、ジョージが駆け寄ってきた。「ねえ、ベン!」と彼は言った。「お祝いのパーティーをしようよ!」考えもせずに僕は答えた、「駄目だよ。練習があるから」。問3③ 彼はちょっと傷ついた様子で、他に何も言わず立ち去った。

[第8段落]

彼はなぜ気を悪くしたのだろう? 僕は長い間この出来事について考えた。どうして彼はパーティーの提案をしたのだろう? 僕は何か別の返事をすべきだったのだろうか? たくさんの疑問が頭に浮かんだが、やがて僕は、彼がただ親切にしてくれただけだったのだと理解した。仮に僕が「いいね。ありがとう! 少し練習を休んでいいかトレント先生と相談させて」と言っていたら、もしかするともっといい結果になっていたかもしれない。このとき、パトリックの言葉が理解できた。相手の意図をつかもうとしなかったら、どう答えるべきかはわからないのだ。問4 問5①-2 問5⑤-2

[第9段落]

僕は相変わらず世界最高のコミュニケーション上手とは言えないが、今の僕が以前に比べてコミュニケーション能力に自信を感じているのは確かだ。来年は友だちと一緒に、他の学校との卓球リーグをコーディネートするつもりだ。

あなたのメモ：

卓球から得た教訓

筆者（ベン・カーター）について
・中学校でサッカーをしていた。
・[30] ので、新しい学校では卓球を始めた。

その他の重要人物
・トレント先生：ベンの卓球コーチで、プレーの上達を手助けした。
・パトリック：ベンの兄で、[31]。
・ジョージ：ベンのクラスメイトで、彼の勝利を祝いたがった。

コミュニケーション上手になるまでのベンの道のりの重大な出来事
卓球を始める→ [32] → [33] → [34] → [35]

ジョージとの会話の後でベンが理解したこと
彼は [36] べきだった。

このストーリーから学び取れること
・[37]
・[38]

語句

［リード文］

inspirational	形 インスピレーションを与えるような、心が揺さぶられる
present ～	他 ～のプレゼンテーションをする、～を発表する

［ストーリー］
［第1段落］

lightning	形 稲妻のような、電光石火の
defeat	名 敗北
frustrating	形 不満な、いらいらする、悔しい

［第2段落］

middle school	熟（イギリスの）中学校
football	名 サッカー（イギリス英語）
get along with ～	熟 ～とうまくやっていく
work on ～	熟 ～に取り組む、～を改善しようとする

［第3段落］

PE	熟 体育（＝physical education）
to be honest	熟 正直なところ、実を言うと
individually	副 個々に、個人として

［第4段落］

focus on ～	熟 ～に集中する
opponent	名 敵、対戦相手
accordingly	副 それに応じて

［第5段落］

deliberately	副 意図的に、注意を払って
modify ～	他 ～を修正する、～を変更する
concentration	名 集中（力）
pay off	熟 効果を生む、報われる
confidence	名 自信
turn into ～	熟 ～になる
obviously	副 どうやら、見たところ

［第6段落］		get time off ～	熟 ～を休む
curiously	副 興味深そうに、不思議そうに	outcome	名 結果
analyse ～	他 ～を分析する（イギリス式つづり）	make sense	熟 意味をなす、納得できる
instant	形 すぐの、即時の	grasp ～	他 ～をつかむ、～を把握する
thoughtful	形 物思いにふけった、考え込んだ	intention	名 意図
［第7段落］		［第9段落］	
win ～	他 ～を勝ち取る、～を獲得する	definitely	副 間違いなく、絶対に
celebrate (～)	自 祝う、他 ～を祝う	co-ordinate ～	他 ～をコーディネートする、～を調整する
［第8段落］		［メモ］	
incident	名 出来事、事件	influential	形 影響を与えるような、重大な

まずは❶**場面・状況のイメージ**です。リード文から、「心を動かされるストーリーを探しメモを使って発表するよう言われ、イギリスの高校生が書いた話を見つけた」という場面だとわかります。次に❷**タイトルやメモの内容から、全体像や問われそうなポイントを把握しましょう**。タイトルからは「卓球から得た教訓」だということがわかります。メモに書かれているのは、著者についての簡単な紹介、著者以外の重要人物のまとめ、コミュニケーションが上達していくまでの流れ、ジョージとの会話後のベン（著者）の何らかの気付き、2つの教訓、です。では、1問ずつ見ていきましょう。

問1 正解④ **問題レベル【普通】 配点 3点**

設問 **30** **に最もふさわしい選択肢を選びなさい。**

選択肢
① コミュニケーションの役に立つと考えた
② 学校で人気者になりたかった
③ 試合に簡単に勝てると思った
④ チームスポーツでプレーするのを避けたかった

空所を含む文は、メモの「著者について」のリストに Started playing table tennis at his new school because he **30**. とあります。今回は**狙い読みができそうです**。「新しい学校で卓球を始めた理由」を探せばいいのですね。では**段落ごとにまとめながら読んでいきます**（❸、❹）。第1段落では卓球の試合で負け続けていてフラストレーションを抱えている様子が描かれていました。そして第2段落は中学の頃の回想です。フットボール（サッカーのことです）をしていたけれど、チームメイトとうまくいっていなかった様子が、描かれていました。そして第3段落で、家族の引っ越しをきっかけに転校し、卓球を始めます。このあたりに答えがありそうだと考え、集中して読みましょう。すると第3段落最終文に To be honest, I chose table tennis because I thought it would be easier for me to play individually.「正直に言うと、卓球を選んだのは自分にとって個人競技のほうが楽だろうと思ったからだ」とあります。❺**照らし合わせて解答しましょう**。この「個人競技のほうが楽だと思った」を「チームスポーツでプレーするのを避けたかった」と**言い換えた**④ wanted to avoid playing a team sport

が正解です。

問2　正解③　**問題レベル【普通】　配点 3点**

設　問　**31** **に最もふさわしい選択肢を選びなさい。**

選択肢　① 彼にコミュニケーションの何が楽しいか尋ねた
② もっと自信を持つよう彼を励ました
③ 彼が必要な社交スキルを身に付けるのを手伝った
④ 学校の友だちに何と言うべきだったか彼に教えた

語句　confident 形 自信に満ちた

メモの重要人物リストの中で Patrick: Ben's brother, who **31** . とあり、空所はベンの兄パトリックについて問われています。読み切ってから問題を解いている人は、ストーリーの根幹に関わる内容なので読めてさえいれば該当箇所など探さず解けたと思います。一方、段落ごとに問題を解いている人はいったんパトリックが登場するまでは問題のことを忘れて、ストーリーに集中してください。では、第4段落以降を**段落ごとにまとめながら読んでいきましょう**(❹)。

第4段落では、最初は負け試合が多かったが、先生の「相手の動きを研究して自分のプレーを変えろ。対戦相手はボールじゃなくて人間」というアドバイスが深く印象に残った、という内容です。第5段落は、先生のアドバイスを受けて上達し人気者になったように感じたが依然コミュニケーション能力は向上していない、という内容でした。第6段落でようやく兄パトリックが登場します。ある日コミュニケーション力のなさについてパトリックに相談しますが最初はわかってもらえず、卓球のことを聞かれて「相手の動きを分析して次の動きを即断するのが楽しい」と答えた時に、兄から「それがコミュニケーションのコツなのでは」とアドバイスを受けます。卓球のスキルとコミュニケーションのスキルがつながった瞬間です。当然の流れとして、その後ベンはコミュニケーション能力も上達させることとなります。**❺照らし合わせて解答する**と、正解は③ helped him learn the social skills he needed です。本文ではコミュニケーション能力に触れる時、一貫して communication (skills) という単語を使っていたので、選択肢 social skills がその**言い換え**だと気付かなかった人もいたかもしれません。social は「社交の、人付き合いの」という意味があります。social skills は人付き合い能力を指し、コミュニケーション能力の**上位概念**とでも言える言葉です（Day 20「言い換えの型」参照）。

問3　正解 **32** ②　**33** ④　**34** ⑤　**35** ③

問題レベル【普通】　配点 3点（すべて正解で）

設　問　**5つの選択肢（①〜⑤）から4つを選び、起こった順番に並べ替えなさい。**

32 → **33** → **34** → **35**

選択肢　① 卓球チャンピオンになった
② プレーがうまくなる方法を先生と話し合った
③ 彼のことを祝うパーティーを断った
④ 対戦相手の研究を始めた
⑤ 卓球について兄と話した

語句 rearrange ～	他 ～を並べ替える	in ～'s honour	熟 ～に敬意を表して、～のために（honourはイギリス式つづり）
refuse ～	他 ～を拒否する、～を断る		

時系列問題です。選択肢を確認していく前に、本文を最後まで読解しておきましょう。まず**❹段落ごとにまとめていきます**。第7段落は、クラスメイトのジョージにパーティーに誘われて、そっけなく断ってしまい相手を悲しませてしまったエピソードです。第8段落では、その要因を追求し、相手の意図をつかもうと試みることこそがコミュニケーションにとって重要なんだと気付きます。ここで初めて兄の助言が腑に落ちるのですね。第9段落では、前よりコミュニケーション力に自信を持ったベンの今後の挑戦について触れてストーリーが終わります。

それでは**❺メモの該当箇所で空所の流れを確認しながら、問題を解いていきましょう**。まず先頭にはBegan playing table tennis「卓球を始める」とあります。卓球を始めた後の出来事を並べ替えるのですね。**空所は4つなのに対し選択肢が5つあるので、不要なものが1つ混じっているということです**。解き始める前に必ずこの確認をするようにしましょう。先に不要な選択肢を特定すると、選択肢①「卓球チャンピオンになった」です。第7段落1文目にI won a silver medal「銀メダルをとった」とありますが、銀メダルは2位に与えられる賞で1位（チャンピオン）ではありません。ではこれまでの段落ごとの流れをふまえて順番を考えましょう。まず先生にアドバイスをされて（②）→対戦相手をじっくり見るようになって（④）→兄と話して（⑤）→パーティーをそっけなく断った事件（③）ですね。②→④→⑤→③が正解です。

問4　正解③　**問題レベル【やや難】　配点 3点**

設問 **36** **に最もふさわしい選択肢を選びなさい。**

選択肢
① 動機を詳しく知るため友だちに質問する
② 感謝を示すため、トレント先生や他のクラスメイトをパーティーに招く
③ 適切な行動をとるため友だちの視点を理解しようとする
④ コミュニケーションがうまくなるよう、もっといいチームプレーヤーになる努力をする

語句 motivation	名 動機	point of view	熟 視点、見解
appreciation	名 感謝の気持ち	appropriately	副 適切に、ふさわしく

❺空所を含む文をしっかりと読んで解答しましょう。メモにはHe should have **36**. とあり、空所に入れる選択肢はすべて過去分詞で始まっています。should have 過去分詞「～すべきだったのに（実際はしなかった）」ですね。ベンがジョージとの会話の後に気付いたのは、第8段落最終文にWithout attempting to grasp someone's intention, I wouldn't know how to respond.「相手の意図をつかもうとしなかったら、どう答えるべきかはわからないのだ」と仮定法で書かれてあるように、「相手の意図をつかもうとすべきだった」ということです。選択肢③ tried to understand his friend's point of view to act appropriatelyが正解です。attempt to graspがtry to understandに、intentionがpoint of viewに**言い換え**られています。①が紛らわしかったかもしれませんが、卓球での「相手の動きを分析する」を応用して気付きに至る、という流れからもわかるように「相手に意図を聞いてみる」ではなく「こ

ちら側が相手の意図をつかもうと試みる」ことがポイントでした。

問5 正解①・⑤（順不同） **問題レベル【やや難】 配点 3点**

設問 **37** と **38** に最もふさわしい２つの選択肢を選びなさい。（順不同）

選択肢 ① 周囲の人たちからのアドバイスで変わることができる。
② コミュニケーションのうまい人であるには自信が重要だ。
③ 友だちに対して意図を明確にすることは大事だ。
④ チームメイトが互いに与えるサポートは役に立つ。
⑤ あることから学んだ教訓を他のことに応用することができる。

語句 apply ～ 他 ～を応用する

メモの見出しによると「このストーリーから学び取れること」を答える問題ですね。ストーリーはすべて読み終えたので、**❺本文の内容と照らし合わせながら選択肢を見ていきます。** ① Advice from people around us can help us change. はまず問題なさそうですね。先生や兄の助言のおかげでベンは変わることができたのでした。② Confidence is important for being a good communicator. はもっともらしいですが、コミュニケーションのコツがわかった後に自信を育んでいるので、自信が重要ということがこのストーリーの主旨ではありません。③ It is important to make our intentions clear to our friends. が紛らわしい選択肢ですね。まず精読はできているでしょうか。主語 It は形式主語で、to 不定詞以下を指しています。to make our intentions clear は make + O + C「O を C にする」の文型で「自分の意図を明確にする」ということ。つまり、「はっきりと言いたいことは伝える」ということです。これは違いますね。今回ベンが学んだことは「相手の意図をつかもうと努力すべき」です。ベンはそもそもパーティーに誘われて「練習があるから」とズバッと断っており、はっきり意図を伝えています。しかしこの態度はむしろコミュニケーション上の問題を引き起こしているという流れでした。よって③は不正解です。④ The support that teammates provide one another is helpful. は、チームメイト同士で支え合った話ではないので不正解です。助言をくれたのはチームメイトではなく先生や兄でした。⑤ We can apply what we learn from one thing to another. がもう一つの正解です。apply A to B「A を B に当てはめる、応用する」の構造に気付いているでしょうか。A は what we learn from one thing「あることから学んだこと」で B は another「別のこと」です。今回のストーリーで言うと、what we learn from one thing は卓球のスキル、another はコミュニケーションのスキル、です。よって正解は①と⑤になります。

第5問 (配点 15)

Your English teacher has told everyone in your class to choose a short story in English to read. You will introduce the following story to your classmates, using a worksheet.

Becoming an Artist

Lucy smiled in anticipation. In a moment she would walk onto the stage and receive her prize from the mayor and the judges of the drawing contest. The microphone screeched and then came the mayor's announcement. "And the winner of the drawing contest is... Robert McGinnis! Congratulations!"

Lucy stood up, still smiling. Then, her face blazing red with embarrassment, abruptly sat down again. What? There must be a mistake! But the boy named Robert McGinnis was already on the stage, shaking hands with the mayor and accepting the prize. She glanced at her parents, her eyes filled with tears of disappointment. They had expected her to do well, especially her father. "Oh Daddy, I'm sorry I didn't win," she whispered.

Lucy had enjoyed drawing since she was a little girl. She did her first drawing of her father when she was in kindergarten. Although it was only a child's drawing, it really looked like him. He was delighted, and, from that day, Lucy spent many happy hours drawing pictures to give to Mommy and Daddy.

As she got older, her parents continued to encourage her. Her mother, a busy translator, was happy that her daughter was doing something creative. Her father bought her art books. He was no artist himself, but sometimes gave her advice, suggesting that she look very carefully at what she was drawing and copy as accurately as possible. Lucy tried hard, wanting to improve her technique and please her father.

It had been Lucy's idea to enter the town drawing contest. She thought that if she won, her artistic ability would be recognized. She practiced every evening after school. She also spent all her weekends working quietly on her drawings, copying her subjects as carefully as she could.

Her failure to do well came as a great shock. She had worked so hard and her parents had been so supportive. Her father, however, was puzzled. Why did Lucy apologize at the end of the contest? There was no need to do so. Later, Lucy asked him why she had failed to win the competition. He answered sympathetically, "To me, your drawing was perfect." Then he smiled, and added, "But perhaps you should talk to your mother. She understands art better than I do."

Her mother was thoughtful. She wanted to give Lucy advice without damaging her daughter's self-esteem. "Your drawing was good," she told her, "but I think it lacked something. I think you only drew what you could see. When I translate a novel, I need to capture not only the meaning, but also the spirit of the original. To do that, I need to consider the meaning behind the words. Perhaps drawing is the same; you need to look under the surface."

Lucy continued to draw, but her art left her feeling unsatisfied. She couldn't understand what her mother meant. What was wrong with drawing what she could see? What else could she do?

Around this time, Lucy became friends with a girl called Cathy. They became close friends and Lucy grew to appreciate her for her kindness and humorous personality. Cathy often made Lucy laugh, telling jokes, saying ridiculous things, and making funny faces. One afternoon, Cathy had such a funny expression on her face that Lucy felt she had to draw it. "Hold that pose!" she told Cathy, laughing. She drew quickly, enjoying her friend's expression so much that she didn't really think about what she was doing.

When Lucy entered art college three years later, she still had that sketch. It had caught Cathy exactly, not only her odd expression but also her friend's kindness and her sense of humor — the things that are found under the surface.

Your worksheet:

1. Story title

"Becoming an Artist"

2. People in the story

Lucy: She loves to draw.

Lucy's father: He [30] .

Lucy's mother: She is a translator and supports Lucy.

Cathy: She becomes Lucy's close friend.

3. What the story is about

Lucy's growth as an artist:

↓ [31]
[32]
[33]
[34]

Her drawing improves thanks to [35] and [36] .

4. My favorite part of the story

When the result of the contest is announced, Lucy says, "Oh Daddy, I'm sorry I didn't win."

This shows that Lucy [37] .

5. Why I chose this story

Because I want to be a voice actor and this story taught me the importance of trying to [38] to make the characters I play seem more real.

問 1 Choose the best option for [30].

① gives Lucy some drawing tips
② has Lucy make drawings of him often
③ spends weekends drawing with Lucy
④ wants Lucy to work as an artist

問 2 Choose **four** out of the five descriptions (①～⑤) and rearrange them in the order they happened. [31] → [32] → [33] → [34]

① She becomes frustrated with her drawing.
② She decides not to show anyone her drawings.
③ She draws with her feelings as well as her eyes.
④ She has fun making drawings as gifts.
⑤ She works hard to prove her talent at drawing.

問 3 Choose the best two options for [35] and [36]. (The order does not matter.)

① a friend she couldn't help sketching
② a message she got from a novel
③ advice she received from her mother
④ her attempt to make a friend laugh
⑤ spending weekends drawing indoors

問 4 Choose the best option for [37].

① didn't practice as much as her father expected
② knew her father didn't like her entering the contest
③ thought she should have followed her father's advice
④ was worried she had disappointed her father

問 5 Choose the best option for [38].

① achieve a better understanding of people
② analyze my own feelings more deeply
③ describe accurately what is happening around me
④ use different techniques depending on the situation

問 1－5

訳 英語の先生がクラス全員に、英語で読むストーリーを選ぶようにと言いました。あなたはワークシートを使って次のストーリーをクラスメイトに紹介します。

芸術家になること

[第1段落]

ルーシーは期待しながらほほえんでいた。もうすぐ彼女はステージに上がって市長と絵画コンテストの審査員から賞をもらうのだ。マイクがキーンと鳴って、それから市長の発表だった。「そして、絵画コンテストの最優秀者は……ロバート・マクギニスさん！　おめでとう！」

[第2段落]

ルーシーは立ち上がった、笑顔のまま。そして、恥ずかしさに顔を真っ赤にほてらせながら、慌ててまた座った。どういうこと？　何か手違いがあったに決まってる！　けれど、ロバート・マクギニスという名前のその少年はもうステージ上にいて、市長と握手し賞を受け取っていた。彼女は、目に失意の涙をためながら両親の方を見た。両親は彼女が好結果を残すことを期待していたのだ、特に父親は。問4 「ああ、パパ、受賞できなくてごめんなさい」彼女は小声で言った。

[第3段落]

ルーシーは幼い頃から絵を描くのが好きだった。幼稚園のとき、初めて父親の絵を描いた。子どもの絵に過ぎなかったが、それは彼にとてもよく似ていた。父は喜び、その日からルーシーはママやパパにあげる絵を描く楽しい時間をたくさん過ごした。問2④

[第4段落]

大きくなってからも、両親は彼女を励まし続けた。忙しい翻訳者である母親は、自分の娘がクリエイティブなことをしているのを喜んだ。父親は美術の本を買ってくれた。彼自身は芸術家ではなかったが、時々アドバイスをして、描く対象を注意深く見てできるだけ正確に写生するようにと勧めた。問1 ルーシーは、技術を向上させて父を喜ばせようと、一生懸命頑張った。

[第5段落]

町の絵画コンテストに参加するというのはルーシーのアイデアだった。もし賞を取れたら、自分の芸術の才能が認められると思ったのだ。毎日、放課後に練習をした。週末もずっと静かに絵を描いて過ごした、対象物をできるだけ注意深く写生しながら。問2⑤

[第6段落]

好成績を残すことができなかったのは大きなショックだった。自分でもとても一生懸命頑張ったし、両親もとても協力的だった。それにしても父親は不思議だった。なぜルーシーはコンテストの最後に謝ったのだろう？　そんなことをする必要はなかったのに。後になってルーシーは、自分がなぜコンテストに勝てなかったのか父に尋ねた。彼は思いやりを込めて答えた、「私にとってはお前の絵は完璧だよ」。それから笑顔で付け加えた、「でも、たぶんお母さんに相談してみるといいよ。彼女の方が私より芸術を理解しているから」。

［第7段落］

母親は思慮深かった。娘の自尊心を傷つけることなくルーシーにアドバイスをしようとした。問3③ 「あなたの絵は上手だった」と彼女は娘に言った、「でも何かが欠けていたように思う。あなたは目に見えるものだけを描いていたように思うの。私が小説を翻訳するときには、意味をつかむだけでなく原文の心も捉えなくてはいけないの。そのために、言葉に隠れた意味も考える必要がある。たぶん絵を描くのも同じで、表面に見えない部分まで見る必要があるんじゃないかしら」。

［第8段落］

ルーシーは絵を描き続けたが、自分の絵に満足できない気持ちが残った。問2① 彼女には母親の言わんとしたことが理解できていなかった。目に見えるものを描くことの何がいけないの？　他にどうすればいいの？

［第9段落］

この頃、ルーシーはキャシーという女の子と友だちになった。2人は親友になり、ルーシーは彼女の優しさやユーモアあふれた人柄をとても好きになっていった。問5 キャシーはよく、冗談を言ったりバカなことを言ったり面白い顔をしたりして、ルーシーを笑わせた。ある日の午後、キャシーがあまりにも面白い顔の表情をしたので、ルーシーはそれを描かなければという気になった。「そのままでいて！」と笑いながらキャシーに言った。彼女は友人の表情をとても楽しんで急いで描いたので、自分が何をしているのかあまり考えてはいなかった。問3①

［第10段落］

ルーシーが3年後に美術大学に入ったとき、彼女はまだそのスケッチを持っていた。スケッチはキャシーを正確に捉えていた、面白い表情だけでなく、友だちの優しさとユーモアのセンス——表面に見えない部分にあるものまでも。問2③

あなたのワークシート：

1．ストーリーの題名

「芸術家になること」

2．ストーリーの登場人物

ルーシー：絵を描くのが大好き。

ルーシーの父：彼は 30 。

ルーシーの母：翻訳者でルーシーをサポートする。

キャシー：ルーシーの親友になる。

3．どんなストーリーか

ルーシーの芸術家としての成長：

31
↓
32
↓
33
↓
34

彼女の絵は 35 と 36 のおかげで上達する。

4．ストーリーの中で好きな部分

コンテストの結果が発表されたとき、ルーシーが「ああ、パパ、受賞できなくてごめんなさい」と言う。

これはルーシーが 37 ことを示している。

5．このストーリーを選んだ理由

私は声優になりたいと思っており、このストーリーは、自分が演じるキャラクターをよりリアルに見せるために、38 努力をすることの大切さを教えてくれました。

語句

［ストーリー］

［第1段落］

anticipation	名 期待
judge	名 審判、審査員
drawing	名 線描、スケッチ、絵を描くこと
screech	自 甲高い音を立てる
congratulation	名 (〜sで) おめでとう

［第2段落］

blaze	自 燃え上がる、かっとなる
embarrassment	名 恥ずかしさ
abruptly	副 急に、ふいに
glance at 〜	熟 〜をちらっと見る
disappointment	名 落胆、失望

［第3段落］

kindergarten	名 幼稚園
delighted	形 喜んだ

［第4段落］

translator	名 翻訳者
accurately	副 正確に
technique	名 テクニック、技巧

［第5段落］

artistic	形 美術の、芸術の
recognize 〜	他 〜を認める、〜を評価する

［第6段落］
failure 名 失敗、できないこと
supportive 形 協力的な
puzzled 形 困惑した、不思議に思った
apologize 自 謝る
competition 名 競技会、コンテスト
sympathetically 副 同情して、思いやりを込めて

［第7段落］
thoughtful 形 思慮のある、思いやりのある
self-esteem 名 自己評価、自尊心、自己肯定感
translate ～ 他 ～を翻訳する
capture ～ 他 ～を捉える、～をつかみ取る
spirit 名 主旨、真の意図
original 名 原本、原文
surface 名 表面、外面

［第8段落］
unsatisfied 形 満足できていない、不満な

［第9段落］
grow to (V) 熟 Vするようになる
appreciate ～ 他 ～を理解する、～を高く評価する
humorous 形 ユーモアのある
hold that pose 熟 そのまま動かずにいる
expression 名 表情

［第10段落］
odd 形 変な、おかしな

［ワークシート］
thanks to ～ 熟 ～のおかげで
voice actor 熟 声優

まずは❶**場面・状況のイメージ**です。リード文から、「英語で読むストーリーを選ぶように言われ、ワークシートを使って次のストーリーを紹介する」という場面です。次に❷**タイトルやメモの内容から全体像、問われそうなポイントを把握しましょう**)。タイトルとワークシートから、「芸術家になること」がテーマだとわかります。ストーリーの登場人物について、ストーリーの流れについて、ストーリーのお気に入りの部分について、このストーリーを選んだ理由について、それぞれに問題が設定されているようですね。では、1問ずつ見ていきましょう。

問1 正解① **問題レベル【普通】 配点 3点**

設問 30 **に最もふさわしい選択肢を選びなさい。**

選択肢
① ルーシーに絵を描くコツを教える
② ルーシーにたびたび彼の絵を描かせる
③ 週末はルーシーと一緒に絵を描いて過ごす
④ ルーシーに芸術家の仕事に就いてほしいと思っている

語句 tip 名 コツ、アドバイス

30 は、ワークシートの登場人物の中で、ルーシーの父親の説明として空所になっています。狙い読みができそうですね。「父親」とのストーリーが出てくるまで**段落ごとにまとめながら読んでいきます**（❸、❹）。第1段落ではルーシーが絵画コンテストで自分が賞をもらえると予想しワクワクしている様子が描かれており、第2段落で、賞をもらえるのが自分ではなかったことがわかり落胆します。後半で両親を気にしている様子が描かれています。そして第3段落では話が過去に戻ります。小さい頃に父親が似顔絵を喜んでくれたのがきっかけで絵を描くのが好きになったのですね。第4段落では両親も応援してくれている様子が描かれています。両親の詳細が出てきたのでここでこの**問題の選択肢を確認していきます**（❺）。① gives

Lucy some drawing tips、これが正解ですね。第4段落4文目に sometimes gave her advice とあります。advice が tips に**言い換え**られていました。② has Lucy make drawings of him often は have が使役動詞で「ルーシーに自分の絵を描かせる」ということですが、ルーシーは自発的に父親を描いていたので不正解です。③や④は本文に言及がないので不正解です。

問 2　正解 31 ④　32 ⑤　33 ①　34 ③

問題レベル【普通】　配点 3点（すべて正解で）

設　問　**5つの記述（①～⑤）から4つを選び、起こった順番に並べ替えなさい。**

31 → 32 → 33 → 34

選択肢
① 自分の絵に不満を感じるようになる。
② 自分の絵を誰にも見せないと決める。
③ 目だけでなく気持ちも使って描く。
④ プレゼントとして絵を描くことを楽しむ。
⑤ 自分の絵の才能を証明しようと頑張る。

語句

frustrated	形 不満な、いらいらした	have fun (V)ing	熟 Vするのを楽しむ
		talent	名 才能

時系列問題です。Lucy's growth as an artist「ルーシーの芸術家としての成長」の過程を整理していくのですね。選択肢を確認していく前に、第5段落以降も内容を確認しておきましょう。まず❹**段落ごとにまとめていきます**。第5段落では、力試しで自らコンテストに応募して毎日練習している様子が描かれていました。第6段落で、第1～2段落で述べられていたコンテストに負けてしまった時に話が戻ります。父親は謝られたことに困惑し、母親にアドバイスを求めるよう促します。第7段落では母親が翻訳家としての経験を活かして、「背後にあるものを描写することの大事さ」を教えてくれます。第8段落では、母親が言っていることが腑に落ちずもやもやするルーシーの様子が描かれています。第9段落では場面は変わり、友だちのキャシーが登場します。親友キャシーの性格（内面）が大好きで、その内面がよく現れた場面を絵にします。第10段落では3年後、そのキャシーの絵を大切にとっておいてあり、背後にあるものを捉えることができた様子が描かれていました。

それでは❺**問題を解いていきます**。空所は4つなのに対し選択肢が5つあるので要注意。空所の前後を確認して、選択肢を見ていきます。まず② She decides not to show anyone her drawings. はどこにも書かれていなかったので外します。②以外を、これまでの段落ごとの流れをふまえて順番を考えましょう。まず両親に絵を描いてあげるのを楽しみ（④）→コンテストに応募して努力し（⑤）→自分の絵にもやもやし（①）→見えるものだけでなく内側にあるものを描くことに成功（③）ですね。④→⑤→①→③が正解です。

Day 15

問3 正解①・③（順不同） **問題レベル【普通】 配点 3点**

設問 35 と 36 に最も ふさわしい２つの選択肢を選びなさい。（順不同）

選択肢 ① スケッチせずにいられなかった、ある友人
② 小説から受け取ったメッセージ
③ 母親から受けたアドバイス
④ 友だちを笑わせようとする試み
⑤ 家の中で絵を描いて過ごした週末

語句 can't help (V)ing 熟 Vせずにいられない　attempt 名 試み

⑤空所を含む文をしっかりと読んで解答しましょう。 Her drawing improves thanks to 35 and 36 . は「彼女の絵は 35 と 36 のおかげで上達する」です。上達のきっかけは母の助言と内面をつい描きたくなった友だちのキャシーでした。正解は①と③です。①はcan't help (V)ing は「ついVしてしまう」という表現が使われており、この訳ができなかった人は悩んだかもしれません。「動名詞」の項目で習う重要慣用表現です。共通テストではいわゆる「文法問題」は出ませんが、選択肢や問題文の重要な箇所で文法や慣用表現の知識が問われるので、その分野の学習も怠らないようにしましょう。

問4 正解④ **問題レベル【普通】 配点 3点**

設問 37 に最もふさわしい選択肢を選びなさい。

選択肢 ① 父親が期待していたほどは練習をしなかった
② コンテストに参加することを父親が喜ばないと知っていた
③ 父親のアドバイスに従わなければいけないと思っていた
④ 父親をがっかりさせたのではないかと心配していた

語句 disappoint ～ 他 ～をがっかりさせる

⑤空所を含む文をしっかりと読んで解答しましょう。 今回は主語がThis なので前文から確認します。When the result of the contest is announced, Lucy says, "Oh Daddy, I'm sorry I didn't win." This shows that Lucy 37 .「コンテストの結果が発表されたとき、ルーシーが『ああ、パパ、受賞できなくてごめんなさい』と言う。これはルーシーが 37 ことを示している」です。この"Oh Daddy, I'm sorry I didn't win."というセリフは第２段落最終文で登場します。前文 They had expected her to do well, especially her father.「両親は彼女が好結果を残すことを期待していたのだ、特に父親は」とあることから父親の期待を裏切ってしまったと思って出たセリフだとわかります。よって④が正解です。

問5　正解①　**問題レベル【やや難】　配点 3点**

設問　38 に最もふさわしい選択肢を選びなさい。

選択肢　① 人間をよりよく理解する
② 自分の気持ちをもっと深く分析する
③ 自分の周囲で起こっていることを正確に描写する
④ 状況に応じていろいろなテクニックを使う

語句
achieve ～　他 ～を達成する、～を獲得する
depending on ～　熟 ～によって、～に応じて
analyze ～　他 ～を分析する

まずは❺**空所を含む箇所を精読しましょう**。見出しに Why I chose this story とあるのでこの作品を選んだ理由が書かれている文だと予測します。Because I want to be a voice actor and this story taught me the importance「私は声優になりたいと思っており、このストーリーは私に重要性を教えてくれた」、とあり、何の重要性かというと、of trying to 38 to make the characters I play seem more real.「自分が演じるキャラクターをよりリアルに見せるために、38 努力をすること」とあります。空所後の to 以下が make + O + C「O を C にする」となっており、O は the characters I play、C は seem more real です。O の部分は元々 the characters (that) I play で関係代名詞が省略されており、それもあり make + O + C の構造に気付きにくくなっています。空所を含む文はまず精読力が問われていることが多いです。丁寧に正確に読みましょう。

このストーリーの主人公ルーシーに欠けていたのは、「正確さ」ではなく、「表面に見えない部分の描写」でした。それに気付いたのは親友キャシーを「描きたい」と衝動的に思った出来事です。どうしてそう気付けたのか、それは第9段落2文目に They became close friends and Lucy grew to appreciate her for her kindness and humorous personality.「2人は親友になり、ルーシーは彼女の優しさやユーモアあふれた人柄をとても好きになっていった」とあるように、相手への理解、愛情です。

選択肢を見ていくと、① achieve a better understanding of people がぴったりですね。このストーリーから、演者として「人間をよりよく理解する」努力をすることが重要だという教訓を得たのだと考えることができます。よって正解は①です。②のように my own feelings「自分自身の感情」を知ることや、③ accurately「正確に」描くこと、④ different techniques「様々なテクニック」を駆使すること、などは重要な要素として描かれていませんでした。

DAY 16

【物語文・伝記文読解問題】を攻略する「展開予測の型」

Day 15では「物語文・伝記文」を読むときの「視線の型」を身に付けてもらいました。今回は「物語文・伝記文」をスムーズに読んでいくための心構えとして「展開予測の型」を学習していきます。

「展開予測の型」のステップ

❶ 「視線の型」を使う

問題を解く際には、Day 15の「視線の型」が基本の型となります。p. 240で説明した型を確実にものにしておきましょう。

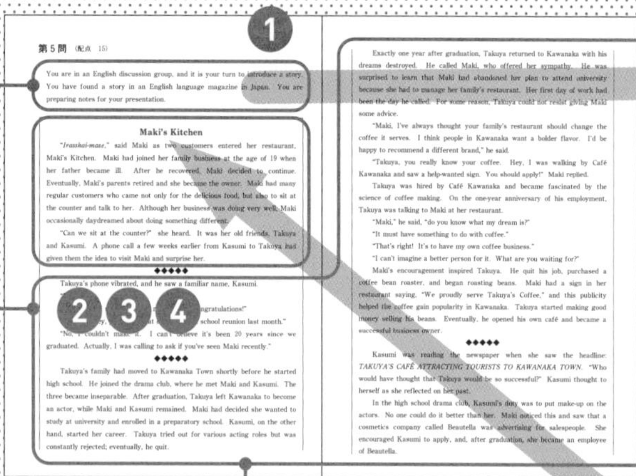

第5問 (配点 15)

You are in an English discussion group, and it is your turn to introduce a story. You have found a story in an English language magazine in Japan. You are preparing notes for your presentation.

Maki's Kitchen

"*Irasshai-mase*," said Maki as two customers entered her restaurant, Maki's Kitchen. Maki had joined her family business at the age of 19 when her father became ill. After he recovered, Maki decided to continue. Eventually, Maki's parents retired and she became the owner. Maki had many regular customers who came not only for the delicious food, but also to sit at the counter and talk to her. Although her business was doing very well, Maki occasionally daydreamed about doing something different.

"Can we sit at the counter?" she heard. It was her old friends, Takuya and Kasumi. A phone call a few weeks earlier from Kasumi to Takuya had given them the idea to visit Maki and surprise her.

◆◆◆◆◆

Takuya's phone vibrated, and he saw a familiar name, Kasumi.

[illegible] ngratulations!"

[illegible] school reunion last month."

"No, [illegible] couldn't make it. I can't [illegible] it's been 20 years since we graduated. Actually, I was calling to ask if you've seen Maki recently."

◆◆◆◆◆

Takuya's family had moved to Kawanaka Town shortly before he started high school. He joined the drama club, where he met Maki and Kasumi. The three became inseparable. After graduation, Takuya left Kawanaka to become an actor, while Maki and Kasumi remained. Maki had decided she wanted to study at university and enrolled in a preparatory school. Kasumi, on the other hand, started her career. Takuya tried out for various acting roles but was constantly rejected; eventually, he quit.

Exactly one year after graduation, Takuya returned to Kawanaka with his dreams destroyed. He called Maki, who offered her sympathy. He was surprised to learn that Maki had abandoned her plan to attend university because she had to manage her family's restaurant. Her first day of work had been the day he called. For some reason, Takuya could not resist giving Maki some advice.

"Maki, I've always thought your family's restaurant should change the coffee it serves. I think people in Kawanaka want a bolder flavor. I'd be happy to recommend a different brand," he said.

"Takuya, you really know your coffee. Hey, I was walking by Café Kawanaka and saw a help-wanted sign. You should apply!" Maki replied.

Takuya was hired by Café Kawanaka and became fascinated by the science of coffee making. On the one-year anniversary of his employment, Takuya was talking to Maki at her restaurant.

"Maki," he said, "do you know what my dream is?"

"It must have something to do with coffee."

"That's right! It's to have my own coffee business."

"I can't imagine a better person for it. What are you waiting for?"

Maki's encouragement inspired Takuya. He quit his job, purchased a coffee bean roaster, and began roasting beans. Maki had a sign in her restaurant saying, "We proudly serve Takuya's Coffee," and this publicity helped the coffee gain popularity in Kawanaka. Takuya started making good money selling his beans. Eventually, he opened his own café and became a successful business owner.

◆◆◆◆◆

Kasumi was reading the newspaper when she saw the headline: *TAKUYA'S CAFÉ ATTRACTING TOURISTS TO KAWANAKA TOWN*. "Who would have thought that Takuya would be so successful?" Kasumi thought to herself as she reflected on her past.

In the high school drama club, Kasumi's duty was to put make-up on the actors. No one could do it better than her. Maki noticed this and saw that a cosmetics company called Beautella was advertising for salespeople. She encouraged Kasumi to apply, and, after graduation, she became an employee of Beautella.

❷ 「展開予測の型」その1：場面をイメージし、ストーリーの世界観に没入する

試験中ですが、物語文・伝記文を読む時は「我を忘れて」ストーリーに熱中してください。特に第1段落が大事です。まず「どこ」でストーリーが起こっているのか、場所をイメージする必要があります。場所がイメージできたらいよいよその舞台で「人」が動き出します。

❸ 「展開予測の型」その2：言動をもとに登場人物をキャラづけしていく

最初は「誰？」って人のストーリーを読まされるのですから感情移入なんてできませんよね。「誰？」→「名前は知ってる」→「知り合い」→「友だち」と登場人物を一人一人昇華していかないと感情移入なんてできません。出てきた登場人物を深く知るために、一つ一つの言動を見逃さず追ってください。そしてキャラづけしていくのです。「この人自分と似てるかも」「あー私が苦手なタイプだ」などと顔や服装が浮かぶくらいイメージできるともうその登場人物とお友だちです。いよいよ展開予測ができる準備が整いました。

内容 2024年の第５問はかなりの長文で戸惑った受験生も多かったようです。しかし英文が長いことは本当に受験生にとってマイナスでしょうか。設問数も増えるなら大変ですが、設問数は変わらないままであれば、ふつうは英文が長ければ長いほど難易度調整のために設問自体は解きやすいものが多くなります。難しい設問が解けるようになるよりは、物語文・伝記文を読むスピードを上げる方がずっと簡単です。今回は長い物語文・伝記文でもすいすい読めるようになるための「展開予測の型」を身に付けましょう。

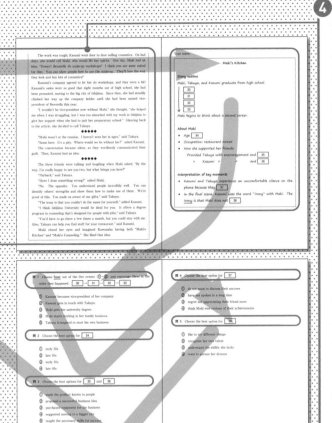

目標解答時間 15分

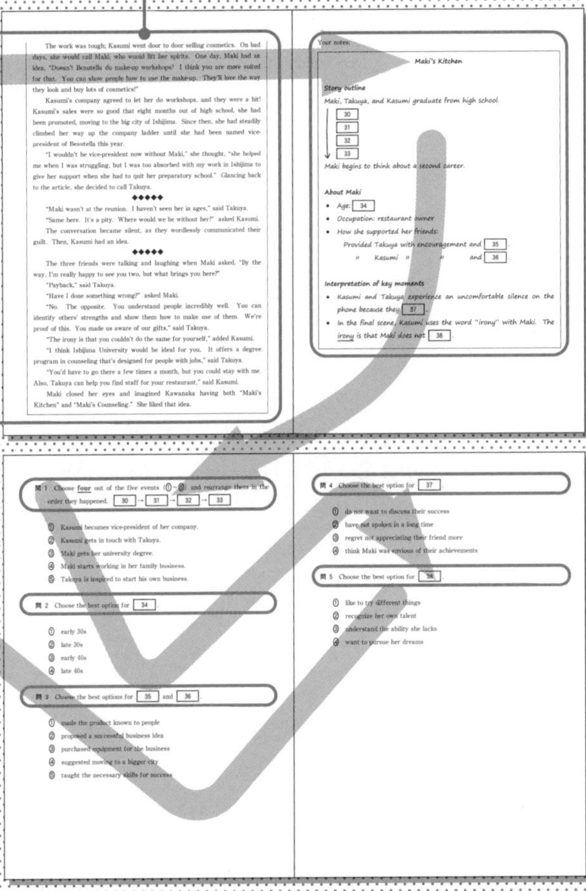

The work was tough; Kasumi went door to door selling cosmetics. On bad days, she would call Maki, who would lift her spirits. One day, Maki had an idea. "Doesn't Beautella do make-up workshops? I think you are more suited for that. You can show people how to use the make-up. They'll love the way they look and buy lots of cosmetics!"

Kasumi's company agreed to let her do workshops, and they were a hit! Kasumi's sales were so good that eight months out of high school, she had been promoted, moving to the big city of Ishijima. Since then, she had steadily climbed her way up the company ladder until she had been named vice-president of Beautella this year.

"I wouldn't be vice-president now without Maki," she thought, "she helped me when I was struggling, but I was too absorbed with my work in Ishijima to give her support when she had to quit her preparatory school." Glancing back to the article, she decided to call Takuya.

◆◆◆◆◆

"Maki wasn't at the reunion. I haven't seen her in ages," said Takuya.

"Same here. It's a pity. Where would we be without her?" asked Kasumi.

The conversation became silent, as they wordlessly communicated their guilt. Then, Kasumi had an idea.

◆◆◆◆◆

The three friends were talking and laughing when Maki asked, "By the way, I'm really happy to see you two, but what brings you here?"

"Payback," said Takuya.

"Have I done something wrong?" asked Maki.

"No. The opposite. You understand people incredibly well. You can identify others' strengths and show them how to make use of them. We're proof of this. You made us aware of our gifts," said Takuya.

"The irony is that you couldn't do the same for yourself," added Kasumi.

"I think Ishijima University would be ideal for you. It offers a degree program in counseling that's designed for people with jobs," said Takuya.

"You'd have to go there a few times a month, but you could stay with me. Also, Takuya can help you find staff for your restaurant," said Kasumi.

Maki closed her eyes and imagined Kawanaka having both "Maki's Kitchen" and "Maki's Counseling." She liked that idea.

Your notes:

Maki's Kitchen

Story outline

Maki, Takuya, and Kasumi graduate from high school.

↓ [30] [31] [32] [33]

Maki begins to think about a second career.

About Maki

- Age: [34]
- Occupation: restaurant owner
- How she supported her friends:
  Provided Takuya with encouragement and [35].
  〃 Kasumi 〃 〃 and [36].

Interpretation of key moments

- Kasumi and Takuya experience an uncomfortable silence on the phone because they [37].
- In the final scene, Kasumi uses the word "irony" with Maki. The irony is that Maki does not [38].

問 1 Choose **four** out of the five events (①～⑤) and rearrange them in the order they happened. [30] → [31] → [32] → [33]

① Kasumi becomes vice-president of her company.
② Kasumi gets in touch with Takuya.
③ Maki gets her university degree.
④ Maki starts working in her family business.
⑤ Takuya is inspired to start his own business.

問 2 Choose the best option for [34].

① early 30s
② late 30s
③ early 40s
④ late 40s

問 3 Choose the best options for [35] and [36].

① made the product known to people
② proposed a successful business idea
③ purchased equipment for the business
④ suggested moving to a bigger city
⑤ taught the necessary skills for success

問 4 Choose the best option for [37].

① do not want to discuss their success
② have not spoken in a long time
③ regret not appreciating their friend more
④ think Maki was envious of their achievements

問 5 Choose the best option for [38].

① like to try different things
② recognize her own talent
③ understand the ability she lacks
④ want to pursue her dreams

4

「展開予測の型」その３：展開を予測しながら読む

場面がイメージでき、登場人物のキャラづけが終わったら、あとは「どんなことが起きるのか」と予測しながら読んでいきましょう。物語文・伝記文に関していうと、「速読力は展開予測力」と言ってもいいです。予測が当たればもちろんスイスイ読めますし、たとえ外れたとしても「そうくるか！」と結局は前のめり状態が続きます。もちろん、展開予測力は根本的には自己の経験や読書体験に基づきます（例えば留学経験者の方が留学に関するストーリーは展開が予測しやすいですし、ミステリー小説をふだん読んでる人の方がミステリー系の展開の予測力は高いはずです）。共通テストではそのあたりの差が極力出ないようになってはいますが、展開予測力を高めるために、物語文・伝記文の過去問にはたくさん触れて慣れておきましょう。

では、この「並び替えの型」を意識しながら、次ページの問題に取り組みましょう！

第5問 (配点 15)

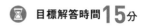

You are in an English discussion group, and it is your turn to introduce a story. You have found a story in an English language magazine in Japan. You are preparing notes for your presentation.

Maki's Kitchen

"*Irasshai-mase*," said Maki as two customers entered her restaurant, Maki's Kitchen. Maki had joined her family business at the age of 19 when her father became ill. After he recovered, Maki decided to continue. Eventually, Maki's parents retired and she became the owner. Maki had many regular customers who came not only for the delicious food, but also to sit at the counter and talk to her. Although her business was doing very well, Maki occasionally daydreamed about doing something different.

"Can we sit at the counter?" she heard. It was her old friends, Takuya and Kasumi. A phone call a few weeks earlier from Kasumi to Takuya had given them the idea to visit Maki and surprise her.

◆◆◆◆◆

Takuya's phone vibrated, and he saw a familiar name, Kasumi.

"Kasumi!"

"Hi Takuya, I saw you in the newspaper. Congratulations!"

"Thanks. Hey, you weren't at our 20th high school reunion last month."

"No, I couldn't make it. I can't believe it's been 20 years since we graduated. Actually, I was calling to ask if you've seen Maki recently."

◆◆◆◆◆

Takuya's family had moved to Kawanaka Town shortly before he started high school. He joined the drama club, where he met Maki and Kasumi. The three became inseparable. After graduation, Takuya left Kawanaka to become an actor, while Maki and Kasumi remained. Maki had decided she wanted to study at university and enrolled in a preparatory school. Kasumi, on the other hand, started her career. Takuya tried out for various acting roles but was constantly rejected; eventually, he quit.

Exactly one year after graduation, Takuya returned to Kawanaka with his dreams destroyed. He called Maki, who offered her sympathy. He was surprised to learn that Maki had abandoned her plan to attend university because she had to manage her family's restaurant. Her first day of work had been the day he called. For some reason, Takuya could not resist giving Maki some advice.

"Maki, I've always thought your family's restaurant should change the coffee it serves. I think people in Kawanaka want a bolder flavor. I'd be happy to recommend a different brand," he said.

"Takuya, you really know your coffee. Hey, I was walking by Café Kawanaka and saw a help-wanted sign. You should apply!" Maki replied.

Takuya was hired by Café Kawanaka and became fascinated by the science of coffee making. On the one-year anniversary of his employment, Takuya was talking to Maki at her restaurant.

"Maki," he said, "do you know what my dream is?"

"It must have something to do with coffee."

"That's right! It's to have my own coffee business."

"I can't imagine a better person for it. What are you waiting for?"

Maki's encouragement inspired Takuya. He quit his job, purchased a coffee bean roaster, and began roasting beans. Maki had a sign in her restaurant saying, "We proudly serve Takuya's Coffee," and this publicity helped the coffee gain popularity in Kawanaka. Takuya started making good money selling his beans. Eventually, he opened his own café and became a successful business owner.

◆◆◆◆◆

Kasumi was reading the newspaper when she saw the headline: *TAKUYA'S CAFÉ ATTRACTING TOURISTS TO KAWANAKA TOWN.* "Who would have thought that Takuya would be so successful?" Kasumi thought to herself as she reflected on her past.

In the high school drama club, Kasumi's duty was to put make-up on the actors. No one could do it better than her. Maki noticed this and saw that a cosmetics company called Beautella was advertising for salespeople. She encouraged Kasumi to apply, and, after graduation, she became an employee of Beautella.

The work was tough; Kasumi went door to door selling cosmetics. On bad days, she would call Maki, who would lift her spirits. One day, Maki had an idea, "Doesn't Beautella do make-up workshops? I think you are more suited for that. You can show people how to use the make-up. They'll love the way they look and buy lots of cosmetics!"

Kasumi's company agreed to let her do workshops, and they were a hit! Kasumi's sales were so good that eight months out of high school, she had been promoted, moving to the big city of Ishijima. Since then, she had steadily climbed her way up the company ladder until she had been named vice-president of Beautella this year.

"I wouldn't be vice-president now without Maki," she thought, "she helped me when I was struggling, but I was too absorbed with my work in Ishijima to give her support when she had to quit her preparatory school." Glancing back to the article, she decided to call Takuya.

◆◆◆◆◆

"Maki wasn't at the reunion. I haven't seen her in ages," said Takuya.

"Same here. It's a pity. Where would we be without her?" asked Kasumi.

The conversation became silent, as they wordlessly communicated their guilt. Then, Kasumi had an idea.

◆◆◆◆◆

The three friends were talking and laughing when Maki asked, "By the way, I'm really happy to see you two, but what brings you here?"

"Payback," said Takuya.

"Have I done something wrong?" asked Maki.

"No. The opposite. You understand people incredibly well. You can identify others' strengths and show them how to make use of them. We're proof of this. You made us aware of our gifts," said Takuya.

"The irony is that you couldn't do the same for yourself," added Kasumi.

"I think Ishijima University would be ideal for you. It offers a degree program in counseling that's designed for people with jobs," said Takuya.

"You'd have to go there a few times a month, but you could stay with me. Also, Takuya can help you find staff for your restaurant," said Kasumi.

Maki closed her eyes and imagined Kawanaka having both "Maki's Kitchen" and "Maki's Counseling." She liked that idea.

Your notes:

Maki's Kitchen

Story outline

Maki, Takuya, and Kasumi graduate from high school.

↓ 30
31
32
33

Maki begins to think about a second career.

About Maki

- Age: 34
- Occupation: restaurant owner
- How she supported her friends:

  Provided Takuya with encouragement and 35 .

  〃 Kasumi 〃 〃 and 36 .

Interpretation of key moments

- Kasumi and Takuya experience an uncomfortable silence on the phone because they 37 .
- In the final scene, Kasumi uses the word "irony" with Maki. The irony is that Maki does not 38 .

Day 16

問 1 Choose **four** out of the five events (①～⑤) and rearrange them in the order they happened. [30] → [31] → [32] → [33]

① Kasumi becomes vice-president of her company.

② Kasumi gets in touch with Takuya.

③ Maki gets her university degree.

④ Maki starts working in her family business.

⑤ Takuya is inspired to start his own business.

問 2 Choose the best option for [34].

① early 30s

② late 30s

③ early 40s

④ late 40s

問 3 Choose the best options for [35] and [36].

① made the product known to people

② proposed a successful business idea

③ purchased equipment for the business

④ suggested moving to a bigger city

⑤ taught the necessary skills for success

問 4 Choose the best option for [37].

① do not want to discuss their success
② have not spoken in a long time
③ regret not appreciating their friend more
④ think Maki was envious of their achievements

問 5 Choose the best option for [38].

① like to try different things
② recognize her own talent
③ understand the ability she lacks
④ want to pursue her dreams

Day 16

問 1－5

訳 あなたは英語ディスカッションのグループに入っていて、あなたが物語を紹介する番です。日本の英語雑誌で物語を見つけました。あなたは発表のためのメモを用意しています。

マキズ・キッチン

［区切り１］

「いらっしゃいませ」とマキは、彼女のレストラン「マキズ・キッチン」に客が２人入ってくると、言った。マキは、父親が病気になった19歳のときに家業に入った。問1④ 父親が元気になった後も、彼女は続けることにした。やがて、マキの両親は引退して彼女が経営者となった。マキには多くの常連客がいて、彼らはおいしい料理だけでなく、カウンターに座って彼女と話すことを目的に来ていた。店はとても繁盛していたが、マキは時折、違う何かをすることを夢想することがあった。

「カウンターに座ってもいいですか」という声が聞こえた。それは旧友のタクヤとカスミだった。数週間前のカスミからタクヤへの１本の電話問1②で、マキを訪ねて驚かせようというアイデアが浮かんだのだった。

［区切り２］

タクヤの電話が振動して、よく知るカスミの名前が目に入った。

「カスミ！」

「もしもし、タクヤ、新聞であなたのことを見たわよ。おめでとう！」

「ありがとう。そういえば、先月の高校卒業20周年の同窓会に来てなかったね問2-1」

「そうなの。都合がつかなくて。卒業してから20年もたったなんて信じられない。問2-2 実はね、最近マキに会ったかどうか聞こうと思って電話をしたんだけど」。

［区切り３］

タクヤの家族は、彼が高校に入る直前にカワナカ町に引っ越してきた。彼は演劇部に入り、そこでマキとカスミに出会った。３人は切っても切れない仲になった。卒業後、タクヤは俳優になるためカワナカを離れたが、マキとカスミは残った。マキは大学に進学したいと考えて予備校に通った。一方のカスミは働き始めた。タクヤはいろいろな役柄のオーディションを受けたが落ちてばかりで、結局辞めた。

卒業からちょうど１年後、タクヤは夢破れてカワナカに戻った。マキに電話をすると、彼女は同情を寄せてくれた。マキが家のレストランを経営しなければならなくなって大学進学の計画を諦めたと聞いて、彼は驚いた。彼が電話したのは彼女が仕事に就いた初日だったのだ。なんとなく、タクヤはマキにアドバイスせずにいられなかった。

「マキ、前々から僕は、君のところのレストランで出すコーヒーを変えた方がいいと思ってたんだ。カワナカの人たちはもっとしっかりした味を求めていると思う。よかったら違うブランドを紹介するよ」と彼は言った。

「タクヤ、あなたは本当にコーヒー通だものね。そういえば、カフェ・カワナカの前を通ったら求人広告が出てた。応募したらいいよ！」とマキは答えた。

タクヤはカフェ・カワナカに採用され、コーヒーの入れ方の科学に魅了されていった。彼の就職の1周年に、タクヤはマキのレストランで彼女と話していた。

「マキ、僕の夢が何かわかる？」と彼は言った。

「きっとコーヒー関係でしょうね」

「そのとおり！　自分のコーヒー店を持つことなんだ」

「あなた以上にそれが向いている人は考えられない。善は急げよ！」

マキの励ましがタクヤを奮起させた。問1⑤　彼は仕事を辞めて、コーヒー焙煎機を購入し、豆の焙煎を始めた。マキは「当店ではタクヤズ・コーヒーをお出ししているのが自慢です」と書いた貼り紙をレストランに掲げ、これが宣伝となってそのコーヒーはカワナカで人気を得た。問3①　タクヤは豆の売り上げで高収入を得るようになった。やがて、彼は自分のカフェを開き、成功したビジネス経営者となった。

[区切り4]

カスミは新聞を読んでいたときに、「タクヤズ・カフェがカワナカに観光客を呼び込む」という見出しを目にした。「タクヤがこんなに成功するなんて、誰が想像しただろう」とカスミは心の中で考えながら、自分の過去を振り返った。

高校の演劇部でのカスミの役目は、出演者にメイクをすることだった。彼女以上にうまくメイクができる人はいなかった。マキがそのことに気付き、ビューテラという化粧品会社が販売員の募集広告をしているのを見つけた。彼女はカスミに応募するよう勧め、卒業後、カスミはビューテラの社員になった。

仕事はきつかった。カスミは化粧品を売るために一軒一軒訪問した。うまくいかない日はよくマキに電話すると、彼女が元気づけてくれた。ある日、マキが思い付いた。「ビューテラではメイクのワークショップはやらないの？問3②-1　あなたはそっちの方が向いていると思う。メイクをどう使うかお客に見せるのよ。お客はメイクした自分が気に入って、化粧品をたくさん買うようになるわ！」

カスミの会社は彼女がワークショップを開くことに賛成し、それがヒットしたのだ！問3②-2　カスミの売り上げはとても良好だったため、高校卒業から8カ月で彼女は昇進し、大都市イシジマ市に異動した。それ以来、彼女は順調に出世の階段を上り、今年になってビューテラの副社長に任命されたのだった。問1①

「マキがいなかったら私は今、副社長になっていない」と彼女は考えた。「私が苦労しているときに彼女は助けてくれたのに、彼女が予備校をやめなければならなかったとき、私はイシジマでの仕事に夢中で彼女に手を貸せなかった」。もう一度記事に目をやって、彼女はタクヤに電話をすることにした。

[区切り5]

「マキは同窓会に来てなかった。もう長いこと会ってないよ」とタクヤは言った。

「私も同じ。残念だけど。彼女がいなかったら私たちどうなってたかしら？問4」とカスミは問いかけた。

会話は途切れ、彼らは無言のうちに自分たちの罪悪感を伝え合った。そして、カスミはあることを思いついた。

Day 16

［区切り6］

3人の友人たちは語り合い笑い合っていたが、そのときマキが尋ねた、「ところで、2人に会えてすごくうれしいんだけど、どういうわけでここに来たの？」

「お返しだよ」とタクヤが言った。

「私、何か悪いことしたっけ？」マキは聞いた。

「違う。その反対。君は人のことがものすごくよくわかる。他人の強みを見分けて、その活かし方を教えてくれる。僕たちがその証拠だ。君は僕たちに、自分の才能に気付かせてくれた 問5-1 」とタクヤが言った。

「皮肉なのは、あなたは同じことを自分自身にはできない 問5-2 」とカスミが付け加えた。

「イシジマ大学なら君にぴったりだと思う。仕事を持つ人向けに用意された、カウンセリングの学位プログラムがあるんだ」とタクヤが言った。

「月に数回、通学しなくてはいけないだろうけど、うちに泊まってくれればいい。それに、レストランのスタッフを探すのはタクヤが手伝ってくれる」とカスミが言った。

マキは目を閉じて、カワナカに「マキズ・キッチン」と「マキズ・カウンセリング」の両方があることを想像してみた。その考えは、気に入った。

あなたのメモ：

マキズ・キッチン

物語のあらすじ

マキ、タクヤ、カスミが高校を卒業

↓ 30

31

32

33

マキは第二のキャリアについて考え始める。

マキについて

- 年齢： 34
- 仕事：レストラン経営者
- どんなふうに友人たちをサポートしたか：
  - タクヤを励まして 35 。
  - カスミを 〃 36 。

重要な瞬間の解釈

- カスミとタクヤが電話で気まずい沈黙を感じるのは、彼らが 37 から。
- 最後の場面でカスミはマキについて「皮肉」という言葉を使う。その皮肉とは、マキが 38 ないということ。

語句

［物語］

［区切り１］

eventually	副	最終的に、やがて
occasionally	副	時折
daydream	自	白昼夢を見る、夢想する

［区切り２］

vibrate	自	振動する
congratulation	名	（〜sで）おめでとう
reunion	名	同窓会
make it	熟	都合がつく
graduate	自	卒業する

［区切り３］

inseparable	形	切り離せない
graduation	名	卒業
enroll	自	入学する
preparatory school	熟	予備校、進学塾
try out for 〜	熟	〜のオーディションを受ける
reject 〜	他	〜を断る、〜を不合格にする
quit	自	辞める
abandon 〜	他	〜を諦める
resist 〜	他	〜を我慢する
bold	形	はっきりした、強い
help-wanted sign	熟	求人広告
apply	自	申し込む、応募する
anniversary	名	記念日、周年
employment	名	雇用、就業
encouragement	名	励まし
inspire 〜	他	〜を鼓舞する
roaster	名	焙煎機
publicity	名	宣伝

［区切り４］

reflect on 〜	熟	〜を回顧する、〜を振り返る
cosmetics	名	化粧品
salespeople	名	販売員（単数の場合はsalesperson）
lift one's spirits	熟	〜を元気づける
be suited for 〜	熟	〜に向いている
promote 〜	他	〜を昇進させる
steadily	副	着実に
climb one's way up the company ladder	熟	会社で出世する
vice-president	名	副社長
struggle	自	苦労する
be absorbed with 〜	熟	〜に没頭している
glance	自	ちらりと目をやる

［区切り５］

in ages	熟	長い間
pity	名	残念なこと
wordlessly	副	無言で
guilt	名	罪悪感

［区切り６］

payback	名	お返し
incredibly	副	信じられないほど、ものすごく
identify 〜	他	〜を特定する
strength	名	強み、長所
make use of 〜	熟	〜を活用する
gift	名	才能
irony	名	皮肉
ideal	形	理想的な、申し分ない
degree	名	学位
stay with 〜	熟	〜の所に滞在する

［メモ］

outline	名	概要、あらすじ
occupation	名	職業
interpretation	名	説明、解釈

まずは❶**視線の型で場面・状況のイメージ**です。リード文とタイトルに目を通し、メモにもざっと目を通しておくとポイントがわかっていいでしょう。例えば「About Maki」のAge「年齢」のところが問題になっているのがわかっていると、最初から年齢に関係ありそうな文にチェックを入れながら読むことができますね。ただし、あまりここで深く分析に入るのは時間の無駄です。物語文・伝記文は結局は全部読み通す必要があるので、ざっと確認したらさっさと内容に入っていきましょう。では、１問ずつ見ていきましょう。

問1　正解 30 ④　31 ⑤　32 ①　33 ②

問題レベル【難】　配点 3点（すべて正解で）

設問 **5つの出来事（①〜⑤）から4つを選び、起こった順番に並べ替えなさい。**

30 → 31 → 32 → 33

選択肢 ① カスミが会社の副社長になる。　② カスミがタクヤに連絡を取る。

③ マキが大学の学位を取る。　④ マキが家業で働き始める。

⑤ タクヤが自分の事業を始めようと奮起する。

語句 get in touch with 〜　熟 〜と連絡を取る

最初の2段落を使って展開予測の型を実践してみましょう。まず第1段落では、マキがレストランで働いている様子が書かれていました（❷）。父親が病気になって家業のレストランを19歳で引き継いだとあるので、家族思い、若い頃から苦労していそう、などどんどんマキのキャラが出来上がっていきます（❸）。5文目 Maki had many regular customers who came not only for the delicious food, but also to sit at the counter and talk to her.「マキには多くの常連客がいて、彼らはおいしい料理だけでなく、カウンターに座って彼女と話すことを目的に来ていた」から、お客に好かれる接客ができており、経営もうまくいっていることがわかります。しかし最終文 Although her business was doing very well, Maki occasionally daydreamed about doing something different.「店はとても繁盛していたが、マキは時折、違う何かをすることを夢想することがあった」より、マキは何か物足りない感情も抱いているようですね。

ここまで読んで次の展開や結末は予測できるでしょうか（❹）。なんとなく「何か起こりそうな予感」がしますでしょうか。マキが突然「辞める」と言い出す！？　いやいやすでに固定客がついているようですし、マキはそんな突飛なことをする人ではなさそうですかね？　それとも「お客さんつながりで何か大きな仕事に発展する！？」ありえるかもしれませんね。すごいお金持ちがお客さんとして来ていてレストランをチェーン展開…！…妄想し過ぎですかね！？　ここまでやる必要はないのですが、具体的に書くとこんな感じです。文字にするとだいぶ時間を使っている感じはしますが実質1秒〜2秒です。頭をよぎるだけで十分なので展開予測をし過ぎて時間のロスになることのないよう気を付けましょう。

第2段落に入ると旧友のタクヤとカスミがお店に入ってきますね。数週間前にカスミからタクヤに電話で提案されたサプライズのようです。常連のお客さんは全く関係なさそうだな、と展開予測のキーパーソンをタクヤとカスミにシフトします。そして場面が変わって、

タクヤとカスミの電話の内容

→回想シーン①タクヤとマキ

→回想シーン②カスミとマキ

と話が展開していきます。登場人物のキャラ、誰と誰が会話しているのか、時系列はどうなっているのか、などを見失わないよう、このように展開予測をしながら読み進めていってください。

さて、読み通したという前提で問1の解説をしていきます。5つ中4つ選ぶ問題なので、使わない選択肢が1つ入っていることに注意しましょう。まず① Kasumi becomes vice-president of her company.「カスミが会社の副社長になる」は「区切り4」のあとの第4段

落最終文 she had been named vice-president of Beautella this year「今年になってビューテラの副社長に任命されたのだった」より「今年」のことです。② Kasumi gets in touch with Takuya.「カスミがタクヤに連絡を取る」は、先ほど見た「区切り１」の第２段落３文目 A phone call a few weeks earlier from Kasumi to Takuya「数週間前のカスミからタクヤへの１本の電話」で「数週間前」ですが、カスミがタクヤに電話をしたのは、「区切り４」のあとの第５段落にあるように、カスミが「マキがいなかったら私は今、副社長になっていない」と考えて she decided to call Takuya「タクヤに電話をすることにした」とあることから、①→②の順だとわかります。

次に③ Maki gets her university degree.「マキが大学の学位を取る」は、「区切り３」の第２段落３文目 He was surprised to learn that Maki had abandoned her plan to attend university because she had to manage her family's restaurant.「マキが家のレストランを経営しなければならなくなって大学進学の計画を諦めたと聞いて、彼は驚いた」とあるように、マキは大学に進学していません。よって③は使用しない選択肢です。④ Maki starts working in her family business.「マキが家業で働き始める」は、先ほど見た「区切り１」の第１段落２文目 Maki had joined her family business at the age of 19「マキは19歳のときに家業に入った」より「19歳」のことです。また、「区切り３」の第２段落１文目 Exactly one year after graduation, Takuya returned to Kawanaka with his dreams destroyed. He called Maki,「卒業からちょうど１年後、タクヤは夢破れてカワナカに戻った。マキに電話をすると」とあり、その２文あとに Her first day of work had been the day he called.「彼が電話したのは彼女が仕事に就いた初日だったのだ」とあることから、マキが19歳で家業に入ったのは卒業のちょうど１年後だとわかります。

そして⑤ Takuya is inspired to start his own business.「タクヤが自分の事業を始めようと奮起する」は、「区切り３」のあとの前半でタクヤがマキの勧めでカフェに就職し、同じ区切りの第５段落２文目 On the one-year anniversary of his employment, Takuya was talking to Maki at her restaurant.「彼の就職の１周年に、タクヤはマキのレストランで彼女と話していた」とあることから、さらに１年後、つまり卒業から２年が経過してマキと話していたらまた背中を押され、Maki's encouragement inspired Takuya.「マキの励ましがタクヤを奮起させた。」（「区切り３」最終段落１文目）ということになります。その後タクヤは仕事を辞めてビジネスを始めているので、ここが選択肢⑤の該当箇所ですね。④→⑤だとわかります。高校卒業後に④→⑤、卒業の20年後に①→②なので、④→⑤→①→②が正解です。

なお、ここでは解説のために「いつのことです」という説明をしましたが、**今回は「物語の流れ」がつかめていれば細かい時期を追っていかなくても解ける**問題でした。2024年度は追試験（の第５問の時系列を問う問題）も同様に、流れがつかめていれば後追いせずに解ける問題でした。**「本文の該当箇所を探し出して時の表現をチェック」なんていう面倒な作業はできるだけ避けたい**ですよね。時系列に起こった出来事を並べ替える問題は、物語の流れを追っていけば戻り読みしなくても解けるかもしれません。ここがサクっと解けると他の問題に時間をかけられます。物語文を速く正確に読みこなせるよう「展開予測の型」を訓練していきましょう。

問2 正解② 問題レベル【普通】 配点 3点

設問 [34] に最もふさわしい選択肢を選びなさい。

選択肢 ① 30代前半 ② 30代後半 ③ 40代前半 ④ 40代後半

❶**視線の型**でマキの年齢が問われることが最初にわかっていれば解きやすかったと思います。「区切り2」の後のタクヤとカスミの会話の中でHey, you weren't at our 20th high school reunion last month.「そういえば、先月の高校卒業20周年の同窓会に来てなかったね」、I can't believe it's been 20 years since we graduated.「卒業してから20年もたったなんて信じられない」とあり、高校を卒業して20年が過ぎていることがわかります。これは「数週間前」の会話なので最近です。問1で見たように、マキは高校卒業後1年で家業を始めたときに19歳だったので、18歳で高校を卒業しており、その20年後なので現在は38歳くらいであることがわかります。よって正解は②の「30代後半」です。

問3 正解 [35] ① [36] ② 問題レベル【普通】 配点 3点（すべて正解で）

設問 [35] と [36] に最もふさわしい選択肢を選びなさい。

選択肢 ① その製品が人々に知られるようにした
② 成功するビジネスのアイデアを提案した
③ ビジネスのための設備を購入した
④ もっと大きい都市に引っ越すよう提案した
⑤ 成功のために必要なスキルを教えた

語句 equipment 名 機器、設備

❶**視線の型**で小見出しのHow she supported her friends「どんなふうに友人たちをサポートしたか」だけでもつかんでいると答えの場所がわかりやすかったかもしれませんが、物語のコアとなる部分なので、ここを先読みしていなくても、英文がちゃんと読めていれば記憶に残っている内容だったはずです。[35] は「区切り3」最終段落3文目Maki had a sign in her restaurant saying, "We proudly serve Takuya's Coffee," and this publicity helped the coffee gain popularity in Kawanaka.「マキは『当店ではタクヤズ・コーヒーをお出ししているのが自慢です』と書いた貼り紙をレストランに掲げ、これが宣伝となってそのコーヒーはカワナカで人気を得た」より、マキはタクヤの製品の宣伝をしているので①が正解です。[36] は「区切り4」の第3段落3文目でマキがDoesn't Beautella do make-up workshops?「ビューテラではメイクのワークショップはやらないの？」と提案しており、その後第4段落1文目にKasumi's company agreed to let her do workshops, and they were a hit!「カスミの会社は彼女がワークショップを開くことに賛成し、それがヒットしたのだ！」とあるように、マキはカスミにビジネスのアイデアを提案しているので②が正解です。

問4 正解③ 問題レベル【やや難】 配点 3点

設問 [37] に最もふさわしい選択肢を選びなさい。

選択肢 ① 自分たちの成功について話したくない
② 長い間、話をしていなかった

③ 自分たちの友人にもっと感謝しなかったことを後悔している
④ マキが自分たちの業績をねたんでいたと思っている

語句
regret ～ 他 ～を後悔する　envious 形 うらやましがって
appreciate ～ 他 ～を感謝する　achievement 名 達成（したこと）、業績

❶**視線の型**でまずは空所を含む文を読んでいきます。Kasumi and Takuya experience an uncomfortable silence on the phone because they **37** .「カスミとタクヤが電話で気まずい沈黙を感じるのは、彼らが **37** から」ですね。電話での気まずい沈黙は「区切り５」の３文目 The conversation became silent, as they wordlessly communicated their guilt.「会話は途切れ、彼らは無言のうちに自分たちの罪悪感を伝え合った」に該当箇所があります。as以下で沈黙になった理由ともとれる内容が書かれていますね。「無言で罪悪感を伝えた」のです。ここでの「罪悪感」とは何でしょうか。それはこの直前のカスミのセリフ、Where would we be without her?「彼女がいなかったら私たちどうなってたかしら？」から、マキへの恩を返せていないことに対する罪悪感ではないかとわかります。選択肢を見ると③ regret not appreciating their friend more「自分たちの友人にもっと感謝しなかったことを後悔している」がぴったりですね。正解は③です。② have not spoken in a long time「長い間、話をしていなかった」に関連したセリフもここの会話に出てきていますが、ふつう長年話をしていないことを理由に「罪悪感」は生まれないので、ここではマキにアドバイスをもらって自分たちだけ成功して、マキにずっと会っていない（＝恩に報いていない）ことからくる罪悪感だと考えます。

問5　正解② 　**問題レベル【やや難】　配点 3点**

設　問 **38** **に最もふさわしい選択肢を選びなさい。**

選択肢
① いろいろなことを試すのが好きでは　② 自分の才能を理解してい
③ 自分に足りない能力をわかってい　④ 自分の夢を追いかけたがら

❶視線の型でまずは空所を含む文を読んでいきます。In the final scene, Kasumi uses the word “irony” with Maki. The irony is that Maki does not **38** .「最後の場面でカスミはマキについて「皮肉」という言葉を使う。その皮肉とは、マキが **38** ないということ」ですね。本文のThe ironyを含む文は、「区切り６」のカスミのセリフにThe irony is that you couldn't do the same for yourself「皮肉なのは、あなたは同じことを自分自身にはできない」とあります。同じこと、とは「何と」同じことなのでしょうか。直前のタクヤのセリフにYou made us aware of our gifts「君は僕たちに、自分の才能に気付かせてくれた」とあることから「才能に気付くこと」だとわかりますね。選択肢② recognize her own talentを入れるとMaki does not recognize her own talent「マキは自分の才能を理解していない」となり、ぴったりです。③を選んでしまった人はunderstand the abilityで選んでしまったのかもしれませんが、the ability she lacksは「彼女に足りない能力」ということで要は短所ということです。これを当てはめると「自分の短所をわかっていない」という意味になるので真逆で×です。

Day 16

第5問 (配点　15)

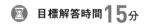

In your English class, you have been assigned to read a personal essay written by a graduate of your university. You will give a presentation about it using notes.

Everlasting Journey

Sugiyama Keita

I was restless throughout the seven-hour flight. Soon after turning 20 years old, I had decided to travel to a foreign country for the first time. Next to me was my good friend Shinji, eagerly gazing out the window. I had asked him to be my travel companion because he was always willing to listen to others and consider their ideas. He had agreed with me that we would not arrange detailed travel plans before leaving Japan, but rather experience the thrill of choosing what to do each day while we were in the country. I was sure that this experience would help me grow as a person, and my heart felt like it might burst with anticipation!

At the exit of the airport terminal, we had no idea how to get transportation into the city. Then, a Japanese traveler spoke to us. He told us the best way to get there and gave us a lot of useful travel advice. We thanked him. “Instead of just thanking me, be kind to other travelers,” he said. Nodding, we acknowledged his request and said goodbye.

The next day, we visited some places. I left everything up to Shinji. Thanks to him, we had little trouble getting to our destinations. We enjoyed the morning, visiting some fascinating museums. In the afternoon, though, trouble struck. I realized I had left my travel pouch somewhere, and I was in a panic. Shinji, however, calmly urged me to think carefully about what we had done and we decided to go back to the restaurant where we had lunch. There, the staff was waiting for us with my pouch! I was impressed by how Shinji took the initiative to resolve the situation. Our last destination was a temple, which was famous for its statue of a mysterious Buddha. The Buddha looked angry from one angle, but seemed to be laughing from another. I felt uneasy because I could not understand the emotions it was supposed to show.

The following day, we decided to go to a waterfall. After a 30-minute walk from the nearest station, we were almost there, but the map was hard to understand and we were confused. Although we had to ask for directions, I enjoyed interacting with the locals. Shinji, on the contrary, spoke less and less. Before the trip, I did not think Shinji could be irritable. I had no idea how to handle the suddenly annoyed Shinji and tried to make myself believe that time would improve the situation. Coming back to the guest house, Shinji suggested that we spend the next day apart. I felt a little hurt but accepted it.

The next day, I visited the ruins of an ancient kingdom outside the city. I managed to take the bus there. While I was waiting for the bus to go back, I saw another traveler asking locals about which bus he should take. He seemed frustrated that he could not communicate with them. After some hesitation, I asked him if I could help and we figured it out together. "You were very kind to help me," he said. "Not really," I replied, and then I told him the story about the traveler that had assisted Shinji and me. After my story, he said, "But, it was you who decided to help me. Sometimes when we find ourselves in challenging circumstances, we can discover a part of ourselves we didn't know existed."

That night, over dinner, Shinji told me he had visited six places. It made me feel a little down because I was only able to visit two places; I had really poor planning skills. I felt better, however, after Shinji, sensing my disappointment, showed his empathy and said, "I was only able to stay at each place for a short time because I felt bored being alone. I would've had more fun with a friend."

A few hours before our departure for Japan, I stopped in a souvenir shop to get something for myself. After looking through a variety of goods, I found myself buying a little figure of the Buddha I had seen on the second day. Its face did not bother me that much; in fact, I thought it symbolized my trip.

Looking back on this trip one year later, I can say that I did not experience the great personal changes I thought would happen. But this trip did cause one change: my friendship with Shinji has become stronger even though we sometimes have disagreements. This is because I learned to look at Shinji the same way I looked at the figure of the Buddha. Thus, if I continue to find lessons from my traveling experiences, and apply them to my life, I will someday become closer to being the kind of person I want to be. My journey is just beginning.

Your notes:

Everlasting Journey

1. Story setting

Keita reflects on going to a foreign country with his friend, Shinji.

2. Keita's character

He [30], but [31].

3. How Keita describes Shinji throughout the story

↓
[32]
[33]
[34]
[35]

4. Interesting scenes

◇ Scene 1: Keita helped a traveler. This shows that he [36].

◇ Scene 2: Keita bought the figure for himself. This implies that he [37].

5. What Keita learns after his trip

[38]

問 1 Choose the best options for [30] and [31]. (The order does not matter.)

① can be at a loss in difficult situations
② likes to plan and act individually
③ refuses to talk with other people
④ welcomes adventurous experiences
⑤ willingly helps local people

問 2 Choose **four** out of the five descriptions (①～⑤) and put them in the correct order. [32] → [33] → [34] → [35]

① Displays his negative emotions
② Gets angry at what others say to him
③ Is reliable and shows leadership
④ Relates to the feelings of others to cheer them up
⑤ Respects the opinions of people around him

問 3 Choose the best option for [36].

① had improved at reading maps
② remembered the promise he had made
③ tried to change his bad memory into a good one
④ wanted to communicate with foreign people

問 4 Choose the best option for [37].

① tried to change his relationship with his friend
② wanted to remember what he did in the temple
③ was starting to accept different sides of a person
④ was thinking of visiting the country again

問 5 Choose the best option for [38].

① Imagining our ideal self is helpful for traveling.
② It is important to find a good travel companion.
③ Personal development can happen through travel.
④ Traveling can help us become better at planning.

問 1－5

訳 英語の授業で、大学の卒業生が書いた個人エッセーを読む課題が出ました。あなたはメモを使いながら、それについてプレゼンテーションをします。

どこまでも続く旅

スギヤマ・ケイタ

[第１段落]

７時間のフライト中、僕はずっとそわそわしていた。20歳になってすぐ、僕は初の海外旅行をすることにしたのだ。僕の隣には仲のいい友だちのシンジがいて、熱心に窓の外を眺めていた。僕が彼を旅の同行者に誘ったのは、彼がいつも人の話を聞いてその人の考えを考慮してくれるからだった。問２⑤ 日本を出る前には詳しい旅行の計画を決めず、その国にいる間に毎日何をするか決めるスリルを楽しもうという僕の提案に、彼は賛成してくれた。問１④ きっとこの経験が自分を人間として成長させてくれるはずだと思い、僕の心臓は期待ではちきれそうだった！

[第２段落]

空港のターミナル出口で、僕たちは市内に向かう交通機関をどう利用したらいいのかわからなかった。すると、日本人旅行者が話しかけてきた。彼は市内に行くための一番いい方法を教えてくれて、役に立つ旅のアドバイスをたくさんしてくれた。僕たちはその人にお礼を言った。「僕に感謝するだけでなく、他の旅行者に親切にしてね」と彼は言った。問３-２ うなずきながら彼の頼みを承知して、僕たちは別れを告げた。

[第３段落]

翌日、僕たちはいくつかの場所を訪れた。僕はすべてをシンジに任せていた。彼のおかげで、ほとんど問題なく目的地に着くことができた。問２③-１ 午前中は興味深い博物館をいくつか見学して楽しんだ。だが、午後になってトラブルに見舞われた。僕が旅行ポーチをどこかに置き忘れたことに気付き、パニックになったのだ。問１① けれど、シンジは静かに、自分たちの行動を注意深く思い出すよう僕に促した。そして僕たちはランチを食べたレストランに戻ることにした。そこでは、スタッフが僕のポーチを預かって待っていてくれた！ シンジが率先して事態を解決してくれた様子に、僕は感心した。問２③-２ 最後の目的地は寺院だったが、そこはミステリアスな仏像で有名だった。仏像は、ある角度からは怒っているように見えるけれど、別の角度からは笑っているように見えるのだ。それがどういう感情を示しているつもりなのか理解できないせいで、僕は落ち着かない気持ちになった。問４-１

[第４段落]

翌日、僕たちは滝に行くことにした。最寄り駅から30分歩いて、もうすぐ着くというのに、地図がわかりにくくて僕たちは困っていた。道を尋ねる必要はあったが、僕は地元の人とのやりとりを楽しんだ。それに対してシンジは、口数がどんどん少なくなっていった。問2① 旅に出る前は、シンジが怒りっぽくなることがあるなんて思ってもいなかった。僕は、急に不機嫌になったシンジをどう扱っていいかわからず、時間がたてば状況が改善するだろうと自分に言い聞かせた。ゲストハウスに戻ると、シンジが翌日は別々に過ごそうと提案してきた。僕は少し傷ついたが、それを了承した。

[第5段落]

翌日、僕は市外にある古代の王国の遺跡を訪れた。そこへ行くバスにはどうにか乗れた。帰りのバスを待っていると、別の旅行者がどのバスに乗ればいいのか地元の人に聞いているのを見かけた。コミュニケーションが取れずイライラしている様子だった。少しためらった後、僕で助けになれそうか尋ねて、一緒に問題を解決した。「助けてくれて本当にありがとう」と彼は言った。「どういたしまして」と僕は答え、それから、シンジと僕を助けてくれた旅行者の話をした。問3-1 僕の話が終わると、彼は言った、「でも、私に手を貸そうと決めたのはあなたですよ。時に、難しい状況に置かれていると、自分の中に、自分でも存在するとは思っていなかった部分を発見することがありますね」。

[第6段落]

その晩、夕食のときに、シンジは自分が6カ所に行ったと話した。僕は2カ所しか行けなかったので、それを聞いて少し落ち込んだ：僕は本当に計画性がないのだ。けれども、僕の落胆を感じ取ったシンジが共感を示しながらこう言うと、僕の気分は良くなった、問2④ 「それぞれの場所には少しの時間しかいられなかったんだよ、だって一人じゃつまらなかったから。友だちと一緒だったら、もっと楽しかっただろうな」。

[第7段落]

日本へ出発する数時間前、僕は自分のために何か買おうと土産物店に立ち寄った。いろいろな品物をざっと見た後、気付くと僕は二日目に見た仏像のミニチュアを買っていた。その顔を見てもそれほど気にはならなかった。それどころか、僕の旅を象徴しているように思えた。問4-2

[第8段落]

1年後にこの旅を振り返ると、自分が思っていたほど大きく人間的な変化を遂げたわけではないと言える。が、この旅は一つの変化を確かにもたらした。時々意見の相違はあっても、シンジとの友情が深まったのだ。この理由は、僕があの仏像を見るのと同じようにシンジを見られるようになったからだ。だから、もし旅の経験から教訓を見いだして人生に当てはめていくことを続けていけば、いつかは自分がなりたい人間に近付いていけるだろう。僕の旅はまだ始まったばかりだ。問5

Day 16

あなたのメモ：

どこまでも続く旅

1．ストーリー設定

ケイタは友人のシンジと一緒に外国へ行ったことを回想する

2．ケイタの性格

彼は [30] けれども、[31] 。

3．ストーリーを通じてケイタはシンジをどのように描いているか

[32]
↓
[33]
↓
[34]
↓
[35]

4．興味深い場面

場面１：ケイタが旅行者を助けた。このことは彼が [36] ことを示す。

場面２：ケイタが自分用に像を買った。これは彼が [37] ことを暗示している。

5．ケイタが旅の後で学んだこと

[38]

語句

［リード文］

assign ～	他 ～に課す
graduate	名 卒業生
presentation	名 プレゼンテーション、発表

［エッセー］

everlasting	形 永遠に続く

［第１段落］

restless	形 落ち着きのない、そわそわした
eagerly	副 熱心に
gaze	自 凝視する、見つめる
companion	名 連れ、同行者
consider ～	他 ～を考慮する、～を思いやる
burst	自 破裂する
anticipation	名 期待

［第２段落］

have no idea	熟 まったくわからない
transportation	名 交通手段
acknowledge ～	他 ～を認める、～に同意する

［第３段落］

leave A up to B	熟 AをBに任せる
thanks to ～	熟 ～のおかげで
have little trouble (V)ing	熟 Vするのにほとんど苦労しない、難なくVできる
destination	名 目的地
fascinating	形 興味をそそる、魅力的な
pouch	名 ポーチ、小さなバッグ
urge ～	他 ～に促す、～に強く勧める
impress ～	他 ～を感心させる
initiative	名 率先すること、自主性
resolve ～	他 ～を解決する

［第３段落］	
statue	名 像
Buddha	名 仏陀、仏
uneasy	形 落ち着かない、不安な
emotion	名 感情
be supposed to (V)	熟 Vすることになっている、Vするはずである
［第４段落］	
waterfall	名 滝
confused	形 混乱した、まごついた
interact with ～	熟 ～と交流する
local	名 地元の人
on the contrary	熟 対照的に、それとは逆に
irritable	形 怒りっぽい
annoyed	形 イライラした、腹を立てた
make oneself believe that SV	熟 SVだと自分に信じさせる、SVなはずだと自分に言い聞かせる
［第５段落］	
ruin	名 廃墟、遺跡
ancient	形 古代の
frustrated	形 不満な、イライラした
hesitation	名 ためらい
figure ～ out	熟 ～（答えなど）を見つけ出す
challenging	形 難易度の高い、大変な
circumstance	名 （～sで）状況
［第６段落］	
sense ～	他 ～を感じ取る
disappointment	名 落胆
empathy	名 同情、共感
［第７段落］	
departure	名 出発
souvenir	名 土産物
look through ～	熟 ～に目を通す
figure	名 肖像、彫像
bother ～	他 ～を悩ませる
in fact	熟 実際はそうではなく、それどころか
symbolize ～	他 ～を象徴する
［第８段落］	
look back on ～	熟 ～を振り返る
disagreement	名 意見の違い、論争
thus	副 それゆえ、だから
lesson	名 教訓
apply A to B	熟 AをBに当てはめる
［メモ］	
reflect on ～	熟 ～を回顧する
imply ～	他 ～を暗に伝える、～という意味を含む

まずは❶**視線の型で場面・状況のイメージ**です。タイトルの Everlasting Journey は難しかったかもしれませんが、「ずっと（ever）続く（lasting）旅（journey）」という意味です。メモにもざっと目を通しておくとポイントがわかっていいでしょう。例えば３つ目の How Keita describes Shinji throughout the story「ストーリーを通じてケイタはシンジをどのように描いているか」が目に入って入ればケイタのシンジに対する描写にチェックを入れながら読めて問２が解きやすかったと思います。では、１問ずつ見ていきましょう。

問1 正解①・④（順不同） **問題レベル【普通】 配点 3点（すべて正解で）**

設問 **[30]と[31]に最も ふさわしい選択肢を選びなさい。（順不同）**

選択肢 ① 難しい状況で途方に暮れることがある

② 個別に計画し行動することを好む

③ 他人と話すことを嫌がる

④ 冒険的な経験を歓迎する

⑤ 進んで地元の人たちに手を貸す

語句

at a loss	熟 途方に暮れて	adventurous	形 冒険的な、大胆な
individually	副 個別に、個人個人で	willingly	副 進んで、積極的に
refuse ～	他 ～を嫌がる、～を拒む		

最初の段落を使って展開予測の型を実践してみましょう。まず第1段落では主人公のケイタが初めて海外旅行をする様子が書かれていました（❷）。友だちのシンジと一緒です。誘ったのはケイタで、シンジを誘った理由は、4文目後半 because he was always willing to listen to others and consider their ideas.「彼がいつも人の話を聞いてその人の考えを考慮してくれるからだった」、つまりシンジが「人の話を聞いて合わせてくれる」からだということです。この理由から色々なことが予想できますね。シンジはやさしそう、あまり自己主張が強いタイプではなさそう、ということや、逆にケイタはそんなシンジを心地よく思っており、いつもこうやってケイタがシンジを振り回しているだろうな、などと二人の関係性が見えてきます。キャラが出来上がっていきますね（❸）。5文目 He had agreed with me that we would not arrange detailed travel plans before leaving Japan, but rather experience the thrill of choosing what to do each day while we were in the country.「日本を出る前には詳しい旅行の計画を決めず、その国にいる間に毎日何をするか決めるスリルを楽しもうという僕の提案に、彼は賛成してくれた」という流れでキャラづけがより強固になります。ケイタの一方的な楽しみ方にシンジは付き合ってくれています。そして第1段落の最後でケイタのワクワクが頂点に達しています。ワクワクの内容は「シンジと旅を楽しみたい！」ではなく「この旅を通して成長したい！」です。ずっと自分にベクトルが向いていますね。

ここまで読んで次の展開や結末は予測できるでしょうか（❹）。何か起きそうですよね。ケイタの旅への期待感がフリになっています。シンジと衝突がありそうだと感じますか。少しでもそのような展開予想ができていれば、もう物語に没入していきます。展開が気になってスイスイ読んでいくことでしょう。

さて、読み通したという前提で問1の解説をしていきます。ケイタの性格を選ぶ問題ですね。まず先ほど見た第1段落の言動から② likes to plan and act individually「個別に計画し行動することを好む」は真逆の性格のようなので×、④ welcomes adventurous experience「冒険的な経験を歓迎する」は問題なさそうですね。① can be at a loss in difficult situations「難しい状況で途方に暮れることがある」は、第3段落6文目 I realized I had left my travel pouch somewhere, and I was in a panic.「僕が旅行ポーチをどこかに置き忘れたことに気付き、パニックになったのだ」より、これもケイタの性格を表しているといえます。よって正解は①と④です。③ refuses to talk with other people「他人と話すことを嫌がる」は、ケンジを怒らせてしまう原因となった、第4段落3文目 I enjoyed interacting with the locals「僕は地元の人とのやりとりを楽しんだ」より×です。人と話すのが嫌いであれば、道に迷っている時に地元の人とおしゃべりを楽しむことはないはずです。⑤ willingly helps local people「進んで地元の人たちに手を貸す」に関しては、第5段落5文目で After some hesitation, I asked him if I could help「少しためらった後、僕で助けになれそうか尋ねた」と人助けをしていますが、助けた人は地元の人ではなく旅行者ですし、ためらっているため「進んで」ではないので×です。

問2 正解 32 ⑤ 33 ③ 34 ① 35 ④

問題レベル【普通】 配点 3点(すべて正解で)

設 問 **5つの記述(①～⑤)から4つを選び、正しい順に並べなさい。**

32 → 33 → 34 → 35

選択肢 ① 負の感情を見せる

② 他の人が自分に言ったことに怒る

③ 頼りになり、リーダーシップを発揮する

④ 他の人の気持ちに寄り添って元気づける

⑤ 周りの人たちの意見を尊重する

語句 display ～ 他 ～(感情)を表す　relate to ～ 熟 ～に共感する

reliable 形 頼りになる

時系列問題ですね。**❶視線の型**で最初に「ケイタから見たシンジの描写」が問われることがわかっていれば解きやすかったと思います。5つ中4つを選ぶ問題のため、1つ選ばない選択肢があることに注意します。① Displays his negative emotions「負の感情を見せる」はシンジが怒った場面ですね。第4段落でした。② Gets angry at what others say to him「他の人が自分に言ったことに怒る」は本文でどこにも述べられていなかったので選ばない選択肢です。③ Is reliable and shows leadership「頼りになり、リーダーシップを発揮する」は第3段落です。率先して目的地に連れて行ってくれたり、トラブルを解決してくれたりしました。④ Relates to the feelings of others to cheer them up「他の人の気持ちに寄り添って元気づける」は第6段落です。落胆しているケイタに共感し元気づける言葉を投げかけています。⑤ Respects the opinions of people around him「周りの人たちの意見を尊重する」は第1段落ですね。ケイタがシンジを誘った理由としてあげられていました。よって正解は⑤(第1段落)→③(第3段落)→①(第4段落)→④(第6段落)です。

問3 正解② **問題レベル【普通】 配点 3点**

設 問 **36 に最もふさわしい選択肢を選びなさい。**

選択肢 ① 地図の読み方がうまくなった

② 自分のした約束を思い出した

③ 悪い思い出を良い思い出に変えようとした

④ 外国人とコミュニケーションを取りたかった

❶視線の型でまずは空所を含む文を読んでいきます。Keita helped a traveler. This shows that he 36 .「ケイタが旅行者を助けた。このことは彼が 36 ことを示す」とあります。

ケイタが旅行者を助けたのは第5段落5文目 After some hesitation, I asked him if I could help「少しためらった後、僕で助けになれそうか尋ねた」のところですが、7文目でI told him the story about the traveler that had assisted Shinji and me「シンジと僕を助けてくれた旅行者の話をした」とあるように、そもそも第2段落で別の旅行者に助けられ、Instead of just thanking me, be kind to other travelers「僕に感謝するだけでなく、他の旅行者に親切にしてね」と言われたのが頭にあったから勇気を振り絞って旅行者に声をかけたのだとわかります。よって正解は② remembered the promise he had made「自分のした約束を思い出した」です。

問4 正解③ **問題レベル【やや難】 配点 3点**

設問 **[37]に最もふさわしい選択肢を選びなさい。**

選択肢 ① 友人との関係を変えようとした
② 自分が寺院でしたことを覚えていたかった
③ 人のさまざまな側面を受け入れ始めた
④ またこの国を訪問することを考えていた

❶**視線の型**でまずは空所を含む文を読んでいきます。Keita bought the figure for himself. This implies that he [37] .「ケイタが自分用に像を買った。これは彼が[37]ことを暗示している」とあります。像を買ったのは第7段落で、最終文に像を買った理由を I thought it symbolized my trip「僕の旅を象徴しているように思えた」と言っています。像に関しては第3段落後半でThe Buddha looked angry from one angle, but seemed to be laughing from another. I felt uneasy because I could not understand the emotions it was supposed to show.「仏像は、ある角度からは怒っているように見えるけれど、別の角度からは笑っているように見えるのだ。それがどういう感情を示しているつもりなのか理解できないせいで、僕は落ち着かない気持ちになった」とあり、ここからケイタは今回の旅を「シンジの性格に色々な側面があることを知った旅だった」と言いたいのだとわかります。よって正解は③ was starting to accept different sides of a person「人のさまざまな側面を受け入れ始めた」です。① tried to change his relationship with his friend「友人との関係を変えようとした」は、最終段落2文目 But this trip did cause one change: my friendship with Shinji has become stronger「が、この旅は一つの変化を確かにもたらした。シンジとの友情が深まったのだ」から選びたくなるかもしれませんが、「この旅が変化をもたらした」とあるように関係が変わった（深まった）のは「結果」であって、ケイタ自ら関係を変えようとしていたわけではありません。

問5　正解③　**問題レベル【難】　配点 3点**

設　問　**38** **に最もふさわしい選択肢を選びなさい。**

選択肢　① 自分の理想の姿を思い描くことは旅行に役立つ。
② いい旅の同行者を見つけることは重要だ。
③ 旅行を通じて個人が成長することがある。
④ 旅行は私たちの計画性を高めるのに役立つ。

語句　ideal　形 理想的な　development　名 育成、成長

❶**視線の型**より「ケイタが旅の後で学んだこと」を選ぶ問題だとわかります。第８段落の最後 Thus, if I continue to find lessons from my traveling experiences, and apply them to my life, I will someday become closer to being the kind of person I want to be. My journey is just beginning.「だから、もし旅の経験から教訓を見いだして人生に当てはめていくことを続けていけば、いつかは自分がなりたい人間に近付いていけるだろう。僕の旅はまだ始まったばかりだ」とあるように、旅からの教訓を積み重ねていくことの重要性を感じています。選択肢から最も近いものを選びましょう。まず① Imagining our ideal self is helpful for traveling.「自分の理想の姿を思い描くことは旅行に役立つ」は、全くそのようなことは言っていないので×。② It is important to find a good travel companion.「いい旅の同行者を見つけることは重要だ」は、第８段落３文目 This is because I learned to look at Shinji the same way I looked at the figure of the Buddha.「僕があの仏像を見るのと同じようにシンジを見られるようになったからだ」とあるように、「誰を連れていくか」が重要なのではなく、「どう自分側の視野が広がったか」に振り返りの焦点が当たっています。よって②も×です。③ Personal development can happen through travel.「旅行を通じて個人が成長することがある」は最終段落後半のケイタの考えに矛盾しませんね。「旅行を通じて成長することがある」と信じていないと、「旅から得られる教訓を積み重ねていきたい」とはなりません。最終段落１文目の Looking back on this trip one year later, I can say that I did not experience the great personal changes I thought would happen.「１年後にこの旅を振り返ると、自分が思っていたほど大きく人間的な変化を遂げたわけではないと言える」からこの選択肢を選びにくかったかもしれませんが、「自分が思っていたほど」の変化を遂げたわけではないというだけで、全く成長しなかったという意味ではないと考えるべきでしょう。よって③が正解です。④ Traveling can help us become better at planning.「旅行は私たちの計画性を高めるのに役立つ」は「計画するのが得意になる」といった言及はなかったので不正解です。

DAY 17

【長文記事読解問題】を攻略する「視線の型」

第6問Aでは、長文の新聞記事や論説文を読み解く問題が出題されます。英文の量が多いので、速く正確に読み解く力がいっそう求められます。今回はこのような長文問題に取り組む「視線の型」を学んでいきましょう。

「視線の型」のステップ

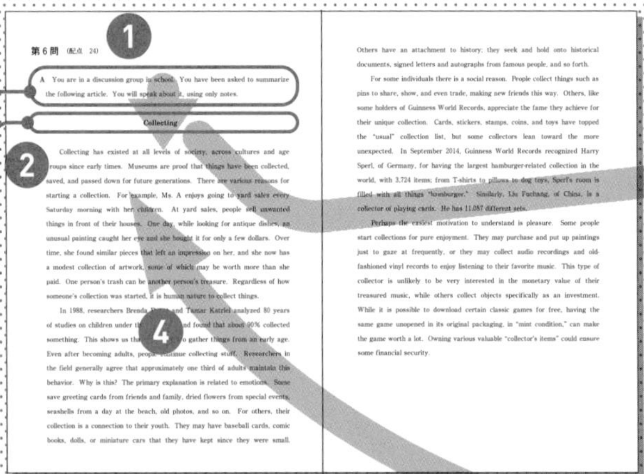

第6問 (配点 24)

A You are in a discussion group in school. You have been asked to summarize the following article. You will speak about it, using only notes.

Collecting

Collecting has existed at all levels of society, across cultures and age groups since early times. Museums are proof that things have been collected, saved, and passed down for future generations. There are various reasons for starting a collection. For example, Ms. A enjoys going to yard sales every Saturday morning with her children. At yard sales, people sell unwanted things in front of their houses. One day, while looking for antique dishes, an unusual painting caught her eye and she bought it for only a few dollars. Over time, she found similar pieces that left an impression on her, and she now has a modest collection of artwork, some of which may be worth more than she paid. One person's trash can be another person's treasure. Regardless of how someone's collection was started, it is human nature to collect things.

In 1988, researchers Brenda [illegible] and Tamar Katriel analyzed 80 years of studies on children under th[illegible]nd found that about 90% collected something. This shows us tha[illegible]o gather things from an early age. Even after becoming adults, people continue collecting stuff. Researchers in the field generally agree that approximately one third of adults maintain this behavior. Why is this? The primary explanation is related to emotions. Some save greeting cards from friends and family, dried flowers from special events, seashells from a day at the beach, old photos, and so on. For others, their collection is a connection to their youth. They may have baseball cards, comic books, dolls, or miniature cars that they have kept since they were small. Others have an attachment to history; they seek and hold onto historical documents, signed letters and autographs from famous people, and so forth.

For some individuals there is a social reason. People collect things such as pins to share, show, and even trade, making new friends this way. Others, like some holders of Guinness World Records, appreciate the fame they achieve for their unique collection. Cards, stickers, stamps, coins, and toys have topped the "usual" collection list, but some collectors lean toward the more unexpected. In September 2014, Guinness World Records recognized Harry Sperl, of Germany, for having the largest hamburger-related collection in the world, with 3,724 items; from T-shirts to pillows to dog toys, Sperl's room is filled with all things "hamburger." Similarly, Liu Fuchang, of China, is a collector of playing cards. He has 11,087 different sets.

Perhaps the easiest motivation to understand is pleasure. Some people start collections for pure enjoyment. They may purchase and put up paintings just to gaze at frequently, or they may collect audio recordings and old-fashioned vinyl records to enjoy listening to their favorite music. This type of collector is unlikely to be very interested in the monetary value of their treasured music, while others collect objects specifically as an investment. While it is possible to download certain classic games for free, having the same game unopened in its original packaging, in "mint condition," can make the game worth a lot. Owning various valuable "collector's items" could ensure some financial security.

❶ 場面・状況を軽くイメージする

まずはリード文を読みましょう。ただし、第6問の長文記事読解問題に関してはあまりリード文は重要じゃないことが多いのでサラっとで大丈夫です。
※メールや広告と違い、新聞記事や論説文は背景の設定があまり意味をもちません。

❷ 本文のタイトルや、まとめの表やスライドなどのタイトル・見出しを先読みする

本文がどんな内容なのか、タイトルや見出しから見当をつけましょう。新聞記事や論説文では、シンプルに本文の読解力が問われるので、リード文よりも「タイトルや見出しから内容や流れを予測すること」のほうが重要です。

❹ 該当箇所を本文から見つけ出し、見当をつけて解答する

本文1文目から濃淡をつける読みをしていきましょう。問われていない箇所はサラっと読み、関係ありそうな箇所はじっくり精読していきます。該当箇所を発見したらすぐに選択肢を見るのではなく、本文を読んで自分なりに答えの見当をつけてから選択肢を見るようにしましょう。

内容 英語の試験の王道のような長文読解問題です。「長いから」という理由で敬遠されがちですが、「長いから難しい」というわけではありません。他人に何かを説明する文章は「論理展開が明快」ですし、また、「設問は該当箇所を特定しやすい」ことを考えるとむしろ得点しやすいタイプの問題とも言えます（とはいえ最近は難問も出題されていますが）。このような問題は「視線の型」が非常に有効です。「視線の型」をマスターし、サクサクと処理できるようになっていきましょう。

目標解答時間 12分

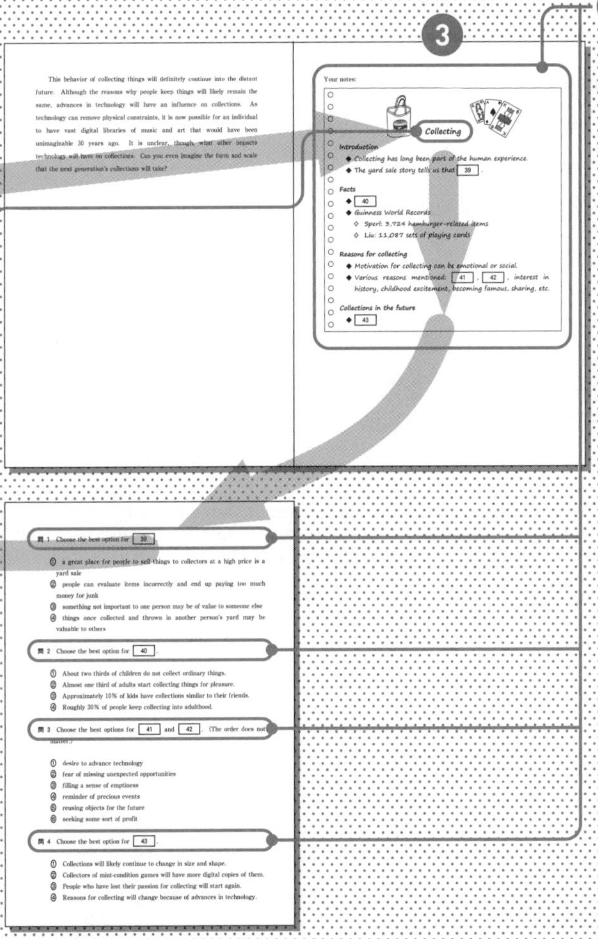

3
This behavior of collecting things will definitely continue into the distant future. Although the reasons why people keep things will likely remain the same, advances in technology will have an influence on collections. As technology can remove physical constraints, it is now possible for an individual to have vast digital libraries of music and art that would have been unimaginable 30 years ago. It is unclear, though, what other impacts technology will have on collections. Can you even imagine the form and scale that the next generation's collections will take?
Your notes:
Collecting
Introduction
◆ Collecting has long been part of the human experience.
◆ The yard sale story tells us that 39 .
Facts
◆ 40
◆ Guinness World Records
◇ Sperl: 3,724 hamburger-related items
◇ Liu: 11,087 sets of playing cards
Reasons for collecting
◆ Motivation for collecting can be emotional or social.
◆ Various reasons mentioned: 41 , 42 , interest in history, childhood excitement, becoming famous, sharing, etc.
Collections in the future
◆ 43
問 1 Choose the best option for 39 .
① a great place for people to sell things to collectors at a high price is a yard sale
② people can evaluate items incorrectly and end up paying too much money for junk
③ something not important to one person may be of value to someone else
④ things once collected and thrown in another person's yard may be valuable to others
問 2 Choose the best option for 40 .
① About two thirds of children do not collect ordinary things.
② Almost one third of adults start collecting things for pleasure.
③ Approximately 10% of kids have collections similar to their friends.
④ Roughly 30% of people keep collecting into adulthood.
問 3 Choose the best options for 41 and 42 . (The order does not matter.)
① desire to advance technology
② fear of missing unexpected opportunities
③ filling a sense of emptiness
④ reminder of precious events
⑤ reusing objects for the future
⑥ seeking some sort of profit
問 4 Choose the best option for 43 .
① Collections will likely continue to change in size and shape.
② Collectors of mint-condition games will have more digital copies of them.
③ People who have lost their passion for collecting will start again.
④ Reasons for collecting will change because of advances in technology.

3 **まとめの表やスライドを分析し、設問を先読みする**

まとめの表やスライドの空所がある箇所の「見出し」や「前後の英文」を精読し、「何が問われているか」を把握しましょう。表やスライドの流れと本文の流れは大抵一致していますが、再編成されている場合もあり、問１の正解が後半に出てくることもあります。ですが、恐れず１問ずつで大丈夫です。「長文記事読解問題」はまとめの表やスライドを分析すれば、本文で「出てくる場所」に予測がつくからです。表やスライドの分析は１問ずついきましょう。

では、この「視線の型」を使って、次ページの問題に取り組みましょう！

第6問 (配点　24)

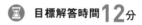

A You are in a discussion group in school. You have been asked to summarize the following article. You will speak about it, using only notes.

Collecting

Collecting has existed at all levels of society, across cultures and age groups since early times. Museums are proof that things have been collected, saved, and passed down for future generations. There are various reasons for starting a collection. For example, Ms. A enjoys going to yard sales every Saturday morning with her children. At yard sales, people sell unwanted things in front of their houses. One day, while looking for antique dishes, an unusual painting caught her eye and she bought it for only a few dollars. Over time, she found similar pieces that left an impression on her, and she now has a modest collection of artwork, some of which may be worth more than she paid. One person's trash can be another person's treasure. Regardless of how someone's collection was started, it is human nature to collect things.

In 1988, researchers Brenda Danet and Tamar Katriel analyzed 80 years of studies on children under the age of 10, and found that about 90% collected something. This shows us that people like to gather things from an early age. Even after becoming adults, people continue collecting stuff. Researchers in the field generally agree that approximately one third of adults maintain this behavior. Why is this? The primary explanation is related to emotions. Some save greeting cards from friends and family, dried flowers from special events, seashells from a day at the beach, old photos, and so on. For others, their collection is a connection to their youth. They may have baseball cards, comic books, dolls, or miniature cars that they have kept since they were small.

Others have an attachment to history; they seek and hold onto historical documents, signed letters and autographs from famous people, and so forth.

For some individuals there is a social reason. People collect things such as pins to share, show, and even trade, making new friends this way. Others, like some holders of Guinness World Records, appreciate the fame they achieve for their unique collection. Cards, stickers, stamps, coins, and toys have topped the "usual" collection list, but some collectors lean toward the more unexpected. In September 2014, Guinness World Records recognized Harry Sperl, of Germany, for having the largest hamburger-related collection in the world, with 3,724 items; from T-shirts to pillows to dog toys, Sperl's room is filled with all things "hamburger." Similarly, Liu Fuchang, of China, is a collector of playing cards. He has 11,087 different sets.

Perhaps the easiest motivation to understand is pleasure. Some people start collections for pure enjoyment. They may purchase and put up paintings just to gaze at frequently, or they may collect audio recordings and old-fashioned vinyl records to enjoy listening to their favorite music. This type of collector is unlikely to be very interested in the monetary value of their treasured music, while others collect objects specifically as an investment. While it is possible to download certain classic games for free, having the same game unopened in its original packaging, in "mint condition," can make the game worth a lot. Owning various valuable "collector's items" could ensure some financial security.

This behavior of collecting things will definitely continue into the distant future. Although the reasons why people keep things will likely remain the same, advances in technology will have an influence on collections. As technology can remove physical constraints, it is now possible for an individual to have vast digital libraries of music and art that would have been unimaginable 30 years ago. It is unclear, though, what other impacts technology will have on collections. Can you even imagine the form and scale that the next generation's collections will take?

Your notes:

Collecting

Introduction

- Collecting has long been part of the human experience.
- The yard sale story tells us that [39].

Facts

- [40]
- Guinness World Records
  - Sperl: 3,724 hamburger-related items
  - Liu: 11,087 sets of playing cards

Reasons for collecting

- Motivation for collecting can be emotional or social.
- Various reasons mentioned: [41], [42], interest in history, childhood excitement, becoming famous, sharing, etc.

Collections in the future

- [43]

Day 17

問 1 Choose the best option for [39].

① a great place for people to sell things to collectors at a high price is a yard sale
② people can evaluate items incorrectly and end up paying too much money for junk
③ something not important to one person may be of value to someone else
④ things once collected and thrown in another person's yard may be valuable to others

問 2 Choose the best option for [40].

① About two thirds of children do not collect ordinary things.
② Almost one third of adults start collecting things for pleasure.
③ Approximately 10% of kids have collections similar to their friends.
④ Roughly 30% of people keep collecting into adulthood.

問 3 Choose the best options for [41] and [42]. (The order does not matter.)

① desire to advance technology
② fear of missing unexpected opportunities
③ filling a sense of emptiness
④ reminder of precious events
⑤ reusing objects for the future
⑥ seeking some sort of profit

問 4 Choose the best option for [43].

① Collections will likely continue to change in size and shape.
② Collectors of mint-condition games will have more digital copies of them.
③ People who have lost their passion for collecting will start again.
④ Reasons for collecting will change because of advances in technology.

問 1－4

訳 あなたは学校のディスカッション・グループの一員です。次の記事を要約するよう頼まれました。メモだけを使ってそのスピーチをします。

収集

[第1段落]

収集は古くから、文化や年齢集団を越えてあらゆる社会層に存在してきた。博物館は、物が集められ、保存され、将来の世代へと受け継がれてきたことの証拠だ。コレクションを始める理由はさまざまだ。例えば、A さんは毎週土曜日の朝に子どもを連れてヤードセールに行くのを楽しみにしている。ヤードセールでは、不用品が家の前で売られている。ある日、アンティークの皿を探していると、風変わりな絵画に目を奪われ、彼女はわずか数ドルでそれを買った。時とともに、彼女は印象に残る同じような作品を見つけ出し、今では芸術作品のちょっとしたコレクションを持っているのだが、中には払った以上の価値を持つかもしれないものもある。ある人のゴミは他の人の宝物になり得るのだ。問1 コレクションの始め方を問わず、物を集めるのは人間の性質だ。

[第2段落]

1988年に、研究者のブレンダ・ダネットとタマー・カトリエルは10歳未満の子どもに関する80年分の研究を分析し、約90パーセントが何かを集めていたことを突き止めた。これは、人が幼い頃から物を集めるのが好きだということを示している。大人になってからも、人は物を収集し続ける。この分野の研究者は、大人のおよそ3分の1がこの行動を続けるという意見で一致している。問2 それはなぜなのか。第一の説明は感情との関連だ。友達や家族からのグリーティングカード、特別なイベントでのドライフラワー、ビーチでの思い出の日の貝殻、古い写真などを取っておく人もいる。また、コレクションが自分の若い頃とつながっている人もいる。問3④ 小さい頃から取っておいた野球カード、漫画本、人形やミニカーを持っているといったこともあるだろう。歴史にこだわりを持つ人もいる。歴史的文書、有名人の署名入りの手紙やサインなどを探し求めて保管するのだ。

[第3段落]

社会的理由を持つ人もいる。人はピンバッジのようなものを集めて共有したり、見せたり、交換したりして、この方法で新しい友だちを作る。あるいは、一部のギネス世界記録保持者のように、ユニークなコレクションで得られる名声に価値を見いだす人もいる。カード、シール、切手、コイン、玩具が「一般的な」コレクションのリストでトップを占めるが、もっと意外なものへと向かうコレクターもいる。2014年9月に、ギネス世界記録はドイツのハリー・シュペールを、「ハンバーガー」に関連した世界最大のコレクション3724点を有していると認定した。Tシャツから枕、犬のおもちゃまで、シュペールの部屋はありとあらゆる「ハンバーガー」の品であふれている。同様に、中国のリウ・フーチャンはトランプのコレクターだ。彼は11087種類のセットを所有している。

Day 17

[第４段落]

たぶん最もわかりやすい動機は楽しさだろう。一部の人は純粋に楽しむためにコレクションを始めている。頻繁に眺めるために絵画を買って飾る場合もあるだろうし、好きな音楽を聴いて楽しむためにオーディオ録音や昔懐かしいアナログレコードを集める場合もあるだろう。このタイプのコレクターが自分たちにとって大事な音楽の金銭的価値にはあまり興味を示さないのに対して、明確に投資として物を集める人もいる。問3⑥ ある特定の古典的ゲームを無料でダウンロードすることができても、その同じゲームを元の未開封のパッケージのまま、「新品同様の状態」で所有していることで、ゲームの価値を大いに高めることができる。さまざまな価値ある「コレクターズアイテム」を所有することは、ある種の金銭的保証を確保することにもなり得る。

[第５段落]

物を収集するというこの行為は、間違いなく遠い未来まで続くだろう。人が物を保持する理由は同じままである可能性が高いが、テクノロジーの進歩がコレクションに影響を与えるだろう。テクノロジーによって物理的制約が取り払われるおかげで、現在では個人が、30年前には想像もできなかったような音楽やアートの膨大なデジタルライブラリーを所有することができる。しかし、テクノロジーがコレクションに他のどんな影響を与えるのかは不明確だ。次世代のコレクションがどんな形やスケールになるのか、いったい想像できるだろうか。問４

あなたのメモ：

収集

導入

◆収集は長い間、人間の経験の一部だった。

◆ヤードセールの話は 39 ということを私たちに伝えている。

事実

◆ 40

◆ギネス世界記録

◇シュペール：ハンバーガー関連の品物 3724点

◇リウ：トランプ11087セット

収集の理由

◆収集の動機には感情的なものや社会的なものがありうる。

◆言及されているさまざまな理由： 41 、 42 、歴史への興味、子ども時代のワクワク、有名になること、共有すること、など。

未来のコレクション

◆ 43

語句

［リード文］

summarize ～	他	～を要約する、～を簡潔にまとめる

［記事］

［第1段落］

pass down	熟	（親から子へと）伝える
yard sale	熟	不用品セール、ヤードセール、ガレージセール
unwanted	形	いらない、不要な
antique	形	アンティークの、骨董品の
unusual	形	独特な、変わった
piece	名	（芸術）作品
modest	形	控えめな、ささやかな
treasure	名	宝物、貴重品
regardless of ～	熟	～にかかわらず、～を問わず
nature	名	本質、性質

［第2段落］

researcher	名	研究者
approximately	副	おおよそ、約
behavior	名	行動、振る舞い
primary	形	第一の、主要な
related to ～	熟	～に関して
emotion	名	感情
miniature	形	ミニチュアの
attachment	名	愛着、こだわり
seek ～	他	～を探し求める
hold onto ～	熟	～を持ち続ける
historical	形	歴史的な、歴史上の
autograph	名	（有名人の）サイン

［第3段落］

individual	名	個人、人
pin	名	飾りピン、ピンバッジ
appreciate ～	他	～を高く評価する
fame	名	有名であること、名声
achieve ～	他	～を獲得する、～を達成する
top ～	他	～の首位になる
lean toward ～	熟	～に傾く、～に向かう
playing card	熟	（～sで）トランプ

［第4段落］

gaze at ～	熟	～をじっと見る
old-fashioned	形	古風な、古めかしい
vinyl record	熟	アナログレコード
unlikely to (V)	熟	Vする可能性は低い、Vすることはあまりない
monetary	形	金銭の、金銭的な
object	名	物、対象物
specifically	副	特に、明確に
investment	名	投資
mint condition	熟	新品同様の状態
ensure ～	他	～を保証する、～を受け合う

［第5段落］

advance	名	進歩
influence	名	影響
physical	形	物理的な、物質の
constraint	名	制約、束縛
vast	形	広大な、膨大な
library	名	ライブラリー、蔵書、コレクション
unimaginable	形	想像できない
impact	名	影響

［メモ］

emotional	形	感情的な、感情に関わる
childhood	名	幼年期、子ども時代

まずはリード文を読んで❶**場面・状況をイメージします**。「学校のディスカッション・グループの一員で、記事を要約するよう頼まれた。スピーチのためメモを使う」という設定です。次に❷**タイトルや見出しを先読みしましょう**。記事のタイトルは「収集」。文章全体をまとめたメモが付いていて、こちらもタイトルは「収集」、見出しは上から「導入」「事実」「収集の理由」「未来のコレクション」とあります。それでは一問一問見ていきます。

問1 正解③ **問題レベル【普通】 配点 3点**

設問 **39** **に最もふさわしい選択肢を選びなさい。**

選択肢 ① 人がコレクターに高額で物を売るのにいい場所はヤードセールだ

② 人は物を不正確に評価しガラクタに高すぎる金額を払ってしまうことがある

③ ある人にとって重要でないものも他の人にとっては価値があるかもしれない

④ 一度集められて他人の庭に投げ入れられたものも別の人にとっては価値があるかもしれない

語句

evaluate ～ 他 ～を評価する、～を査定する

incorrectly 副 不正確に、間違って

end up (V)ing 熟 最後にはVすることになる、結局Vしてしまう

junk 名 がらくた

of value 熟 価値のある、貴重な

では❸**メモの該当箇所の詳細を分析します**。メモの「導入」の２つ目が問題となっていますね。「導入」なのでおそらく第１段落をまとめているのだろうと予測ができます。メモの空所を含む文を見ると、yard sale story が私たちに教えてくれることは何か、ということですね。yard sale story をキーワードに狙い読みできそうだな、と思いながら**本文を読んでいきましょう**（❹）。

まず１文目 Collecting has existed at all levels of society, across cultures and age groups since early times.「収集は古くから、文化や年齢集団を越えてあらゆる社会層に存在してきた」とあります。**基本的には１文目に筆者の主張がくる**ため、「収集欲の普遍性」がこの段落で筆者が言いたいことのようだと考えながら読み進めます。２文目で「博物館がその証拠」と言って主張を補強し、３文目で There are various reasons for starting a collection.「収集を始める理由はさまざまだ」と、人々が収集する理由を説明する流れになっていきます。その具体例として４文目から yard sales の話です。**該当箇所**に到達しました。**本来は具体例なのでサラっと読むべきところですが、設問で問われているところなのでじっくり読みましょう**。yard sales の話は、８文目 One person's trash can be another person's treasure.「ある人のゴミは他の人の宝物になり得るのだ」とまとめられたところで終わります。この８文目が yard sales の例からわかることですね。答えに見当がついたところで選択肢を確認していきましょう。

①は a yard sale 自体の説明ですが、「私たちに教えてくれるもの」の内容としては不自然ですね。テーマは「収集欲の普遍性」でした。また②のようなネガティブな内容でもありません。③はよさそうですね。８文目のきれいな**言い換え**となっていますし、「ゴミを宝物に変えてしまうほど人間は収集欲を持っている」ということでテーマにもちゃんとつながります。選択肢④は雑に読むと正解に見えてしまうので気を付けましょう。thrown in another person's yard は文字どおり「他人の庭に投げ入れられた」ということです。そのような記述は本文にはありませんでした。

問 2　正解④　**問題レベル【普通】　配点 3点**

設　問　[40] **に最もふさわしい選択肢を選びなさい。**

選択肢　① 子どものおよそ3分の2はありきたりの物を集めない。
② 大人の3分の1近くが楽しみのために物を集め始める。
③ 子どもの約10パーセントが友だちと同じようなコレクションを持っている。
④ おおよそ30パーセントの人が大人になっても収集を続ける。

語句　ordinary 形 普通の、平凡な

まず❸**メモの該当箇所の詳細を分析します**。メモの見出しは「事実」ですね。「事実」という軸で2つまとめられていて、その1つ目が問題になっています。Day 08でも見てきたように、データなど数字を含む文や、動詞が現在形になっている文は「事実」として扱われがちです。2つ目のギネス世界記録の数字が並んでいますね。通常、本文に出てくる順番とメモの順番は一致するので、今回の問題の答えはギネス世界記録が出てくる第3段落の前、つまり第2段落に該当箇所が出てくるのではと予測できます。

それでは❹**本文を読んでいきましょう**。早速第2段落1～4文目に数字が出てきます。ここを注意深く読んで選択肢を見ましょう。まず①は two thirds「3分の2」がダメです。第2段落1文目に about 90% (of children) collected something とありました。②は「大人になってから始める」という言い方をしているため違います。3文目に Even after becoming adults, people continue collecting stuff. とあるように、子どもの頃に始めた収集を大人になっても続けているのです。そして4文目で approximately one third of adults maintain this behavior (= collecting) とありこの部分がポイントとなって、④が正解です。④では approximately one third が roughly 30%と**言い換え**られていました。なお、③は本文のどこにも記載がないため不可です。この「どこにもないもの」を探すのは時間がもったいないので、パッとわからないものは「？」と書き込んで答えの候補から外すようにしましょう。選択肢を読んでいるということはすでに該当箇所を読んでいるはず。なのにピンとこないのは、書いていなかった、つまり不正解の選択肢だからです。「他の選択肢が絶対どれも違う」と思う時にだけその「？」を選んでいいですが、それ以外は**「？」は「×」扱い**です。たまに、他に正解っぽい選択肢があるのに「？」が気になってしまい、「？」が不正解である根拠を探す人がいますが、それは時間が足りなくなるので絶対にやめましょう！

Day 17

問3 正解④・⑥（順不同） **問題レベル【普通】 配点 3点（すべて正解で）**

設問 [41] と [42] に最も**ふさわしい選択肢を選びなさい。（順不同）**

選択肢 ① テクノロジーを進歩させたいという願い

② 予想外の好機を失うことへの不安

③ 虚無感を埋めること

④ 重要な出来事を思い出させること

⑤ 将来のために物を再利用すること

⑥ ある種の利益を求めること

語句 emptiness 名 空虚、むなしさ　precious 形 貴重な、重要な

まず❸**メモの該当箇所の詳細を分析します**。メモの見出しは「収集の理由」ですね。空所になっている項目はVarious reasons mentioned「言及されている様々な理由」で、いくつも羅列されている中の2つを選ぶ問題です。この設問にきた時点でもう全部読んでいる人はそのまま選択肢へ。まだ全部読んでいない人は、ここでもう解いていいのか、それともまだ読み進めるべきなのか、確認するために各段落の1文目を見比べるといいでしょう。1文目はだいたいその段落の内容が要約されているので、1文目を見ればその段落の全体像がわかることがあります。第3段落1文目はFor some individuals there is a social reason.「社会的理由を持つ人もいる」、なので第3段落は理由について書かれていそうです。第4段落1文目もPerhaps the easiest motivation to understand is pleasure.「たぶん最もわかりやすい動機は楽しさだろう」とあるので、まだ理由の話が続きそうですね。第5段落1文目はThis behavior of collecting things will definitely continue into the distant future.「物を収集するというこの行為は、間違いなく遠い未来まで続くだろう」と未来の話になっているので、もう理由の話は終わっていそうです。よって、**第3段落と第4段落を「理由」に着目しながら精読し**（❹）、それから選択肢にいくといいでしょう。

さて問題を解いていきます。まず選択肢⑥ seeking some sort of profitは第4段落後半の「投資」の話なので正解です。そしてもう一つの正解は④ reminder of precious eventsです。第2段落の後半に書かれていた内容です。さかのぼらないといけないため、見つけるのに時間がかかったかもしれません。第2段落6文目で、大人もコレクションを続ける主な理由が「感情に関するものだ」と述べられており、7文目で、昔もらったグリーティングカードや思い出の品々、古い写真などが具体例として挙げられていました（コレクションにつながる思い出の**言い換え**がprecious eventsです）。

今回、メモの中の「様々な理由」の羅列が本文に出てくる順番と無関係に配置されていました。通常は本文の流れとメモの流れは一致しています。問題の難易度を調整するため、など何らかの理由があるのでしょうが、共通テストらしくない並びです。メモの完成度を高めるために、見出しを整理する理由で順番が変わることはあっても、今回のように羅列の並びで順番を変えることは普通はないことです。多くの場合は、空所の位置から書いてある場所を予測するやり方は有効なので、今回はあくまで例外的と思っておいてください。

問 4　正解 ①　**問題レベル【普通】　配点 3点**

設問 **43** **に最もふさわしい選択肢を選びなさい。**

選択肢 ① コレクションは規模や形を変え続けるだろう。

② 新品同様のゲームのコレクターはそのデジタルコピーをさらに手に入れるだろう。

③ 収集への熱意を失った人もまた始めるだろう。

④ テクノロジーの進歩のせいで物を集める理由は変わっていくだろう。

語句 passion　名 情熱、熱意

❸**メモの、空所がある箇所の見出し**は Collections in the future「未来のコレクション」です。最終段落に書かれていますね。選択肢は先に読まなくていいです。「最後のまとめ」なので、細かい内容は問われません。最終段落の筆者の主張をつかめば解けるはずです。このような「筆者の主張をつかむ」タイプの問題は、選択肢を読まずに本文を論理的に読んでから選択肢を見た方がスムーズに解けます（「論理的読解の型」は Day 18で詳しく扱います）。

それでは**最終段落を読んでいきましょう**（❹）。１文目で「物を収集するという行為は未来も続く」、２文目で「人が物を保持する理由は同じままである可能性が高いが、テクノロジーの進歩がコレクションに影響を与えるだろう」とあります。テクノロジーの影響、の具体的説明で３文目に「物理的制約はなくなる」、「デジタルライブラリーが今や可能」とあり、５文目で「次世代のコレクションがどんな形になるか想像できない」と締めくくられています。

それでは選択肢を確認しましょう。① Collections will likely continue to change in size and shape. は、まさにそのまま最終段落の内容なので正解です。②の mint-condition は第４段落５文目に「価値のあるオリジナルパッケージ」として説明されていることから、そのコレクターはデジタルコピーには興味はないと思われるので文脈的に不可です。③はどこにも記述がありません。④は、最終段落２文目に Although the reasons why people keep things will likely remain the same「人が物を保持する理由は同じままである可能性が高いが」とあり、選択肢の前半部「物を集める理由が変わる」はおかしいので不正解です。

第6問 (配点 24)

A You belong to an English discussion group. Each week, members read an article, create a summary, and make a challenging quiz question to share. For the next meeting, you read the following article.

Getting to Know Aquatic Species

The mysteries of the deep blue sea have fascinated ocean-watchers for millennia. Aquatic beings, however, cannot easily get to us. What if we go to them? Despite what you may expect, certain ocean animals will come right up to you. Dan McSweeney, a Hawaii-based underwater research photographer, tells a fascinating story. While he was studying whales underwater, one came charging at him. Whales are huge, so he was worried. The whale stopped, opened its mouth, and "passed" him some tuna. He accepted the gift. McSweeney believes that because of the air bubbles coming from his tank, the whale recognized him as a similar animal and offered the *sashimi*. Later, the whale came back, and McSweeney returned the food.

Friendly interactions with dolphins or whales are possible, but how about octopuses? Science fiction sometimes describes aliens as looking like octopuses, so this animal group "cephalopods," which means "head-feet," may be perceived as being distant from humans. Yet, if you learn more about them, you might be convinced there is the possibility of interaction. Octopuses have long tentacles (arms/legs) extending from soft round bodies. Besides touch and motion, each tentacle experiences smell and taste and has sucking disks, called *suckers*, that grab and manipulate things. Their eyes, like two independent cameras, can move 80° and focus on two different things at once. UC Berkeley researcher, Alexander Stubbs, confirms that while octopuses sense light and color differently from humans, they do recognize color changes. These features might indicate that they are intelligent enough to interact with us. In fact, an article in *Everyday Mysteries* begins: "Question. Can an octopus get to know you? Answer. Yes."

Octopuses are known to "return your gaze" when you look at them. They may even remember you. This notion was tested by Roland C. Anderson and his colleagues, who conducted experiments with two similar-looking people wearing the same uniforms. The friendly person, who had fed and socialized with them, got a completely different reaction from the cephalopods than the other person who had not.

When taken from their natural habitat, octopuses can be mischievous, so watch out. They can push the lids off their tanks, escape, and go for a walk. Scientists sometimes get surprise visits. A paper from the Naples Zoological Station, written in 1959, talks about trying to teach three octopuses to pull a lever down for food. Two of them, Albert and Bertram, cooperated with the experiment, but Charles, a clever cephalopod, refused to do so. He shot water at the scientists and ended the experiment by breaking the equipment.

If you are interested in seeing their natural behavior and interactions, getting into the sea and having them come to you might work better. They may even raise a tentacle to motion you over. Around 2007, Peter Godfrey-Smith, a philosophy professor teaching at Harvard University, was home on vacation in Sydney, Australia. Exploring in the ocean, he came across a giant cephalopod. Godfrey-Smith was so impressed by the behavior he witnessed that he started developing philosophy theories based on his observations. Determined to find out what humans could learn from cephalopods, Godfrey-Smith let them guide him. On one ocean trip, another cephalopod took Godfrey-Smith's colleague by the hand on a 10-minute tour of the octopus's home, "as if he were being led across the sea floor by a very small, eight-legged child!"

How can you get sea creatures to come to you if you don't swim? The

Kahn family has solved this with “Coral World” in Eilat, Israel. The lowest floor of the building is actually constructed in the Red Sea, creating a “human display.” Rather than the sea-life performances at many aquariums, you find yourself in a “people tank,” where curious fish and sea creatures, swimming freely in the ocean, come to look at you. To make a good impression, you may want to wear nice clothes.

Your summary:

Getting to Know Aquatic Species

General information

The author mainly wants to say that [39].

Human-octopus interaction

Anderson's experiment suggests octopuses can [40].

The Naples Zoological Station experiment suggests octopuses can [41].

Godfrey-Smith's story suggests octopuses can be friendly.

The Kahn family

Established Coral World with the idea of [42]

Your quiz question:

Which of the following does <u>not</u> represent a story or episode from the article?

A

B

C

D

Answer [43]

問 1 Choose the best option for [39].

① a good place where people can interact with octopuses is the ocean
② eye contact is a key sign of friendship between different species
③ interactions with sea creatures can be started by either side
④ people should keep sea creatures at home to make friends with them

問 2 Choose the best options for [40] and [41].

① be a good source for creating philosophical theories
② be afraid of swimmers when they get close to their home
③ be uncooperative with humans in a laboratory setting
④ compete with other octopuses if they have chances to get treats
⑤ recognize that someone they have met before is kind
⑥ touch, smell, taste, and sense light and color like humans

問 3 Choose the best option for [42].

① attracting more people with a unique aquarium
② creating a convenient place to swim with sea life
③ raising more intelligent and cooperative octopuses
④ reversing the roles of people and sea creatures

問 4 The answer to your quiz question is [43].

① A
② B
③ C
④ D

問 1－4

訳 あなたは英語ディスカッション・グループに所属しています。毎週、メンバーは記事を読んで要約を作り、みんなで考えるための力試しクイズを作ります。次のミーティングに向けて、あなたは次のような記事を読んでいます。

水生生物と知り合いになる

［第１段落］

深く青い海の謎は数千年にわたって、海を見る人の心を捉えてきた。しかし、水生生物は簡単に私たちのところに来ることはできない。私たちの方から出向いたらどうだろう？ 問 1 - 1 あなたが予想しているであろうことに反して、ある種の海の動物はすぐ近くまで上がってきてくれる。ハワイを拠点とする水中調査カメラマンのダン・マクスウィーニーは、興味深い話を語る。水中でクジラの調査をしていたとき、一頭が彼の方へ突進してきた。クジラは非常に大きいので、彼は心配した。そのクジラは止まると、口を開いてマグロを「渡した」。彼はその贈り物を受け取った。タンクから空気の泡が出ていたことから、そのクジラは同じような動物と認識してサシミを進呈してくれたのだろうと、マクスウィーニーは考えている。問 1 - 2 後になってそのクジラが戻ってきたので、マクスウィーニーはその食べ物を返した。

［第２段落］

イルカやクジラとの友好的な交流は可能だが、タコはどうだろう？ SF では時々、宇宙人をタコのような姿に描くが、つまりこの「頭足類」という動物のグループは人間からは程遠いと考えられているのかもしれない。しかし、彼らについてもっと学んでいけば、交流の可能性はあると納得できるかもしれない。タコには、柔らかく丸い胴体から伸びる長い触腕（腕／脚）がある。触れたり動かしたりする他に、それぞれの触腕はにおいや味を感じ取り、物をつかんで動かす「吸盤」という吸着性の円盤を備えている。彼らの目は、２つの独立したカメラのように、80度動かして一度に２つの別の物に焦点を合わせることができる。カリフォルニア大学バークレー校の研究員アレクサンダー・スタッブスは、タコは人間とは異なる光と音の感じ方をするものの、色の変化は確かに認識していると明言する。こうした特性は、彼らが私たちと交流するのに十分な知能を備えていると示しているかもしれない。実際、『エブリデイ・ミステリーズ』のある記事の書き出しにこうある：「問い。タコと知り合いになることはできるか。答え。イエス」。

［第３段落］

タコは、人が見ていると「見つめ返す」ことで知られる。相手を覚えている可能性すらある。この考えはローランド・C・アンダーソンとその同僚によって実験された。彼らは、同じ制服を着た外見の似ている２人で実験を行った。餌を与えて付き合っていた友好的な人物は、そうでない人物とは全く異なる対応を頭足類たちから受けたのだ。問 2 ⑤

[第4段落]

自然の生息地から連れてこられると、タコはいたずらをすることがあるので、要注意だ。水槽の蓋を押し上げ、逃げ出して、散歩に出掛けることもできる。科学者は時折、サプライズ訪問を受ける。1959年に書かれたナポリ動物学研究所の論文に、3匹のタコに食べ物の出てくるレバーを引くことを教えようとした話が載っている。そのうちの2匹、アルバートとバートラムは実験に協力してくれたが、チャールズという賢い頭足類は協力を拒んだ。問2③　彼は科学者たちに水を吹きかけ、装置を壊して実験を終わらせた。

[第5段落]

彼らの自然な生態や反応に興味があるなら、海に潜って自分のところに来てもらった方が、うまくいくかもしれない。触腕を上げて手招きをしてくれる可能性すらある。2007年頃、ハーバード大学の哲学教授ピーター・ゴドフリー＝スミスはオーストラリアのシドニーに休暇で帰省していた。海中を探検していた彼は、大きな頭足類に出会った。ゴドフリー＝スミスは自分が目にしたその行動に感銘を受け、その観察を基に哲学理論を展開し始めた。人間が頭足類から学べることを見いだそうと決心したゴドフリー＝スミスは、彼らに導いてもらうことにした。ある海洋旅行では、別の頭足類がゴドフリー＝スミスの仲間の手を取ってタコの住みかを10分ほど案内してくれた、「まるで、とても小さな8本足の子どもに海底を連れ歩いてもらっているように」。

[第6段落]

泳げない場合、海洋生物に来てもらうにはどうすればいいだろう？　カーン一家は、イスラエルのエイラートにある「コーラルワールド」でこの問題を解決した。その建物の最下層はまさに紅海の中に建てられていて、「人間展示」を作り上げている。多くの水族館にある海洋生物の見せ物と異なり、自分たち自身が「人間水槽」に入った状態になっていて、好奇心に駆られた魚や海の生物たちが海中を自由に泳ぎながら自分たちを見に来るのだ。問3　いい印象を与えるためにも、おしゃれな服を着ていった方がいいかもしれない。

あなたの要約：

水生生物と知り合いになる

概要

筆者は主に［39］と言おうとしている

人間とタコの交流

アンダーソンの実験は、タコが［40］場合があることを示している。
ナポリ動物学研究所の実験は、タコが［41］場合があることを示している。
ゴドフリー＝スミスの話は、タコが友好的になる場合があることを示している。

カーン一家

［42］というアイデアでコーラルワールドを開設した。

あなたのクイズ問題：

次のうち記事の話やエピソードを表していないものはどれですか？

A

B

C

D

答え 43

語句

[記事]

aquatic	形	水の、水生の

[第1段落]

fascinate ～	他	～を魅了する
millennium	名	千年間（millennia は複数形）
being	名	存在、生物
what if ～	熟	～だとしたらどうだろうか
come up to ～	熟	～のところまでやって来る
fascinating	形	魅力的な
charge at ～	熟	～に突撃する

[第2段落]

interaction	名	やりとり、交流
cephalopod	名	頭足類（軟体動物のうち、イカ、タコ、オウムガイから構成される一群。ラテン語でcephalo-が「頭」、podが「脚」を意味する）
be perceived as ～	熟	～であると考えられている
convince ～	他	～を納得させる
tentacle	名	触手、触腕
extend	自	延びる、伸びる
suck	自	吸う
sucker	名	吸盤
manipulate ～	他	～を操る
independent	形	独立した
confirm ～	他	～を確認する
feature	名	特徴、特性
indicate ～	他	～を示す

[第3段落]

gaze	名	注視、まなざし
notion	名	考え、見解
conduct ～	他	～を実行する
similar-looking	形	外見の似た
socialize with ～	熟	～と付き合う

[第4段落]

habitat	名	生息地
mischievous	形	いたずら好きな
watch out	熟	用心する
lid	名	蓋
zoological	形	動物学の
cooperate	自	協力する
equipment	名	装置、機器

[第5段落]

motion ～ over	熟	～を手招きする
philosophy	名	哲学
explore	自	探検する、散策する
come across ～	熟	～と偶然出会う
impressed	形	感動した、感心した
witness ～	他	～を目撃する
observation	名	観察
determined	形	決心した
sea floor	熟	海底

[第6段落]

you may want to (V)	熟	あなたはVした方がいいかもしれない

まずはリード文を読んで❶**場面・状況をイメージします。**「英語ディスカッション・グループに所属していて、記事を読んで要約とクイズを作る」ということですね。記事、要約、そしてクイズがあります。❷**タイトルと見出しを先読みする**と、記事のタイトルは「水生生物と知

り合いになる」、要約の見出しは「概要」「人間とタコの交流」「カーン一家」で、クイズは本文中に出てこないイラストを選ぶ問題のようです。not 問題ですし、イラストはわかりやすいので先にチェックしておくとよさそうです。それでは一問一問見ていきます。

問 1 正解 ③ **問題レベル【普通】 配点 3点**

設問 **39** **に最もふさわしい選択肢を選びなさい。**

選択肢 ① 人がタコと交流するのにいい場所は海だ
② アイコンタクトは異なる種の間の友情の重要なサインだ
③ 海の生物との交流はどちらからでも始められる
④ 人は海の生物と仲良くなるために家で飼うべきだ

語句 interact with ～ 熟 ～とやりとりする

では❸**メモの該当箇所の詳細を分析します**。見出しは「概要」で、筆者が主に言いたい内容を選ぶ問題ですね。**「概要」なので最後に解いたほうが解きやすいかもしれません**。❹**本文の各段落をざっくり整理していきましょう**。第1段落は「水生生物の方から近づいてくることもある」ということ、第2段落は「タコも人間と交流できる」ということ、第3段落は「タコが人間を覚えていることもある」ということ、第4段落は「タコは生息地から連れ去ると非協力的になる可能性がある」ということ、第5段落は「(第4段落のようなことになるので) タコとの交流は彼らの生息地である水中が好ましい」ということ、第6段落は「自分が泳げない場合は『人間水槽』で交流することができる」ということ、を述べています。全体を通して人間と水生生物の交流の可能性について書いてありました。よって正解は③ interactions with sea creatures can be started by either side「海の生物との交流はどちらからでも始められる」です。第1段落2～3文目で「水中生物の方から簡単に近づいてくることはできないので人間の方から出向いたらどうだろう」としながらも、クジラやタコ、人間水槽などの例を出しながら「水中生物の方から近づいてくることもある」としている点を by either side と表しています。①はタコだけに絞っている点が×、②は第3段落に少し出てくるアイコンタクトだけに絞っている点が×、④は家で飼うべきだという点が×です。本文は、むしろ海での交流に焦点を当てています。

問 2 正解 40 ⑤ 41 ③ **問題レベル【普通】 配点 3点(すべて正解で)**

設問 **40** **と** **41** **に最もふさわしい選択肢を選びなさい。**

選択肢 ① 哲学理論を生み出すための良い材料になる
② 住みかに近づかれると、泳いでいる人を怖がる
③ 研究室の中で人間に非協力的になる
④ ご褒美がもらえるのであれば他のタコと競争する
⑤ 前に会ったことのある人が親切だとを認識する
⑥ 人間と同じように触ったり、においをかいだり、味わったり、光や色を感じたりする

語句

philosophical	形 哲学の	laboratory	形 研究室の、実験の
uncooperative	形 非協力的な	compete with ～	熟 ～と競う

まず❸**メモの該当箇所の詳細を分析します**。アンダーソンとナポリ動物学研究所の実験について書かれた箇所を狙い読みすればよさそうですね。では❹**本文を見ていきましょう**（❹）。アンダーソンの実験は第3段落に登場し、最終文 The friendly person, who had fed and socialized with them, got a completely different reaction from the cephalopods than the other person who had not.「餌を与えて付き合っていた友好的な人物は、そうでない人物とは全く異なる対応を頭足類たちから受けたのだ」とあることから⑤ recognize that someone they have met before is kind が 40 に入ることがわかります。

ナポリ動物学研究所の実験は第4段落にあり、4文目 Two of them, Albert and Bertram, cooperated with the experiment, but Charles, a clever cephalopod, refused to do so.「そのうちの2匹、アルバートとバートラムは実験に協力してくれたが、チャールズという賢い頭足類は協力を拒んだ」とあるように、非協力的になることがあると書かれています。よって③ be uncooperative with humans in a laboratory setting が 41 に入ります。

問3 正解④ **問題レベル【普通】 配点 3点**

設問 42 に最もふさわしい選択肢を選びなさい。

選択肢 ① ユニークな水族館にもっと多くの人を呼ぶ
② 海の生き物と一緒に泳ぐのに便利な場所を作る
③ さらに知的で協力的なタコを育てる
④ 人間と海洋生物の役割を逆転させる

語句 attract ～ 他 ～を引き寄せる　reverse ～ 他 ～を逆にする

まず❸**メモの該当箇所の詳細を分析し**、カーン一家のコーラルワールドがどんなアイデアなのかを狙い読みすればよさそうだとわかります。❹**該当段落である最終段落を読んでいきます**。3～4文目に..., creating a "human display." Rather than the sea-life performances at many aquariums, you find yourself in a "people tank," ...「…『人間展示』を作り上げている。多くの水族館にある海洋生物の見せ物と異なり、自分たち自身が『人間水槽』に入った状態になっていて…」とあるように、通常の水族館における人間と水生生物の役割が逆転しています。ここから④ reversing the roles of people and sea creatures が正解だとわかります。選択肢②は、前半 creating a convenient place「便利な場所を作る」はいいのですが後半の to swim with sea life が×です。一緒に泳ぐという設定ではありません。

問4 正解④ **問題レベル【普通】 配点 3点**

設問 あなたのクイズ問題の答えは 43 だ。

選択肢 ① A　② B　③ C　④ D

先にイラストを見ておく（❸）と解きやすかったと思います。❹**本文の該当箇所を確認**していきましょう。Aは第1段落のクジラとの交流、Bは第5段落のタコに手を取られて海底散歩した場面、Cは第4段落のタコを使った実験の描写です。Dのように水中で魚に餌やりをしているところを人が見るような描写はどこにもありませんでした。よって④ Dが正解です。

DAY 18

【長文記事読解問題】を攻略する「論理的読解の型」

Day 17では「長文記事読解問題」を速く、そして、正確に読むのに役立つ「視線の型」を学んでいただきました。ここでは「長文記事読解問題」をスムーズに解くための、パラグラフ（段落）間の論理関係を見ていきます。

「論理的読解の型」のステップ

①「視線の型」を使う

問題を解く際には、Day 17の「視線の型」が基本の型となります。p. 294で説明した型を確実にものにしておきましょう。

②「論理的読解の型」その1：まず1文目を精読する

英語では筆者の主張は、パラグラフ冒頭（1文目）に現れることが多いです。まず1文目を精読し、パラグラフの方向性をつかみましょう。

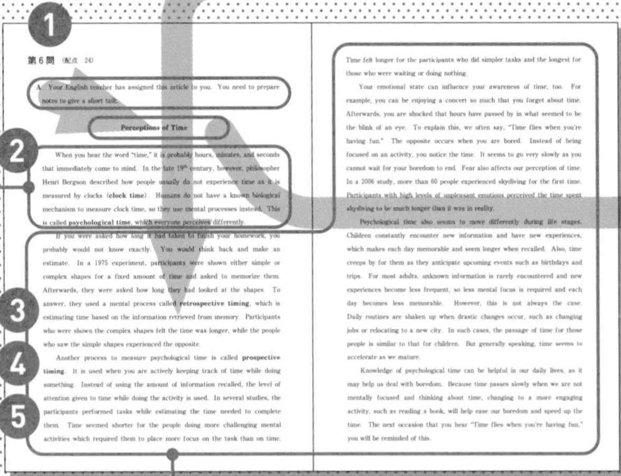

第6問 (配点 24)

A Your English teacher has assigned this article to you. You need to prepare notes to give a short talk.

Perceptions of Time

When you hear the word "time," it is probably hours, minutes, and seconds that immediately come to mind. In the late 19th century, however, philosopher Henri Bergson described how people usually do not experience time as it is measured by clocks (**clock time**). Humans do not have a known biological mechanism to measure clock time, so they use mental processes instead. This is called **psychological time**, which everyone perceives differently.

If you were asked how long it had taken to finish your homework, you probably would not know exactly. You would think back and make an estimate. In a 1975 experiment, participants were shown either simple or complex shapes for a fixed amount of time and asked to memorize them. Afterwards, they were asked how long they had looked at the shapes. To answer, they used a mental process called **retrospective timing**, which is estimating time based on the information retrieved from memory. Participants who were shown the complex shapes felt the time was longer, while the people who saw the simple shapes experienced the opposite.

Another process to measure psychological time is called **prospective timing**. It is used when you are actively keeping track of time while doing something. Instead of using the amount of information recalled, the level of attention given to time while doing the activity is used. In several studies, the participants performed tasks while estimating the time needed to complete them. Time seemed shorter for the people doing more challenging mental activities which required them to place more focus on the task than on time. Time felt longer for the participants who did simpler tasks and the longest for those who were waiting or doing nothing.

Your emotional state can influence your awareness of time, too. For example, you can be enjoying a concert so much that you forget about time. Afterwards, you are shocked that hours have passed by in what seemed to be the blink of an eye. To explain this, we often say, "Time flies when you're having fun." The opposite occurs when you are bored. Instead of being focused on an activity, you notice the time. It seems to go very slowly as you cannot wait for your boredom to end. Fear also affects our perception of time. In a 2006 study, more than 60 people experienced skydiving for the first time. Participants with high levels of unpleasant emotions perceived the time spent skydiving to be much longer than it was in reality.

Psychological time also seems to move differently during life stages. Children constantly encounter new information and have new experiences, which makes each day memorable and seem longer when recalled. Also, time creeps by for them as they anticipate upcoming events such as birthdays and trips. For most adults, unknown information is rarely encountered and new experiences become less frequent, so less mental focus is required and each day becomes less memorable. However, this is not always the case. Daily routines are shaken up when drastic changes occur, such as changing jobs or relocating to a new city. In such cases, the passage of time for those people is similar to that for children. But generally speaking, time seems to accelerate as we mature.

Knowledge of psychological time can be helpful in our daily lives, as it may help us deal with boredom. Because time passes slowly when we are not mentally focused and thinking about time, changing to a more engaging activity, such as reading a book, will help ease our boredom and speed up the time. The next occasion that you hear "Time flies when you're having fun," you will be reminded of this.

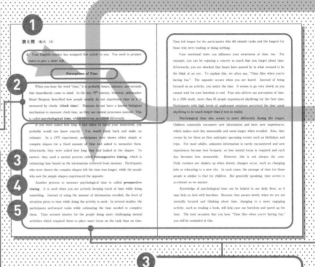

③「論理的読解の型」その2：前のパラグラフとのつながりを考える

パラグラフが切り替わった時は「前のパラグラフ」との関連性を意識してください。例えば前のパラグラフで「感染症予防が大事だ」と言っていたら、これから読もうとしているパラグラフの1文目に「まずやることは……」とある場合、「前のパラグラフの具体例がきたな」と思いながら読んでいきます。

内容 パラグラフ（段落）は、見た目は複数の文のまとまりですが、実は**１つのパラグラフで筆者の言いたいこと・伝えたい情報は「１つ」しかありません。**たった「１つ」のことを読者に伝えるために、追加・対比・因果・具体化などを用いながら「論理的に」説明をした結果、複数の文になっているのです。ここでは「パラグラフごと」に要旨をつかみ、パラグラフ同士がどうつながっていくのかを見ていきましょう。

目標解答時間 12分

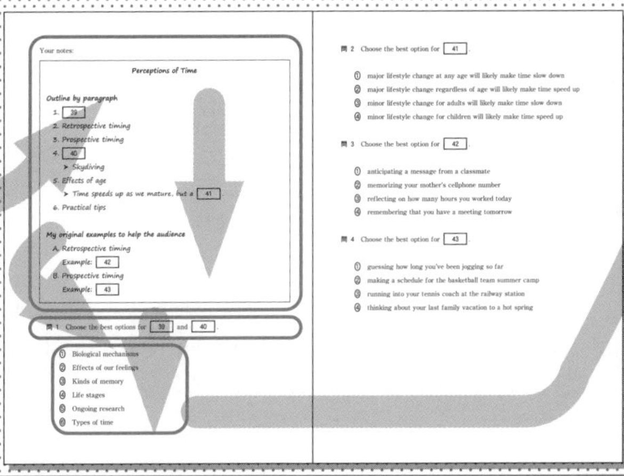

Your notes:
Perceptions of Time
Outline by paragraph
1. 39
2. Retrospective timing
3. Prospective timing
4. 40
➤ Skydiving
5. Effects of age
➤ Time speeds up as we mature, but a 41
6. Practical tips
My original examples to help the audience
A. Retrospective timing
Example: 42
B. Prospective timing
Example: 43
問１ Choose the best options for 39 and 40.
① Biological mechanisms
② Effects of our feelings
③ Kinds of memory
④ Life stages
⑤ Ongoing research
⑥ Types of time
問２ Choose the best option for 41.
① major lifestyle change at any age will likely make time slow down
② major lifestyle change regardless of age will likely make time speed up
③ minor lifestyle change for adults will likely make time slow down
④ minor lifestyle change for children will likely make time speed up
問３ Choose the best option for 42.
① anticipating a message from a classmate
② memorizing your mother's cellphone number
③ reflecting on how many hours you worked today
④ remembering that you have a meeting tomorrow
問４ Choose the best option for 43.
① guessing how long you've been jogging so far
② making a schedule for the basketball team summer camp
③ running into your tennis coach at the railway station
④ thinking about your last family vacation to a hot spring

④ 「論理的読解の型」その３：主張をつかんだら速読モードに入る

１文目で方向性をつかんだら、２文目以降は予測に従いながらスイスイ読んでいきます。「最初はゆっくり、内容がわかってきたらスピードアップ」という精読→速読のスイッチが大事です。この読み方を習得すれば、ダラダラ読まなくなっていきます。なお１文目がただの「前置き」だったり、よくわからなかったりした場合は、２文目以降も筆者の主張をつかむために精読を続ける必要がありますが、どこかで速読モードに切り替える意識は持ち続けてください。

⑤ 「論理的読解の型」その４：次のパラグラフの内容を予測する

できれば、パラグラフが切り替わる前に、「今まで読んでいたパラグラフ」とどうつながるかを予測してください。例えば今読んでいたパラグラフが「感染症予防策１つ目は……」と言っていたのであれば、次のパラグラフは「感染症予防策２つ目は……」と続くかもしれない、と予測するのです。

では、この「論理的読解の型」を意識しながら、次ページの問題に取り組みましょう！

第6問 (配点 24)

A Your English teacher has assigned this article to you. You need to prepare notes to give a short talk.

Perceptions of Time

When you hear the word "time," it is probably hours, minutes, and seconds that immediately come to mind. In the late 19th century, however, philosopher Henri Bergson described how people usually do not experience time as it is measured by clocks (**clock time**). Humans do not have a known biological mechanism to measure clock time, so they use mental processes instead. This is called **psychological time**, which everyone perceives differently.

If you were asked how long it had taken to finish your homework, you probably would not know exactly. You would think back and make an estimate. In a 1975 experiment, participants were shown either simple or complex shapes for a fixed amount of time and asked to memorize them. Afterwards, they were asked how long they had looked at the shapes. To answer, they used a mental process called **retrospective timing**, which is estimating time based on the information retrieved from memory. Participants who were shown the complex shapes felt the time was longer, while the people who saw the simple shapes experienced the opposite.

Another process to measure psychological time is called **prospective timing**. It is used when you are actively keeping track of time while doing something. Instead of using the amount of information recalled, the level of attention given to time while doing the activity is used. In several studies, the participants performed tasks while estimating the time needed to complete them. Time seemed shorter for the people doing more challenging mental activities which required them to place more focus on the task than on time.

Time felt longer for the participants who did simpler tasks and the longest for those who were waiting or doing nothing.

Your emotional state can influence your awareness of time, too. For example, you can be enjoying a concert so much that you forget about time. Afterwards, you are shocked that hours have passed by in what seemed to be the blink of an eye. To explain this, we often say, "Time flies when you're having fun." The opposite occurs when you are bored. Instead of being focused on an activity, you notice the time. It seems to go very slowly as you cannot wait for your boredom to end. Fear also affects our perception of time. In a 2006 study, more than 60 people experienced skydiving for the first time. Participants with high levels of unpleasant emotions perceived the time spent skydiving to be much longer than it was in reality.

Psychological time also seems to move differently during life stages. Children constantly encounter new information and have new experiences, which makes each day memorable and seem longer when recalled. Also, time creeps by for them as they anticipate upcoming events such as birthdays and trips. For most adults, unknown information is rarely encountered and new experiences become less frequent, so less mental focus is required and each day becomes less memorable. However, this is not always the case. Daily routines are shaken up when drastic changes occur, such as changing jobs or relocating to a new city. In such cases, the passage of time for those people is similar to that for children. But generally speaking, time seems to accelerate as we mature.

Knowledge of psychological time can be helpful in our daily lives, as it may help us deal with boredom. Because time passes slowly when we are not mentally focused and thinking about time, changing to a more engaging activity, such as reading a book, will help ease our boredom and speed up the time. The next occasion that you hear "Time flies when you're having fun," you will be reminded of this.

Your notes:

Perceptions of Time

Outline by paragraph

1. [39]
2. Retrospective timing
3. Prospective timing
4. [40]
   - Skydiving
5. Effects of age
   - Time speeds up as we mature, but a [41].
6. Practical tips

My original examples to help the audience

A. Retrospective timing

Example: [42]

B. Prospective timing

Example: [43]

問 1 Choose the best options for [39] and [40].

① Biological mechanisms

② Effects of our feelings

③ Kinds of memory

④ Life stages

⑤ Ongoing research

⑥ Types of time

問 2 Choose the best option for [41].

① major lifestyle change at any age will likely make time slow down
② major lifestyle change regardless of age will likely make time speed up
③ minor lifestyle change for adults will likely make time slow down
④ minor lifestyle change for children will likely make time speed up

問 3 Choose the best option for [42].

① anticipating a message from a classmate
② memorizing your mother's cellphone number
③ reflecting on how many hours you worked today
④ remembering that you have a meeting tomorrow

問 4 Choose the best option for [43].

① guessing how long you've been jogging so far
② making a schedule for the basketball team summer camp
③ running into your tennis coach at the railway station
④ thinking about your last family vacation to a hot spring

Day 18

問 1－4

訳 あなたは英語の先生からこの記事を渡されました。短いトークをするためにメモを準備をしなくてはなりません。

時間感覚

[第1段落]

「時間」という言葉を耳にしたときに、すぐに思い浮かぶのはおそらく、時間、分、秒だろう。しかし、19世紀後半に、哲学者アンリ・ベルクソンは、人々が通常、時計（時計時間）で測られるようには時間を感じていない様子を記述している。人間は、知られている限り時計時間を測る生物学的なメカニズムを持っておらず、代わりに精神プロセスを利用する。これは「心理的時間」と呼ばれ、人によって異なる感じ方をする。問1⑥

[第2段落]

もしあなたが、宿題を仕上げるのにどれだけかかったかと聞かれても、おそらく正確にはわからないだろう。思い返して推量するはずだ。1975年の実験では、参加者がいくつかの単純な図形か複雑な図形のどちらかを一定時間見せられ、記憶するように指示された。その後、図形をどれだけの時間見ていたか尋ねられた。答えるために彼らが使ったのは「追想的計時」と呼ばれる精神プロセスで、それは、記憶から得られた情報を基に時間を推測することだ。問3　複雑な形を見せられた参加者は時間を長く感じたのに対して、単純な形を見た人たちは逆に感じた。

[第3段落]

心理的時間を測定するもう一つのプロセスは「予期的計時」と呼ばれる。これは、何かをしながら積極的に時間を追っているときに使われる。思い返した情報の量を使うのではなく、その活動をしている間に時間に向けられた注目度が使われる。問4　幾つかの研究では、参加者は、完成までに必要な時間を予測しながら課題を実行した。時間よりも課題に注意を向ける必要のある、難易度の高い精神活動に従事していた人たちにとっては、時間が短く思えた。単純な課題を実行した参加者には時間が長めに感じられ、待機していたり何もしていなかったりした人たちには、最も長く感じられた。

[第4段落]

情緒の状態も、時間認識に影響を与える。問1②　例えば、コンサートを楽しむあまり時間を忘れることがある。後になって、一瞬と思えた間に何時間もたっていたことに衝撃を受ける。このことの説明として、よく言うのが「楽しんでいると時間は飛ぶように過ぎる」だ。退屈なときは逆のことが起こる。活動に意識を向ける代わりに、時間を気にするのだ。退屈が終わるのが待ち切れないので、時間がとても遅く進むように思える。恐怖も時間感覚に影響を与える。2006年の研究では60人以上がスカイダイビングを初めて経験した。高レベルの不快な感情を抱いていた参加者は、スカイダイビングにかかった時間を実際よりもずっと長く感じていた。

[第5段落]

心理的時間は、人生の段階を通じて変化していくようでもある。子どもは絶えず新しい情報や新しい経験に出会うことから、毎日が記憶に残る日となり、思い起こすと長く思える。また、誕生日や旅行のようなこれから来るイベントを楽しみにしているときの子どもにとっては、時間の進みは遅い。ほとんどの大人にとっては、未知の情報に出会うことはめったになく、新しい経験をする頻度も落ちていくので、精神を集中させる必要があまりなく、毎日はさほど記憶に残らなくなる。しかし、いつもそうとも限らない。転職や新しい町への引っ越しのような大きな変化が起こると、日々の決まった行動が一新される。こうした場合、その人たちにとっての時間の経過は子どものそれに近くなる。問2 だが、一般的には、大人になるにつれて時間は加速していくように感じられる。

[第6段落]

心理的時間の知識は、退屈に対処するのに役立てることができるので、日常生活の助けとなる。時間がゆっくり過ぎるのは精神的に集中しておらず時間を気にしているときなので、読書などのもっと興味を向けられる活動に切り替えると、退屈を紛らせて時間がたつのを速くする効果があるだろう。この次「楽しんでいると時間は飛ぶように過ぎる」と聞いたときには、このことを思い出すだろう。

あなたのメモ：

時間感覚

段落ごとの概要

1. [39]
2. 追想的計時
3. 予期的計時
4. [40]
   ▶スカイダイビング
5. 年齢の影響
   ▶大人になるにつれて時間の過ぎるのは早くなるが、[41]。
6. 実用的なヒント

聞き手の理解を助けるための、私自身の例

A．追想的計時
例：[42]

B．予期的計時
例：[43]

Day 18

語句

[リード文]

assign A to B　熟 BにAをあてがう、BにAを与える

[記事]

perception　名 知覚、認識

[第1段落]

come to mind　熟 思い浮かぶ

philosopher	名 哲学者	emotion	名 感情
experience ～	他 ～を感じる	［第５段落］	
measure ～	他 ～を測定する	encounter ～	他 ～に遭遇する
biological	形 生物学的な、生体の	memorable	形 記憶に残るような
mechanism	名 メカニズム	creep by	熟 はうようにに進んでいく、のろのろと過ぎ去る
psychological	形 心理的な		
perceive ～	他 ～を認識する、～を受け止める	anticipate ～	他 ～を期待する、～を楽しみに待つ
［第２段落］		upcoming	形 これから起こる
estimate	名 見積もり、推量	frequent	形 頻繁な
experiment	名 実験	routine	名 日課、型にはまった行動
participant	名 参加者		
fixed	形 固定された、一定の	shake up ～	熟 ～を揺るがす、～を刷新する
retrospective	形 過去を振り返った、追想の	drastic	形 劇的な、急激な
retrieve ～	他 ～を拾い出す、～（情報）を検索する	relocate	自 移転する、移住する
		passage	名 過ぎ去ること、（時の）経過
［第３段落］			
prospective	形 予想される、予期の	generally speaking	熟 一般的に言って
keep track of ～	熟 ～の経過を追う、～の記録を取る	accelerate	自 加速する
		mature	自 成熟する、大人になる
recall ～	他 ～を思い出す、～を思い起こす	［第６段落］	
		deal with ～	熟 ～に対処する
challenging	形 難易度の高い	boredom	名 退屈
place focus on ～	熟 ～に焦点を当てる、～に注意を向ける	engaging	形 興味を引くような、魅力的な
［第４段落］		remind A of B	熟 AにBを思い出させる
emotional	形 感情の、情緒の		
awareness	名 意識、認識度	［メモ］	
blink of an eye	熟 瞬き（する間）、一瞬	paragraph	名 段落
unpleasant	形 不快な		

まずは❶**視線の型**ですね。記事とメモがあります。タイトルは「時間感覚」。メモには「段落ごとの概要」と「聞き手の理解を助けるための、私自身の例」とあります。それでは一問一問見ていきます。

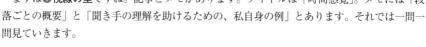

問 1　正解 39 ⑥　40 ②　**問題レベル【やや難】　配点 3点（すべて正解で）**

設問 **39 と 40 に最もふさわしい選択肢を選びなさい。**

選択肢
① 生物学的メカニズム
② 感情の影響
③ 記憶の種類
④ 人生の段階
⑤ 現在進められている研究
⑥ 時間の種類

語句 ongoing 形 現在進行中の

段落の概要を答える問題です（❶）。まずは第１段落の概要からです。第１段落１文目を精読します（❷）。When you hear the word “time,” it is probably hours, minutes, and seconds that immediately come to mind.「『時間』という言葉を耳にしたときに、すぐに思い浮かぶのはおそらく、時間、分、秒だろう」とありますが、これは筆者の主張でしょうか。When you hear the word は総称の you が使われており、probably「おそらく」という副詞は筆者の確信度の高さを表しています。ここからこの文は「一般論」を言っているのだとわかります。一般論はふつう筆者の主張部分ではありませんね。あくまで「前置き」です。「しかし」を予測し次の文を読むと、however「しかし」と、一般論に対しての否定的な見解が入り、３～４文目 Humans do not have a known biological mechanism to measure clock time, so they use mental processes instead. This is called psychological time「人間は、知られている限り時計時間を測る生物学的なメカニズムを持っておらず、代わりに精神プロセスを利用する。これは『心理的時間』と呼ばれる」とあります。ここが筆者の主張部分ですね。次の段落でこの「心理的時間」が具体的に説明されるのだろうな、と予測し第１段落を読み終えます（❺）。

ここで選択肢を見ると⑥ Types of time「時間の種類」が正解だとわかります。人間は「時計時間」ではなく「心理的時間」を使って時間を感じるのだ、というのがこの段落の伝えたい情報であり、時間の種類について説明しています。「心理的時間」なので② Effects of our feelings「感情の影響」も近い感じがしますが、キーワードの「時間」が入っていませんし、「どう影響するのか」という具体的な内容も書かれていないので×です。実は②は第４段落の答えとなるので、その観点からもこちらが⑥だとわかります。絞り切れなかった場合はもう一つの答えを先に出して相対的に考えるのも手です。

さて、第４段落の概要を考えていきます。まずは第４段落１文目 Your emotional state can influence your awareness of time, too.「情緒の状態も、時間認識に影響を与える」を精読します（❷）。１文目なので抽象的な表現で少し内容をつかみづらかったかもしれませんが、前のパラグラフとのつながりから内容の予測ができます（❸）。まず、１文目の“, too”は「追加」を表す論理マーカーです。「追加」というのは同じ方向の内容を別の観点から述べるときに使われます。前の段落で心理的時間を測定するプロセスが「難易度の高い活動をするときは時間が短く感じる」という説明がされていたので、ここでは「活動内容ではない何か」が時間認識に影響するという内容ではないかと予測がつきます。１文目の Your emotional state という表現からそれは「感情」ですね。自信がなければ次の文の具体例までしっかり読みましょう。For example, you can be enjoying a concert so much that you forget about time.「例えば、コンサートを楽しむあまり時間を忘れることがある」とあるのでやはり「感情」→「時間認識」ですね。一応確認のために速読モードで段落最後まで読んでしまいましょう（❹）。「退屈」の例、「恐怖」の例が追加で説明があるだけで、やはり１文目の内容が段落全体の概要となっていました。よって正解は② Effects of our feelings「感情の影響」です。

問 2　正解①　**問題レベル【難】　配点 3点**

設 問　**[41] に最もふさわしい選択肢を選びなさい。**

選択肢　① どんな年齢でも生活スタイルの大きな変化が時間の経過を遅くする傾向がある

② 年齢に関係なく生活スタイルの大きな変化が時間の経過を速くする傾向がある

③ 大人にとって生活スタイルの小さな変化が時間の経過を遅くする傾向がある

④ 子どもにとって生活スタイルの小さな変化が時間の経過を速くする傾向がある

語句　regardless of ～　熟 ～にかかわらず

メモの問われている箇所を確認すると（❶）、Time speeds up as we mature, but a [41] .「大人になるにつれて時間の過ぎるのは早くなるが、[41]」とあります。ポイントは空所直前の論理マーカー but「しかし」ですね。本文の該当箇所を探しに第５段落を読んでいきましょう。まず１文目 Psychological time also seems to move differently during life stages.「心理的時間は、人生の段階を通じて変化していくようでもある」とあります（❷）。追加を表す論理マーカー also「また」が使われていますが、前の段落から引き続き Psychological time「心理的時間」の話が続いており、「ライフステージの中で変化」という新しい内容が展開されるのですね（❸）。２文目以降で「絶えず新しい経験に出会う子どもにとっては時間の進みが遅いが、ほとんどの大人にとっては新しい経験をする頻度が落ちて毎日はさほど記憶に残らなくなる」という内容をつかみながら、but「しかし」を探します。すると５文目に However, this is not always the case.「しかし、いつもそうとも限らない」と、but と同じ逆接を表す論理マーカー However があります。この文の次にくる具体的説明を精読しましょう。Daily routines are shaken up when drastic changes occur, such as changing jobs or relocating to a new city. In such cases, the passage of time for those people is similar to that for children.「転職や新しい町への引っ越しのような大きな変化が起こると、日々の決まった行動が一新される。こうした場合、その人たちにとっての時間の経過は子どものそれに近くなる」とあります。つまり、「大人でも大きな変化があると子どもと同じように時間の進みを遅く感じる」ということですね。正解は選択肢① major lifestyle change at any age will likely make time slow down「どんな年齢でも生活スタイルの大きな変化が時間の経過を遅くする傾向がある」です。

問 3　正解③　**問題レベル【やや難】　配点 3点**

設 問　**[42] に最もふさわしい選択肢を選びなさい。**

選択肢　① 同級生からのメッセージを待つこと

② 母親の携帯電話番号を覚えようとすること

③ 今日、何時間働いたか思い返すこと

④ 明日、ミーティングがあるのを覚えておくこと

語句　cellphone　名 携帯電話

メモの空所部分を確認すると、Retrospective timing「追想的計時」の具体例を探せばいいのだとわかります（❶）。Retrospective timing は第２段落に出てきますね。Retrospective timing を含む文を精読しましょう。第２段落５文目に To answer, they used a mental process called retrospective timing, which is estimating time based on the information retrieved from memory.「答えるために彼らが使ったのは『追想的計時』と呼ばれる精神プロセスで、それは、記憶から得られた情報を基に時間を推測することだ」とあります。どういうことでしょうか。この１文に至った経緯を考えてみましょう。まず第２段落１～２文目では、「宿題にかかった時間を思い出すよう言われても正確には思い出せないですよね、思い返して見積もることをしますよね」という内容でした。ここからある実験の話になり、その実験の中で、実験の参加者たちはある形を一定時間見て覚えるよう言われ、後でそれをどのくらい見てたのかを思い出すよう求められています。つまりキーワードは「かかった時間を後から思い出す」ですね。これを retrospective timing という言葉で表しているのです。選択肢を見ると過去のことを思い出している例は ③ reflecting on how many hours you worked today「今日、何時間働いたか思い返すこと」しかありません。よって③が正解です。

問４　正解①　**問題レベル【難】　配点 3点**

設問　**43** に最もふさわしい選択肢を選びなさい。

選択肢
① それまでどれだけの時間ジョギングをしていたか考えてみること
② バスケットボール部の夏合宿のスケジュールを組むこと
③ 鉄道の駅でテニスのコーチと偶然出会うこと
④ この前、温泉に家族旅行したときのことを考えること

語句
so far	熟 今まで、それまで	family vacation	熟 家族旅行
run into ～	熟 ～を偶然出会う	hot spring	熟 温泉

メモの空所部分を確認すると、Prospective timing「予期的計時」の具体例を探せばいいのだとわかります（❶）。Prospective timing は第３段落に出てきますね。Prospective timing の説明は第３段落２文目 It is used when you are actively keeping track of time while doing something.「これは、何かをしながら積極的に時間を追っているときに使われる」です。まだ抽象的なので次の文も確認すると、Instead of using the amount of information recalled, the level of attention given to time while doing the activity is used.「思い返した情報の量を使うのではなく、その活動をしている間に時間に向けられた注目度が使われる」とあります。これはわかりやすいですね。Instead of ～「～ではなく」という対比を表す論理マーカーが使われています。「思い返す時間」V.S.「活動している間に感じる時間」、つまり「過去」V.S.「今」ですね。このように自分の言葉で言い換えるとわかりやすくなります。Prospective timing は「今」の方なので、「今、活動中に感じている時間」はどれだろう、と思いながら選択肢を確認すると①が正解だとわかります。

第6問 (配点　24)

A Your English teacher has assigned this article to you. You need to prepare notes to give a short talk.

Belief Perseverance

There may be some out-of-date rules at your school. If you ask your teachers to update these rules, your ideas may be rejected. Of course, most of their objections will be reasonable, but some may be caused by **belief perseverance**, the psychological characteristic of maintaining an existing belief despite any new information. Although this tendency itself is neither good nor bad, it may cause conflicts ranging from personal problems to social phenomena.

A study published in 1980 by Craig A. Anderson and his colleagues describes this human tendency. In the first stage of their experiment, the participants were presented with evidence that led them to conclude that firefighters who were willing to take risks performed their jobs better. Surprisingly, even after the participants were told that the evidence was false, they were reluctant to change their conclusions. Why is it difficult to change our beliefs? This is partly because we have **confirmation bias**, a psychological tendency to look for information consistent with our existing beliefs. Also, in some cases, the more others attempt to prove our beliefs wrong, the more firmly we stick to them, which is called the **backfire effect**.

The case of Ignaz Philip Semmelweis demonstrates belief perseverance in one group in society. He was a 19th-century physician who wondered why more women died from a fever after giving birth in one place than in another. His data apparently indicated that handwashing could reduce the number of occurrences of the deadly fever. However, at that time, handwashing was not common among doctors. His potentially life-saving idea was ignored by the medical community, and many doctors rejected it and even harassed him. Semmelweis' claim was eventually accepted long after his death. This episode demonstrates how a group of people with belief perseverance can become aggressive towards innovators and ground-breaking ideas. This social reaction was named the **Semmelweis reflex** after this incident.

Understanding belief perseverance can give us insights into the ways people behave. Imagine that you want to study abroad, and your family strongly opposes it because they believe that the city you plan to live in is dangerous. Even after showing them data on the city's crime rate, you may find out that your efforts end up only adding fuel to the fire. If you encounter this backfire effect, an alternative approach might be needed. You could ask your teacher to speak with your family on your behalf, taking advantage of a related behavior that people tend to trust the opinions of an authority.

If someone presents you with hard-to-believe information, be careful not to reject it immediately. If your internal voice warns you not to act on that information, it is time to remind yourself of belief perseverance. To be stubborn may not be good for you. However, in many cases, the persistence of existing beliefs is desirable or even necessary these days. Remember that the Internet conveys not only accurate but also unreliable information. Belief perseverance can also protect you from potentially fake information. In other words, take time to find out more before accepting new information. After all, we humans have developed belief perseverance over time to ensure our survival. Understanding human nature is one of the keys to keeping your life balanced.

Your notes:

Belief Perseverance (BP)

BP:

- is a tendency to maintain an existing belief despite any new information.
- can be [39].

Outline by paragraph

1. Introduction to BP
2. Experiment and explanation
3. [40]
4. [41]
5. Final remarks

Stories mentioned in the article

- The firefighters story shows us that [42].
- The Semmelweis story tells us that even a truly innovative idea with sufficient evidence can be initially rejected.

Practical lessons from the article

Learning about the nature of human psychology helps us to [43].

問 1 Choose the best option for [39].

① a barrier which stops people from expressing their opinions
② a cause of positive or negative outcomes for anyone
③ a major disadvantage for people who are easily convinced
④ an obstacle preventing us from keeping our beliefs strong

問 2 Choose the best options for [40] and [41].

① A story of a doctor who rejected handwashing
② An example of the social consequences of BP
③ An example showing the difficulty of understanding others
④ Application of BP knowledge when convincing others
⑤ Strategies for effectively countering new information
⑥ Tendency to search for advice from specialists

問 3 Choose the best option for [42].

① BP appears to have an influence on anyone, even in situations one wouldn't expect
② confirmation bias is found when people want to believe new information
③ the backfire effect often happens when a stubborn person's opinion is rejected
④ the Semmelweis reflex is often observed in occupations where risks are common

問 4 Choose the best option for [43].

① analyze historical discoveries from a scientific point of view
② make reasonable decisions when dealing with new information
③ recognize immediately whether given information is true or not
④ understand when it is appropriate or necessary to take risks

問 1－4

訳 あなたは英語の先生からこの記事を渡されました。短いトークをするために準備をしなくてはなりません。

信念固執

[第1段落]

あなたの学校には時代遅れの校則がいくつかあるかもしれない。こうした校則を時代に合ったものにするよう先生に頼むと、その提案は却下されるかもしれない。もちろん、そうした反対意見の大半は妥当なものだろうが、一部は**信念固執**、つまり新しい情報があっても既存の信念を保持しようとする心理的特性によるものかもしれない。この傾向それ自体は良くも悪くもないが、個人的問題から社会現象まで、多岐にわたる対立を引き起こす可能性がある。問1

[第2段落]

1980年にクレイグ・A・アンダーソンと同僚たちによって発表された研究に、この人間の傾向が説明されている。彼らの実験の第1段階で、参加者たちは、進んで危険な行動を取ろうとする消防士ほど仕事が優秀であるという結論を導くような証拠を提示される。驚くことに、参加者は、その証拠が間違いだと伝えられた後も、結論を変えることを嫌がったのだ。問3　信じていることを変えるのが難しいのはなぜだろう？　この理由の一部は、われわれに**認証バイアス**という、既存の信念と一致する情報を探す心理的傾向があるせいだ。また、場合によっては、自分の信じていることが間違っていると他の人が証明しようとすればするほど、より強固にそれに固執することがあり、それは**バックファイア効果**と呼ばれる。

[第3段落]

イグナーツ・フュレプ・センメルヴェイスの事例は、社会のある集団内における信念固執を実証している。問2②-1　彼は19世紀の医師で、ある場所では他の場所よりも出産後に発熱で死亡する女性が多いのはなぜかという疑問を抱いた。彼のデータから見たところ、手洗いによって致命的な発熱の発生数を減らせるようだと示されていた。しかし、当時、手洗いは医師の間でも一般的ではなかった。命を救う可能性を秘めた彼の提案は医学界で無視され、多くの医師がそれを否定し、彼に嫌がらせまでした。センメルヴェイスの主張は、彼の死後かなりたってからようやく認められた。このエピソードは、信念固執を抱いた人々の集団が、先進的な人や画期的なアイデアに対していかに攻撃的になり得るかを示している。こうした社会反応問2②-2は、この出来事から**センメルヴェイス反射**と名付けられた。

[第4段落]

信念固執を理解すると、人々の行動に関して洞察が得られる。問2④-1　あなたは留学したいが、あなたが住もうとしている都市が危険だと考えている家族に強く反対されているとしよう。その都市の犯罪率に関するデータを見せた後ですら、その努力が火に油を注ぐだけの結果に終わったと判明するかもしれない。こうしたバックファイア効果に遭遇したら、別のアプローチが必要になりそうだ。教師に自分の代わりに家族と話をしてくれるよう頼んでもいいだろう、人は権威者の意見を信用する傾向があるという関連行動を利用するのだ。問2④-2

[第5段落]

誰かが信じがたい情報を提示してきたとき、すぐに否定しないよう気を付けよう。内なる声がその情報に沿って行動するなと警告してきたら、信念固執を思い出してみる時だ。問4-2 強情を張るのは自分にとって良いことではないかもしれない。ただし、近年では既存の信念を貫くのが好ましいどころか必要な場合も多い。インターネットが正確な情報だけでなく信頼のおけない情報も伝えることを忘れてはならない。信念固執は、フェイク情報かもしれないものから自分を守るのに役立つこともあるのだ。問4-3 つまり、新しい情報を受け入れる前に、時間をかけて詳しく調べることだ。結局のところ、われわれ人間は、自分たちが確実に生き残れるよう長年かけて信念固執を発達させてきたのだ。人間の性質を理解することは、バランスの取れた人生を保つために重要なことの一つだ。問4-1

あなたのメモ：

信念固執（BP）

BP：

●とは、新しい情報があっても既存の信念を保持する傾向のこと。

●は、39 になり得る。

段落ごとの概要

1. BP の紹介
2. 実験と説明
3. 40
4. 41
5. まとめの言葉

記事に述べられている話

●消防士の話は、42 ことを示している。

●センメルヴェイスの話は、十分に証明された真に画期的なアイデアであっても、最初は否定される場合があることを示している。

記事から得られる実践的な教訓

人間心理の性質を学ぶことは 43 上で役に立つ。

Day 18

語句

[記事]

perseverance	名 粘り強さ、固執

[第１段落]

out-of-date	形 時代遅れの
update ～	他 ～を更新する、～を最新の状態にする
objection	名 異議、反対意見
reasonable	形 合理的な、妥当な
psychological	形 心理学の、心理的な
characteristic	名 特徴
existing	形 既存の
tendency	名 傾向
conflict	名 対立、争い
phenomenon	名 現象（phenomenaは複数形）

[第２段落]

colleague	名 同僚
experiment	名 実験
be presented with ～	熟 ～を提示される
evidence	名 証拠
firefighter	名 消防士
reluctant	形 気乗りがしない、なかなかしたがらない
confirmation bias	熟 確証バイアス
consistent with ～	熟 ～と一致する
stick to ～	熟 ～に執着する、～にこだわる

[第３段落]

physician	名 医師
apparently	副 見たところ、どうやら
occurrence	名 発生
deadly	形 死に至る、致命的な
potentially	副 潜在的に、可能性を秘めて
ignore ～	他 ～を無視する
harass ～	他 ～に嫌がらせをする、～を攻撃する
eventually	副 最終的に
aggressive	形 攻撃的な
innovator	名 革新者
ground-breaking	名 画期的な、革新的な
incident	名 事件、出来事

[第４段落]

insight	名 洞察、見識
oppose ～	他 ～に反対する
crime rate	熟 犯罪率
end up (V)ing	熟 結局Vすることになる
add fuel to the fire	熟 火に油を注ぐ
encounter ～	他 ～に遭遇する
alternative	形 代わりになる、別の
on one's behalf	熟 ～のために、～を代弁して
take advantage of ～	熟 ～を利用する
authority	名 権威

[第５段落]

internal	形 内部の、内側からの
stubborn	形 頑固な、強情な
desirable	形 望ましい、価値のある
convey ～	他 ～を伝える
accurate	形 正確な
unreliable	形 信頼できない
in other words	熟 言い換えると、つまり
ensure ～	他 ～を確実にする
nature	名 本質、性質

[メモ]

outline	名 概要
explanation	名 説明、解釈
remark	名 所見、コメント
innovative	形 革新的な
sufficient	形 十分な
initially	副 最初、当初
psychology	名 心理、心理学

まずは❶**視線の型**ですね。記事とメモがあります。タイトルは「信念固執」。メモには「BP:(信念固執とは何なのか)」「段落ごとの概要」「記事で述べられている話」「記事から得られる実践的な教訓」とあります。それでは一問一問見ていきます。

問 1　正解②　**問題レベル【難】　配点 3点**

設　問　**39** に最も**ふさわしい選択肢を選びなさい。**

選択肢　① 人々が自分の意見を表明するのを妨げる障壁

② 誰にとってもプラスの結果やマイナスの結果をもたらす原因

③ 簡単に説得されてしまう人々にとって多大な不利

④ 信念を強く保つのを妨げる障害

語句

barrier	名 障害、障壁		リット
outcome	名 結果	convince ～	他 ～を説得する
disadvantage	名 不都合なこと、デメ	obstacle	名 障害物、邪魔なもの

タイトルにもなっている、BP（Belief Perseverance）について答える問題です（❶）。第6問で出てくるような論理的文章の多くは、第1段落が英文全体の概要となっているので、第1段落をしっかり理解していれば解けそうですね。まず1～2文目 There may be some out-of-date rules at your school. If you ask your teachers to update these rules, your ideas may be rejected.「あなたの学校には時代遅れの校則がいくつかあるかもしれない。こうした校則を時代に合ったものにするよう先生に頼むと、その提案は却下されるかもしれない」は具体例を使った導入です（❷）。具体から始まっているので、「つまり何が言いたいのか」をつかもうと次の文に進みます。Of course, most of their objections will be reasonable, but some may be caused by belief perseverance, the psychological characteristic of maintaining an existing belief despite any new information.「もちろん、そうした反対意見の大半は妥当なものだろうが、一部のものは**信念固執**、つまり新しい情報があっても既存の信念を保持しようとする心理的特性によるものかもしれない。」と、ここでBPの説明が出てきます。ここで筆者はBPを紹介しているだけでBPが「良い」とも「悪い」とも言っていないことに気を付けてください。今回問題で問われているメモの空所部分の直前には can be「ありうる」という主観表現があったため、筆者がBPに対してどのような感情を抱いているのかを捉える必要があるのでまだここは該当箇所ではなさそうです。次の文、Although this tendency itself is neither good nor bad, it may cause conflicts ranging from personal problems to social phenomena.「この傾向それ自体は良くも悪くもないが、個人的問題から社会現象まで、多岐にわたる対立を引き起こす可能性がある」で筆者のBPに対する意見が出てきます。まず neither good nor bad「よくも悪くもない」と言っているため、筆者はBP自体に対してあくまで中立の立場です。一方、it may cause conflicts「対立を引き起こす可能性がある」と言っているので、対立を生む原因となりうるとは考えているようです。第2段落以降で具体化されていく（❺）と考えられるので、第1段落でよくつかめなかった人は無理にここで答えを出さなくてもいいのですが、第1段落からだけでも解けるのでここで選択肢の検討に入ります。

Day 18

① a barrier which stops people from expressing their opinions「人々が自分の意見を表明するのを妨げる障壁」は「意見を表明するのを妨げる」がおかしいです。「対立を生む」ということはむしろ意見を表明しあうことを促進しているはずです。

② a cause of positive or negative outcomes for anyone「誰にとってもプラスの結果やマイナスの結果をもたらす原因」とは「良いこともあるし、悪いこともある」ということなので

中立の立場をとっている筆者の主張に合致しますが、本文には may cause conflicts「対立を引き起こす可能性がある」とあり、conflicts = positive or negative outcomes といえるのか、は現時点では判断がつきにくいのでいったん保留にします。

③ a major disadvantage for people who are easily convinced「簡単に説得されてしまう人々にとって多大な不利」は、「簡単に説得される人」の話はしていないですし、「BP は大きな不利」は中立の立場をとっている筆者の主張と合いません。

④ an obstacle preventing us from keeping our beliefs strong「信念を強く保つのを妨げる障害」は、「BP とは既存の信念を保持する性質」というそもそもの定義と内容が矛盾するので×です。

よって、消去法で②を正解にできます。ただ、第1段落では筆者の主張がストレートには出てきていなかったので、全体を読んでからの方が解きやすかったと思います。最終段落3～4文目 To be stubborn may not be good for you. However, in many cases, the persistence of existing beliefs is desirable or even necessary these days.「強情を張るのは自分にとって良いことではないかもしれない。ただし、近年では既存の信念を貫くのが好ましいどころか必要な場合も多い」にもあるように、筆者は BP が良くないことにもなりうるし、良いことにもなりうる、という主張をしていました。難しい設問だったと思いますが、本当に筆者の主張をとらえられているかを問うという点では良問だと思います。第1段落を読み通したあと、「BP は悪ってことね！」と思ってしまった人は決めつけ過ぎの傾向があるかもしれません。**第1段落は特に主観を入れないよう慎重に、筆者の使っている言葉をそのまま受け取るよう心がけましょう。**

問2 正解 [40] ② [41] ④ **問題レベル【難】 配点 3点（すべて正解で）**

設問 **[40] と [41] に最もふさわしい選択肢を選びなさい。**

選択肢
① 手洗いを拒否した、ある医師の話
② BP の社会的影響の例
③ 他人を理解することの難しさを示した例
④ 他人を説得する際の BP 知識の応用
⑤ 新しい情報に効果的に反論する戦術
⑥ 専門家からの助言を求める傾向

語句

consequence	名 結果、影響	strategy	名 戦略
application	名 適用、応用	counter ～	他 ～に反論する

段落の概要を答える問題です（❶）。まずは第3段落の概要からです。第3段落1文目を精読します（❷）。The case of Ignaz Philip Semmelweis demonstrates belief perseverance in one group in society.「イグナーツ・フュレプ・センメルヴェイスの事例は、社会のある集団内における信念固執を実証している」とあります。第2段落とは事例が変わっているようなので、第2段落と第3段落は「追加」の関係だと考えます（❸）。追加というのは、同じベクトル（今回で言うと BP が引き起こす対立）の話だが「別の観点」が述べられている、ということです。1文目にある in one group in society「社会のある集団内」が新しい観点なのでは、と予測することができますね。そう考えて具体化されている2文目以降を読み進めると、「手洗いによって致命的な発熱の発生を減らせるのではという考えが当時は多くの医者に否定さ

れ、その主張をした人が嫌がらせまで受けた」として、最終文でこのことをThis social reaction「こうした社会反応」とまとめています。選択肢を見るとsocialという語を含む② An example of the social consequences of BP「BPの社会的影響の例」が適切だとわかります。紛らわしいのは①や③でしょうか。① A story of a doctor who rejected handwashing「手洗いを拒否した、ある医師の話」は「拒否された」医者の話なので誤りですし、③ An example showing the difficulty of understanding others「他人を理解することの難しさを示した例」はBPの話ではないですし、キーワードであるはずの「社会」が出てきていないので誤りです。

次に第4段落です。1文目を精読します（❷）。Understanding belief perseverance can give us insights into the ways people behave.「信念固執を理解すると、人々の行動に関して洞察が得られる」は、因果関係をつかめましたか。S give O1 O2は、「SによってO1がO2を持つ」ということです。BPの理解（S）によって私たち（O1）が洞察（O2）を持つ、つまりBPを理解することで私たちにメリットがあるということをまずこの文から読み取りましょう。そして「留学を家族に反対された場合」という例えが続き、最終文でYou could ask your teacher to speak with your family on your behalf, taking advantage of a related behavior that people tend to trust the opinions of an authority.「教師に自分の代わりに家族と話をしてくれるよう頼んでもいいだろう、人は権威者の意見を信用する傾向があるという関連行動を利用するのだ」と筆者はアドバイスをしています。related behaviorがわかりづらいですね。「BPに関連する行動」ということで、人々が権威者の意見を信頼する傾向もBPと同様の心理的行動の一部だと言いたいのです。このアドバイスはつまり、「権威者が言うことは正しい」というBPを利用しよう、ということです。1文目とつながりましたね。選択肢を見ると④ Application of BP knowledge when convincing others「他人を説得する際のBP知識の応用」が正解だとわかります。紛らわしいのは⑤や⑥でしょうか。⑤ Strategies for effectively countering new information「新しい情報に効果的に反論する戦術」は「新しい情報に反論」ではなく「BPに反論」なので×、⑥ Tendency to search for advice from specialists「専門家からの助言を求める傾向」はsearch forが×です。「求める傾向」があると言っているのではなく、「信頼する傾向」があると言っています。

Day 18

問3 正解① 問題レベル【やや難】 配点 3点

設問 42 に最も ふさわしい選択肢を選びなさい。

選択肢 ① BPは人が予期しないような状況であっても誰にでも影響を与えるようだ
② 確証バイアスは人々が新しい情報を信じたがるときに見られる
③ バックファイア効果は頑固な人の意見が拒否されたときに多く起こる
④ センメルヴェェイス反射は危険にあふれた職業で多く見られる

語句 occupation 名 職業

設問を先読みすると（❶）、「消防士の話」の内容を理解して選択肢にあたればいいことがわかります。第2段落ですね。第2段落では、「進んで危険な行動を取ろうとする消防士ほど仕事が優秀だという証拠を提示されたあと、その証拠が間違っていたと伝えられても、最初に信じた結論を変えたがらない」ということが書かれていました。選択肢を見ると① BP appears to have an influence on anyone, even in situations one wouldn't expect「BPは人が予期しないような状況であっても誰にでも影響を与えるようだ」が正解だとわかります。BPがいかにパワーを持っているかを示す消防士の話の内容と合致します。③は stubborn person が「頑固な人」という意味でその人の性格を表しており、本文第2段落最後の文の the more others attempt to prove our beliefs wrong, the more firmly we stick to them「自分の信じていることが間違っていると他の人が証明しようとすればするほど、より強固にそれに固執することがある」という因果関係とは合致しません。

問4 正解② **問題レベル【やや難】 配点 3点**

設問 [43] **に最もふさわしい選択肢を選びなさい。**

選択肢 ① 歴史的発見を科学的観点から分析する

② 新しい情報に対処する際に合理的な判断をする

③ 与えられた情報が正しいかどうかを即座に見分ける

④ いつリスクを冒すのが妥当であったり必要であったりするかを理解する

語句 analyze ～ 他 ～を分析する　appropriate 形 適切な、妥当な
point of view 熟 視点、観点

設問を先読みすると（❶)、人間の心理の性質を学ぶことで得られるメリットを探せばいいことがわかります。最終段落最終文に Understanding human nature is one of the keys to keeping your life balance.「人間の性質を理解することは、バランスの取れた人生を保つために重要なことの一つだ」とありますが、この「バランス」とはどういうことでしょうか。ここまでの内容を踏まえると、BP によって新しい真実かもしれない情報を拒絶する危険性もあるが、同時に、BP が偽情報から守ってくれるという場合もあるということでした。ここから、選択肢② make reasonable decisions when dealing with new information「新しい情報に対処する際に合理的な判断をする」がぴったりだとわかります。③は最終段落 7 文目 take time to find out more before accepting new information「新しい情報を受け入れる前に、時間をかけて詳しく調べることだ」より immediately「即座に」が×。④は when 節の主語 it は形式主語で to take risks「リスクを冒すことが」を指していますが、「リスクを冒すことが妥当であったり必要であったり」という話はしていないので×です。最終段落 4 文目 However, in many cases, the persistence of existing beliefs is desirable or even necessary these days.「ただし、近年では既存の信念を貫くのが好ましいどころか必要な場合も多い」で BP の必要性については述べられていましたが、「リスクを冒すこと」という話ではありませんでした。

Day 18

DAY 19

【論理的文章読解問題】を攻略する「視線の型」

第６問Ｂでは、説明文を読み解く問題が出題されます。ここではこのような論理的文章を読めているかを問う問題に取り組む「視線の型」を学んでいきましょう。

「視線の型」のステップ

① 場面・状況を軽くイメージする

まずはリード文を読みましょう。ただし第６問Ａと同じようにあまり設定が重要ではないことが予想されるため、サラっとで大丈夫です。

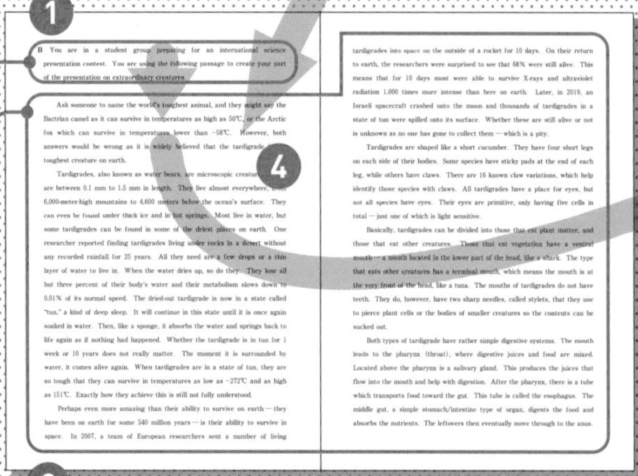

B You are in a student group preparing for an international science presentation contest. You are using the following passage to create your part of the presentation on extraordinary creatures.

Ask someone to name the world's toughest animal, and they might say the Bactrian camel as it can survive in temperatures as high as 50℃, or the Arctic fox which can survive in temperatures lower than −58℃. However, both answers would be wrong as it is widely believed that the tardigrade [illegible] toughest creature on earth.

Tardigrades, also known as water bears, are microscopic creatur[illegible] are between 0.1 mm to 1.5 mm in length. They live almost everywhere, [illegible] 6,000-meter-high mountains to 4,600 meters below the ocean's surface. They can even be found under thick ice and in hot springs. Most live in water, but some tardigrades can be found in some of the driest places on earth. One researcher reported finding tardigrades living under rocks in a desert without any recorded rainfall for 25 years. All they need are a few drops or a thin layer of water to live in. When the water dries up, so do they. They lose all but three percent of their body's water and their metabolism slows down to 0.01% of its normal speed. The dried-out tardigrade is now in a state called "tun," a kind of deep sleep. It will continue in this state until it is once again soaked in water. Then, like a sponge, it absorbs the water and springs back to life again as if nothing had happened. Whether the tardigrade is in tun for 1 week or 10 years does not really matter. The moment it is surrounded by water, it comes alive again. When tardigrades are in a state of tun, they are so tough that they can survive in temperatures as low as −272℃ and as high as 151℃. Exactly how they achieve this is still not fully understood.

Perhaps even more amazing than their ability to survive on earth — they have been on earth for some 540 million years — is their ability to survive in space. In 2007, a team of European researchers sent a number of living tardigrades into space on the outside of a rocket for 10 days. On their return to earth, the researchers were surprised to see that 68% were still alive. This means that for 10 days most were able to survive X-rays and ultraviolet radiation 1,000 times more intense than here on earth. Later, in 2019, an Israeli spacecraft crashed onto the moon and thousands of tardigrades in a state of tun were spilled onto its surface. Whether these are still alive or not is unknown as no one has gone to collect them — which is a pity.

Tardigrades are shaped like a short cucumber. They have four short legs on each side of their bodies. Some species have sticky pads at the end of each leg, while others have claws. There are 16 known claw variations, which help identify those species with claws. All tardigrades have a place for eyes, but not all species have eyes. Their eyes are primitive, only having five cells in total — just one of which is light sensitive.

Basically, tardigrades can be divided into those that eat plant matter, and those that eat other creatures. Those that eat vegetation have a ventral mouth — a mouth located in the lower part of the head, like a shark. The type that eats other creatures has a terminal mouth, which means the mouth is at the very front of the head, like a tuna. The mouths of tardigrades do not have teeth. They do, however, have two sharp needles, called stylets, that they use to pierce plant cells or the bodies of smaller creatures so the contents can be sucked out.

Both types of tardigrade have rather simple digestive systems. The mouth leads to the pharynx (throat), where digestive juices and food are mixed. Located above the pharynx is a salivary gland. This produces the juices that flow into the mouth and help with digestion. After the pharynx, there is a tube which transports food toward the gut. This tube is called the esophagus. The middle gut, a simple stomach/intestine type of organ, digests the food and absorbs the nutrients. The leftovers then eventually move through to the anus.

② 本文のタイトルや、まとめの表やスライドなどのタイトル・見出しを先読みする

本文がどんな内容なのか、タイトルや見出しから見当をつけましょう。本文にタイトルがない場合はリード文に紛れていることもあります。どこにもなければ第１段落１～２文目を少し読んで全体像をつかむのもアリです。テーマがわかった上で設問にあたった方が設問の内容が頭に入ってきやすいので、できるだけテーマはここで押さえておきましょう。

④ 該当箇所を本文から見つけ出し、見当をつけて解答する

本文１文目から濃淡をつける読みをしていきましょう。問われていない箇所はサラっと読み、関係ありそうな箇所はじっくり精読していきます。繰り返し言っているように、ここがとても大事なのですが、該当箇所を発見したらすぐに選択肢を見るのではなく、本文を読んで自分なりに答えの見当をつけてから選択肢を見るようにしましょう。

内容 第６問Ｂは第６問Ａと同じタイプの、大学入試で王道の長文読解問題。「視線の型」はDay 17と同じです。第６問はＡもＢも英文ビッシリで英語が苦手な人ほど敬遠したくなるかもしれませんが、しっかり対策すれば解きやすい問題も多いことに気付くと思います。再度この型を確認し、速く正確に解けるよう練習していきましょう。

目標解答時間 15分

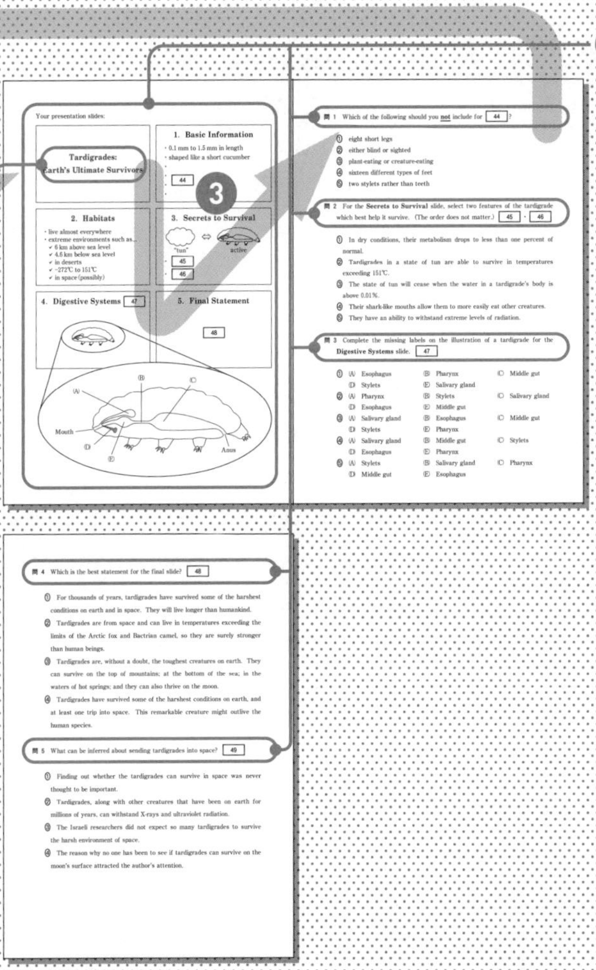

Your presentation slides:
Tardigrades: Earth's Ultimate Survivors
1. Basic Information
· 0.1 mm to 1.5 mm in length
· shaped like a short cucumber
44
2. Habitats
· live almost everywhere
· extreme environments such as...
6 km above sea level
4.6 km below sea level
in deserts
-272℃ to 151℃
in space (possibly)
3. Secrets to Survival
"tun"
active
45
46
4. Digestive Systems 47
5. Final Statement
48
Mouth
Anus
問1 Which of the following should you not include for 44 ?
① eight short legs
② either blind or sighted
③ plant-eating or creature-eating
④ sixteen different types of feet
⑤ two stylets rather than teeth
問2 For the Secrets to Survival slide, select two features of the tardigrade which best help it survive. (The order does not matter.) 45 · 46
① In dry conditions, their metabolism drops to less than one percent of normal.
② Tardigrades in a state of tun are able to survive in temperatures exceeding 151℃.
③ The state of tun will cease when the water in a tardigrade's body is above 0.01%.
④ Their shark-like mouths allow them to more easily eat other creatures.
⑤ They have an ability to withstand extreme levels of radiation.
問3 Complete the missing labels on the illustration of a tardigrade for the Digestive Systems slide. 47
問4 Which is the best statement for the final slide? 48
問5 What can be inferred about sending tardigrades into space? 49
3

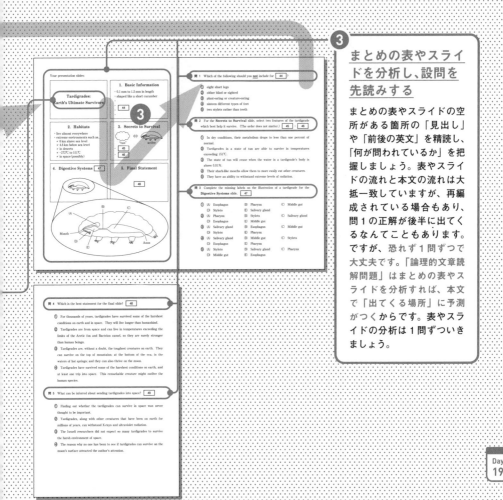

③ **まとめの表やスライドを分析し、設問を先読みする**

まとめの表やスライドの空所がある箇所の「見出し」や「前後の英文」を精読し、「何が問われているか」を把握しましょう。表やスライドの流れと本文の流れは大抵一致していますが、再編成されている場合もあり、問１の正解が後半に出てくるなんてこともあります。ですが、恐れず１問ずつで大丈夫です。「論理的文章読解問題」はまとめの表やスライドを分析すれば、本文で「出てくる場所」に予測がつくからです。表やスライドの分析は１問ずついきましょう。

では、この「視線の型」を使って、次ページの問題に取り組みましょう！

目標解答時間 15分

B You are in a student group preparing for an international science presentation contest. You are using the following passage to create your part of the presentation on extraordinary creatures.

Ask someone to name the world's toughest animal, and they might say the Bactrian camel as it can survive in temperatures as high as 50℃, or the Arctic fox which can survive in temperatures lower than −58℃. However, both answers would be wrong as it is widely believed that the tardigrade is the toughest creature on earth.

Tardigrades, also known as water bears, are microscopic creatures, which are between 0.1 mm to 1.5 mm in length. They live almost everywhere, from 6,000-meter-high mountains to 4,600 meters below the ocean's surface. They can even be found under thick ice and in hot springs. Most live in water, but some tardigrades can be found in some of the driest places on earth. One researcher reported finding tardigrades living under rocks in a desert without any recorded rainfall for 25 years. All they need are a few drops or a thin layer of water to live in. When the water dries up, so do they. They lose all but three percent of their body's water and their metabolism slows down to 0.01% of its normal speed. The dried-out tardigrade is now in a state called "tun," a kind of deep sleep. It will continue in this state until it is once again soaked in water. Then, like a sponge, it absorbs the water and springs back to life again as if nothing had happened. Whether the tardigrade is in tun for 1 week or 10 years does not really matter. The moment it is surrounded by water, it comes alive again. When tardigrades are in a state of tun, they are so tough that they can survive in temperatures as low as −272℃ and as high as 151℃. Exactly how they achieve this is still not fully understood.

Perhaps even more amazing than their ability to survive on earth — they have been on earth for some 540 million years — is their ability to survive in space. In 2007, a team of European researchers sent a number of living tardigrades into space on the outside of a rocket for 10 days. On their return to earth, the researchers were surprised to see that 68% were still alive. This means that for 10 days most were able to survive X-rays and ultraviolet radiation 1,000 times more intense than here on earth. Later, in 2019, an Israeli spacecraft crashed onto the moon and thousands of tardigrades in a state of tun were spilled onto its surface. Whether these are still alive or not is unknown as no one has gone to collect them — which is a pity.

Tardigrades are shaped like a short cucumber. They have four short legs on each side of their bodies. Some species have sticky pads at the end of each leg, while others have claws. There are 16 known claw variations, which help identify those species with claws. All tardigrades have a place for eyes, but not all species have eyes. Their eyes are primitive, only having five cells in total — just one of which is light sensitive.

Basically, tardigrades can be divided into those that eat plant matter, and those that eat other creatures. Those that eat vegetation have a ventral mouth — a mouth located in the lower part of the head, like a shark. The type that eats other creatures has a terminal mouth, which means the mouth is at the very front of the head, like a tuna. The mouths of tardigrades do not have teeth. They do, however, have two sharp needles, called stylets, that they use to pierce plant cells or the bodies of smaller creatures so the contents can be sucked out.

Both types of tardigrade have rather simple digestive systems. The mouth leads to the pharynx (throat), where digestive juices and food are mixed. Located above the pharynx is a salivary gland. This produces the juices that flow into the mouth and help with digestion. After the pharynx, there is a tube which transports food toward the gut. This tube is called the esophagus. The middle gut, a simple stomach/intestine type of organ, digests the food and absorbs the nutrients. The leftovers then eventually move through to the anus.

Your presentation slides:

Tardigrades:
Earth's Ultimate Survivors

1. Basic Information

- 0.1 mm to 1.5 mm in length
- shaped like a short cucumber
-
- [44]
-
-

2. Habitats

- live almost everywhere
- extreme environments such as...
  - ✓ 6 km above sea level
  - ✓ 4.6 km below sea level
  - ✓ in deserts
  - ✓ −272℃ to 151℃
  - ✓ in space (possibly)

3. Secrets to Survival

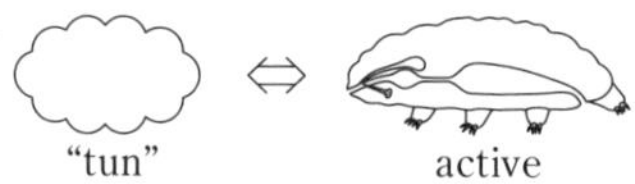

- [45]
- [46]

4. Digestive Systems [47]

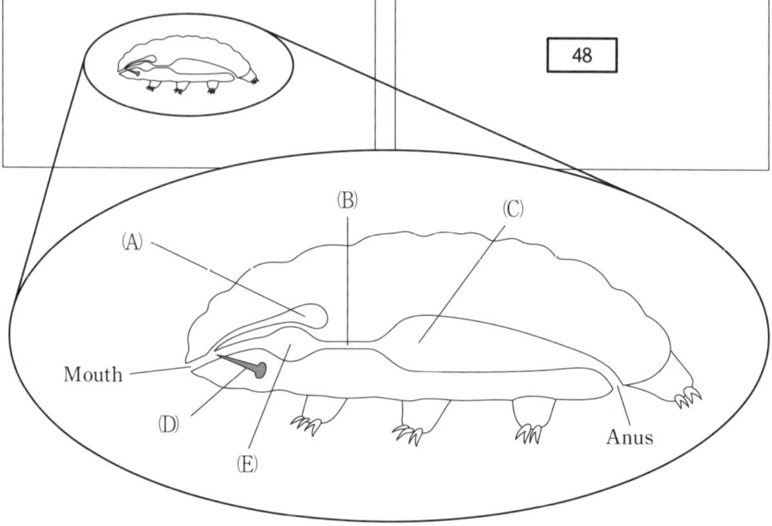

5. Final Statement

[48]

問 1 Which of the following should you **not** include for [44]?

① eight short legs
② either blind or sighted
③ plant-eating or creature-eating
④ sixteen different types of feet
⑤ two stylets rather than teeth

問 2 For the **Secrets to Survival** slide, select two features of the tardigrade which best help it survive. (The order does not matter.) [45]・[46]

① In dry conditions, their metabolism drops to less than one percent of normal.
② Tardigrades in a state of tun are able to survive in temperatures exceeding 151℃.
③ The state of tun will cease when the water in a tardigrade's body is above 0.01%.
④ Their shark-like mouths allow them to more easily eat other creatures.
⑤ They have an ability to withstand extreme levels of radiation.

問 3 Complete the missing labels on the illustration of a tardigrade for the **Digestive Systems** slide. [47]

① (A) Esophagus (B) Pharynx (C) Middle gut
(D) Stylets (E) Salivary gland
② (A) Pharynx (B) Stylets (C) Salivary gland
(D) Esophagus (E) Middle gut
③ (A) Salivary gland (B) Esophagus (C) Middle gut
(D) Stylets (E) Pharynx
④ (A) Salivary gland (B) Middle gut (C) Stylets
(D) Esophagus (E) Pharynx
⑤ (A) Stylets (B) Salivary gland (C) Pharynx
(D) Middle gut (E) Esophagus

問 4 Which is the best statement for the final slide? [48]

① For thousands of years, tardigrades have survived some of the harshest conditions on earth and in space. They will live longer than humankind.

② Tardigrades are from space and can live in temperatures exceeding the limits of the Arctic fox and Bactrian camel, so they are surely stronger than human beings.

③ Tardigrades are, without a doubt, the toughest creatures on earth. They can survive on the top of mountains; at the bottom of the sea; in the waters of hot springs; and they can also thrive on the moon.

④ Tardigrades have survived some of the harshest conditions on earth, and at least one trip into space. This remarkable creature might outlive the human species.

問 5 What can be inferred about sending tardigrades into space? [49]

① Finding out whether the tardigrades can survive in space was never thought to be important.

② Tardigrades, along with other creatures that have been on earth for millions of years, can withstand X-rays and ultraviolet radiation.

③ The Israeli researchers did not expect so many tardigrades to survive the harsh environment of space.

④ The reason why no one has been to see if tardigrades can survive on the moon's surface attracted the author's attention.

問 1－5

訳 あなたは、国際科学プレゼンテーション・コンテストの準備をしている学生グループの一員です。驚異的な生物に関するプレゼンテーションの自分の担当部分を作成するため、次の文章を使っています。

[第1段落]

世界一頑丈な動物の名前を挙げるよう誰かに尋ねたら、50° C もの気温でも生きていけるフタコブラクダと答えるかもしれないし、－58° C 以下の気温でも生きられるホッキョクギツネと答えるかもしれない。しかし、どちらの答えも不正解となるだろう、地球上で最も頑丈な生物はクマムシと考えられているからだ。

[第2段落]

ウォーターベアとも呼ばれるクマムシは、体長0.1mm から1.5mm の微生物だ。標高6000メートルの山から海面下4600メートルまで、ほぼあらゆるところに生息している。厚い氷の下や温泉の中でも見つかることがある。大半は水中に生息するが、地球上で最も乾燥した場所で見つかるクマムシもいる。ある研究者は、25年間降雨の記録がない砂漠の岩の下でクマムシが生息しているのを見つけたと報告している。問4-1 彼らが生きるためには数滴か薄い層の水さえあればいい。水が干上がると、彼らも干上がる。体の水分が失われて3パーセントを残すだけになると、代謝速度が通常の0.01パーセントにまで下がる。問2① 干上がったクマムシはこの時、「樽（tun)」（乾眠）と呼ばれる、深く眠った状態になる。再び水にぬれるまでこの状態を続ける。そして、スポンジのように水を吸収し、何事もなかったかのように息を吹き返すのだ。クマムシが乾眠状態にあったのが1週間でも10年でもあまり関係ない。水に浸った途端に生き返る。乾眠状態にあるときのクマムシはとても頑丈で、-272° C の低温から151° C の高温までを生き抜くことができる。いったいどうやってそんなことができているのか、まだ完全にはわかっていない。

[第3段落]

おそらく、地球上での生存能力――5億4000万年も前から地球上に存在してきた――以上に驚かされるのが、宇宙での生存能力だ。問5-1 2007年、ヨーロッパの研究者が多数の生きたクマムシをロケットの外の宇宙に10日間送り出した。それが地球に戻ってくると、研究者たちは68パーセントがまだ生きているのを見て驚いた。問4-2 つまり、10日の間、地球の1000倍も強烈な X 線や紫外線の照射を受けても大半が生き延びることができたのだ。問2⑤ その後、2019年にイスラエルの宇宙船が月に衝突し、数千匹の乾眠状態のクマムシが月面にばらまかれた。誰も回収しに行っていないので、それらがまだ生きているのかどうかは不明である――残念なことだ。問5-2

[第4段落]

クマムシは短いキュウリのような形をしている。体の側面それぞれに4本ずつの短い脚が生えている。問1① それぞれの脚の先に粘着性の肉球が付いている種もあれば、かぎ爪の付いている種もある。16種類のかぎ爪が知られていて、かぎ爪のある種の識別に

Day 19

役立っている。どのクマムシにも目に当たる部分があるが、全種が目を持っているわけではない。問1②　彼らの目は原始的で、全部で５つの細胞しかない――そのうち光を感じるのは１つだけだ。

[第５段落]

基本的に、クマムシは植物を食べるものと他の生物を食べるものに分けられる。問1③植物を食べるタイプは腹側の口がある――サメのように、頭の下側の部分についている口だ。他の生物を食べるタイプには末端口がある、つまりマグロのように頭部の一番前に口があるということだ。クマムシの口には歯がない。しかし、歯針と呼ばれる２本の鋭い針がついており問1⑤、植物細胞や小さな生物の体に刺して中身を吸い出すのに使う。

[第６段落]

どちらのタイプのクマムシもかなり単純な消化器系を有する。口は咽頭（のど）につながり、そこで消化液と食物が混ぜ合わされる。咽頭の上には唾液腺がある。ここで口内に流れて消化を助ける液が作られる。咽頭の後には腸に食物を運ぶ管がある。この管は食道と呼ばれる。単純な胃腸のような器官である中腸は、食物を消化し栄養を吸収する。残りは最終的に肛門へと移動していく。問3

あなたのプレゼンテーション用スライド：

クマムシ：
地球上の究極のサバイバー

1．基本情報

- 体長0.1mm から1.5mm
- 短いキュウリのような形
-
-
- 44
-
-

2．生息環境

- ほぼあらゆる場所に生息
- 次のような極端な環境にも……
  - ✓海抜６km
  - ✓海面下 4.6km
  - ✓砂漠
  - ✓−272° C から 151° C まで
  - ✓宇宙（たぶん）

3．生き延びる秘密

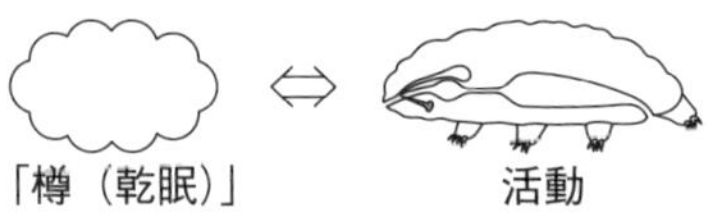

- 45
- 46

4. 消化器系 47	5. 締めくくりの言葉
	48

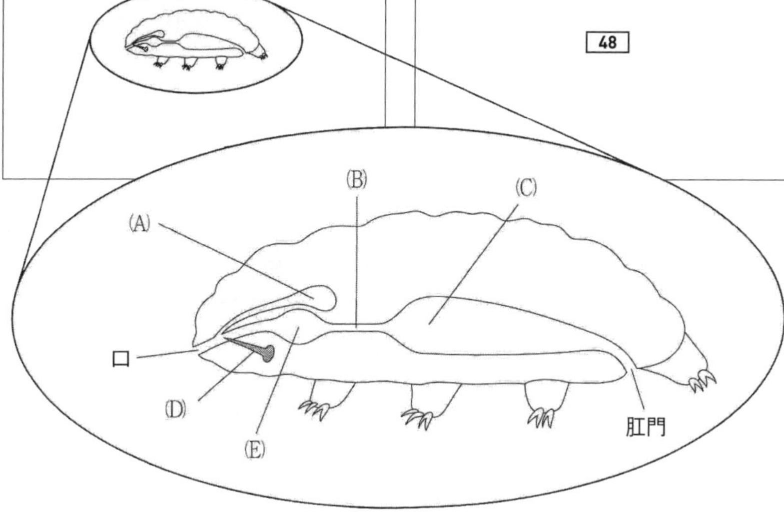

語句

［リード文］

extraordinary	形	並外れた、驚異的な
creature	名	生物

［文章］

［第1段落］

name ～	他	～の名前を言う
tough	形	丈夫な、頑丈な
Bactrian camel	熟	フタコブラクダ
Arctic fox	名	ホッキョクギツネ
tardigrade	名	クマムシ

［第2段落］

microscopic	形	顕微鏡で見るような、微細な
surface	名	表面、水面
hot spring	熟	温泉
layer	名	層
all but ～	熟	～を除いて全て
metabolism	名	代謝
tun	名	樽、（クマムシが樽のような見た目になった）乾眠状態
soak ～	他	～を浸す
absorb ～	他	～を吸収する
spring back to life	熟	息を吹き返す

［第3段落］

amazing	形	驚くような、すごい
X-ray	名	X線
ultraviolet	形	紫外線の
radiation	名	放射線
intense	形	強烈な、激しい
Israeli	形	イスラエルの
spacecraft	名	宇宙船
crash	自	衝突する
spill ～	他	～をこぼす
pity	名	残念なこと

［第4段落］

cucumber	名	キュウリ
species	名	（生物の）種
sticky	形	粘着力のある
pad	名	肉球、クッション状のもの
claw	名	かぎ爪
identify ～	他	～を識別する
primitive	形	原始的な
cell	名	細胞
light sensitive	熟	感光性の

［第5段落］

plant matter	熟	植物
vegetation	名	植物
ventral	形	腹部の

terminal	形 末端の	gut	名 消化管、腸
stylet	名 歯針	esophagus	名 食道
pierce ~	他 ~を刺し通す	intestine	名 腸
suck out ~	熟 ~を吸い出す	nutrient	名 栄養物
[第6段落]		leftover	名 残り物
digestive	形 消化の	anus	名 肛門
system	名 系統、器官		
pharynx	名 咽頭	[スライド]	
salivary gland	熟 唾液腺	ultimate	形 究極の、最高の
transport ~	他 ~を運ぶ	habitat	名 生息地、生息環境

まずはリード文を読んで❶**場面・状況をイメージします**。リード文に extraordinary creatures「驚異的な生物」に関するプレゼンとあります。❷**プレゼンテーションスライドも先に確認しましょう**。タイトルに Tardigrades: Earth's Ultimate Survivors「クマムシ：地球上の究極のサバイバー」とあります。Tardigrades は難しいかもしれませんが、リード文とタイトルの説明から「すごい生き物についての話だ」ということはわかると思います。スライドの見出しは1. 基本情報、2. 生息環境、3. 生き延びる秘密、4. 消化器系、5. 締めくくりの言葉、で「2. 生息環境」以外で問われる問題が設定されているようです。なお、「2. 生息環境」のスライドは、問いに直接関係ないからといってあえて無視する必要もありません。クマムシの特徴がよくまとまっており、先にざっとでも目を通しておくと理解の助けになります。

それでは一つずつ問いを確認していきましょう。

問1　正解④　**問題レベル【やや難】　配点 2点**

設 問　44 に入れるべきでないものは次のうちどれか。

選択肢　① 8本の短い脚

② 目の見えないものもいれば見えるものもいる

③ 植物を食べるものもいれば生物を食べるものもいる

④ 16種類の足のタイプ

⑤ 歯の代わりに2本の歯針

語句　sighted 形 目の見える

❸**スライドの該当箇所の詳細を分析します**。問1の対象となるスライドは見出しに Basic Information とあります。スライドにすでに2つ項目があり、その下の項目を答えるようになっているため、問題の箇所は2つめの shaped like a short cucumber「短いキュウリのような形」の後に出てくるのではないかと予測しましょう。スライドの見出しは情報整理のためにまとめられ、本文に出てくる順番と一致しないこともまれにありますが、見出しの下の項目は基本的に本文の流れと一致します。

第1段落から読んでいった時、キュウリがなかなか出てこないので焦るかもしれませんが、問題は問1だけではないので、適当に読まずに内容を理解しながら読んでください。すると第4段落1文目に Tardigrades are shaped like a short cucumber. とようやく出てきます。ここから**選択肢を見ながら本文と照らし合わせていきましょう**（❹）。まず2文目に four short legs on each side of their bodies とあるので合計8本の脚で①は OK です。5文目に All tardigrades have a place for eyes, but not all species have eyes. とあるので②も問題ありません。

第5段落に入ります。1文目 tardigrades can be divided into those that eat plant matter, and those that eat other creatures より、③も大丈夫です。4～5文目に The mouths of tardigrades do not have teeth. They do, however, have two sharp needles, called stylets とあるので⑤も OK。残った④が正解です。16という数字は第4段落4文目に出てきていますが、There are 16 known claw variations「16種類のかぎ爪」とあり、types of feet「足のタイプ」ではありません。

問2 正解①・⑤（順不同） **問題レベル【やや難】 配点 3点（すべて正解で）**

設問 **「生き延びる秘密」のスライドに入れるため、生存に最も役立つクマムシの特徴を2つ選びなさい。（順不同）。** 45 46

選択肢
① 乾燥した状況で、代謝が通常の1パーセント未満に低下する。
② 乾眠状態のクマムシは、151℃を超える温度でも生き延びることができる。
③ 乾眠状態はクマムシの体内の水分が0.01パーセントを超えると終わる。
④ サメのような口によって他の生物を食べやすくなる。
⑤ 極度の放射線にも耐える力がある。

語句
exceed ～ 他 ～を上回る、～を超過する
cease 自 停止する、止まる
withstand ～ 他 ～に耐える

まず❸**該当のスライドを見ます**。active な状態と tun の状態が入れ替わるイラストを参照にしながら、tun とはどんな状態なのか、**本文を狙い読み**していきましょう（❹）。tun が登場するのは第2段落9文目です。この少し前から確認していきます。7～8文目で When the water dries up, so do they. They lose all but three percent of their body's water and their metabolism slows down to 0.01% of its normal speed.「水が干上がると、彼らも干上がる。体の水分が失われて3パーセントを残すだけになると、代謝速度が通常の0.01パーセントにまで下がる」とあります。選択肢を確認すると①がこの部分に該当しそうです。本文の0.01パーセントが選択肢の less than one percent と同じなのかと悩んだかもしれませんが、0.01パーセントということは1パーセント未満でもあります。14文目の they can survive in temperatures as low as −272℃ and as high as 151℃. より②を選んだ人もいるかもしれませんが、as high as 151℃は「151℃もの高さ」ということであり、選択肢②の exceeding 151℃は「151℃を超える」ということで違います。「151℃もの高さでも生き延びることができる」ということはおそらく限界値が151℃なのだろうと考えられます。

第3段落に入ります。1文目「もっと驚かされるのが、宇宙での生存能力だ」より、宇宙でも tun の状態を利用して生きていくことができるのだとわかります。4文目 This means that for 10 days most were able to survive X-rays and ultraviolet radiation 1,000 times more intense than here on earth.「つまり、10日の間、地球の1000倍も強烈なX線や紫外線の照射を受けても大半が生き延びることができたのだ」とあります。これにより選択肢⑤も正しいことがわかります。正解は①と⑤です。なお、③は cease「終わる」が間違い、④の「サメのような口」は第5段落に出てきますが、サメのような口は植物を食べるものなので不正解です。

問3 正解③ **問題レベル【やや難】 配点 2点**

設問 **「消化器系」のスライドのクマムシのイラストで欠けている表示を埋めなさい。** 47

選択肢 ①（A）食道 （B）咽頭 （C）中腸 （D）歯針 （E）唾液腺
②（A）咽頭 （B）歯針 （C）唾液腺 （D）食道 （E）中腸
③（A）唾液腺 （B）食道 （C）中腸 （D）歯針 （E）咽頭
④（A）唾液腺 （B）中腸 （C）歯針 （D）食道 （E）咽頭
⑤（A）歯針 （B）唾液腺 （C）咽頭 （D）中腸 （E）食道

語句 label 名 ラベル表示、名称記入

❸該当のスライドを見ると、クマムシのイラストに示された器官の各名称が問われています。「消化器系」については第6段落にあるので、**イラストと照らし合わせながら解いていきましょう（❹）**。まず2文目 The mouth leads to the pharynx（throat）とあることから、Pharynx「咽頭」は（A）（D）（E）のどれかになりそうです。そのまま読み進めると、3文目に Located above the pharynx is a salivary gland. とあり、この位置関係から Pharynx が（E）、Salivary gland「唾液腺」が（A）のように思えます。続けて読んでいくと、5～6文目 After the pharynx, there is a tube which transports food toward the gut. This tube is called the esophagus. との記述から、Pharynx が（E）、Esophagus「食道」が（B）と考えられます。この時点で正解は③に絞られますが、最後まで読んでいくと、Esophagus と Anus「肛門」の間に位置する Middle gut「中腸」が（C）となるので、③が正解となります。

問4 正解④ **問題レベル【やや難】 配点 2点**

設問 **最後のスライドに最もふさわしい文面はどれか。** 48

選択肢 ① 何千年もの間、クマムシは地球上や宇宙での最も過酷ないくつかの状況を生き抜いてきた。人類よりも後まで生き延びるだろう。
② クマムシは宇宙から来たもので、ホッキョクギツネやフタコブラクダの限界を超える温度でも生きていられるので、人間より強いのは確実だ。
③ クマムシは間違いなく地球上で最も頑丈な生物だ。山の頂上でも、海底でも、温泉の湯の中でも生きていられる。そして月面でも生育が可能だ。
④ クマムシは地球上の最も過酷ないくつかの状況と、さらに少なくとも一度の宇宙旅行を生き抜いてきた。この驚くべき生物は人類よりも後まで生き残るかもしれない。

語句

harsh	形 過酷な	remarkable	形 注目に値する
humankind	名 人類	outlive ～	他 ～よりも長生きする
without a doubt	熟 疑いもなく		
thrive	自 発育する		

❸スライドを確認すると、Final Statement「締めくくりの言葉」という見出しだけが書かれており、本文のまとめとしてふさわしい1文を選ぶ問題です。**❹選択肢を一つ一つ本文と照**

らし合わせ確認しましょう。①は in space が×です。第3段落に宇宙に行ったとはありましたが、4文目で「10日間生き延びた」とあり、何千年もの間生き抜いてきたわけではありません。次に②は from space が×です。宇宙から来たとはどこにも書かれていません。③は on the moon が×です。第3段落後半で「クマムシが月面にばらまかれた」とありますが、誰も回収しに行っていないため、月面で生きているかどうかは不明です。消去法で④が残ります。「地球上の最も過酷ないくつかの状況」「さらに少なくとも一度の宇宙旅行」を生き抜いてきたことは、それぞれ第2段落前半と第3段落前半で書かれていました。

問5 正解④ **問題レベル【難】 配点 3点**

設問 **クマムシを宇宙に送り出すことに関して推測できることは何か。** 49

選択肢
① クマムシが宇宙で生き延びられるかどうかの確認は、重要だと考えられたことはなかった。
② クマムシは、何百万年も前から地球上にいた他の生物同様、X線や紫外線の照射に耐えることができる。
③ イスラエルの研究者たちは、これほど多くのクマムシが宇宙の過酷な環境で生き残るとは予想していなかった。
④ クマムシが月面で生き延びられるのかどうかを誰にも確認できない理由が、筆者の注意を引いた。

語句 infer ～ 他 ～を推論する　　along with ～ 熟 ～とともに

推測問題です。まず本文を読みながら筆者の主観を読み取れたでしょうか。第3段落1文目で Perhaps even more amazing...「おそらくさらにもっと驚きなのは……」と主観を表す語が使われており、宇宙での生存能力に筆者が関心があることが伺えます。そしてこの段落最終文で Whether these are still alive or not is unknown as no one has gone to collect them — which is a pity.「誰も回収しに行っていないので、それら（クマムシ）がまだ（月で）生きているかどうかは不明である――残念なことだ」と、また主観表現が出てきています。a pity は「残念なこと」という意味で筆者の感情です。この表現から、「こんなに好奇心そそられることなのに、どうして誰も確認に行かないんだ」という気持ちを筆者が抱いていることが推測されます。よって④ The reason why no one has been to see if tardigrades can survive on the moon's surface attracted the author's attention. が正解です。事実ベースの中に主観表現が紛れ込んでいる場合は、「どこかで問われるかも」と考え、チェックしておくとよいでしょう。

ただ推測問題は難しいので消去法で解くのも一つの手です。①は第3段落2～4文目でクマムシを宇宙に送っているので重要性は認識されていたと考えられるため不可。②は他の生物に関してX線や紫外線に絶えられたということは書かれていないので不可。③は、第3段落3文目に the researchers were surprised to see that 68% were still alive とあることから、「驚いた」ということは「予測していなかった」と言えますが、この文の主語 the researchers は前の文の European researchers であり、Israeli researchers ではないので不可。選択肢④以外は明らかにおかしいため④が正解です。

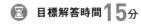

B You are preparing a poster for an in-school presentation on a scientific discovery, using the following article.

As you are reading this, you probably have a pencil in your hand. In the center of every pencil is something called "lead." This dark gray material is not actually lead (Pb), but a different substance, graphite. Graphite has been a major area of research for many years. It is made up of thin layers of carbon that can be easily separated. Indeed, it is this ease of separation that enables the pencil to write. As the pencil rubs against the paper, thin layers of carbon are pulled off the pencil lead and left on the paper as lines or writing.

In 2004, two scientists, Andre Geim and Konstantin Novoselov, were investigating graphite at the University of Manchester, in the UK. They were trying to see if they could obtain a very thin slice of graphite to study. Their goal was to get a slice of carbon which was between 10 and 100 layers thick. Even though their university laboratory had the latest scientific equipment, they made their incredible breakthrough — for what was later to become a Nobel Prize-winning discovery — with only a cheap roll of sticky tape.

In a BBC News interview, Professor Geim described their technique. He said that the first step was to put sticky tape on a piece of graphite. Then, when the tape is pulled off, a flake of graphite will come off on the tape. Next, fold the tape in half, sticking the flake onto the other side of the tape. Then pull the tape apart to split the flake. You now have two flakes, roughly half as thick as before. Fold the tape together once more in a slightly different position to avoid having the flakes touch each other. Pull it apart again, and you will now have four thinner flakes than before. Repeat this procedure 10 or 20 times, and you're left with many very thin flakes attached to your tape. Finally, you dissolve the tape using chemicals so everything goes into a solution.

Geim and Novoselov then looked at the solution, and were surprised to see that the thin flakes were flat and not rolled up — and even more surprised that the flakes were as thin as only 10 layers of graphite. As graphite conducts electricity, it was only a matter of weeks before they were studying whether these thin sheets could be used in computer chips. By 2005, they had succeeded in separating a single layer of graphite. As this does not exist naturally, this new material was given a new name: graphene. Graphene is only one atom thick, and perhaps the thinnest material in the universe. It is one of the few two-dimensional (2D) materials known, and forms a six-sided, honeycomb-patterned structure. In addition, it is possibly the lightest and strongest substance known on earth. It is also excellent at carrying electricity. In fact, at laboratory temperatures (20-25℃), graphene conducts electricity faster than any known substance. This has led to manufacturers investing in further research because graphene-based batteries could last three times longer and be charged five times faster than lithium-ion batteries.

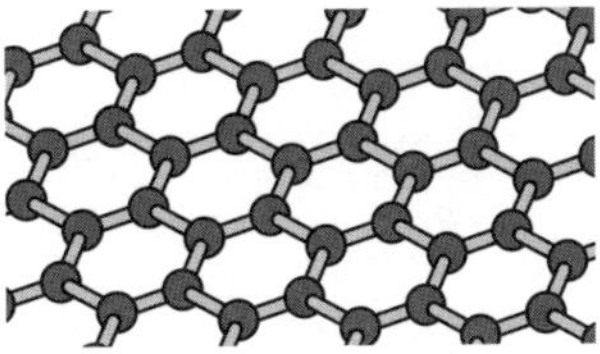

Figure 1. Structure of Graphene

Graphene has been called a super-material because of its amazing properties. It is 1,000 times lighter than paper and close to being totally transparent. It allows 98% of light to pass through it while at the same time it is so dense that even one molecule of helium gas cannot pass through it. It can also convert light into electricity. It is 200 times stronger than steel by weight: So strong in fact, that if you could make a 1 m^2 sheet of graphene, it would weigh less than a human hair and be strong enough to hold the weight of a cat. Quite simply, this material found in pencil lead has the potential to revolutionize the development of computer chips, rechargeable batteries, and strong, light-weight materials.

Day 19

共通テスト2023年追試験に掲載されたイラストとは異なります。

Your presentation poster draft:

Graphene

Basic information [44]

Graphene. . .

A. is a 2D material.

B. is a separated layer of graphite.

C. is an extremely thin sheet of metal.

D. is not a naturally occurring substance.

E. looks like a sheet of wire mesh.

F. was isolated without advanced equipment.

How Geim and Novoselov separated graphite (5 steps)

Step 1. Press sticky tape on graphite and remove.

Step 2.
Step 3. } [45]
Step 4.

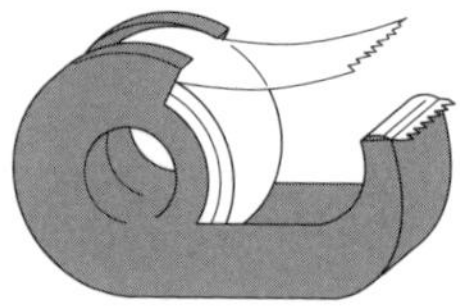

Step 5. Dissolve tape in a chemical solution and collect the flakes.

The properties of graphene

[46]
[47]

Future use

[48]

問 1 You are checking your poster. You spotted an error in the basic information section. Which of the following should you **remove**? [44]

① A
② B
③ C
④ D
⑤ E
⑥ F

問 2 You are going to summarize the five-step process used to separate layers of graphite. Choose the best combination of steps to complete the process. [45]

A. Do this process over and over again.
B. Fold tape in two again so another part of the tape touches the graphite.
C. Fold tape in two and pull it apart.
D. Place tape on the thinner flakes and press down.
E. Pull a flake of graphite off some sticky tape.

① C → B → A
② C → E → D
③ D → C → B
④ D → E → A
⑤ E → C → A
⑥ E → C → D

問 3 From the list below, select the two which best describe graphene's properties. (The order does not matter.) [46] · [47]

① At average room temperature, it is the world's most efficient material for carrying electricity.

② Gram for gram, graphene is stronger and more resistant to electricity.

③ Graphene weighs slightly more than graphite per cm^2.

④ It allows almost all light to pass through its structure.

⑤ Its six-sided honeycomb structure allows gas particles to pass from one side to another.

問 4 From this passage, which of the following might graphene be used for in the future? [48]

① A material for filtering small gas molecules from large ones

② Developing light-sensitive chips

③ Electricity resistant materials

④ Increasing the weight and strength of batteries

問 5 From this passage, we can infer that the writer [49].

① believed that many great Nobel Prize-winning discoveries have been made with low-cost equipment

② knew about the potential of graphene to reduce the production costs and recharging times of rechargeable batteries

③ was impressed by the fact that graphene and all its properties had lain hidden in every pencil mark until being revealed by Geim and Novoselov

④ was surprised at how long it took for Geim and Novoselov to realize the potential of using thin sheets of graphene in computer chips

問 1-5

訳 あなたは、次の記事を使いながら、科学的発見に関する校内プレゼンテーションのポスターを準備しています。

［第1段落］
この記事を読んでいるあなたは、たぶん鉛筆を手にしているだろう。すべての鉛筆の中心にはlead（芯）と呼ばれるものが入っている。この濃いグレーの物質は実はlead（Pb、鉛）ではなく別の物質、グラファイトだ。グラファイトは長年、大きな研究分野だった。簡単にはがれる炭素の薄い層からできている。実際、鉛筆で書くことができるのも、このはがれやすさのおかげだ。鉛筆が紙とこすれると、炭素の薄い層が鉛筆の芯からはがれ落ちて、線や文字として紙に残るのだ。

［第2段落］
2004年に、アンドレ・ガイムとコンスタンチン・ノボセロフという2人の科学者が、イギリスのマンチェスター大学でグラファイトの研究をしていた。彼らは研究用にごく薄いグラファイトの層を得られないかと試していた。目標としていたのは10～100層の薄さの炭素の薄片を得ることだった。彼らの大学の研究室には最新の科学機材があったのだが、彼らは信じられないような大発見 問5 ――のちにノーベル賞を受けることとなる発見――を、一巻きの安価な粘着テープだけで成し遂げた 問1⑥ のだった。

［第3段落］
BBCニュースのインタビューで、ガイム教授は自分たちのテクニックを説明した。彼によれば、最初のステップはグラファイトのかけらに粘着テープを当てることだった。それから、テープをはがすとグラファイトの薄い膜がテープに付いてくる。次に、テープを二つ折りしてテープの別の側にも膜を付ける。それからテープをはがして膜を二分割する。問2-1 これで前の約半分の厚さの膜が2つできる。膜同士が触れ合わないよう少し位置を変えてもう一度テープを二つ折りする。問2-2 またはがすと、前より薄い膜が4つできる。この手順を10回か20回繰り返す 問2-3 と、たくさんのごく薄い膜がテープにくっついた状態で残る。最後にテープを薬品で溶かし、溶液にすべて溶け込ませる。

［第4段落］
ガイムとノボセロフはそこで溶液を調べ、その薄い膜が丸まらずに平らになっているのを見て驚いた――さらに驚いたことに、膜はグラファイトのわずか10層分の薄さになっていた。グラファイトは電気を通すので、ほんの数週間後には、彼らはこの薄いシートがコンピューターチップに利用できるかどうかを研究していた。2005年までには、彼らはグラファイトの1枚の層を分離することに成功していた。問1② これは自然界には存在しない 問1④ ので、この新物質には「グラフェン」という新し

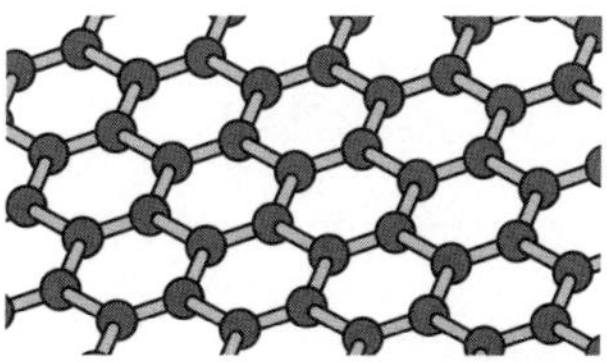

図1. グラフェンの構造

い名前が付けられた。問1　グラフェンは原子１つ分の厚さしかない、おそらくこの世で最も薄い物質だ。知られているわずかな二次元（2D）物質の一つ問1①　で、六角形のハニカムパターンの構造をしている。問1⑤　加えて、地球上で知られている中でも最も軽く強い物質だと思われる。さらに電気をとてもよく通す。実際、研究室の温度（20℃～25℃）において、グラフェンは既知のどの物質よりも早く電気が流れる。問3①　このことから各メーカーがさらなる研究に投資を始めた。グラフェンを使ったバッテリーはリチウムイオン電池の３倍長持ちし、５倍の速さで充電できるからだ。

［第５段落］

グラフェンはその驚異的な特性からスーパー物質と呼ばれている。紙の1000倍軽く、完全な透明に近い。光の98パーセントを透過させる問3④　一方で、ヘリウムガスの分子一つすら通さないほどの高密度でもある。光を電気に変えることもできる問4-2。同じ重さの鋼鉄の200倍の強さがある。実際とても強いため、もし１平方メートルのグラフェンシートを作ることができたら、それは髪の毛１本より軽く、ネコ１匹の重さに耐える強さがあるはずだ。要するに、鉛筆の芯から見つかったこの物質は、コンピューターチップや充電式電池、丈夫で軽い素材の開発を飛躍的に前進させる可能性を持っているのだ問4-1。

あなたのプレゼンテーション用ポスター下書き

グラフェン

基本情報　44

グラフェンは……
A. 2D 素材である。
B. グラファイトをはがした層である。
C. ごく薄い金属シートである。
D. 自然に生じる物質ではない。
E. 金網のシートに似た様子をしている。
F. 最新機器を使わずに分離された。

ガイムとノボセロフがグラファイトを分離した方法（５ステップ）

ステップ１．粘着テープをグラファイトに押し付けてからはがす。
ステップ２．
ステップ３．　45
ステップ４．
ステップ５．化学溶液にテープを溶かし、薄膜を集める。

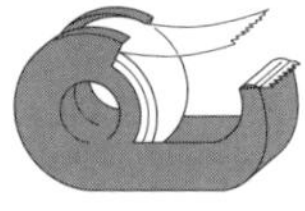

グラフェンの特性

46
47

将来の用途

48

語句

[記事]			
[第1段落]			
lead	名（鉛筆の）芯、鉛		
substance	名 物質		
graphite	名 グラファイト、黒鉛		
be made up of ～	熟 ～で構成されている		
layer	名 層		
indeed	副 実際に		
enable ～ to (V)	熟 ～がVすることを可能にする		
rub against ～	熟 ～とこすれ合う		
pull off ～	熟 ～を引きはがす		
[第2段落]			
investigate ～	他 ～を調査する		
latest	形 最新の		
incredible	形 信じられないような、素晴らしい		
breakthrough	名 画期的な前進		
sticky tape	熟 粘着テープ		
[第3段落]			
flake	名 かけら、薄片		
come off	熟 落ちる、はがれる		
fold ～	他 ～を折りたたむ		
stick ～	他 ～をくっつける		
pull ～ apart	熟 ～を引き離す		
procedure	名 手順		
dissolve ～	他 ～を溶かす		
go into ～	熟 ～に溶け込む		
solution	名 溶液		
[第4段落]			
conduct ～	他 ～を導く、～（電気）を通す		
atom	名 原子		
two-dimensional	形 二次元の		
honeycomb-patterned	形 ハニカムパターンの、ハチの巣模様の		
manufacturer	名 製造業者、メーカー		
invest in ～	熟 ～に投資する		
last	自 持続する		
lithium-ion battery	熟 リチウムイオン電池		
[第5段落]			
property	名 特性、性質		
transparent	形 透明な		
dense	形 高密度の		
molecule	名 分子		
convert A into B	熟 AをBに変換する		
potential	名 潜在能力、可能性		
revolutionize ～	他 ～に革命をもたらす		
rechargeable	形 充電可能な		
[ポスター]			
isolate ～	他 ～を分離する		

まずはリード文を読んで❶**場面・状況をイメージします**。リード文にa scientific discovery「科学的発見」とあるので「何か科学的な発見があったのだな」と予想しておきます。プレゼンテーション用のポスター下書きも先に確認します（❷）。タイトルにGraphene「グラフェン」とありますが、これがリード文の「科学的発見」ではなかろうかと予測はできますね。ポスター下書きの見出しは「基本情報」、「ガイムとノボセロフがグラフェンを分離した方法（5ステップ）」、「グラフェンの特性」、「将来の用途」で各項目に問題が設定されているようです。それでは問いを見ていきましょう。

問1　正解③　**問題レベル【やや難】　配点 2点**

設問 **あなたはポスターをチェックしている。「基本情報」の部分に誤りを見つけた。次のうち、取り除くべきものはどれか。** 44

選択肢 ① A　② B　③ C　④ D　⑤ E　⑥ F

語句 spot ～ 他 ～を見つける

❸**ポスターの該当箇所を見る**と「グラフェンは……」とあり特徴が箇条書きになっているの

Day 19

で、Graphene をキーワードに本文を確認していけばよさそうです。2023年本試験の第6問B問1と同じで、この設問のポイントの Graphene がなかなか出てこず焦るかもしれません。第4段落4文目になってようやく this new material was given a new name: graphene と出てきます。しかも本試験と違って難易度を上げるためか、ポスター内の見出し Basic Information として羅列されている箇条書きの順番が本文の登場順と異なっています。❹本文と照らし合わせ、**一つ一つ確認していきましょう**。

まず graphene が出てくる直前、第4段落3文目に succeeded in separating a single layer of graphite とあり、次の文でこれが graphene と名づけられているので、② B「グラファイトをはがした層」は OK です。また4文目 this does not exist naturally より、④ D「自然に生じる物質ではない」も問題ありません。ここまでで、グラフェンは自然界に存在しないので金属ではなく、グラファイトのかけらだとわかるので③が正解です。なお6文目に2D とあるので① A「2D 素材」も OK、図1より⑤ E「金網のシートに似た様子」も問題ありません。⑥ F「最新機器を使わずに分離された」に関しては、第2段落最終文に、Even though their university laboratory had the latest scientific equipment, they made their incredible breakthrough ... with only a cheap roll of sticky tape.「彼らの大学には最新の科学機材があったのだが、彼らは信じられないような大発見…を一巻きの安価な粘着テープだけで成し遂げたのだった」とあることから OK と判断できます。

問2 正解① **問題レベル【やや難】 配点 2点**

設 問 **あなたはグラファイトの層を剥離させるのに使われる5ステップの手順を要約しようとしている。手順を完成させるのに最も ふさわしいステップの組み合わせを選びなさい。** 45

A. この工程を何度も繰り返す。

B. テープの別の部分がグラファイトに触れるようにテープをまた二つ折りする。

C. テープを二つ折りしてからはがす。

D. テープを薄くなった薄片に当てて押しつける。

E. 粘着テープからグラファイトを落とす。

選択肢 ① C→B→A　② C→E→D　③ D→C→B
④ D→E→A　⑤ E→C→A　⑥ E→C→D

語句 summarize ～ 他 ～を要約する、～をまとめる

❸**ポスターを確認すると**、グラファイトを分離するステップが5段階で書かれており、Step 2～4を埋める問題です。ステップに関して本文では第3段落に書かれています（❹）。Step 1と Step 5はすでに示されいるので必ず先に確認しておきましょう。第3段落2文目 the first step was to put...と3文目 Then,when the tape is pulled off, ...のところが Step 1ですね。Step 1をよく読むと、Press ... and remove と2つの手順をまとめています。Press が2文目 put の**言い換え**、remove が3文目 pull off の**言い換え**だと気付けると解きやすかったはずです。これより Step 2の内容はこの次の4文目に出てくると予測できます。

Next, fold the tape in half, sticking the flake onto the other side of the tape.「次に、テープを二つ折りしてテープの別の側にも膜を付ける」とあります。選択肢を見ると B や C

の前半とぴったりです。後半部分を確認するため5文目も続けて読むと、Then pull the tape apart to split the flake.「それからテープをはがして膜を二分割する」とあります。Cの後半 pull it apart に該当するため、まずCを Step 2に選びましょう。

次に7文目 Fold the tape together once more in a slightly different position to avoid having the flakes touch each other.「膜同士が触れ合わないよう少し位置を変えてもう一度テープを二つ折りする」とありますが、これはBに該当しそうです。そして9文目に Repeat this procedure 10 or 20 times「この手順を10回か20回繰り返す」とあり、これはAに該当します。並べるとC→B→Aとなり、①が正解です。

問3 正解 ①・④(順不同) **問題レベル【やや難】 配点 3点(すべて正解で)**

設問 **次の一覧から、グラフェンの特性を最もよく表しているものを2つ選びなさい。(順不同) 46・47**

選択肢
① 常温であれば、この世で最も電気を効率よく通す物質である。
② 同じ重さであれば、グラフェンの方が強く、電気抵抗が高い。
③ グラフェンは立方センチ当たりの重さがグラファイトよりわずかに重い。
④ その構造はほとんどの光を通過させる。
⑤ 六角形のハニカム構造が気体を一方からもう一方へと通過させる。

語句
efficient 形 効率の良い
particle 名 粒子
resistant 形 抵抗力のある、耐久性のある

「グラフェンの特性」が問われています(❸)。graphene については第4段落・第5段落に書かれているので一通りここを読んでから選択肢を見る(❹)とわかりやすいと思います。まず第4段落9文目に、In fact, at laboratory temperatures (20℃ −25℃), graphene conducts electricity faster than any known substance.「実際、研究室の温度(20℃〜25℃)において、グラフェンは既知のどの物質よりも早く電気が流れる」より、①が正解です。また、第5段落3文目 It allows 98% of light to pass through it「光の98パーセントを透過させる」より④も正解です。

問4 正解 ② **問題レベル【やや難】 配点 2点**

設問 **この文章から、グラフェンが将来利用される可能性があるのは次のうちどれか。 48**

選択肢
① 小さな気体分子をフィルターにかけて大きなものから分離する素材
② 光に反応するチップの開発
③ 電気抵抗のある素材
④ 電池の重さと強さを増すこと

語句
filter ~ 他 ~をろ過する、~をフィルターにかける
light-sensitive 形 光に反応する、感光性の

Day 19

ポスターに Future use「将来の用途」とあり、設問でも将来利用される可能性があるものが問われているので、「将来」「可能性」「計画」など未来を表すことが書かれている箇所を探します(❸)。最終段落最終文に Quite simply, this material found in pencil lead has the potential to revolutionize the development of computer chips, rechargeable batteries, and strong, light-weight materials.「要するに、鉛筆の芯から見つかったこの物質は、コンピューターチップや充電式電池、丈夫で軽い素材の開発を飛躍的に前進させる可能性を持っているのだ」とあり、the potential「潜在可能性」という語からここが該当箇所だとわかります（❹）。選択肢とこの箇所を照らし合わせると、② Developing light-sensitive chipsが正解だとわかります。computer chipsの**言い換え**となっています。なお、light-sensitive「光に反応する」に関しては、この最終段落4文目にIt can also convert light into electricity.「光を電気に変えることもできる」とあり、ここからこの未来のチップに「光を利用する」といった主旨の修飾語がつくのは問題ないですね。

問5 正解③ **問題レベル【難】 配点 3点**

設問 **この文章から、筆者は [49] と推測できる。**

選択肢
① ノーベル賞に輝く大発見の多くが低コストの装置で成し遂げられたと考えていた
② 充電式電池の製造コストと再充電時間を下げるグラフェンの潜在能力について知っていた
③ ガイムとノボセロフによって発見されるまで、グラフェンのさまざまな特性があらゆる鉛筆の線の中に隠れていたのだという事実に感銘を受けた
④ グラフェンの薄いシートがコンピューターチップに使える可能性についてガイムとノボセロフが気付くまで、どれだけ長い時間がかかったかに驚いた

語句
infer ～ 他 ～と推論する
reveal ～ 他 ～を明らかにする
lay ～ 他 ～を置く、～を（ある状態に）しておく（lainは過去分詞）

推測問題です。本文を読みながら筆者の主観を読み取れていると解きやすかったと思います（「推測の型」はDay 20で詳しく扱います）。第2段落最終文でincredible breakthroughとgrapheneの発見を絶賛しています。incredibleは「信じられない、驚くべき」という主観を表す語です。筆者はこの発見を喜ばしく思っているようです。筆者は、第1段落で「鉛筆はグラファイトという簡単にはがれる炭素の薄い層からなる物質でできている」と述べることから本記事を始めています。そして、第2段落以降では、ガイムとノボセロフという2人の科学者が薄いグラファイトの層からグラフェンという新物質を作り出すことに成功したこと、そのグラフェンの可能性について言及しています。こういった論旨であることを踏まえて、選択肢を見ると③がぴったりだとわかります。

消去法でも解くことができます。①②④を推測できる根拠はどこにも書かれていませんでした。

MEMO

DAY 20

【論理的文章読解問題】を攻略する「言い換えの型」

Day 19では「論理的文章読解問題」の長文を読み、設問に解答するときの「視線の型」に集中してもらいました。ここでは「長文問題」で正答を見つける上でカギとなる、「言い換えの型」を見ていきます。

「言い換えの型」のステップ

① 「視線の型」を使う

問題を解く際には、Day 19の「視線の型」が基本の型となります。p. 342で説明した型を確実にものにしておきましょう。

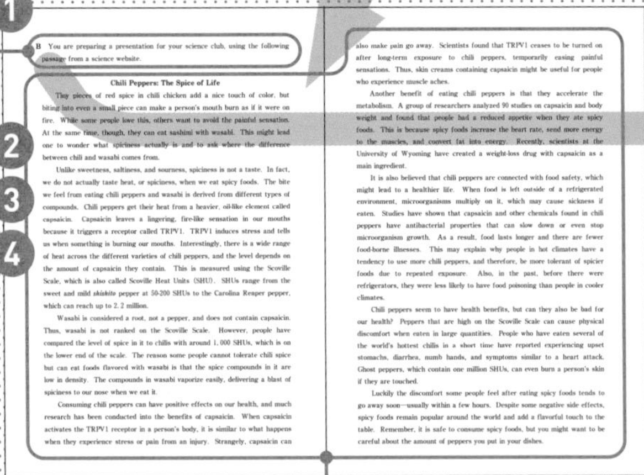

B You are preparing a presentation for your science club, using the following passage from a science website.

Chili Peppers: The Spice of Life

Tiny pieces of red spice in chili chicken add a nice touch of color, but biting into even a small piece can make a person's mouth burn as if it were on fire. While some people love this, others want to avoid the painful sensation. At the same time, though, they can eat sashimi with wasabi. This might lead one to wonder what spiciness actually is and to ask where the difference between chili and wasabi comes from.

Unlike sweetness, saltiness, and sourness, spiciness is not a taste. In fact, we do not actually taste heat, or spiciness, when we eat spicy foods. The bite we feel from eating chili peppers and wasabi is derived from different types of compounds. Chili peppers get their heat from a heavier, oil-like element called capsaicin. Capsaicin leaves a lingering, fire-like sensation in our mouths because it triggers a receptor called TRPV1. TRPV1 induces stress and tells us when something is burning our mouths. Interestingly, there is a wide range of heat across the different varieties of chili peppers, and the level depends on the amount of capsaicin they contain. This is measured using the Scoville Scale, which is also called Scoville Heat Units (SHU). SHUs range from the sweet and mild *shishito* pepper at 50-200 SHUs to the Carolina Reaper pepper, which can reach up to 2.2 million.

Wasabi is considered a root, not a pepper, and does not contain capsaicin. Thus, wasabi is not ranked on the Scoville Scale. However, people have compared the level of spice in it to chilis with around 1,000 SHUs, which is on the lower end of the scale. The reason some people cannot tolerate chili spice but can eat foods flavored with wasabi is that the spice compounds in it are low in density. The compounds in wasabi vaporize easily, delivering a blast of spiciness to our nose when we eat it.

Consuming chili peppers can have positive effects on our health, and much research has been conducted into the benefits of capsaicin. When capsaicin activates the TRPV1 receptor in a person's body, it is similar to what happens when they experience stress or pain from an injury. Strangely, capsaicin can also make pain go away. Scientists found that TRPV1 ceases to be turned on after long-term exposure to chili peppers, temporarily easing painful sensations. Thus, skin creams containing capsaicin might be useful for people who experience muscle aches.

Another benefit of eating chili peppers is that they accelerate the metabolism. A group of researchers analyzed 90 studies on capsaicin and body weight and found that people had a reduced appetite when they ate spicy foods. This is because spicy foods increase the heart rate, send more energy to the muscles, and convert fat into energy. Recently, scientists at the University of Wyoming have created a weight-loss drug with capsaicin as a main ingredient.

It is also believed that chili peppers are connected with food safety, which might lead to a healthier life. When food is left outside of a refrigerated environment, microorganisms multiply on it, which may cause sickness if eaten. Studies have shown that capsaicin and other chemicals found in chili peppers have antibacterial properties that can slow down or even stop microorganism growth. As a result, food lasts longer and there are fewer food-borne illnesses. This may explain why people in hot climates have a tendency to use more chili peppers, and therefore, be more tolerant of spicier foods due to repeated exposure. Also, in the past, before there were refrigerators, they were less likely to have food poisoning than people in cooler climates.

Chili peppers seem to have health benefits, but can they also be bad for our health? Peppers that are high on the Scoville Scale can cause physical discomfort when eaten in large quantities. People who have eaten several of the world's hottest chilis in a short time have reported experiencing upset stomachs, diarrhea, numb hands, and symptoms similar to a heart attack. Ghost peppers, which contain one million SHUs, can even burn a person's skin if they are touched.

Luckily the discomfort some people feel after eating spicy foods tends to go away soon—usually within a few hours. Despite some negative side effects, spicy foods remain popular around the world and add a flavorful touch to the table. Remember, it is safe to consume spicy foods, but you might want to be careful about the amount of peppers you put in your dishes.

② 「言い換えの型」その1:同位概念や品詞転換に敏感になる

例えば過去に出題された例として、happy「嬉しい」→enjoyable「楽しい」がありました(2023年出題)が、言い換えに気付きそうでしょうか。get to know each other「お互いを知るようになる」→develop friendships「友情を育む」はどうでしょう(2021年出題)。このような言い換えに柔軟に気付けるようになるには、「日本語訳」に固執せず、もっと大きなイメージで内容を理解しておく必要があります。また、品詞転換の言い換えも頻出です。strong「強い(形容詞)」→strongly「強く(副詞)」くらいなら言い換えに気付くかもしれませんが、strength「強さ(名詞)」やstrengthen「強くする(動詞)」などは知らないと気付きにくいかもしれません。品詞転換に関してはふだんから単語を覚えるときに語末(接尾辞)と品詞の関係に気を付けるようにし、品詞に伴う語の変化に敏感になっておくといいでしょう。

③ 「言い換えの型」その2:上位概念や下位概念の言い換えを許容する

本文中の表現が選択肢では「部分」
「全体」(上位概念)で言い換えられ
いることがあります。例えば
English「英語」→language「言
(2023年出題)、taiko「太鼓
→Japanese traditional music「日
の伝統音楽」(2022年出題)のよ

内容 Day 04でも「言い換えの型」を扱いましたが、今回は「言い換えのパターン」にまで踏み込みます。「言い換えを見抜く力」を高めることが、共通テストの得点力をアップさせるカギです。しかし近年の共通テストは言い換えが巧妙になってきており、すぐには言い換えだと気付きにくくなっています。本番の試験では自分の力で言い換えに気付くことができるよう、言い換えパターンをマスターしましょう！

目標解答時間 15分

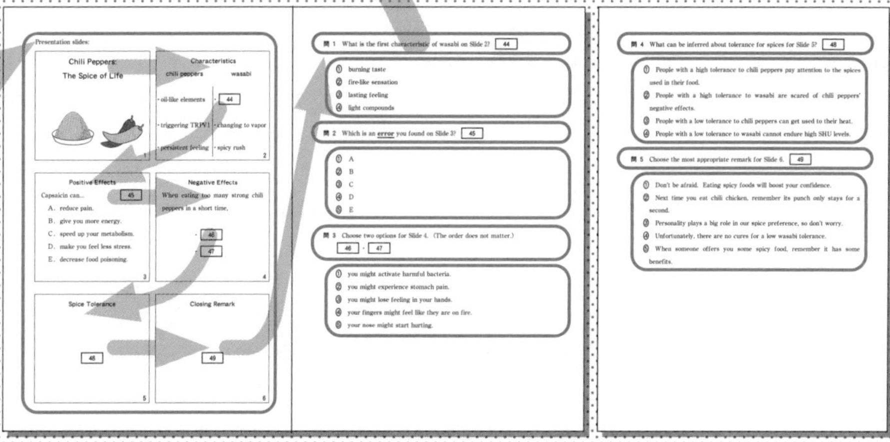

Presentation slides:
Chili Peppers:
The Spice of Life
Characteristics
chili peppers
wasabi
・oil-like elements
・44
・triggering TRPV1
・changing to vapor
・persistent feeling
・spicy rush
Positive Effects
Capsaicin can...
45
A. reduce pain.
B. give you more energy.
C. speed up your metabolism.
D. make you feel less stress.
E. decrease food poisoning.
Negative Effects
When eating too many strong chili peppers in a short time,
・46
・47
Spice Tolerance
48
Closing Remark
49
問1 What is the first characteristic of wasabi on Slide 2? 44
① burning taste
② fire-like sensation
③ lasting feeling
④ light compounds
問2 Which is an error you found on Slide 3? 45
① A
② B
③ C
④ D
⑤ E
問3 Choose two options for Slide 4. (The order does not matter.) 46 ・ 47
① you might activate harmful bacteria.
② you might experience stomach pain.
③ you might lose feeling in your hands.
④ your fingers might feel like they are on fire.
⑤ your nose might start hurting.
問4 What can be inferred about tolerance for spices for Slide 5? 48
① People with a high tolerance to chili peppers pay attention to the spices used in their food.
② People with a high tolerance to wasabi are scared of chili peppers' negative effects.
③ People with a low tolerance to chili peppers can get used to their heat.
④ People with a low tolerance to wasabi cannot endure high SHU levels.
問5 Choose the most appropriate remark for Slide 6. 49
① Don't be afraid. Eating spicy foods will boost your confidence.
② Next time you eat chili chicken, remember its punch only stays for a second.
③ Personality plays a big role in our spice preference, so don't worry.
④ Unfortunately, there are no cures for a low wasabi tolerance.
⑤ When someone offers you some spicy food, remember it has some benefits.

、ポイントとなっている語は上位概の単語もイメージしておくと言い換に気付きやすくなります。状況設定問い方次第で本文が「全体」、選択が「部分」の全体→部分（下位概）の言い換えもあります。例えばeping「睡眠」→take a nap「昼寝とる」（2024年出題）は許容範囲で、状況が学校だったので、学校での眠であればふつうは昼寝ですね。

4

「言い換えの型」その３：「角度を変えた言い換え」を見抜く

farmers sell their produce directly「農家の人たちが作物を直接売る」→people buy food from farms「人々が農家から食べ物を買う」（2023年出題）のように、主語を変えて「逆」の角度から言い換えたり、move through the body extremely slowly「非常に遅く体を通っていく」→not digested quickly「速く消化しない」（2021年出題）のように肯定と否定を入れ替えたり、If it had been sunny, they could have danced outside.「もし晴れていたら外でダンスができた」→the dance show was held inside due to poor weather.「悪天候のためにダンスショーは屋内で行われた」（2018年出題）のように仮定と現実を入れ替えたりする言い換えもあります。

では、この「推測の型」を意識しながら、次ページの問題に取り組みましょう！

目標解答時間 15分

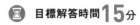

B You are preparing a presentation for your science club, using the following passage from a science website.

Chili Peppers: The Spice of Life

Tiny pieces of red spice in chili chicken add a nice touch of color, but biting into even a small piece can make a person's mouth burn as if it were on fire. While some people love this, others want to avoid the painful sensation. At the same time, though, they can eat sashimi with wasabi. This might lead one to wonder what spiciness actually is and to ask where the difference between chili and wasabi comes from.

Unlike sweetness, saltiness, and sourness, spiciness is not a taste. In fact, we do not actually taste heat, or spiciness, when we eat spicy foods. The bite we feel from eating chili peppers and wasabi is derived from different types of compounds. Chili peppers get their heat from a heavier, oil-like element called capsaicin. Capsaicin leaves a lingering, fire-like sensation in our mouths because it triggers a receptor called TRPV1. TRPV1 induces stress and tells us when something is burning our mouths. Interestingly, there is a wide range of heat across the different varieties of chili peppers, and the level depends on the amount of capsaicin they contain. This is measured using the Scoville Scale, which is also called Scoville Heat Units (SHU). SHUs range from the sweet and mild *shishito* pepper at 50-200 SHUs to the Carolina Reaper pepper, which can reach up to 2. 2 million.

Wasabi is considered a root, not a pepper, and does not contain capsaicin. Thus, wasabi is not ranked on the Scoville Scale. However, people have compared the level of spice in it to chilis with around 1, 000 SHUs, which is on the lower end of the scale. The reason some people cannot tolerate chili spice but can eat foods flavored with wasabi is that the spice compounds in it are low in density. The compounds in wasabi vaporize easily, delivering a blast of spiciness to our nose when we eat it.

Consuming chili peppers can have positive effects on our health, and much research has been conducted into the benefits of capsaicin. When capsaicin activates the TRPV1 receptor in a person's body, it is similar to what happens when they experience stress or pain from an injury. Strangely, capsaicin can also make pain go away. Scientists found that TRPV1 ceases to be turned on after long-term exposure to chili peppers, temporarily easing painful sensations. Thus, skin creams containing capsaicin might be useful for people who experience muscle aches.

Another benefit of eating chili peppers is that they accelerate the metabolism. A group of researchers analyzed 90 studies on capsaicin and body weight and found that people had a reduced appetite when they ate spicy foods. This is because spicy foods increase the heart rate, send more energy to the muscles, and convert fat into energy. Recently, scientists at the University of Wyoming have created a weight-loss drug with capsaicin as a main ingredient.

It is also believed that chili peppers are connected with food safety, which might lead to a healthier life. When food is left outside of a refrigerated environment, microorganisms multiply on it, which may cause sickness if eaten. Studies have shown that capsaicin and other chemicals found in chili peppers have antibacterial properties that can slow down or even stop microorganism growth. As a result, food lasts longer and there are fewer food-borne illnesses. This may explain why people in hot climates have a tendency to use more chili peppers, and therefore, be more tolerant of spicier foods due to repeated exposure. Also, in the past, before there were refrigerators, they were less likely to have food poisoning than people in cooler climates.

Chili peppers seem to have health benefits, but can they also be bad for our health? Peppers that are high on the Scoville Scale can cause physical discomfort when eaten in large quantities. People who have eaten several of the world's hottest chilis in a short time have reported experiencing upset stomachs, diarrhea, numb hands, and symptoms similar to a heart attack. Ghost peppers, which contain one million SHUs, can even burn a person's skin if they are touched.

Luckily the discomfort some people feel after eating spicy foods tends to go away soon—usually within a few hours. Despite some negative side effects, spicy foods remain popular around the world and add a flavorful touch to the table. Remember, it is safe to consume spicy foods, but you might want to be careful about the amount of peppers you put in your dishes.

Presentation slides:

Chili Peppers: The Spice of Life

1

Characteristics

chili peppers	wasabi
• oil-like elements	• 44
• triggering TRPV1	• changing to vapor
• persistent feeling	• spicy rush

2

Positive Effects

Capsaicin can... 45

A. reduce pain.

B. give you more energy.

C. speed up your metabolism.

D. make you feel less stress.

E. decrease food poisoning.

3

Negative Effects

When eating too many strong chili peppers in a short time,

• 46

• 47

4

Spice Tolerance

48

5

Closing Remark

49

6

問 1 What is the first characteristic of wasabi on Slide 2? [44]

① burning taste
② fire-like sensation
③ lasting feeling
④ light compounds

問 2 Which is an **error** you found on Slide 3? [45]

① A
② B
③ C
④ D
⑤ E

問 3 Choose two options for Slide 4. (The order does not matter.)
[46] · [47]

① you might activate harmful bacteria.
② you might experience stomach pain.
③ you might lose feeling in your hands.
④ your fingers might feel like they are on fire.
⑤ your nose might start hurting.

問 4 What can be inferred about tolerance for spices for Slide 5? [48]

① People with a high tolerance to chili peppers pay attention to the spices used in their food.

② People with a high tolerance to wasabi are scared of chili peppers' negative effects.

③ People with a low tolerance to chili peppers can get used to their heat.

④ People with a low tolerance to wasabi cannot endure high SHU levels.

問 5 Choose the most appropriate remark for Slide 6. [49]

① Don't be afraid. Eating spicy foods will boost your confidence.

② Next time you eat chili chicken, remember its punch only stays for a second.

③ Personality plays a big role in our spice preference, so don't worry.

④ Unfortunately, there are no cures for a low wasabi tolerance.

⑤ When someone offers you some spicy food, remember it has some benefits.

問 1－5

訳 あなたは、科学サイトにあった次の文章を使って、科学部の発表の準備をしています。

チリペッパー：人生のスパイス

[第1段落]

チリチキンに入っている赤いスパイスの小さなかけらは、いい彩りになるが、小さなかけらでもかんでしまうと、口の中が火でもついたように熱くなる。これが大好きな人もいれば、この痛いほどの感覚を避けようとする人もいる。だが、それでいて、そうした人たちも、わさびを付けた刺身は食べることができる。このことから、辛さとはいったい何なのか不思議に思い、チリとわさびの違いがどこから来ているのか疑問を持つかもしれない。

[第2段落]

甘味や塩味や酸味と違って、辛さは味覚ではない。実は、辛い食べ物を食べるときの熱さ、つまり辛さを、私たちは味わっているわけではない。チリペッパーとわさびを食べたときに感じる刺激は、異なる成分に由来する。チリペッパーは、カプサイシンと呼ばれるやや重い油のような成分から辛さを生じる。カプサイシンが口の中に長続きする火のような感覚を残すのは、TRPV1という受容体を刺激するせいだ。TRPV1は、何かが口の中をやけどさせているときに、ストレスを生じさせて私たちに伝える。面白いことに、さまざまな種類のチリペッパーには辛さの幅が広く存在し、その度合いは含有するカプサイシンの量に左右される。それはスコヴィル値を使って計測するが、それはスコヴィル辛味単位（SHU）とも呼ばれる。SHUは、甘めでマイルドな50～200SHUのシシトウから、220万SHUにも達することがあるキャロライナ・リーパーまでの範囲がある。

[第3段落]

わさびはペッパー類とは違って根茎と見なされ、カプサイシンを含有しない。そのため、わさびはスコヴィル値のリストには載っていない。とはいえ、チリと比較した辛さレベルは1000SHU程度とされ、低い方だ。チリスパイスには耐えられないのにわさびの効いた料理は食べられる人がいる理由は、含まれる辛味成分の濃度が低いせいだ。問1 わさびの成分は揮発性が高く、食べたときに辛さが一気に鼻に伝わる。

[第4段落]

チリペッパーを摂取すると健康に良い影響をもたらすことができ、カプサイシンの効能について多くの研究が行われてきた。カプサイシンが人間の体内のTRPV1を活性化させるとき、けがのつらさや痛みを感じるときに似た状態になる。不思議なことに、カプサイシンは痛みを消すこともできる。問2① 科学者たちは、チリペッパーに長期間さらされるとTRPV1が機能しなくなり、痛みの感覚が一時的に和らぐことを発見した。このため、カプサイシンを配合したスキンクリームが、筋肉痛になっている人に効果的であり得るのだ。

[第5段落]

チリペッパーを食べるもう一つの効能は、代謝を促進することだ。問2③ ある研究者グループは、カプサイシンと体重に関する90の研究を分析して、辛い食べ物を食べると人は食欲が抑えられることを発見した。その理由は、辛い食べ物が心拍数を上げ、より多くのエネルギーを筋肉に送り、脂肪をエネルギーに変えるからだ。問2② 最近、ワイオミング大学の科学者たちが、カプサイシンを主原料とする減量薬を作り出した。

[第6段落]

また、チリペッパーは食の安全にも関連があると信じられており、これも、より健康な生活につながる。食品が冷蔵環境外に放置されると、微生物が増殖し、食べると具合が悪くなることがある。研究が示すところでは、チリペッパーに見られるカプサイシンなどの成分には抗菌作用があり、微生物の増殖を抑制したり、さらには停止させたりすることがある。その結果、食品は長持ちし、食べ物経由の病気が減る。問2⑤ このことは、暑い気候に住む人々がチリペッパーを多く使う傾向があり、それゆえ繰り返しの摂取から辛い食べ物への耐性が高い理由の説明になりそうだ。問4 また、冷蔵庫が存在する前の過去において、彼らは涼しい気候に住む人々よりも食中毒になりにくかった。

[第7段落]

チリペッパーには健康上のメリットがありそうだが、健康に悪い場合もあるのだろうか？ スコヴィル値の高いペッパーは、大量に食べると身体に不快な症状を起こすことがある。世界で最も辛いチリの幾つかを短時間に食べた人々が、胃痛、下痢、手のしびれ、心臓発作に似た症状を経験したと報告されている。問3 100万 SHU を含有するゴーストペッパーは、触ると人の皮膚をやけどさせることさえある。

[第8段落]

幸い、辛い食べ物を食べて一部の人々が覚える不快感は、すぐに消える傾向がある——普通なら数時間以内には。多少の悪い副作用はあっても、辛い食べ物は世界中で人気を保ち続け、テーブルに風味を添えてくれる。覚えておこう、辛い食べ物を摂取しても安全だが、料理に入れるペッパーの量には気を付けた方がいいだろう。

プレゼンテーション用スライド

チリペッパー：
人生のスパイス

1

特徴

チリペッパー	わさび
・油に似た成分	・ 44
・TRPV1を刺激	・気体に変わる
・いつまでも残る感覚	・辛さの噴出

2

プラスの効果	マイナスの効果
カプサイシンにできることは… 45 A. 痛みを軽減する。 B. エネルギーを与える。 C. 代謝を速める。 D. 感じるストレスを減らす。 E. 食中毒を減らす。 3	短時間に強いチリペッパーをたくさん食べ過ぎると、 ・ 46 ・ 47 4

スパイスへの耐性	まとめのコメント
48 5	49 6

語句

[文章]

[第1段落]

add a touch of color	熟 色を添える
bite into ～	熟 ～にかじりつく
sensation	名 感覚
at the same time	熟 その一方で、そうは言っても

[第2段落]

heat	名 口の中が熱くなるような刺激、ひりひりする辛さ
bite	名 刺激、辛さ
be derived from ～	熟 ～に由来する
compound	名 化合物、化学成分
capsaicin	名 カプサイシン
lingering	形 長続きする、後を引く
trigger ～	他 ～を引き起こす、～を発動させる
receptor	名 レセプター、受容体
induce ～	他 ～を誘発する
depend on ～	熟 ～に左右される、～による
range from A to B	熟 AからBの範囲に及ぶ
up to ～	熟 ～にまで

[第3段落]

rank ～	他 ～をランク付けする、～を順位表に入れる
end	名 端、側
tolerate ～	他 ～を許容する、～に耐える
density	名 濃度
vaporize	自 気化する、揮発する
blast	名 突風、噴出

[第4段落]

consume ～	他 ～を摂取する
conduct ～	他 ～を実施する
activate ～	他 ～を活性化させる
cease to (V)	熟 Vしなくなる
long-term	形 長期の
exposure	名 さらされること、接触
temporarily	副 一時的に
ease ～	他 ～を和らげる、～を軽減する
muscle ache	熟 筋肉痛

[第5段落]

metabolism	名 代謝

analyze ～	他	～を分析する
reduced	形	減少した
appetite	名	食欲
heart rate	熟	心拍数
convert A into B	熟	AをBに変換する
weight-loss	形	減量の
ingredient	名	原料、材料
［第6段落］		
refrigerated	形	冷蔵の
microorganism	名	微生物
multiply	自	増殖する
chemical	名	化学物質
antibacterial	形	抗菌性の
property	名	性質、特性
food-borne	形	食物経由の
tendency	名	傾向
tolerant of ～	熟	～に耐性のある
［第7段落］		
physical	形	身体的な
discomfort	名	不快感、不快症状
upset stomach	熟	胃の不調、胃のむかつき
diarrhea	名	下痢
numb	形	麻痺した、しびれた
symptom	名	症状
heart attack	熟	心臓発作
［第8段落］		
side effect	熟	副作用
flavorful	形	風味豊かな
you might want to (V)	熟	Vする方がいいだろう
［スライド］		
characteristic	名	特徴
persistent	形	いつまでも続く、持続性の
vapor	名	蒸気、ガス
rush	名	ほとばしり、噴出
food poisoning	熟	食中毒
tolerance	名	耐性
remark	名	所見、発言

まずは❶**視線の型**ですね。英文のタイトル、プレゼンスライド1のタイトルにChili Peppers: The Spice of Life「チリペッパー：人生のスパイス」とあり、さらにイラストもあることから、チリペッパーに関することだとわかります。ざっと見出しを確認して、問1にいきましょう。

問1　正解④　**問題レベル【やや難】　配点 2点**

設問　**スライド2に入るわさびの最初の特徴は何か。** 44

選択肢　① 焼けるような味
② 火のような感覚
③ 持続する感覚
④ 軽い成分

わさびの特徴が書かれている箇所を探しながら、第1段落から「論理的読解の型」(Day 18参照) を使って読んでいきましょう。第3段落1文目で「わさびに関する詳細はこの段落ではないか」と気付くと思います。読んでいくと第3段落の後半に特徴が出てきますね。4～5文目The reason some people cannot tolerate chili spice but can eat foods flavored with wasabi is that the spice compounds in it are low in density. The compounds in wasabi vaporize easily, delivering a blast of spiciness to our nose when we eat it.「チリスパイスには耐えられないのにわさびの効いた料理は食べられる人がいる理由は、含まれる辛味成分の濃度が低いせいだ。わさびの成分は揮発性が高く、食べたときに辛さが一気に鼻に伝わる」とあります。プレゼンスライドと見比べてみましょう。プレゼンスライド2のwasabi 2つ目の特徴changing to vaporは5文目前半のThe compounds in wasabi vaporize easilyに、

3つ目の特徴 spicy rush は5文目後半の delivering a blast of spiciness to our nose when we eat it に該当します。そこで4文目の内容が答えなのではと4文目を精読して選択肢を確認しましょう。すると④が正解だとわかります。the spice compounds in it are low in density「含まれる辛味成分の濃度が低い」が④ light compounds「軽い成分」に一致します。low in density → light に言い換えられていました（❷）。日本語訳にこだわると「厳密には違うのでは！？」などと穿った見方をしてしまいますので、「成分があんまり入ってない感じ」くらいのイメージでおさえて選択肢を確認するようにするといいでしょう。

問2 正解④ **問題レベル【難】 配点 2点**

設 問 **スライド3で見つけた間違いはどれか。** 45

選択肢 ① A ② B ③ C ④ D ⑤ E

まずスライド3の見出しである Positive Effects「プラスの効果」が書かれていそうな段落を探しましょう。スライド3にある主語は Capsaicin can ... なので「Capsaicin ができること」がすなわちチリペッパーのプラスの効果なのだとわかります。問1を解いたときに読んだ段落（第3段落）の続きから読んでいくと、早速第4段落1文目 Consuming chili peppers can have positive effects on our health「チリペッパーを摂取すると健康に良い影響をもたらすことができる」より、この段落に良い影響が書かれていることがわかります。ここで選択肢をすべて先読みし、どれかが出てくるのでは、とアンテナを張っておいてもいいでしょう。3文目 Strangely, capsaicin can also make pain go away.「不思議なことに、カプサイシンは痛みを消すこともできる」より、まず① A. reduce pain.「痛みを軽減する」は問題なさそうです（❷）。次に第5段落1文目、Another benefit of eating chili peppers is that they accelerate the metabolism.「チリペッパーを食べるもう一つの効能は、代謝を促進することだ」より、③ C. speed up your metabolism.「代謝を速める」も問題ないようです（❷）。そして同じ第5段落3文目 This is because spicy foods increase the heart rate, send more energy to the muscles, and convert fat into energy.「その理由は、辛い食べ物が心拍数を上げ、より多くのエネルギーを筋肉に送り、脂肪をエネルギーに変えるからだ」より② B. give you more energy.「エネルギーを与える」も問題ありません（❷）。第6段落1文目 It is also believed that chili peppers are connected with food safety「また、チリペッパーは食の安全にも関連があると信じられている」より、E. decrease food poisoning.「食中毒を減らす」も問題なさそうだとわかりますね（❸）。ただ**「下位概念への言い換え」になるので、ここで正解を出すのはやや不安かもしれません**。food safety が本当に food poisoning を減らすことを含むのかどうか、不確実な部分はありますね。ですが3～4文目に Studies have shown that capsaicin and other chemicals found in chili peppers have antibacterial properties that can slow down or even stop microorganism growth. As a result, food lasts longer and there are fewer food-borne illnesses.「研究が示すところでは、チリペッパーに見られるカプサイシンなどの成分には抗菌作用があり、微生物の増殖を抑制したり、さらには停止させたりすることがある。その結果、食品は長持ちし、食べ物経由の病気が減る」と言及されており、やはり問題なさそうです。正解は「プラスの効果」が書かれている第3段落～第6段落に出てこなかった④ D. make you feel less stress.「感じるストレスを減らす」です。

Day 20

このように**「下位概念への言い換え」に関してはちゃんと該当箇所を探した方が確実ではあります**。例えば、本文「彼は高校生だ」→選択肢「彼は学生だ」といった上位概念への言い換えであれば正解と言えますが、本文「彼は学生だ」→選択肢「彼は高校生だ」のような下位概念への言い換えは正解とは言い切れませんよね。本文のどこかに「彼は中学生だ」と書いてあれば当然不正解です。**ですが時間の短縮にはなるので、下位概念への言い換えでも正解とみなして次に進む、というのは戦略としてはアリだと思います**。時間と相談しながら柔軟にいきましょう。

問3　正解②・③（順不同）　**問題レベル【難】　配点 3点（すべて正解で）**

設問　**スライド4に入る選択肢を2つ選びなさい。（順不同）** 46 47

選択肢
① 有害なバクテリアを活性化させるかもしれない。
② 胃痛を経験するかもしれない。
③ 手の感覚がなくなるかもしれない。
④ 指に火がついたように感じるかもしれない。
⑤ 鼻が痛み出すかもしれない。

語句　harmful 形 有害な　　bacteria 名 バクテリア、細菌

まずスライド4の見出しであるNegative Effects「マイナスの効果」が書かれていそうな段落を探します。問2で第6段落まで読んだので第7段落から見ていきましょう。すると早速第7段落1文目 Chili peppers seem to have health benefits, but can they also be bad for our health?「チリペッパーには健康上のメリットがありそうだが、健康に悪い場合もあるのだろうか？」より、マイナスな効果が2文目以降に出てきそうだとわかります。2文目 can cause physical discomfort「身体に不快な症状を起こすことがある」とありますが、ここではまだ「身体にどう影響が出るのか」がわからず選べません。具体的な内容は次の文に People who have eaten several of the world's hottest chilis in a short time have reported experiencing upset stomachs, diarrhea, numb hands, and symptoms similar to a heart attack.「世界で最も辛いチリの幾つかを短時間に食べた人々が、胃痛、下痢、手のしびれ、心臓発作に似た症状を経験したと報告されている」と書かれています。選択肢と照らし合わせましょう。upset stomachs「胃痛」が選択肢② you might experience stomach pain.「胃痛を経験するかもしれない」に（❷）、numb hands「手のしびれ」が③ you might lose feeling in your hands.「手の感覚がなくなるかもしれない」に該当します（❷）。よって正解は②と③です。

問4 正解③ **問題レベル【難】 配点 3点**

設問 **スライド5でスパイスへの耐性に関して推論できることは何か。** 48

選択肢 ① チリペッパーへの耐性が高い人たちは、食べ物に使われているスパイスに注意を払う。

② わさびへの耐性が高い人たちは、チリペッパーの悪い作用を怖がっている。

③ チリペッパーへの耐性が低い人たちも、その辛さに慣れていくことはできる。

④ わさびへの耐性が低い人たちは、高いSHUレベルには耐えられない。

語句 infer ～ 他 ～と推論する　endure ～ 他 ～に耐える、～を我慢する

スライド5の見出しであるSpice Tolerance「スパイスへの耐性」に該当しそうな箇所を探すと、第6段落5文目にThis may explain why people in hot climates have a tendency to use more chili peppers, and therefore, be more tolerant of spicier foods due to repeated exposure.「このことは、暑い気候に住む人々がチリペッパーを多く使う傾向があり、それゆえ繰り返しの摂取から辛い食べ物への耐性が高い理由の説明になりそうだ」とあります。Tolerance → tolerantと品詞転換の言い換えになっています（❷）。ここに気付けば選択肢③が正解だとわかります。be more tolerant of spicier foods due to repeated exposure「繰り返しの摂取から辛い食べ物への耐性が高くなる」ということは、People with a low tolerance to chili peppers can get used to their heat.「チリペッパーへの耐性が低い人たちも、その辛さに慣れていくことはできる」といえますね。本文の「辛い食べ物への耐性が高くなる」というのは「辛い食べ物が得意な人」も、「辛い食べ物が苦手でも得意でもない人」も、「辛い食べ物が苦手な人」も含んでいる表現です。これが選択肢になると「辛い食べ物が苦手な人」だけの話をしているのでこれは下位概念への言い換え（❸）ですね。選びづらさを感じた人は「下位概念への言い換え」だから違和感を感じたのだと思います。しかしこれはいわゆる「推測問題」です。設問がWhat can be inferred ...となっている**いわゆる推測問題の場合は下位概念も正解になる可能性がある**ということを覚えておきましょう。

なお推測問題は難しいので消去法も使ってください。①、②、④は解答根拠になる箇所がありませんでした。

Day 20

問5 正解⑤ **問題レベル【難】 配点 2点**

設問 **スライド6に最も ふさわしいコメントを選びなさい。 49**

選択肢 ① 怖がることはありません。辛い料理を食べることはあなたの自信を引き上げてくれます。

② この次チリチキンを食べるときには、その刺激がわずかな間しか続かないことを思い出してください。

③ スパイスの好みには性格が大きく関わっているので、心配しないでください。

④ 残念ながら、わさびへの耐性の低さには治療法がありません。

⑤ 誰かがあなたに辛い料理を勧めたときには、良い効果があるということを思い出してください。

語句

confidence	名 自信	play a role in ～	熟 ～において役割を果たす、～の一因となる
punch	名 刺激、勢い		
for a second	熟 少しの間	preference	名 好み
personality	名 性格、人柄	cure	名 治療法

「まとめのコメント」なので最終段落を確認するといいでしょう。最後に you might want to be careful about the amount of peppers you put in your dishes.「料理に入れるペッパーの量には気を付けた方がいいだろう」と、摂取量に注意するよう書かれてはいますが、それ以外は辛い食べ物に関して肯定的なコメントばかり（1文目 Luckily the discomfort ... tends to go away soon「幸い不快感は、すぐに消える傾向がある」、2文目 spicy foods remain popular ... and add a flavorful touch to the table「辛い食べ物は人気を保ち続け、テーブルに風味を添えてくれる」、3文目 it is safe to consume spicy foods「辛い食べ物を摂取しても安全」）です。選択肢を確認すると、①は「自信を引き上げる」が×、②はチリチキンに限定している下位概念の言い換えですが、下位概念を「まとめ」として使うのはおかしいので×、③は「性格が関わっている」が×、④はネガティブなコメントで本文に言及もなく×、消去法で残った⑤が正解です。

目標解答時間 15分

問題番号は実際の番号のままです。

B You are preparing for a science fair presentation on a scientific discovery, using the following magazine article.

"Smart" Fabrics

Through the years, the fabrics we use have evolved to suit our changing lifestyles and needs. Linen, made from the fibers of a plant called flax, is one of the oldest textiles in the world. It naturally reflects away the sun and its intense heat, and allows better airflow than other types of fabric. Light and airy, linen has long been the ideal fabric for warm climates. With industrialization and population growth, however, cotton became more commonly used since it was suitable for mass production. Cloth made from cotton can be heavy and can trap body heat though, which may make people feel uncomfortable in very hot and humid weather.

Newer materials are always being developed as technology progresses, and "smart" fabrics are a recent scientific breakthrough in the textile industry. Weaving flexible synthetic fibers into cloth can provide additional functions for the fabric. For example, scientists at the Huazhong University of Science and Technology made a new fabric called "metafabric" that deflects heat to keep people cooler. Such fabric can be used to create clothes that ease the discomfort people suffer when the temperature rises. In their experiment, a participant wore a vest consisting of two halves—one half cotton and the other half metafabric—and was exposed to direct sunlight for an hour. Underneath the cotton, the skin temperature soared to 37℃. In contrast, underneath the metafabric, the temperature rose by just one degree, from 31℃ to 32℃.

Another interesting example is a fabric that can detect sounds. The human ear picks up sound pressures, and the inner organs convert sound waves into mechanical vibrations and then into electrical signals. Similarly, "piezoelectric materials," which are typically used for microphones or speakers, produce an electrical signal when mechanically bent.

Using this knowledge, a team of researchers at the Massachusetts Institute of Technology and the Rhode Island School of Design came up with a so-called "acoustic fabric." The researchers wove a piezoelectric fiber into fabric and conducted a series of experiments. One experiment examined the fabric's sensitivity to sound directions. They sewed two pieces of acoustic fabric onto the back of a shirt. Then, they clapped their hands at various angles away from the shirt. The fiber converted the sound first into mechanical vibrations, then into electrical signals that were stored on a device. The fabric was successfully able to pinpoint the angle of the sounds. This could lead to a useful application for individuals with hearing aids to identify the direction of a specific sound even in noisy surroundings.

In addition to functioning as wearable hearing aids, acoustic fabric can be used for other purposes such as tracking respiratory (lung), pulse, and cardiac (heart) conditions. Another experiment tested whether clothes with acoustic fibers could act as fabric stethoscopes to monitor a person's subtle cardiac features. The research group attached a single fiber over the chest region on a shirt and found it accurately detected the wearer's heart signals. Furthermore, this result indicated the possibility of utilizing the fabric in maternity clothes to check an unborn baby's heartbeat.

Researchers see applications of smart fabrics beyond clothing. A smart fabric with cooling performance can be applied to various products for different purposes, such as tents, car covers, curtains, and sunshade products. Acoustic fabrics can be integrated with spacecraft coatings to monitor cosmic debris, or be used to help detect cracks or strains in buildings. They can even be woven into a net to check on fish in the sea.

As these examples of textile innovation suggest, new fabrics can enhance our lives in many ways. You may not believe this, but the coolest things about these fabrics are that you can get "smart" while wearing them and some of them are machine-washable!

Your slides:

Slide 1

Science Fair: A Scientific Discovery

[44]

1

Slide 2

Traditional Fabric	Smart Fabric
• Linen	• Metafabric
• Cotton	• Acoustic fabric

2

Slide 3

Metafabric Experiment

60 minute exposure

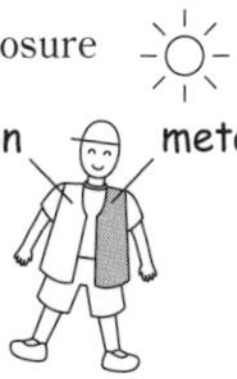

Implication: [45]

3

Slide 4

Acoustic Fabric Experiment 1

Procedure:

1. Acoustic fabric was woven into a shirt.
2. [46]
3. Sound was converted into electrical signals.
4. [47]

Results:

- The directions of the claps were identified.

4

Slide 5

Acoustic Fabric Experiment 2

Purpose:

- To see if the acoustic fiber works as a stethoscope

Results:

- The acoustic fiber heard the wearer's heartbeat.

Future benefits:

- [48]
- Maternity clothing

5

Slide 6

Applications Beyond Clothing

[49]

A. To find weak places in buildings
B. To listen for debris in space
C. To locate a crying baby
D. To protect vehicles from the sun

6

Day 20

問 1 Which is the best title for the presentation on Slide 1? [44]

① Bio-Based Textile Innovation
② First Fabric That Addresses New Challenges
③ Great Advantages of Clever Textiles
④ The History of Fiber Design

問 2 What does the result of the experiment by the Huazhong University of Science and Technology imply on Slide 3? Choose the best option for [45].

① It is far easier to create an outfit that keeps you warm.
② Light-colored fabric is more suitable for reflecting the sunlight.
③ The newly invented fabrics can keep people comfortable in hot weather.
④ You should wear a shirt made of the metafabric over your other clothing.

問 3 You are summarizing the steps in conducting the acoustic study on the smart shirt on Slide 4. Choose the best options for [46] and [47].

① Mechanical vibrations were bent by the fabric.
② Sounds from various directions were made.
③ The acoustic fabric recorded the sounds.
④ The output from each fiber was saved.
⑤ The researchers moved a shirt to different places.
⑥ Various types of sounds were measured by a shirt.

問 4　What can be inferred as a possible benefit of wearing an acoustic fabric on Slide 5? Choose the best option for [48].

① A person with irregular cardiac activity can get help.
② Acoustic fabric can give a person directions on the street.
③ It can help a person breathe more deeply and easily.
④ It can reduce noise levels and answer phone calls.

問 5　You found an error on Slide 6. Which of the following should you **remove**? [49]

① A
② B
③ C
④ D

Day 20

問 1－5

訳 あなたは、次の雑誌の記事を使って、科学的発見に関する科学フェアでのプレゼンテーションの準備をしています。

「スマートな」布地

[第1段落]

年月とともに、私たちの使う布は、変化する生活スタイルやニーズに合わせて進化してきた。亜麻という植物の繊維から作られるリネンは、世界で最も古い布の一つだ。それは太陽とその強い熱を自然とはねのけ、他の種類の布地よりも通気性がいい。軽くて風通しのいいリネンは、温暖な気候において長年、理想的な布地だった。しかし、工業化と人口増加が起こると、木綿の方が大量生産に向いていたため一般的に使われるようになった。とはいえ綿素材の服は重く、体温を逃がさないことがあるため、とても暑く湿度の高い天候では不快感を与えることもある。

[第2段落]

技術の進歩に伴って絶えず新素材が開発されているが、「スマートな」布地は、繊維業界における最近の大きな科学的進歩だ。柔軟な合成繊維を布に織り込むことで、布地に機能を追加することができる。例えば、華中科技大の科学者たちは「メタファブリック」と呼ばれる、熱を反射して涼しさを保つ新しい布地を作った。このような布地は、温度が上昇したときに人が感じる不快感を緩和する衣服を作るのに利用できる。彼らの実験では、参加者が半分ずつ——半分は木綿でもう半分はメタファブリック——からなるベストをきて、直射日光に1時間さらされた。木綿の下では、皮膚温度は37度まで上昇した。対して、メタファブリックの下では、温度は31度から32度に1度上がっただけだった。問2

[第3段落]

もう一つの面白い例は、音を感知する布地だ。人間の耳は音の圧力を感じ取り、体内の器官が音波を機械振動に変え、次に電気信号に変換する。同様に、マイクやスピーカーによく使われる「圧電素材」は、機械的に曲げると電気信号を発生させる。

[第4段落]

この知識を利用して、マサチューセッツ工科大学とロードアイランド・スクール・オブ・デザインの研究チームが、いわゆる「音響ファブリック」を考案した。研究者たちは圧電繊維を布に織り込んで一連の実験を行った。一つの実験では、布地が音の方向を感じ取る性能を調べた。彼らはシャツの背面に音響ファブリックを2枚縫い付けた。それから、シャツからさまざまな角度で距離を取って手をたたいた。問3② 繊維が音をまず機械振動に、次に電気信号に変換して、それがデバイスに保存された。問3④ ファブリックは音の角度を正確に示すことに成功した。これは、補聴器をつけている人が雑音の多い環境であっても特定の音の方向を識別するという、便利な応用につながり得る。

[第5段落]

着ることのできる補聴器としての機能に加えて、音響ファブリックは、呼吸器や心拍、心臓の状態などを追跡調査するのに使うこともできる。問4　別の実験では、音響繊維を使った衣服で人の微妙な心臓機能をモニターすることができるかを調べた。研究グループはシャツの胸部に1本の繊維を取り付け、それが着用者の心音を正確に感知したと判明した。さらに、この結果から、この繊維をマタニティー服に組み込んで胎児の心拍をチェックするのに活用する可能性も示された。

[第6段落]

研究者たちが見るスマートファブリックの応用は衣服にとどまらない。冷却機能を持つスマートファブリックは、テントや自動車カバー問5④、カーテン、日よけ製品など、さまざまな目的を持つ製品に応用できる。音響ファブリックは、宇宙船の外装に組み込んで宇宙ゴミをモニターすることもできる問5②し、建物のひび割れやゆがみを検知する問5①ために利用することもできる。網に織り込んで海の魚をチェックすることだってできる。

[第7段落]

こうした繊維製品のイノベーション例が示すように、新しい布地は私たちの生活を多くの面で向上させ得る。信じてもらえないかもしれないが、こうしたファブリックの最高にクールな点は、着ていると「スマート」になれることと、一部のものは洗濯機で洗えるということだ！

[スライド]

1

科学フェア：科学的発見

44

2

従来の布地	スマートファブリック
・リネン	・メタファブリック
・木綿	・音響ファブリック

3

メタファブリックの実験

60分間照射

考えられること：45

4

音響ファブリックの実験1

手順：

1．音響ファブリックがシャツに織り込まれた。

2．46

3．音が電気信号に変換された。

4．47

結果：

・拍手の方向が特定された。

Day 20

音響ファブリックの実験２	衣服以外の応用
目的： ・音響繊維が聴診器の働きをするかどうか確かめること 結果： ・音響繊維は着用者の心拍を聞き取った 将来的な利用法： ・48 ・マタニティー服 5	49 A．建物の弱い部分を見つける B．宇宙のごみの音を聞き取る C．泣いている赤ん坊の位置を割り出す D．車両を日光から守る 6

語句

［記事］

fabric	名 布地、生地

［第１段落］

evolve	自 進化する
suit ～	他 ～に適合する
flax	名 亜麻
textile	名 繊維製品、布地
reflect away ～	熟 ～をはね返す
intense	形 強烈な、激しい
airflow	名 通気
industrialization	名 産業化、工業化
mass production	熟 大量生産
trap ～	他 ～を閉じ込める
humid	形 湿度の高い

［第２段落］

breakthrough	名 画期的な発明、飛躍的進歩
weave ～	他 ～を織る（過去形はwove、過去分詞はwoven）
flexible	形 柔軟な
synthetic	形 合成の
function	名 機能
deflect ～	他 ～を屈折させる
discomfort	名 不快感
temperature	名 温度
consisting of ～	熟 ～からなる
expose A to B	熟 AをBにさらす、AをB（光、風など）に当てる
underneath ～	前 ～の下で
soar	自 急上昇する
in contrast	熟 対照的に、その一方

［第３段落］

detect ～	他 ～を検知する
pick up ～	熟 ～を感知する
inner	形 内部の、体内の
organ	名 器官
convert A into B	熟 AをBに変換する
vibration	名 振動
electrical	形 電気の
piezoelectric	形 圧電性の
bend ～	他 ～を曲げる（過去形、過去分詞はbent）

［第４段落］

come up with ～	熟 ～を考え出す
acoustic	形 音響の
conduct ～	他 ～を実行する
sensitivity	名 感受性、（受信などの）感度
sew ～	他 ～を縫う
clap ～	他 ～（手）をたたく
pinpoint ～	他 ～を正確に示す
hearing aid	熟 補聴器
identify ～	他 ～を識別する、～を特定する
surrounding	名（～sで）周辺環境

［第５段落］

function	自 機能する
wearable	形 身につけることのできる
track ～	他 ～を追跡記録する、～を見守る
respiratory	形 呼吸器の
pulse	名 脈拍
cardiac	形 心臓の
stethoscope	名 聴診器
subtle	形 微妙な、捉えにくい
feature	名 機能

region	名（体の）部位		的な進歩
utilize ～	他 ～を利用する	enhance ～	他 ～を強化する、～を向上させる
maternity	形 妊婦用の		
［第6段落］		［スライド］	
integrate ～	他 ～を統合する		
spacecraft	名 宇宙船	traditional	形 昔からの、従来の
cosmic debris	熟 宇宙ゴミ	exposure	名 さらされること、（光などの）照射
crack	名 割れ目、ひび		
strain	名 ひずみ、変形	implication	名 示唆、読み取れること
［第7段落］		procedure	名 手順
innovation	名 イノベーション、飛躍	locate ～	他 ～の位置を突き止める

まずは❶**視線の型**ですね。リード文にa scientific discovery「科学的発見」とあるので「何か科学的な発見があったのだな」と予想しておきます。プレゼン用のスライドの見出しとイラストをざっと確認し、問1にいきましょう。

問1　正解③　**問題レベル【やや難】　配点 2点**

設問 **スライド1に入るプレゼンテーションのタイトルとして最適なものはどれか。** 44

選択肢 ① バイオを基盤とした繊維素材のイノベーション
② 新たな課題に立ち向かう初の布地
③ 賢い繊維製品の多大な利点
④ ファイバー設計の歴史

語句 address ～ 他 ～に対処する

タイトル問題です。タイトルは全体を読み終わってからの方が解きやすいと思います。①は「バイオを基盤とした」という言及はなかったですし、全体を通してさまざまな布地が紹介されており、特定の布地に焦点があたっているわけではないので×、②は「初の布地」が×。先ほどと同じ理由で特定の布地についてではありません。正解は③です。Clever Textilesと、「布地」が複数形になっているのも今回の内容にピッタリです。④についてはどこにも言及ありませんでした。

問2　正解③　**問題レベル【やや難】　配点 2点**

設問 **スライド3に入る、華中科技大学の実験から示唆される結果は何か。** 45 **に最もふさわしい選択肢を選びなさい。**

選択肢 ① 暖かさを保つ衣服を作る方がはるかに簡単である。
② 明るい色の布地の方が日光を反射するのに適している。
③ 新しく発明された布地は、暑い天気でも快適さを保つことができる。
④ メタファブリックでできたシャツを他の服の上に重ね着すべきである。

語句 outfit 名（一そろいの）衣服　invent ～ 他 ～を発明する
suitable for ～ 熟 ～に適した

Day 20

Metafabric Experiment に関しては第２段落で言及されています。設問より「結果」に焦点を当てればいいので第２段落の最後の２文 Underneath the cotton, the skin temperature soared to 37℃ . In contrast, underneath the metafabric, the temperature rose by just one degree, from 31℃ to 32℃ .「木綿の下では、皮膚温度は37度まで上昇した。対して、メタファブリックの下では、温度は31度から32度に１度上がっただけだった」に着目しましょう。メタファブリックの素材は温度を上昇させずに快適に保っていることがわかります。よって正解は③ The newly invented fabrics can keep people comfortable in hot weather.「新しく発明された布地は、暑い天気でも快適さを保つことができる」です。本文では具体的な数値で示され、選択肢では keep people comfortable と抽象化されています。上位概念の言い換えです（❸）。

問 3　正解 46 ②　47 ④　**問題レベル【やや難】　配点 3点（すべて正解で）**

設　問　**あなたはスライド４に載せるスマートシャツの音響調査の実施手順をまとめている。 46 ・ 47 に最もふさわしい選択肢を選びなさい。**

選択肢
① 機械振動が布地によって反射された。
② さまざまな方向から音が出された。
③ 音響ファブリックが音を記録した。
④ それぞれの繊維からの出力データが保存された。
⑤ 研究者たちはシャツをさまざまな場所に動かした。
⑥ さまざまな種類の音がシャツによって計測された。

語句　summarize ～ 他 ～を要約する、～をまとめる　output 名 出力データ

１つ目の Acoustic Fabric Experiment に関しては第４段落で言及されています。４文目 They sewed two pieces of acoustic fabric onto the back of a shirt.「彼らはシャツの背面に音響ファブリックを２枚縫い付けた」がプレゼンスライド４の手順１. Acoustic fabric was woven into a shirt.「音響ファブリックがシャツに織り込まれた」と同内容だということを確認すれば、次の５文目が該当箇所（手順２）なのではと予測できます。５文目 Then, they clapped their hands at various angles away from the shirt.「それから、シャツからさまざまな角度で距離を取って手をたたいた」とあるので、まず 46 は選択肢② Sounds from various directions were made.「さまざまな方向から音が出された」が正解です。they clapped their hands at various angles → Sounds from various directions と上位概念の言い換えがなされています（❸）。

次に、６文目前半 The fiber converted the sound first into mechanical vibrations, then into electrical signals「繊維が音をまず機械振動に、次に電気信号に変換した」はスライドの手順３ Sound was converted into electrical signals.「音が電気信号に変換された」に該当するのが確認できますか。能動⇄受動の角度を変えた言い換えです（❹）。よって空所となっている次の手順４は６文目後半 that were stored on a device.「それがデバイスに保存された」に該当するとわかります。よって正解は④ The output from each fiber was saved.「それぞれの繊維からの出力データが保存された」です。The output from each fiber とは６文目前半の内容で、後半の stored が saved に言い換えられていました（❷）。

問4　正解①　**問題レベル【やや難】　配点 2点**

設問 **スライド5で、音響ファブリック着用の利点となり得ることとして何が考えられるか。48 に最も ふさわしい選択肢を選びなさい。**

選択肢 ① 不規則な心臓の動き（不整脈）のある人が助けを得られる。
② 音響ファブリックが路上で人に道案内をすることができる。
③ 人がより深く楽に呼吸できるようになる。
④ 雑音レベルを減らして電話の応答をすることができる。

語句 infer ～ 他 ～と推論する

推測問題です。プレゼンスライド5の空所の箇所の小見出しがFuture benefitsとなっているため、音響ファブリックの未来の可能性について言及している箇所を探しましょう。すると第5段落1文目In addition to functioning as wearable bearing aids, acoustic fabric can be used for other purposes such as tracking respiratory (lung), pulse, and cardiac (heart) conditions.「着ることのできる補聴器としての機能に加えて、音響ファブリックは、呼吸器や心拍、心臓の状態などを追跡調査するのに使うこともできる」とあるので、選択肢と照らし合わせると①が正解とわかります。cardiac (heart) conditions → irregular cardiac activityと下位概念の言い換え（❸）となっていますが、推測問題なので許容しましょう。

問5　正解③　**問題レベル【難】　配点 3点**

設問 **あなたはスライド6に間違いを見つけた。次のうち、削除すべきなのはどれか。49**

選択肢 ① A　② B　③ C　④ D

スライド6のタイトルがApplications Beyond Clothing「衣服以外の応用」となっているので該当箇所を探すと、第6段落1文目にResearchers see applications of smart fabrics beyond clothing.「研究者たちが見るスマートファブリックの応用は衣服にとどまらない」とあるのがわかります。この段落を見ればよさそうですね。まず2文目にあるcar covers「自動車カバー」より④ D. To protect vehicles from the sun「車両を日光から守る」は問題なさそうです（❷)。次に3文目to monitor cosmic debris「宇宙ゴミをモニターすることもできる」より② B. To listen for debris in space「宇宙のごみの音を聞き取る」も問題ありません（❷)。最後に同じ3文目help detect cracks or strains in buildings「建物のひび割れやゆがみを検知する」より、① A. To find weak places in buildings「建物の弱い部分を見つける」もOKです（❷)。よってどこにも書かれていなかった③ C. To locate a crying baby「泣いている赤ん坊の位置を割り出す」が正解です。

Day 20

DAY 21 【ライティング添削問題】を攻略する「視線の型＋α」

ここでは大学入試センターより発表された試作問題第B問を見ていきます。似たような問題形式が2025年度以降の共通テストで出題される可能性があるので、ここで出題の狙いを確認しておきましょう。

「視線の型＋α」のステップ

❶ リード文や英文タイトル、第１段落から「テーマ」を把握する

問題に当たる前にリード文やタイトル、第１段落の内容から英文全体の「テーマ」をつかみましょう。**全体像をつかむことで英文が読みやすくなることが狙いです。**

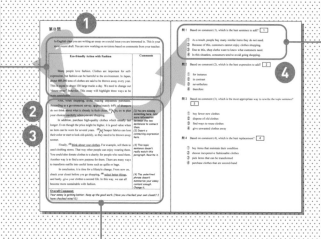

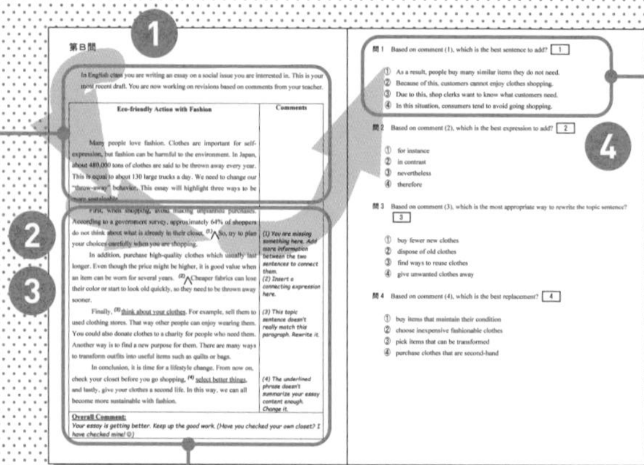
第B問

In English class you are writing an essay on a social issue you are interested in. This is your most recent draft. You are now working on revisions based on comments from your teacher.

Eco-friendly Action with Fashion	Comments
Many people love fashion. Clothes are important for self-expression, but fashion can be harmful to the environment. In Japan, about 480,000 tons of clothes are said to be thrown away every year. This is equal to about 130 large trucks a day. We need to change our "throw-away" behavior. This essay will highlight three ways to be more sustainable.	
First, when shopping, avoid making unplanned purchases. According to a government survey, approximately 64% of shoppers do not think about what is already in their closet. (1)∧So, try to plan your choices carefully when you are shopping.	*(1) You are missing something here. Add more information between the two sentences to connect them.*
In addition, purchase high-quality clothes which usually last longer. Even though the price might be higher, it is good value when an item can be worn for several years. (2)∧Cheaper fabrics can lose their color or start to look old quickly, so they need to be thrown away sooner.	*(2) Insert a connecting expression here.*
Finally, (3)think about your clothes. For example, sell them to used clothing stores. That way other people can enjoy wearing them. You could also donate clothes to a charity for people who need them. Another way is to find a new purpose for them. There are many ways to transform outfits into useful items such as quilts or bags.	*(3) This topic sentence doesn't really match this paragraph. Rewrite it.*
In conclusion, it is time for a lifestyle change. From now on, check your closet before you go shopping, (4)select better things, and lastly, give your clothes a second life. In this way, we can all become more sustainable with fashion.	*(4) The underlined phrase doesn't summarize your essay content enough. Change it.*

Overall Comment:
Your essay is getting better. Keep up the good work. (Have you checked your own closet? I have checked mine! ☺)

問1 Based on comment (1), which is the best sentence to add? [1]

① As a result, people buy many similar items they do not need.
② Because of this, customers cannot enjoy clothes shopping.
③ Due to this, shop clerks want to know what customers need.
④ In this situation, consumers tend to avoid going shopping.

問2 Based on comment (2), which is the best expression to add? [2]

① for instance
② in contrast
③ nevertheless
④ therefore

問3 Based on comment (3), which is the most appropriate way to rewrite the topic sentence? [3]

① buy fewer new clothes
② dispose of old clothes
③ find ways to reuse clothes
④ give unwanted clothes away

問4 Based on comment (4), which is the best replacement? [4]

① buy items that maintain their condition
② choose inexpensive fashionable clothes
③ pick items that can be transformed
④ purchase clothes that are second-hand

❷ 文章全体の構成を確認する

第１段落を読み終わった時点で、第２段落以降の展開パターンを確認します。第１段落で「これからこういう流れで文章を書いていきますよ」と書いてあることも多いですし、各段落の１文目（多くの場合１文目が段落全体の言いたいことを端的にまとめた「トピックセンテンス」になっています）をざっと確認するだけで全体の流れがつかめることもあります。特に１文目の論理マーカーはチェックです。

〈主な展開パターン〉

(1) 分類→列挙（３つあります→１つ目は…→２つ目は…→３つ目は…→まとめると…）
(2) 類比・対比（AとBは類似/相違点があります。→同じ点は…→一方違う点は…→また別の違う点は…→まとめると…）
(3) 原因と結果（Xはなぜでしょうか。→理由としてYが…→例えば…→またZも理由で…→例えば…）

内容 試作問題第B問は生徒が書いたライティングを指示に従って添削する形式の問題でした。問題作成部会は出題意図として「読み手にわかりやすいように、文章の論理の構成や展開に配慮して文章を修正することができるかを問う」としています。ここでは「文章の構成や展開」について理解し、多少問題形式に変更があっても対応できる力を養っていきましょう。「例題」で大学入試センターが発表した試作問題を、「練習問題」でオリジナル問題を扱います。

目標解答時間 8分

4 答えに見当をつけて選択肢を確認する

自分の予測と最も近い選択肢を選びましょう。ざっと見て近いものがない場合は、選択肢を見比べて比較検討するのではなく、本文に戻って、再度論理関係を考えます。本文の論理関係が全くつかめていない状態で選択肢を読みこんでしまうと、「何となくこれでつながりそう」と感覚で選んでしまいます。ぼんやりとでもいいので、答えの方向性が見えてくるまでは選択肢の熟読は我慢です！

3 論理的なつながりを意識し、修正内容を予測する

修正案のチェックが入っている段落を1文目から読んでいきましょう。文と文の論理的なつながりを意識することが大事です。問題となっている箇所にぶつかったら、添削者の指摘ポイントを読み、どう修正すればいいのか、数秒考えてみてください。選択肢を見ずにです（挿入する内容の長さや品詞を確認する目的で選択肢をちらっと見るのはOK）。記述式問題と思ってください。数秒でいいので、見当をつけてから選択肢を読むことで、ひっかけの選択肢を見抜きやすくなります。前後だけでなく、文全体のテーマや1文目との関係も考えましょう。特に以下の4大論理に関わる矛盾や説明不足が生じている可能性を疑います。

〈4大論理〉

(1) A ⇔ B（逆接・対比）	(例) 英語は好きだ。⇔でも、数学は嫌いだ。
(2) A = A'（言い換え・具体化）	(例) 英語は好きだ。= 例えば、英語の発音が好きだ。
(3) A + B（追加）	(例) 英語は好きだ。+ また、数学も好きだ。
(4) A ⇄ B（因果）	(例) 英語は好きだ。← なぜなら役に立つからだ。（原因） 英語は好きだ。→だから授業中眠くならない。（結果）

では、この「視線の型＋α」を使って、次ページの問題に取り組みましょう！

第B問

In English class you are writing an essay on a social issue you are interested in. This is your most recent draft. You are now working on revisions based on comments from your teacher.

Eco-friendly Action with Fashion	**Comments**
Many people love fashion. Clothes are important for self-expression, but fashion can be harmful to the environment. In Japan, about 480,000 tons of clothes are said to be thrown away every year. This is equal to about 130 large trucks a day. We need to change our "throw-away" behavior. This essay will highlight three ways to be more sustainable.	
First, when shopping, avoid making unplanned purchases. According to a government survey, approximately 64% of shoppers do not think about what is already in their closet. (1)∧So, try to plan your choices carefully when you are shopping.	*(1) You are missing something here. Add more information between the two sentences to connect them.*
In addition, purchase high-quality clothes which usually last longer. Even though the price might be higher, it is good value when an item can be worn for several years. (2)∧Cheaper fabrics can lose their color or start to look old quickly, so they need to be thrown away sooner.	*(2) Insert a connecting expression here.*
Finally, (3) <u>think about your clothes</u>. For example, sell them to used clothing stores. That way other people can enjoy wearing them. You could also donate clothes to a charity for people who need them. Another way is to find a new purpose for them. There are many ways to transform outfits into useful items such as quilts or bags.	*(3) This topic sentence doesn't really match this paragraph. Rewrite it.*
In conclusion, it is time for a lifestyle change. From now on, check your closet before you go shopping, (4) <u>select better things</u>, and lastly, give your clothes a second life. In this way, we can all become more sustainable with fashion.	*(4) The underlined phrase doesn't summarize your essay content enough. Change it.*
<u>Overall Comment:</u> *Your essay is getting better. Keep up the good work. (Have you checked your own closet? I have checked mine! ☺)*	

問題番号は実際の番号のままです。

問 1 Based on comment (1), which is the best sentence to add? [1]

① As a result, people buy many similar items they do not need.
② Because of this, customers cannot enjoy clothes shopping.
③ Due to this, shop clerks want to know what customers need.
④ In this situation, consumers tend to avoid going shopping.

問 2 Based on comment (2), which is the best expression to add? [2]

① for instance
② in contrast
③ nevertheless
④ therefore

問 3 Based on comment (3), which is the most appropriate way to rewrite the topic sentence? [3]

① buy fewer new clothes
② dispose of old clothes
③ find ways to reuse clothes
④ give unwanted clothes away

問 4 Based on comment (4), which is the best replacement? [4]

① buy items that maintain their condition
② choose inexpensive fashionable clothes
③ pick items that can be transformed
④ purchase clothes that are second-hand

問 1 − 4

訳 B

英語のクラスで、あなたは自分が興味を持つ社会問題に関してエッセーを書いています。以下は一番新しい草稿です。今は、先生からのコメントに基づいて修正に取り組んでいます。

ファッションで環境に優しい行動を	コメント
ファッションを愛する人は多い。衣服は自己表現のためにも重要だが、ファッションが環境に害を及ぼすこともある。日本では、毎年約48万トンの衣類が捨てられていると言われる。これは1日当たり大型トラック130台に相当する。私たちは「捨てる」行動を改めなければならない。このエッセーでは、より持続可能になるための3つの方法を取り上げる。	
まず、買い物をするときに、無計画な購入をしないようにしよう。政府の調査によると、およそ64%の買い物客が、自分のクローゼットにすでに何があるのか考えていない。問 1 - 1 (1)∧ だから、買い物をするときには選ぶものを慎重に計画するようにしよう。問 1 - 2	(1) ここは何か足りません。2つの文の間にもっと情報を入れて、それらをつなぎなさい。
加えて、長持ちすることの多い高品質な衣類を買おう。問 4 値段は高いかもしれないが、品物を何年も着られるなら値打ちがある。問 2 - 1 (2)∧ 安物の布地はすぐに色落ちしたり古ぼけて見えたりするので、早く捨てなければならなくなる。問 2 - 2	(2) ここに接続表現を入れること。
最後に、(3) 自分の服について考えよう。例えば、古着屋に売るのだ。問 3 - 1 そうすれば他の人がそれを着て楽しめる。必要としている人のために慈善団体に衣服を寄付してもいい。もう一つの方法は別の用途を見つけることだ。問 3 - 2 衣服をキルトやバッグのような役に立つ品に変身させる方法がたくさんある。	(3) このトピックセンテンスはこの段落にあまり合っていません。書き直すこと。
結論を言うと、生活スタイルを変えるべき時だ。これからは、買い物に行く前にクローゼットを確認する、(4) より良いものを選ぶ、そして最後に、衣服に第二の人生を与えるのだ。こうすることで、私たちは皆、ファッションでもっと持続可能になれる。	(4) 下線部の表現では、エッセーの内容を十分に要約できていません。変えること。
総評： あなたのエッセーは良くなっています。その調子で頑張ってください。(自分のクローゼットはチェックしましたか？　私はチェックしましたよ！☺)	

語句

[リード文]		fabric	名 繊維製品、布地
draft	名 下書き、草稿	[第4段落]	
revision	名 改訂、修正	donate ～	他 ～を寄付する
[エッセー]		charity	名 慈善団体
eco-friendly	形 環境に優しい	transform ～	他 ～を変容させる
[第1段落]		[第5段落]	
self-expression	名 自己表現	in conclusion	熟 結論として、要するに
highlight ～	他 ～を大きく取り上げる	from now on	熟 これから、今後は
sustainable	形 持続可能な	[コメント]	
[第2段落]		insert ～	他 ～を挿入する
avoid (V)ing	熟 Vしないようにする	summarize ～	他 ～を要約する
purchase	名 購入	keep up the good work	熟 その調子で頑張る
[第3段落]			
in addition	熟 加えて		

まずは❶**リード文、タイトル、第1段落の内容からテーマを把握**しましょう。リード文によれば、「社会問題に関するエッセー」だとわかります。タイトルは「ファッションで環境に優しい行動を」。第1段落ではファッションが環境に悪影響を与えることがあるということ、服を捨てる行動を変える必要があり、そのための3つの方法を紹介する、という内容でした。

次に❷**文章全体の構成を確認**すると、第2段落 First「まず」、第3段落 In addition「加えて」、第4段落 Finally「最後に」、第5段落 In conclusion「結論を言うと」と第1段落最終文で予告していたとおり、3つの方法を列挙したあと、結論に入っているのがわかります。分類→列挙のパターンですね。今回は第2段落以降すべての段落に1カ所ずつチェックが入っています。各段落、❸**文と文のつながりを意識しながら読んでいきましょう**。

問1 正解① **問題レベル【普通】 配点 3点**

設問 **コメント（1）に基づいて、追加するのに最適な文はどれか。** 1

選択肢 ① 結果として、人々は必要のない似たようなアイテムをたくさん買ってしまう。
② これが理由で、客は洋服のショッピングを楽しむことができない。
③ このため、店員は客が何を必要としているのか知りたがる。
④ この状況では、客は買い物に行くのを避ける傾向がある。

語句 shop clerk 熟 店員

まずは第2段落1文目。「無計画な購入を避けよう」ということですね。2文目で、およそ64%の買い物客が、すでに持っている服について考えていない、というデータが出てきて、3文目で指摘の箇所にぶつかります。❸**つながりを考えて修正内容を予測**しましょう。指摘の箇所の後ろの文は「だから買い物時には選ぶものを慎重に計画しよう」という段落全体のまとめがきていますが、どうですか。終わり方が唐突だと感じませんでしたか。2文目の「持っている服について考えずに買い物している人が約64%」というデータは、何のためにあったのでしょう。そのデータだけでは「で？」となりませんか。「いいじゃん別に、買い物くらい自由にさせてよ」と思う人もいるかもしれませんね。**データを示したのであれば、そのデータか**

ら導き出せることをはっきり言語化する必要があります。「だから多くの人が同じような服（＝必要のないもの）を買ってしまうのだ」と言いたいのでしょう。**「因果関係」が説明不足**だったのです。❹**それでは選択肢です**。① As a result, people buy many similar items they do not need.「結果として、人々は必要のない似たようなアイテムをたくさん買ってしまう」が予測と合致しますね。これが正解です。トピックセンテンスである「無計画な購入を避けよう」の説明として「現状、無計画な購入をしている」ということが言いたくて「約64％の買い物客」のデータを出しているはずなのに、②や④は「よって服を買わない」という逆の結論が導かれている点が×です。③は文全体のテーマである「服を捨てる行動を変える」と無関係なので×です。

なお、今回は選択肢の始まり（① As a result「結果として」、② Because of this「これが理由で」、③ Due to this「このため」、④ In this situation「この状況では」）を見れば、全て前文の状況がもたらす結果についての文だとわかります。この共通点をつかめば、「家にあるものを考えない買い物客が約64％いるというデータはどんな結果をもたらすのだろう」と、考えるべき論理の方向が見えますね。**選択肢同士の共通点を発見できると、考えるべきことの絞り込みにつながるのでラッキー**です。

問 2　正解②　**問題レベル【普通】　配点 3点**

設　問　**コメント（2）に基づいて、追加するのに最適な表現はどれか。** 2

選択肢　① 例えば　② 対照的に
③ それにもかかわらず　④ 従って

まずは第３段落１文目。「長持ちする高品質な服を買おう」ということですね。２文目で「値段は高くても何年も着られるなら価値がある」とあります。結果として買い替えが少なくなるため、全体のテーマ「服を捨てる行動を変えよう」につながりますね。そして３文目で指摘の箇所にぶつかります。❸**つながりを考えて修正内容を予測**しましょう。指摘の箇所の後ろの文は「安物の布地はすぐにダメになる」と、この前の文と対比的な内容が続いています。「一方」のような語があると読みやすくなりますね。❹**選択肢を見ると**、対比を表す論理マーカーは② in contrast「対照的に」だけなので②を正解に選びます。③ nevertheless「それにもかかわらず」は逆接の接続詞で似ていますが、but などと同じで後ろに「主張」がくるので、ここでは合いません。今回の主張は「高品質な服を買おう」であり、「安物の布地」はあくまで「高品質の品」の対象として引き合いに出されただけです。

問 3　正解③　**問題レベル【普通】　配点 3点**

設　問　**コメント（3）に基づいて、トピックセンテンスを書き換えるにはどのようにするのが最も良いか。** 3

選択肢　① 新しく買う服を減らそう　② 古い服を処分しよう
③ 衣服を再利用する方法を見つけよう　④ いらない服を手放そう

語句　dispose of ～　熟 ～を処分する　unwanted　形 不要な
give ～ away　熟 ～を手放す、～を譲る

まずは第４段落１文目。think about your clothes「自分の服について考えよう」とありま

すが、この１文目に線が引かれて「このトピックセンテンスはこの段落にあまり合っていない」という指摘が入っています。**❸つながりを考えて修正内容を予測**しましょう。２文目はFor example, sell them to used clothing stores.「例えば、古着屋に売るのだ。」と具体例が続いていますが、「自分の服について考えよう」の具体例が「古着屋に売る」はおかしいですね。その後もYou could **also** donate clothes to a charity for people who need them.「必要としている人のために慈善団体に衣服を寄付してもいい」、**Another** way is to find a new purpose for them.「もう一つの方法は別の用途を見つけることだ」と、追加の文が続きます（alsoやanotherは追加を表す論理マーカーです）。「追加」ということは共通点があるということで、その共通点を抽出した上位概念がトピックセンテンスの中に現れているはずです。いずれも「いらなくなった服を捨てずに再利用する方法」のようですね。**❹選択肢を見ると、**③ find ways to reuse clothes「衣服を再利用する方法を見つけよう」がぴったりだとわかります。

問4　正解①　**問題レベル【普通】　配点 3点**

設問　**コメント（4）に基づいて、入れ替えるのはどれが最適か。** 4

選択肢
① 状態が長持ちする品物を買う
② 値が張らずファッション性の高い服を選ぶ
③ 作り替えることのできる品物を選ぶ
④ 中古の衣類を購入する

語句
replacement 名 交換品、代わりに使うもの
inexpensive 形 高価ではない
second-hand 形 中古の

下線部が引かれているのは第５段落２文目、From now on, check your closet before you go shopping, select better things, and lastly, give your clothes a second life.「これからは、買い物に行く前にクローゼットを確認する、より良いものを選ぶ、そして最後に、衣服に第二の人生を与えるのだ」で、修正の指摘は「エッセーの内容を十分に要約できていない」です。**❸つながりを考えて修正内容を予測**しましょう。よく見ると、下線部の直前check your closet before you go shoppingは第２段落の内容、下線部の後ろlastly, give your clothes a second lifeは第４段落の内容についてですね。各段落を短く要約して最終段落に登場させているのだとわかります。よって第３段落の内容を要約した文を選べばいいことがわかります。第３段落は「長持ちすることの多い高品質な衣類を買おう」という内容でした。そのことをふまえて**❹選択肢を見ると、**① buy items that maintain their condition「状態が長持ちする品物を買う」が正解だとわかります。

第B問

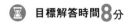

In English class, you are writing an essay on a social issue you are interested in. This is your most recent draft. You are now working on revisions based on comments from your teacher.

Smartphones and Memory Skills	Comments
In today's world, smartphones are essential. (1)∧Their impact on memory and attention spans is a growing concern. The ease of accessing information can lead to less reliance on our memory, and constant notifications may disrupt our focus.	*(1) Insert a connecting expression here.*
In this essay, I will cover three strategies for enhancing memory and attention	
First, you should consider that you might be spending too much of the day focusing on your smartphone screen. (2)∧For instance, avoid using your phone during meals or before bedtime. This can help reduce dependency and can improve your ability to concentrate on tasks without digital interruptions.	*(2) You're missing something here. Add more information between the two sentences to connect them.*
Next, try something called mindfulness. You should sit still and think about the moment you are in. Notice your thoughts and feelings, and accept them without considering whether they are good or bad. This along with concentration practice can train your brain to focus and resist distractions, improving your attention span. Even a few minutes daily can make a significant difference in enhancing your mental focus.	
Finally, (3) <u>remember not to forget.</u> You can use activities like puzzles, memory games, or learning a new language. These not only provide a break from digital screens but also actively stimulate and improve your memory capacity. Regularly challenging your brain in this way can lead to long-term cognitive benefits.	*(3) This topic sentence doesn't really match this paragraph. Rewrite it.*
In conclusion, smartphones are a powerful tool, but we must balance their use with activities that maintain and improve our mental abilities. By setting boundaries, (4) <u>sitting quietly</u>, and stimulating our minds, we can harness the benefits of technology while nurturing our memory and attention skills.	*(4) The underlined phrase doesn't summarize your essay content enough. Change it.*

Overall Comment:
I think this essay will help many of your classmates, and maybe me, too.

問 1　Based on comment (1), which is the best expression to add? [1]

① As a result
② In this way
③ Nevertheless
④ Similarly

問 2　Based on comment (2), which is the best sentence to add? [2]

① Avoid using your smartphone when you have important work to do.
② Smartphone use should be restricted to specific times.
③ To achieve this we should use smartphones without apps installed.
④ Try relying on your computer rather than your smartphone.

問 3　Based on comment (3), what is the best way to rewrite the topic sentence? [3]

① install apps that improve your mind rather than distract it.
② give your brain a rest by trying something new
③ spend time doing things that improve your memory.
④ take up a new hobby and continue with it until your skills improve.

問 4　Based on comment (4), which is the best replacement? [4]

① getting rid of our smartphones completely
② learning to relax and reduce stress
③ practicing focusing our attention
④ taking a test to evaluate our memory

問 1-4

訳 第B問

英語のクラスで、あなたは自分が興味を持つ社会問題に関してエッセーを書いています。以下は一番新しい草稿です。今は、先生からのコメントに基づいて修正に取り組んでいます。

スマートフォンと記憶力	コメント
今の世の中ではスマートフォンは必要不可欠だ。問1-1 (1)∧それが記憶と注意の持続時間に及ぼす影響が、ますます懸念されている。問1-2 情報へのアクセスの容易さは自分の記憶に頼らなくなることにつながり、絶えず通知が入ることは集中力を散漫にする可能性がある。	(1) ここに接続表現を入れること。
このエッセーでは、記憶と注意を強化する3つの戦略について述べる。	
まずは、自分が一日のうちスマートフォンの画面を見つめるのに費やしている時間が長過ぎるかもしれないと考えてみるべきだ。問2-1 (2)∧例えば、食事中や寝る前はスマホを使わないようにしよう。問2-2 これは依存を減らすのに役立つ可能性があり、デジタルに邪魔されることなく課題に集中する力を高めることができる。	(2) ここは何か足りません。2つの文の間にもっと情報を入れて、それらをつなぎなさい。
次に、マインドフルネスと呼ばれるものを試してみよう。静かに座って、自分の置かれたその瞬間を意識する。自分の思考や感情に注意を向け、良し悪しを検討することなく、それを受け入れる。問4 これが、集中の実践とあいまって、集中力を保ち気を散らすものをはねのけられるよう脳を訓練することになり、注意の持続時間を改善する。毎日ほんの数分でも、精神集中を大いに高めてくれる。	
最後に、(3)忘れないように覚えておこう。パズルや記憶ゲーム、新しい言語の学習といった活動を利用してもいい。問3-1 これらはデジタル画面からの休憩を提供するだけでなく、活発な刺激を与えて記憶容量を向上させます。こうした形で定期的に脳に課題を与えることは、長期的な認知面でのプラス効果にもつながります。問3-2	(3) このトピックセンテンスはこの段落にあまり合っていません。書き直すこと。
結論として、スマートフォンは強力なツールではあるが、その使用と、自分たちの知的能力を維持・向上させる活動とで、バランスをとる必要がある。制限を設けること、(4)静かに座ること、知能を刺激することで、私たちは、記憶力と注意力を育みながらテクノロジーの恩恵を使いこなすことができるのだ。	(4) 下線部の表現では、エッセーの内容を十分に要約できていません。変えること。

総評：
このエッセーは多くのクラスメートの役に立つことでしょう、たぶん私にも。

語句

［リード文］
draft　名 下書き、草稿
revision　名 改訂、修正
［エッセー］
［第1段落］
span　名 長さ、期間
reliance on ～　熟 ～に頼ること
notification　名 通知
disrupt ～　他 ～を注意散漫にする
［第2段落］
strategy　名 戦略
［第3段落］
focus on ～　熟 ～に集中する
dependency　名 依存
concentrate on ～　熟 ～に集中する
interruption　名 妨害、中断
［第4段落］
along with ～　熟 ～とともに
resist ～　他 ～に抵抗する
distraction　名 気を散らすもの
［第5段落］
stimulate ～　他 ～を刺激する
capacity　名 容量
cognitive　形 認知の
［第6段落］
boundary　名 限度
harness ～　他 ～を活用する
［コメント］
insert ～　他 ～を挿入する
underline ～　他 ～に下線を引く
summarize ～　他 ～を要約する

まずは❶**リード文、タイトル、第1段落の内容からテーマを把握**しましょう。リード文によれば、「社会問題に関するエッセー」だとわかります。タイトルは「スマートフォンと記憶力」。第1段落ではスマートフォンが記憶と注意の持続時間に与える影響に関する懸念が述べられており、（いったん段落が分かれて第2段落となっていますが）In this essay, I will cover three strategies for enhancing memory and attention.「このエッセーでは、記憶と注意を強化する3つの戦略について述べる」とあることからテーマが把握できます。

次に❷**文章全体の構成を確認**すると、第3段落 First「まずは」、第4段落 Next「次に」、第5段落 Finally「最後に」、第6段落 In conclusion「結論として」と典型的な分類→列挙のパターンで展開されているのがわかります。今回は第1段落、第3段落、第5段落、第6段落に1カ所ずつチェックが入っています。各段落、❸**文と文のつながりを意識しながら読んでいきましょう。**

問1　正解③　**問題レベル【普通】　配点 3点**

設問　**コメント（1）に基づいて、追加するのに最適な表現はどれか。** 1

選択肢
① その結果　② このようにして
③ それにもかかわらず　④ 同様に

第1段落1文目 In today's world, smartphones are essential.「今の世の中ではスマートフォンは必要不可欠だ」の次の文で早速指摘の箇所にぶつかります。❸**つながりを考えて修正内容を予測**しましょう。指摘の箇所の後ろの文は Their impact on memory and attention spans is a growing concern.「それが記憶と注意の持続時間に及ぼす影響が、ますます懸念

されている」と、スマートフォンのネガティブな側面が指摘されています。essential「必要不可欠」とポジティブな側面を指摘していた1文目とのつながりを考えると、明らかに「逆接」ですね。❹**選択肢を確認すると**、③ Nevertheless「それにもかかわらず」が唯一の逆接を表す論理マーカーだとわかります。よって③が正解です。

問2 正解② **問題レベル【普通】 配点 3点**

設問 **コメント(2)に基づいて、追加するのに最適な文はどれか。** 2

選択肢 ① すべき大事な作業があるときはスマートフォンを使わないようにしよう。
② スマートフォンの使用は一定時間に制限するべきだ。
③ これを達成するためには、アプリをインストールせずにスマートフォンを使うべきだ。
④ スマートフォンよりもコンピューターに頼るようにしよう。

語句 restrict ～ 他 ～を制限する　app 名 アプリ
achieve ～ 他 ～を達成する

まずは第3段落1文目。First, you should consider that you might be spending too much of the day focusing on your smartphone screen.「まずは、自分が一日のうちスマートフォンの画面を見つめるのに費やしている時間が長過ぎるかもしれないと考えてみるべきだ」とあり、2文目で指摘の箇所にぶつかります。❸**つながりを考えて修正内容を予測**しましょう。指摘の箇所の後ろの文は For instance, avoid using your phone during meals or before bedtime.「例えば、食事中や寝る前はスマホを使わないようにしよう」とありますが、具体例として1文目とつながるでしょうか。1文目には「スマホを見る時間が長過ぎるかもしれないと考えてみるべき」と言っているだけで、「スマホを使わないようにしよう」とは言っていません。そのため少しつながりが悪くなっています。この具体例の前に「スマホの時間を減らそう」といった内容の文を置くとスムーズに「抽象→具体」がつながりますね。❹**選択肢を見ると**、まずスマートフォンの使用を制限しよう、といった主旨は①と②です。しかし①は when you have important work to do「すべき大事な作業があるとき」と状況を限定しており、ここには合いません。具体例は「食事中」や「寝る前」なので「大事な作業をしている」という表現と距離がありますね。よって正解は② Smartphone use should be restricted to specific times.「スマートフォンの使用は一定時間に制限するべきだ」です。

問3 正解③ **問題レベル【普通】 配点 3点**

設問 **コメント(3)に基づいて、トピックセンテンスを書き換えるにはどのようにするのが最も良いか。** 3

選択肢 ① 気を散らすのでなく知能を向上させるアプリをインストールしよう
② 何か新しいことに挑戦して脳を休ませよう
③ 記憶力を向上させることをして時間を過ごそう
④ 新しい趣味を始めて、腕前が上達するまでそれを続けよう

語句 take up ～ 熟 ～(趣味など)を始める

第5段落1文目 Finally, remember not to forget.「最後に、忘れないように覚えておこう」

に下線が引かれており、「このトピックセンテンスはこの段落にあまり合っていない」という指摘が入っています。**❸つながりを考えて修正内容を予測**しましょう。2文目 You can use activities like puzzles, memory games, or learning a new language.「パズルや記憶ゲーム、新しい言語の学習といった活動を利用してもいい」より、記憶力を強化するための行動を促していることがわかります。第5段落最終文 Regularly challenging your brain in this way can lead to long-term cognitive benefits.「こうした形で定期的に脳に課題を与えることは、長期的な認知面でのプラス効果にもつながります」から、やはりこの段落の主題は「スマートフォン以外の方法で脳に課題を与える」ことだとわかります。現状のトピックセンテンスではそのことに全く触れていないので、確かに書き変える必要がありそうですね。**❹選択肢を見ると、**③ spend time doing things that improve your memory.「記憶力を向上させることをして時間を過ごそう」がぴったりだとわかります。①は install apps「アプリをインストール」とスマートフォンを使っている点が×、②は give your brain a rest「脳を休ませよう」が×、④は until your skills improve「腕前が上達するまで」が×です。

問4　正解③　**問題レベル【普通】　配点 3点**

設問 **コメント（4）に基づいて、入れ替えるのはどれが最適か。** 4

選択肢
① スマートフォンから完全に離れること
② リラックスしてストレスを減らすことを覚えること
③ 注意を集中させる練習をすること
④ 自分の記憶力を診断するテストを受けること

語句
replacement 名 交換品、代わりに使うもの
get rid of ～ 熟 ～から解放される、～から逃れる
evaluate ～ 他 ～を評価する、～を診断する

下線部が引かれているのは第6段落2文目、By setting boundaries, sitting quietly, and stimulating our minds, we can harness the benefits of technology while nurturing our memory and attention skills.「制限を設けること、静かに座ること、知能を刺激することで、私たちは、記憶力と注意力を育みながらテクノロジーの恩恵を使いこなすことができるのだ」です。**❸つながりを考えて修正内容を予測**しましょう。下線部の直前 setting boundaries は第3段落の内容、下線部の後ろ stimulating our minds は第5段落の内容についてですね。各段落を短く要約して最終段落に登場させているのだとわかります。よって第4段落の内容を要約した文を選べばいいことがわかります。第4段落を確認すると、「マインドフルネス」を奨励する内容となっています。2～3文目 You should sit still and think about the moment you are in. Notice your thoughts and feelings, and accept them without considering whether they are good or bad.「静かに座って、自分の置かれたその瞬間を意識する。自分の思考や感情に注意を向け、良し悪しを検討することなく、それを受け入れる」とあるように、「静かに座る」はそのマインドフルネスの過程の一部に過ぎず、精神集中が鍵だということがわかります。これをふまえて**❹選択肢を見ると、**③ practicing focusing our attention「注意を集中させる練習をすること」が正解だとわかります。

DAY 22

【意見整理／根拠構築問題】を攻略する「視線の型＋α」

ここでは大学入試センターより発表された試作問題第A問を見ていきます。似たような問題形式が2025年度以降の共通テストで出題される可能性があるので、ここで出題の狙いを確認しておきましょう。

「視線の型＋α」のステップ

① リード文やステップから「テーマ」を把握する

問題に当たる前にリード文やステップから英文全体の「テーマ」をつかみましょう。全体像をつかむことで英文が読みやすくなることが狙いです。

② 設問の先読みをする

本文を読む前に先に設問を把握します。時間短縮のため、設問で問われている順に意見を整理していきましょう。結果的に全員の意見を読むことになる可能性は大ですが、一気にいろいろな人の主張+根拠を読むと混乱します。一つ一つ正確に、問われている意見から整理していきましょう。

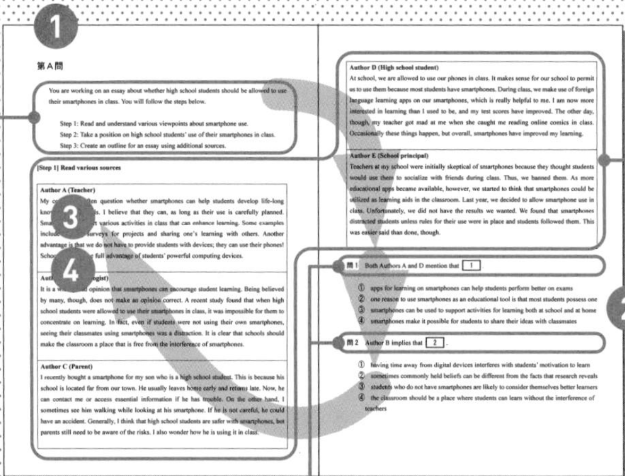

第A問

You are working on an essay about whether high school students should be allowed to use their smartphones in class. You will follow the steps below.

Step 1: Read and understand various viewpoints about smartphone use.
Step 2: Take a position on high school students' use of their smartphones in class.
Step 3: Create an outline for an essay using additional sources.

[Step 1] Read various sources

Author A (Teacher)
My co[illegible]ften question whether smartphones can help students develop life-long kno[illegible]ls. I believe that they can, as long as their use is carefully planned. Sma[illegible]t various activities in class that can enhance learning. Some examples include[illegible]surveys for projects and sharing one's learning with others. Another advantage is that we do not have to provide students with devices; they can use their phones! Scho[illegible] full advantage of students' powerful computing devices.

Auth[illegible]ogist)
It is a w[illegible] opinion that smartphones can encourage student learning. Being believed by many, though, does not make an opinion correct. A recent study found that when high school students were allowed to use their smartphones in class, it was impossible for them to concentrate on learning. In fact, even if students were not using their own smartphones, seeing their classmates using smartphones was a distraction. It is clear that schools should make the classroom a place that is free from the interference of smartphones.

Author C (Parent)
I recently bought a smartphone for my son who is a high school student. This is because his school is located far from our town. He usually leaves home early and returns late. Now, he can contact me or access essential information if he has trouble. On the other hand, I sometimes see him walking while looking at his smartphone. If he is not careful, he could have an accident. Generally, I think that high school students are safer with smartphones, but parents still need to be aware of the risks. I also wonder how he is using it in class.

Author D (High school student)
At school, we are allowed to use our phones in class. It makes sense for our school to permit us to use them because most students have smartphones. During class, we make use of foreign language learning apps on our smartphones, which is really helpful to me. I am now more interested in learning than I used to be, and my test scores have improved. The other day, though, my teacher got mad at me when she caught me reading online comics in class. Occasionally these things happen, but overall, smartphones have improved my learning.

Author E (School principal)
Teachers at my school were initially skeptical of smartphones because they thought students would use them to socialize with friends during class. Thus, we banned them. As more educational apps became available, however, we started to think that smartphones could be utilized as learning aids in the classroom. Last year, we decided to allow smartphone use in class. Unfortunately, we did not have the results we wanted. We found that smartphones distracted students unless rules for their use were in place and students followed them. This was easier said than done, though.

問1　Both Authors A and D mention that [1].

① apps for learning on smartphones can help students perform better on exams
② one reason to use smartphones as an educational tool is that most students possess one
③ smartphones can be used to support activities for learning both at school and at home
④ smartphones make it possible for students to share their ideas with classmates

問2　Author B implies that [2].

① having time away from digital devices interferes with students' motivation to learn
② sometimes commonly held beliefs can be different from the facts that research reveals
③ students who do not have smartphones are likely to consider themselves better learners
④ the classroom should be a place where students can learn without the interference of teachers

④ 「主張」をもとに「根拠」を構築する

根拠を求められた場合は「与えられた立場」「与えられた自分の主張」を意識してください。自分個人の意見ではありません。「与えられた」立場や主張をもとに根拠を築いていくのです。ディベートだと思ってください。自分の本当の意見は置いておいて、「この立場ならこう考える」と論理的に考える力が求められます。

内容 試作問題第A問では、あるテーマについてさまざまな立場の人の意見を適切に理解できているかを問う問題や、適切な根拠をもって意見を構築できるかを問う問題が出題されました。問題作成部会は出題意図として「それぞれの意見とその根拠を理解して整理することができるかを問う」、「文章を書くための準備として、自分の意見の理由や根拠を明確に示すために複数の資料を活用したり、書こうとする文章のアウトラインを組み立てたりすることができるかを問う」としています。この狙いを踏まえて、多少問題形式に変更があっても対応できる力を養っておきましょう。「例題」で大学入試センターが発表した試作問題を、「練習問題」でオリジナル問題を扱います。

目標解答時間 15分

3 前置きに惑わされないよう、正確に「主張」を整理していく

主張をつかむにあたって注意してほしいことがあります。それは「前置き」との区別です。１文目から主張に入るパターンもあれば、前置きから入って主張が２文目以降にくるパターンもあります。「前置き」に惑わされず、書き手の主張を正確に捉えましょう。

〈主な前置きパターン〉

（1）一般論
Many people think that ～（多くの人が～と思っている）/ It is widely believed that ～（～と広く信じられている）/ often（よく）/ common（よくある）

（2）譲歩
It is true that ～（確かに～）/ Certainly, ～（確かに～）/ may［might］（かもしれない）/ of course（もちろん）

（3）否定
not V（Vではない）/ doubtful（疑わしい）/ deny ～（～を［事実でないとして］否定する）

（4）過去
in the past（昔は、これまで）/ traditionally（伝統的に）/ conventionally（慣例的に）/ used to V（以前はVしたものだった）/ at first（当初は）/ initially（最初は）

（5）具体
個人の体験（意見文以外の“I・my・me”）/ 具体的なデータ・固有名詞 / if ～（もし～なら）/ suppose ～（［明確な根拠はないが］～だと思う）

※（1）～（4）は、but「しかし」やhowever「しかしながら」がつづき、後に筆者に否定されることを予測する。

では、この「視線の型＋α」を使って、次ページの問題に取り組みましょう！

第A問

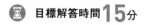

You are working on an essay about whether high school students should be allowed to use their smartphones in class. You will follow the steps below.

Step 1: Read and understand various viewpoints about smartphone use.
Step 2: Take a position on high school students' use of their smartphones in class.
Step 3: Create an outline for an essay using additional sources.

[Step 1] Read various sources

Author A (Teacher)
My colleagues often question whether smartphones can help students develop life-long knowledge and skills. I believe that they can, as long as their use is carefully planned. Smartphones support various activities in class that can enhance learning. Some examples include making surveys for projects and sharing one's learning with others. Another advantage is that we do not have to provide students with devices; they can use their phones! Schools should take full advantage of students' powerful computing devices.

Author B (Psychologist)
It is a widespread opinion that smartphones can encourage student learning. Being believed by many, though, does not make an opinion correct. A recent study found that when high school students were allowed to use their smartphones in class, it was impossible for them to concentrate on learning. In fact, even if students were not using their own smartphones, seeing their classmates using smartphones was a distraction. It is clear that schools should make the classroom a place that is free from the interference of smartphones.

Author C (Parent)
I recently bought a smartphone for my son who is a high school student. This is because his school is located far from our town. He usually leaves home early and returns late. Now, he can contact me or access essential information if he has trouble. On the other hand, I sometimes see him walking while looking at his smartphone. If he is not careful, he could have an accident. Generally, I think that high school students are safer with smartphones, but parents still need to be aware of the risks. I also wonder how he is using it in class.

Author D (High school student)

At school, we are allowed to use our phones in class. It makes sense for our school to permit us to use them because most students have smartphones. During class, we make use of foreign language learning apps on our smartphones, which is really helpful to me. I am now more interested in learning than I used to be, and my test scores have improved. The other day, though, my teacher got mad at me when she caught me reading online comics in class. Occasionally these things happen, but overall, smartphones have improved my learning.

Author E (School principal)

Teachers at my school were initially skeptical of smartphones because they thought students would use them to socialize with friends during class. Thus, we banned them. As more educational apps became available, however, we started to think that smartphones could be utilized as learning aids in the classroom. Last year, we decided to allow smartphone use in class. Unfortunately, we did not have the results we wanted. We found that smartphones distracted students unless rules for their use were in place and students followed them. This was easier said than done, though.

問 1　Both Authors A and D mention that [1].

① apps for learning on smartphones can help students perform better on exams
② one reason to use smartphones as an educational tool is that most students possess one
③ smartphones can be used to support activities for learning both at school and at home
④ smartphones make it possible for students to share their ideas with classmates

問 2　Author B implies that [2].

① having time away from digital devices interferes with students' motivation to learn
② sometimes commonly held beliefs can be different from the facts that research reveals
③ students who do not have smartphones are likely to consider themselves better learners
④ the classroom should be a place where students can learn without the interference of teachers

[Step 2] Take a position

問 3　Now that you understand the various viewpoints, you have taken a position on high school students' use of their smartphones in class, and have written it out as below. Choose the best options to complete [3], [4], and [5].

Your position: High school students should not be allowed to use their smartphones in class.

- Authors [3] and [4] support your position.
- The main argument of the two authors: [5].

Options for [3] and [4] (The order does not matter.)

① A
② B
③ C
④ D
⑤ E

Options for [5]

① Making practical rules for smartphone use in class is difficult for school teachers
② Smartphones may distract learning because the educational apps are difficult to use
③ Smartphones were designed for communication and not for classroom learning
④ Students cannot focus on studying as long as they have access to smartphones in class

[Step 3] Create an outline using Sources A and B

Outline of your essay:

Using smartphones in class is not a good idea

Introduction

Smartphones have become essential for modern life, but students should be prohibited from using their phones during class.

Body

Reason 1: [From Step 2]

Reason 2: [Based on Source A] ……… 6

Reason 3: [Based on Source B] ……… 7

Conclusion

High schools should not allow students to use their smartphones in class.

Source A

Mobile devices offer advantages for learning. For example, one study showed that university students learned psychology better when using their interactive mobile apps compared with their digital textbooks. Although the information was the same, extra features in the apps, such as 3D images, enhanced students' learning. It is important to note, however, that digital devices are not all equally effective. Another study found that students understand content better using their laptop computers rather than their smartphones because of the larger screen size. Schools must select the type of digital device that will maximize students' learning, and there is a strong argument for schools to provide computers or tablets rather than to have students use their smartphones. If all students are provided with computers or tablets with the same apps installed, there will be fewer technical problems and it will be easier for teachers to conduct class. This also enables students without their own smartphones to participate in all class activities.

Source B

A study conducted in the U.S. found that numerous teenagers are addicted to their smartphones. The study surveyed about 1,000 students between the ages of 13 and 18. The graph below shows the percentages of students who agreed with the statements about their smartphone use.

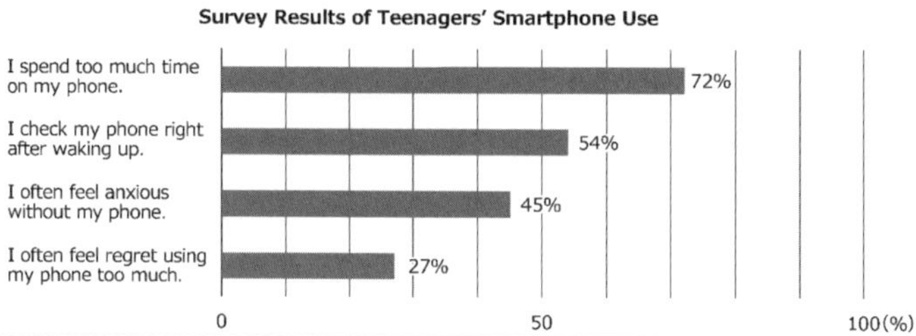

問 4　Based on Source A, which of the following is the most appropriate for Reason 2? [6]

① Apps that display 3D images are essential for learning, but not all students have these apps on their smartphones.

② Certain kinds of digital devices can enhance educational effectiveness, but smartphones are not the best.

③ Students should obtain digital skills not only on smartphones but also on other devices to prepare for university.

④ We should stick to textbooks because psychology studies have not shown the positive effects of digital devices on learning.

問 5　For Reason 3, you have decided to write, "Young students are facing the danger of smartphone addiction." Based on Source B, which option best supports this statement? [7]

① Although more than half of teenagers reported using their smartphones too much, less than a quarter actually feel regret about it. This may indicate unawareness of a dependency problem.

② Close to three in four teenagers spend too much time on their phones. In fact, over 50% check their phones immediately after waking. Many teenagers cannot resist using their phones.

③ Over 70% of teenagers think they spend too much time on their phones, and more than half feel anxious without them. This kind of dependence can negatively impact their daily lives.

④ Teenagers are always using smartphones. In fact, more than three-quarters admit to using their phones too much. Their lives are controlled by smartphones from morning to night.

問 1 - 3

訳 A

あなたは、高校生が授業中にスマートフォンを使うことが許されるべきかどうかをテーマとしたエッセーに取り組んでいます。以下のステップを踏みます。

ステップ1：スマートフォン使用に関するさまざまな観点を読んで理解する。

ステップ2：高校生の授業中のスマートフォン使用に関する立場を決める。

ステップ3：追加資料を使ってエッセーの概要を作成する。

[ステップ1] さまざまな資料を読む

筆者 A（教師）

私の同僚たちは、スマートフォンで生徒に一生ものの知識やスキルを身につけさせられるのかどうか疑うことが多い。私は、使用計画をきちんと立てるのであれば、できると思う。スマートフォンは学習効果を上げるさまざまな授業活動の助けになる。例としては、課題のための調査をすることや、自分が学んだことを他の人と共有することなどがある。もう一つの利点は、生徒に機材を配らなくていいことだ。自身のスマホを使えばいいのだから！ 問 1 - 1　学校は生徒たちの持つ高度な電脳機器をフルに活用すべきだ。

筆者 B（心理学者）

スマートフォンが生徒の学習促進につながるという意見は広く見られる。しかし、多くが信じているからと言って、その意見が正しいことにはならない。問 2　最近の研究で、高校生が授業中にスマートフォン使用を許可されると学習に集中できなくなることがわかった。それどころか、生徒たちはたとえ自分のスマートフォンを使うことが許されていなくても、クラスメートがスマートフォンを使っているのを目にするだけで気を散らされたのだ。学校が教室をスマートフォンによる妨げのない場所にするべきなのは明らかだ。問 3 - 1

筆者 C（親）

最近、高校生の息子にスマートフォンを買った。これは、学校が私たちの町から遠い場所にあるためだ。息子はいつも家を早く出て遅く帰宅する。今、彼は問題があれば私に連絡したり必要な情報にアクセスしたりすることができる。その一方で、時々彼がスマートフォンを見ながら歩いているのを目にすることがある。気を付けないと事故に遭いかねない。一般的に高校生はスマホを持った方が安全だと思うが、親はやはりそのリスクを意識する必要がある。息子が教室でどう使っているのかも疑問だ。

筆者 D（高校生）

学校では、授業中スマホを使うことが許されている。ほとんどの生徒がスマートフォンを持っているのだから、私たちの学校がその使用を許可するのは理にかなっている。問 1 - 2 授業中、私たちはスマートフォンの外国語学習アプリを使うが、それは私にはすごく役立っている。今の方が前よりも学習に興味がわくし、テストの点数も上がった。でも、この前、授業中にオンラインコミックを読んでいるのが見つかって、先生に怒られた。時々こういうこともあるけれど、全体的にスマートフォンは私の学習を向上させている。

筆者 E（学校長）

わが校の教師たちは当初、生徒たちが授業中に友達とやりとりするのに使うだろうと考えて、スマートフォンには懐疑的だった。そこで、わが校では禁止した。しかし、利用できる学習アプリが増えてきたので、私たちは、スマートフォンを授業中の学習補助として活用してもいいと考え始めた。昨年、授業中のスマートフォン使用を許可することにした。残念ながら、望んだ結果は得られなかった。使用ルールが整備されて生徒がそれに従わない限り、スマートフォンは生徒の気を散らしてしまうのだとわかった。ただ、それは言うは易し、行うは難しだった。問 3 - 2

語句

［リード文］

viewpoint	名	観点
position	名	立場、見解
outline	名	概要
additional	形	追加の
source	名	情報源、資料

［ステップ 1］

［筆者A］

colleague	名	同僚
question ～	他	～に疑問を持つ
as long as SV	熟	SVする限りにおいて、SVであるならば
enhance ～	他	～を高める
survey	名	調査
advantage	名	利点、長所
device	名	デバイス、機器
take advantage of ～	熟	～を活用する
computing	形	コンピューター機能の

［筆者B］

psychologist	名	心理学者
widespread	形	広く普及した
concentrate on ～	熟	～に集中する
in fact	熟	実のところ、それどころか
distraction	名	注意をそらすもの、気を散らせるもの
free from ～	熟	～がない
interference	名	妨害、支障

［筆者C］

located	形	位置している
essential	形	必須の、重要な
on the other hand	熟	その一方で

［筆者D］

make sense	熟	理屈が通る、合理的である
make use of ～	熟	～を使用する
app	名	アプリ
get mad at ～	熟	～に腹を立てる
catch ～ (V)ing	熟	～がVしているのを見つける
overall	副	全体として

［筆者E］

principal	名	校長
initially	副	当初は
skeptical	形	懐疑的な、疑念を抱いた
socialize with ～	熟	～と交流する
thus	副	従って、それゆえ
ban ～	他	～を禁止する

utilize ～	他 ～を活用する	easier said than done	熟 言うは易し行うは難し、実行するのは口で言うほど簡単ではない
distract ～	他 ～を注意散漫にする		
in place	熟 設置して、(制度などが) 整って		

まずは**リード文やステップから「テーマ」を把握**（❶）です。リード文から、「高校生が授業中にスマートフォンを使うことが許されるべきかどうか」がテーマだとわかります。3つのステップがあり、ステップ1「さまざまな観点を読んで理解する」、ステップ2「立場を決める」、ステップ3「追加資料を使ってエッセーの概要を作成する」です。一つずつステップを追って解答していきましょう。

問 1　正解 ②　**問題レベル【やや難】　配点 3点**

設問 **筆者 A と D の両者とも、[1] と述べている。**

選択肢
① スマートフォンの学習アプリは生徒たちが試験の成績を上げる助けになる
② 教育ツールとしてスマートフォンを使う一つの理由は、ほとんどの生徒が所有していることだ
③ スマートフォンは学校と自宅の両方で学習活動の補助に使うことができる
④ スマートフォンは生徒が自分のアイデアをクラスメートと共有することを可能にする

語句
mention ～ 他 ～に言及する
possess ～ 他 ～を所有する
perform well 熟 いい成績を収める

設問より（❷）、A と D の共通点を抽出する問題だとわかります。まず A の「教師」の意見を確認しましょう。1文目 My colleagues often question whether smartphones can help students develop life-long knowledge and skills.「私の同僚たちは、スマートフォンで生徒に一生ものの知識やスキルを身につけさせられるのかどうか疑うことが多い」とあります。必ずどの立場からの意見なのかは確認してください。今回は「教師」とあるのでここでの「同僚」も教師のはずです。さて、この部分は A の「主張」でしょうか。**My colleagues often より「複数の人がよくしていること」に言及しているので一般論のように感じられます。「前置きかも」と思いながら2文目にいきます**（❸）。I believe that they can, as long as their use is carefully planned. ここが主張ですね。I believe とあります。「前置き（一般論）」→「しかし＋主張」はよくあるパターンです。よくあるパターンがゆえに「しかし」を表す逆接表現（but, however など）が省略されることも多いです。このようなときは（But）I believe ... などと心の中で補っておくと、主張として印象に残しながら読み進めることができます。「（しかし）私は、使用計画をきちんと立てるのであれば、できると思う」ということですね。賛成派のようです。3文目 Smartphones support various activities in class that can enhance learning.「スマートフォンは学習効果を上げるさまざまな授業活動の助けになる」と、その理由として「授業での学習効果」を挙げ、続く4文目で Some examples include making surveys for projects and sharing one's learning with others.「例としては、課題のための調査をすることや、自分が学んだことを他の人と共有することなどがある」と具体例を挙げています。さらに5文目で、Another advantage is that we do not have to provide students with devices; they can use their phones!「もう一つの利点は、生徒に機材を配らなくていいことだ。自身のスマホを使えばいいのだから！」と理由を「追加」しました（Anotherが「追加」の論理マーカーです）。そして最後にSchools should take full advantage of students' powerful computing devices.「学校は生徒たちの持つ高度な電脳機器をフルに活用すべきだ」と結論づけています。力強い肯定派ですね。整理すると以下のようになっています。

Aの意見
主張：高校生の授業中スマホに賛成
理由（1）：課題のための調査や学んだことの共有などを通して学習効果が高まる
理由（2）：自分のスマホを使わせるので、新たに教材を配らなくていい

次にDの「高校生」の意見です。1文目At school, we are allowed to use our phones in class.「学校では、授業中スマホを使うことが許されている」これは主張でしょうか。**いえ、筆者の学校の状況をただ描写しているだけなので、「具体」で「前置き」ですね**（❸）。2文目、It makes sense for our school to permit us to use them because most students have smartphones.「ほとんどの生徒がスマートフォンを持っているのだから、私たちの学校がその使用を許可するのは理にかなっている」この文はどうでしょうか。前半部分が主張ですね。makes sense「理にかなっている」と、スマホが授業中に使える状況を肯定的に捉えています。後半because以下は理由です。「ほとんどの生徒がスマホを持っている」。**これはAの理由と同じポイントですね。忘れないように線を引いておきましょう。**念のためそのまま読んでいくと、During class, we make use of foreign language learning apps on our smartphones, which is really helpful to me.「授業中、私たちはスマートフォンの外国語学習アプリを使うが、それは私にはすごく役立っている」や、I am now more interested in learning than I used to be「今の方が前よりも学習に興味がわく」、my test scores have improved.「テストの点数も上がった」という利点や、The other day, though, my teacher got mad at me when she caught me reading online comics in class.「でも、この前、授業中にオンラインコミックを読んでいるのが見つかって、先生に怒られた」という具体的なエピソードでデメリットにも触れられています。しかし最終文Occasionally these things happen, but overall, smartphones have improved my learning.「時々こういうこともあるけれど、全体的にスマートフォンは私の学習を向上させている」より、やはりDの「賛成」という立場は変わっていないようです。整理します。

Dの意見
主張：高校生の授業中スマホに賛成
理由（1）：ほとんどの生徒はスマホを持っているから理にかなっている
理由（2）：学習効果もある（アプリ役立つ・興味わく・成績も上がった）

Aの意見の理由（2）とDの意見の理由（1）がかぶっていますね。選択肢を確認すると、

② one reason to use smartphones as an educational tool is that most students possess one「教育ツールとしてスマートフォンを使う一つの理由は、ほとんどの生徒が所有していることだ」が正解だとわかります。他の選択肢は、①はDだけの意見、④はAだけの意見、③はどちらも触れていない点なので誤りです。

問2 正解② **問題レベル【普通】 配点3点**

設問 筆者Bは、[2]と示唆している。

選択肢
① デジタル機器から離れる時間を作ると生徒たちの学習意欲を阻害する
② 時には一般に信じられていることが研究で明らかになる事実と異なる場合がある
③ スマートフォンを持たない生徒は自分をより良い学習者と見なす傾向がある
④ 教室は生徒が教師の干渉を受けることなく学習できる場であるべきだ

語句

imply ～	他 ～とほのめかす、～を示唆する	commonly	副 一般に
		reveal ～	他 ～を明らかにする
interfere with ～	熟 ～を妨害する	consider A B	他 AをBと見なす
motivation	名 動機、意欲	interference	名 干渉、妨害

設問より（❷）、Bの意見を把握する問題だとわかります。Bは「心理学者」ですね。1文目 It is a widespread opinion that smartphones can encourage student learning.「スマートフォンが生徒の学習促進につながるという意見は広く見られる」は**a widespread opinionという表現より「一般論」だとわかります。「前置き」ですね**（❸）。2文目 Being believed by many, though, does not make an opinion correct.「しかし、多くが信じているからと言って、その意見が正しいことにはならない」はthough「しかし」があることから、ここが書き手の主張だとわかります。高校生のスマホ使用に肯定的な一般論を否定しているので、反対派ということですね。3文目 A recent study found that when high school students were allowed to use their smartphones in class, it was impossible for them to concentrate on learning.「最近の研究で、高校生が授業中にスマートフォン使用を許可されると学習に集中できなくなることがわかった」より、「集中力の懸念」が理由に挙げられていることがわかります。続く4文目 In fact, even if students were not using their own smartphones, seeing their classmates using smartphones was a distraction.「それどころか、生徒たちはたとえ自分のスマートフォンを使うことが許されていなくても、クラスメートがスマートフォンを使っているのを目にするだけで気を散らされたのだ」で理由を強め、最終文でも It is clear that schools should make the classroom a place that is free from the interference of smartphones.「学校が教室をスマートフォンによる妨げのない場所にするべきなのは明らかだ」と、はっきりとスマホ反対の姿勢をとっています。整理します。

Bの意見
主張：高校生の授業中スマホに反対
理由：集中できなくなる

選択肢を確認すると、1～2文目の「前置き（一般論）」→「しかし＋主張」の流れをそのまま説明している② sometimes commonly held beliefs can be different from the facts that research reveals「時には一般に信じられていることが研究で明らかになる事実と異なる場合がある」が正解だとわかります。①や④は賛成派の意見ですし、③のような内容はありませんでした。

［ステップ2］**立場を決める**

問3　正解 [3] [4] ②・⑤（順不同）[5] ④　**問題レベル【やや難】　配点 [3] [4] すべて正解で3点、[5] 3点**

設問 **さまざまな観点を理解したので、あなたは高校生の授業でのスマートフォン使用に関して立場を決めて、下のように書き出しました。[3] [4] [5] に最もふさわしい選択肢を選びなさい。**

あなたの立場：高校生は授業中のスマートフォン使用を許可されるべきでない。
・筆者 [3] と [4] があなたの立場の裏付けとなる。
・この２人の筆者の主な論点：[5]

選択肢 [3] と [4]（順不同）
① A　② B　③ C　④ D　⑤ E

選択肢 [5]
① 授業中のスマートフォン使用のための現実的なルールを作ることは、学校の教師には難しい。
② 学習アプリは使い方が難しいので、スマートフォンは学習の集中を妨げる可能性がある。
③ スマートフォンはコミュニケーションのために作られたものであり、教室の学習向けではない。
④ 生徒たちは授業中にスマートフォンが使えると勉強に集中できない。

語句 be designed for ～ 熟 ～のために作られている、～のためのものだ
focus on ～ 熟 ～に集中する

設問より（❷）、自分の立場の裏付けとなる意見を探せばいいことがわかります。自分の立場は明確に理解できましたか。ここは大事なので丁寧に精読して頭に焼き付けましょう。Your position : High school students should not be allowed to use their smartphones in class.「あなたの立場：高校生は授業中のスマートフォン使用を許可されるべきでない」。つまり「反対派」です。すでに問２よりＡとＤが賛成派、Ｂが反対派だとわかっているので、ＣとＥの意見をつかんでどちらが反対派かを見抜きましょう。

まずＣである「親」は１文目 I recently bought a smartphone for my son who is a high school student.「最近、高校生の息子にスマートフォンを買った」より、**具体始まりだということがわかります。前置きですね**（❸）。続けて This is because his school is located far from our town. He usually leaves home early and returns late. Now, he can contact me or access essential information if he has trouble.「これは、学校が私たちの町から遠い場所にあるためだ。息子はいつも家を早く出て遅く帰宅する。今、彼は問題があれば私に連絡したり必要な情報にアクセスしたりすることができる」とあります。このあたりは「高校生がスマホを持つこと」自体には肯定的な意見ですが、**今回のテーマには関係がない**ことに気付きましたか。今回はあくまで「高校生が授業中にスマートフォンを使うことが許されるべきかどうか」です。「授業中」に触れていないこの意見は、(今回のテーマのもとでは) 注目に値しない、無視して OK な意見です。次の文、On the other hand, I sometimes see him walking while looking at his smartphone. If he is not careful, he could have an accident.「その一方で、時々彼がスマートフォンを見ながら歩いているのを目にすることがある。気を付けないと事故に遭いかねない」とありますが、これも無視してください。「授業中の使用」に触れていません。残りの文を読むと、Generally, I think that high school students are safer with smartphones, but parents still need to be aware of the risks. I also wonder how he is using it in class.「一般的に高校生はスマホを持った方が安全だと思うが、親はやはりそのリスクを意識する必要がある。息子が教室でどう使っているのかも疑問だ」と、ようやく最後に「教室」が出てきましたが、「疑問だ」と言っているだけで賛成とも反対とも言っていません。**よってこの C の意見はテーマと関係ありそうで実は無関係な、「ズレた意見」を述べていた**ことがわかります。このように**「ズレた意見」も共通テストではダミーとして出す**ということですね。よく覚えておきましょう。

最後に E である「学校長」の意見を確認します。1～2文目 Teachers at my school were initially skeptical of smartphones because they thought students would use them to socialize with friends during class. Thus, we banned them.「わが校の教師たちは当初、生徒たちが授業中に友達とやりとりするのに使うだろうと考えて、スマートフォンには懐疑的だった。そこで、わが校では禁止した」とあります。**過去の話です。initially「最初は」もあります。これは「前置き」のようですね**(❸)。3～4文目には As more educational apps became available, however, we started to think that smartphones could be utilized as learning aids in the classroom. Last year, we decided to allow smartphone use in class.「しかし、利用できる学習アプリが増えてきたので、私たちは、スマートフォンを授業中の学習補助として活用してもいいと考え始めた。昨年、授業中のスマートフォン使用を許可することにした」とあります。ここが主張かと思うかもしれませんが、まだ「過去」の文で事実をたんたんと述べているだけです。続く5文目で Unfortunately, we did not have the results we wanted.「残念ながら、望んだ結果は得られなかった」とあるため、まだ前置きが続いていたのだと考えを改めます。読み進めましょう。最後の2文に We found that smartphones distracted students unless rules for their use were in place and students followed them. This was easier said than done, though.「使用ルールが整備されて生徒がそれに従わない限り、スマートフォンは生徒の気を散らしてしまうのだとわかった。ただ、それは言うは易し、行うは難しだった」とあることから、結局は集中力が欠けてしまうためスマートフォンの使用に反対なのだとわかります。「使用ルールが整備されていない限り」とあり、ここから「ルールさえ整備されていればOK」ということがわかりますが、「言うは易し、行うは難し」ということわざ (easier said than done) でルールの整備は難しいことが示唆されており、やはり否定的な立場です。整理します。

Eの意見
主張：高校生の授業中スマホに反対
理由：集中力が欠ける

以上より、「反対派」は② Bと⑤ E、2人の主な論点は④ Students cannot focus on studying as long as they have access to smartphones in class「生徒たちは授業中にスマートフォンが使えると勉強に集中できない」だとわかります。

問 4 - 5

訳 ［ステップ3］**資料A・Bを使って概要を作成する**
あなたのエッセーの概要：

授業中にスマートフォンを使うのはいい考えではない

導入部
スマートフォンは現代生活に欠かせないものとなったが、生徒が授業中にスマホを使うことは禁止すべきだ。

主文
理由１：［ステップ２より］
理由２：［資料Aに基づいて］…… 6
理由３：［資料Bに基づいて］…… 7

結論
高校生は授業中にスマートフォンを使うことを許可されるべきではない。

資料A
携帯機器は学習に利点をもたらす。例えば、ある研究では、デジタル教科書に比べて双方向の携帯アプリを使ったときの方が大学生が心理学をよく学習したと示されている。情報は同じでも、3D画像のようなアプリの追加機能が、学生の学習効果を高めた。ただし、デジタル機器がどれも同じように効果的なわけではないことに留意することが大事だ。別の研究では、学生はスマートフォンよりもノートパソコンを使った方が、大きな画面サイズのおかげで内容をよく理解することが判明した。問4 学校は生徒の学習を最大限に伸ばす種類のデジタル機器を選ばねばならず、学校は生徒にスマートフォンを使わせるよりもパソコンやタブレットを配布すべきだという強い主張がある。全生徒に同じアプリのインストールされたパソコンまたはタブレットを配布したら、操作トラブルも減るし教師が授業を行うのも楽になる。こうすればさらに、自分のスマートフォンを持っていない生徒がすべての授業活動に参加できるようにもなる。

資料 B

アメリカで行われた研究で、多数のティーンエイジャーがスマホ依存になっているとわかった。その研究では13歳から18歳の約1000人の生徒を調査した。以下のグラフはスマートフォンに関して述べた内容に「はい」と答えた生徒の割合を示している。

ティーンエイジャーのスマートフォン利用に関する調査結果

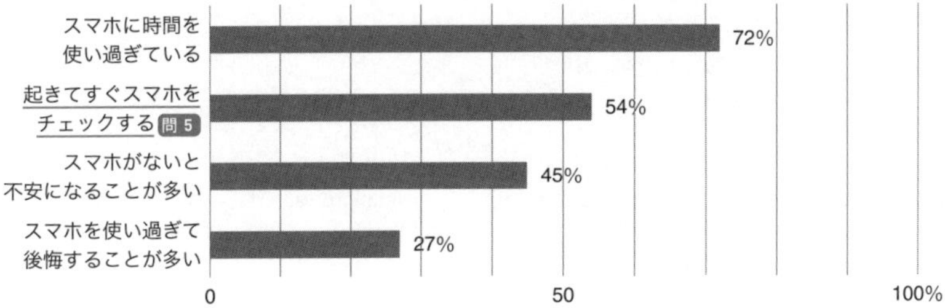

語句

[あなたのエッセーの概要]

prohibit ～ from (V)ing	熟 ～がVすることを禁止する

[資料A]

mobile	形 携帯用の
psychology	名 心理学
interactive	形 双方向の、対話式の
compared with ～	熟 ～と比べて
feature	名 特徴、機能
equally	副 等しく、同じように
effective	形 効果的な
maximize ～	他 ～を最大限にする
argument	名 議論、主張
install ～	他 ～をインストールする
technical problem	熟 技術的な問題、機械トラブル
conduct ～	他 ～を行う、～を実施する
enable ～ to (V)	熟 ～がVできるようにする

[資料B]

numerous	形 多数の
be addicted to ～	熟 ～中毒になっている、～依存症である
survey ～	他 ～を調査する
percentage	名 パーセント数、割合
regret ～	他 ～を後悔する

問4　正解②　**問題レベル【普通】　配点 3点**

設　問　**資料Aに基づくと、理由2に最もふさわしい選択肢は次のうちどれか。** 6

選択肢　① 3D画像を表示するアプリは学習に必須だが、すべての生徒がこのアプリをスマートフォンに入れているわけではない。

② ある種のデジタル機器は学習効果を高めることができるが、スマートフォンが一番いいわけではない。

③ 生徒たちは大学の準備として、スマートフォンだけでなく他のデバイスでのデジタル能力も身につけておくべきだ。

④ 心理学研究ではデジタル機器の学習へのプラス効果が示されていないので、私たちは教科書を使い続けるべきだ。

語句
- appropriate　形 適切な、ふさわしい
- obtain ～　他 ～を獲得する、～を手に入れる
- stick to ～　熟 ～を手放さずにいる、～をやり続ける

さあ、いよいよステップ3です。エッセーを書いていきます。エッセーのタイトルはUsing smartphones in class is not a good idea「授業中にスマートフォンを使うのはいい考えではない」です。反対の立場で根拠を組み立てていきます。**設問によると**（❷）資料Aを読む必要があることがわかります。それでは資料Aを確認していきます。

まず1文目Mobile devices offer advantages for learning.「携帯機器は学習に利点をもたらす」とありますが、ここは関係ないですね。自分が「反対の立場としての根拠集めをしている」ことを忘れないでください（❹）。利点は無視します。当然その後のFor example「例えば」から始まる具体例やその研究内容も無視です。注目すべきは4文目。It is important to note, however, that digital devices are not all equally effective.「ただし、デジタル機器がどれも同じように効果的なわけではないことに留意することが大事だ」に注目しましょう。逆接の接続副詞howeverがあります。さらにその後のAnother study found that students understand content better using their laptop computers rather than their smartphones because of the larger screen size.「別の研究では、学生はスマートフォンよりもノートパソコンを使った方が、大きな画面サイズのおかげで内容をよく理解することが判明した」にも注目です。Anotherは「追加」なので授業中のスマホ使用に否定的な根拠が続いていると考えられます。そして続く文もこれら否定的な立場をサポートしていますが、7文目はSchools must select ...「学校は…を選択しなければならない」と具体的な話に入っているため、ここで読むのは切り上げて選択肢を確認していいでしょう（理解が追いついていなければ最後まで読み切った方がより内容が頭に入りますが、**基本は「抽象→具体」なので、具体化が始まった後は新しい観点は出てこない**と考えてOKです）。選択肢を確認すると、② Certain kinds of digital devices can enhance educational effectiveness, but smartphones are not the best.「ある種のデジタル機器は学習効果を高めることができるが、スマートフォンが一番いいわけではない」がぴったりですね。スマホ以外のより大きな画面のデジタル機器が推奨されていました。①はnot all students have these apps on their smartphonesが、③はto prepare for universityが、④はWe should stick to textbooksに言及がないため不正解です。

問 5　正解② 問題レベル【普通】 配点 3点

設問 理由3として、あなたは「若い生徒たちはスマホ依存の危険に直面している」と書くことにした。資料Bに基づくと、この記述の裏付けとして最もふさわしいのはどの選択肢か。 7

選択肢 ① ティーンエイジャーの半数以上がスマートフォンを使い過ぎていると述べているにもかかわらず、実際に後悔しているのは4分の1に満たない。これは依存問題への無自覚を示している可能性がある。

② 4分の3近いティーンエイジャーがスマホに時間を使い過ぎている。実際、50%以上が起床直後にスマホのチェックをしている。スマホの使用を我慢できないティーンエイジャーが多い。

③ 70%以上のティーンエイジャーが自分がスマホを使い過ぎていると考え、半数以上がスマホがないと不安を感じる。このような依存は彼らの日常生活に悪い影響を与える可能性がある。

④ ティーンエイジャーは常にスマートフォンを使っている。実際、4分の3以上がスマホの使い過ぎを認めている。彼らの生活は朝から晩までスマートフォンにコントロールされている。

語句

face ～	他 ～に直面する	resist ～	他 ～を我慢する
addiction	名 中毒、依存症	dependence	名 頼ること、依存
indicate ～	他 ～を示す	admit ～	他 ～を認める
unawareness	名 気付いていないこと、無認識		

設問によると（❷）、理由3として Young students are facing the danger of smartphone addiction.「若い生徒たちはスマホ依存の危険に直面している」という主張で根拠を組み立てること、資料Bを描写する適切な英文を選ぶ必要があることがわかります。選択肢を一つずつ確認していきましょう。

① Although more than half of teenagers reported using their smartphones too much, less than a quarter actually feel regret about it. This may indicate unawareness of a dependency problem.「ティーンエイジャーの半数以上がスマートフォンを使い過ぎていると述べているにもかかわらず、実際に後悔しているのは4分の1に満たない。これは依存問題への無自覚を示している可能性がある」は、内容はいいのですが、数字が誤っています。資料Bによると27%の若者がスマホの使い過ぎを後悔しており、less than a quarter「4分の1に満たない」（＝25%未満）に合いません。

② Close to three in four teenagers spend too much time on their phones. In fact, over 50% check their phones immediately after waking. Many teenagers cannot resist using their phones.「4分の3近いティーンエイジャーがスマホに時間を使い過ぎている。実際、50%以上が起床直後にスマホのチェックをしている。スマホの使用を我慢できないティーンエイジャーが多い」は、内容も問題なく、数字も誤りがありません。over 50% check their phones immediately after waking「50%以上が起床直後にスマホのチェック」は資料Bによると「起きてすぐスマホをチェックする」が54%とあり、一致します。よってこれが正解です。

③ Over 70% of teenagers think they spend too much time on their phones, and more than half feel anxious without them. This kind of dependence can negatively impact their daily lives.「70%以上のティーンエイジャーが自分がスマホを使い過ぎていると考え、半数以上がスマホがないと不安を感じる。このような依存は彼らの日常生活に悪い影響を与える可能性がある」は内容は問題ないのですが、数字が誤っています。資料Bによると、「スマホがないと不安に感じることが多い」のは45%でmore than half「半数以上」ではありません。

④ Teenagers are always using smartphones. In fact, more than three-quarters admit to using their phones too much. Their lives are controlled by smartphones from morning to night.「ティーンエイジャーは常にスマートフォンを使っている。実際、4分の3以上がスマホの使い過ぎを認めている。彼らの生活は朝から晩までスマートフォンにコントロールされている」は、more than three-quarters「4分の3以上」(=75%以上)が誤りです。資料Bによるとスマホを使い過ぎと述べている若者が72%です。

以上のように、今回の選択肢は「若い生徒たちはスマホ依存の危険に直面している」の根拠としてはいずれも問題ない内容だった(❹)のですが、数字の誤りにより正解を絞ることができました。今後、数字は正しいが「根拠として述べている内容が主張に合わない」という理由で不正解になる選択肢も出題される可能性があるので注意しましょう。

目標解答時間 15分

問題番号は実際の番号のままです。

第 A 問

You are working on an essay about whether schools should switch to a four-day school week. You will follow the steps below.

Step 1: Read and understand various viewpoints on a four-day school week.

Step 2: Take a position on a four-day school week.

Step 3: Create an outline for an essay using additional sources.

[Step 1] Read various sources

Author A (Teacher)
Some people believe that in the future, a four-day workweek will become standard. Developments in AI will enable people in many professions to finish their work in less time. If schools follow this labor standard, I suppose students will have a four-day school week, which does not seem to offer many benefits. Teachers provide motivation, guidance, and advice that I doubt technology will be able to replace effectively. Moreover, I'm worried about their reduced study time. We would have to give our students extra homework.

Author B (High School Student)
Next year is my final year of high school, and I have to study hard for the university entrance examinations. I could only agree with the plan to switch to a four-day workweek if the government offered financial assistance to families with low income. More students would rely on private tutors outside the school for additional assistance in preparing for college entrance tests. But I doubt my parents would pay for additional lessons outside the school. It would be unfair if some students were unable to achieve their goals simply because their families could not afford additional lessons.

Author C (Parent)
I know my daughter would be glad if she only had to go to school for four days every week. I often see her overwhelmed by all of the things she has to deal with. These days, students seem too busy with school-related activities to enjoy their spare time. I just hope that the four-day school week is adopted throughout society. Switching to a four-day work week means either my husband or I would need to be at home on the extra day off, but this will be impossible unless society as a whole changes.

Author D (Cram School "Juku" Owner)
I operate a business where students get one-on-one coaching from private teachers outside their regular schools. Switching to a four-day school week would be great for education and my business. I am sure that more children would attend classes with private tutors if schools were closed an extra day each week. Although it puts additional financial pressure on parents, attending schools with professional tutors is often worth the money because they provide the individual help that students need. The personal attention students get from my tutors helps them achieve their academic goals more quickly and with less effort, allowing them to spend more time enjoying their lives.

Author E (School principal)
I am against having school for only four days a week. As educators, we have to think of the students' welfare above all else. If we reduce the school week to four days, students will end up with too much free time. This might force parents to pay for costly extra activities outside of school, burdening many families financially. To prevent this issue, we might need to organize some alternative programs for the fifth day of each week. Of course, this would mean hiring additional staff members to facilitate these programs at extra cost to the taxpayer. That is something that may not go down well with everyone.

問 1 Both Authors A and E mention that [1].

① a four-day school week will give teachers more opportunities to consider student welfare
② students must be provided with some additional activity to fill their time
③ thanks to AI-assisted learning students will be able to study away from the classroom
④ the suitability of the plan may depend on the profession the student hopes to enter

問 2 Author B implies that [2].

① a decision like this should not be made without involving the government
② a four-day workweek is not suitable for students in the final year of high school
③ the government should conduct studies to verify the value of the plan
④ the plan should be considered carefully to ensure fairness

[Step 2] Take a position

問 3 Now that you understand the various viewpoints, you have taken a position on whether schools should switch to a four-day school week, and have written it out as below. Choose the best options to complete [3], [4], and [5].

Your position: A four-day school week is worth investigating.

- Authors [3] and [4] support your position.
- The main argument of the two authors: [5].

Options for [4] and [5] (The order does not matter.)

① A
② B
③ C
④ D
⑤ E

Options for [5]

① A four-day school week is a good way to test whether or not the idea will work for the rest of society.
② A four-day school week will help reduce the financial burden that parents of students face.
③ Many local businesses stand to benefit from the introduction of a four-day school week.
④ Reducing the number of hours when students are studying in formal situations will improve their general happiness.

[Step 3] Create an outline using Sources A and B

Outline of your essay:

The Pros and Cons of a four-day school week must be considered carefully

Introduction

Some schools in the United States have been experimenting with four-day school weeks. They have had interesting results. It may be too soon to say whether or not they are a success or a failure. However, the strengths and weaknesses should be investigated fully before a decision is made.

Body

Reason 1: [From Step 2]

Reason 2: [Based on Source A] ……… [6]

Reason 3: [Based on Source B] ……… [7]

Conclusion

The benefits of a four-day school week are too good to ignore, and we should weight them against the costs before making a decision.

Source A

Shifting to a four-day school week presents a significant benefit for educators: an extra day for lesson preparation and personalized student feedback. This change can lead to enhanced educational quality, which is surely more important than simple quantity. Teachers, with an additional day free from teaching duties, can devote more time to crafting engaging, effective lesson plans and providing individualized attention to students' learning needs. This focused approach is likely to lead to improved academic outcomes and a more tailored educational experience for students.

While the transition may involve some short-term challenges, both teachers and the educational system are capable of adapting to make this new schedule work effectively. Additionally, the reduced number of school days could create opportunities for businesses, which provide one-on-one education for students outside their regular schools.

Ultimately, the four-day school week could be a positive step towards a more focused and customized approach to education, where the time spent in school is optimized for quality learning experiences.

Source B

A survey was conducted in a US town to help decide whether or not they should switch to a 4-day school week. The survey asked the opinions of students themselves, parents, and staff members of the school.

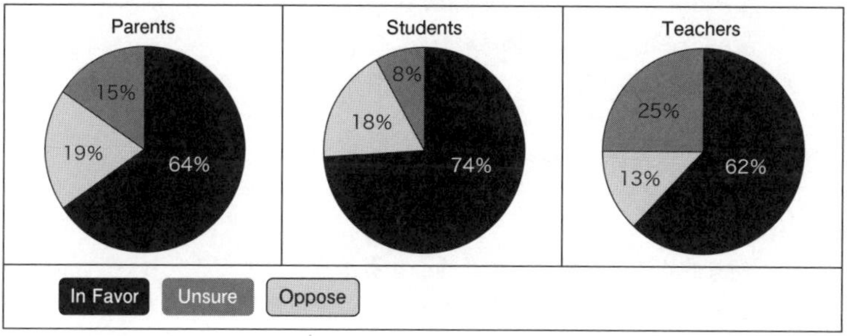

問 4 Based on Source A, which of the following is the most appropriate for Reason 2? [6]

① A four-day school week will provide teachers more time to get ready for lessons and comment on each student's work.
② Cram schools may be overwhelmed by the additional classes they have to include in their schedules.
③ The schools would not have enough time to teach their students any topics that are not purely academic.
④ The short-term challenges that teachers will face to make the change may not be easy to overcome.

問 5 For Reason 3, you have decided to write, "Support for the four-day school week is not absolute" Based on Source B, which option best supports this statement? [7]

① Around one in five parents oppose the four-day school week, which is surprising because teachers and students are both equally in favor of the idea.
② Although about three-quarters of students are in favor of a four-day school week, they also have the highest number of people who are against the idea.
③ A quarter of teachers, who are very aware of the academic challenges their students face, are uncertain about the decision to reduce the number of teaching days.
④ Almost two-thirds of the teachers surveyed would like to switch to a four-day school week, which shows that they are the biggest supporters of the idea.

問 1-3

訳 A

あなたは学校が週４日授業に切り替えるべきかどうかをテーマとしたエッセーに取り組んでいます。以下のステップを踏みます。

ステップ１：週４日授業に関するさまざまな観点を読んで理解する。

ステップ２：週４日授業に関する立場を決める。

ステップ３：追加資料を使ってエッセーの概要を作成する。

［ステップ１］**さまざまな資料を読む**

筆者 A（教師）

一部には、将来的に週４日勤務が標準的になるだろうと考える人もいる。AI の発達によって、短い時間で仕事を終えられるようになる職業の人もかなり出てくるだろう。もし学校がこの労働基準に従うと、生徒は週４日授業になるだろうが、それはあまり利点がないように思える。教師は意欲や指導や助言を与えるが、それをテクノロジーで効率的に代替できるとは思えない。それに、彼らの学習時間が減ることが心配だ。生徒たちには余分に宿題を出さざるを得なくなるだろう。 問 1-1

筆者 B（高校生）

来年は自分にとって高校最後の年で、大学入試に向けて一生懸命勉強しなければならない。政府が低所得家庭に経済支援を行うのでなければ週４日授業への切り替え計画には賛成できない。大学入試準備を補完するため、学校外の民間学習指導に頼る生徒が増えるはずだ。でも、私の両親が学校外の追加授業にお金を出してくれるかどうかは疑問だ。家庭が追加授業の費用を出せないというだけの理由で一部生徒が目的を達成できないのであれば、不公平になるだろう。 問 2

筆者 C（親）

学校に毎週４日間しか行かなくて済むようになれば、うちの娘が喜ぶことはわかっている。すべきことの多さに娘がいっぱいいっぱいになっている姿をよく見る。最近の学生は学校関連の活動が忙し過ぎて自分の時間を楽しめない。週４日労働が社会全体で採用されることを切に願う。 問 3-1 週４日授業への切り替えは、夫か私のどちらかがもう１日休んで家にいる必要を意味するが、これは社会全体が変わらなければ不可能だ。

筆者D（塾経営者）

私は、生徒が通っている学校の外で民間講師の個別指導を受けられるビジネスを経営している。週４日授業になれば教育界にも私のビジネスにもいい話だ。学校の休みが毎週１日増えると民間講師の授業を受ける子も増えるはずだ。親にとっては追加の経済負担がかかるが、プロ講師の個別指導を受けることは、生徒の必要に応じた個別の手助けが得られるので、出費に見合う価値がある場合が多い。問3-2　生徒は当塾の講師から個別対応を受けることで、より早くより少ない労力で学業目標に到達することができ、生活を楽しむために過ごす時間が増えることになる。問3-3

筆者E（学校長）

私は週４日しか授業をしないことには反対だ。教育者としては、何よりも生徒たちのためを考えなくてはならない。授業日を週４日に減らすと、生徒たちの自由時間が増え過ぎてしまう。これは親に高額な学校外活動の出費を強いることになりかねず、多くの家庭に経済的負担を負わせる。この問題を防ぐため、私たちは毎週５日目に何か代わりのプログラムを企画しなければならないかもしれない。問1-2　もちろんこれは、そうしたプログラムを円滑に進めるために追加の職員を雇うことを意味し、納税者に追加負担がかかる。それは、誰もが快く受け入れることではないだろう。

語句

［リード文］

four-day school week	熟 週４日授業制、（学校での）週休３日制
viewpoint	名 観点
position	名 立場、見解
outline	名 概要
additional	形 追加の
source	名 情報源、資料

［ステップ１］

［筆者A］

development	名 発達、進歩
enable ～ to (V)	熟 ～がVすることを可能にする、～がVできるようになる
profession	名 職業
motivation	名 動機、意欲
guidance	名 指導
doubt SV	熟 SVということを疑問に思う、SVではないだろうと思う
replace ～	他 ～にとって代わる
reduced	形 減らされた

［筆者B］

entrance examination	熟 入学試験
can only ～ if SV	熟 SVして初めて～できる、SVしなければ～できない
income	名 収入、所得
tutor	名（個別指導の）講師
achieve ～	他 ～を達成する
cannot afford to ～	熟 ～にお金をかける余裕がない

［筆者C］

overwhelm ～	他 ～を（数や量の多さで）圧倒する
deal with ～	熟 ～を処理する
school-related	形 学校関係の
spare time	熟 余暇、自分の時間
adopt ～	他 ～を採用する、～を取り入れる

［筆者D］

cram school	熟 塾
financial	形 金銭的な
individual	形 個人の、個別の

academic	形 学業の	costly	形 費用のかかる、高価な
［筆者E］			
principal	名 校長	burden ～	他 ～に負担をかける
welfare	名 幸福、福利	alternative	形 代わりの
above all else	熟 他の何よりも	facilitate ～	他 ～を円滑に進める
end up with ～	熟 ～という結果になる	go down well with ～	熟 ～に受け入れられる、～に気に入られる

まずは**リード文やステップから「テーマ」を把握**（❶）です。リード文から、「学校が週4日授業に切り替えるべきかどうか」がテーマだとわかります。3つのステップがあり、ステップ1「さまざまな観点を読んで理解する」、ステップ2「立場を決める」、ステップ3「追加資料を使ってエッセーの概要を作成する」です。一つずつステップを追って解答していきましょう。

問1 正解② **問題レベル【普通】 配点 3点**

設問 **筆者AとEの両者とも、［1］と述べている。**

選択肢
① 週4日授業は教師に生徒のためを考える機会を増やす
② 生徒には空いた時間を過ごすための追加の活動を何か与える必要がある
③ AIを活用した学習のおかげで、生徒たちは教室にいなくても勉強ができる
④ この計画の適性は、生徒が就きたい職業によって左右されそうだ

語句

fill one's time	熟 空いた時間をつぶす、時間を過ごす	suitability	名 適合性、適性
thanks to ～	熟 ～のおかげで	depend on ～	熟 ～次第である、～に左右される

設問より（❷）AとDの共通点を抽出する問題だとわかります。まずAの「先生」の意見を確認しましょう。1～2文目 Some people believe that in the future, a four-day workweek will become standard. Developments in AI will enable people in many professions to finish their work in less time.「一部には、将来的に週4日勤務が標準的になるだろうと考える人もいる。AIの発達によって、短い時間で仕事を終えられるようになる職業の人もかなり出てくるだろう」とあります。この部分はAの「主張」でしょうか。**「一部の人が信じていること」なので前置きですね。主張ではありません**（❸）。3文目 If schools follow this labor standard, I suppose students will have a four-day school week, which does not seem to offer many benefits.「もし学校がこの労働基準に従うと、生徒は週4日授業になるだろうが、それはあまり利点がないように思える」ここが主張ですね。主観を表す動詞 seem があります。後半の関係代名詞, which ～は but it ～「しかしそれは～」と解釈できます。Aは週4日授業に反対のようです。4文目 Teachers provide motivation, guidance, and advice that I doubt technology will be able to replace effectively.「教師は意欲や指導や助言を与えるが、それをテクノロジーで効率的に代替できるとは思えない」と、その理由として「教師にしかできないこと」を挙げ、最後に Moreover, I'm worried about their reduced study time. We would have to give our students extra homework.「それに、彼らの学習時間が減ることが心配だ。生徒たちには余分に宿題を出さざるを得なくなるだ

ろう」と理由を「追加」しています（Moreoverが「追加」の論理マーカーです）。整理すると以下のようになっています。

Aの意見
主張：週4日授業に反対
理由（1）：意欲や指導や助言を与えることはテクノロジーで代替不可
理由（2）：学習時間が減り、追加の宿題を出す必要が出てくる

次にEの「学校長」の意見です。1文目 I am against having school for only four days a week.「私は週4日しか授業をしないことには反対だ」と主張から始まっています。2～3文目 As educators, we have to think of the students' welfare above all else. If we reduce the school week to four days, students will end up with too much free time.「教育者としては、何よりも生徒たちのためを考えなくてはならない。授業日を週4日に減らすと、生徒たちの自由時間が増え過ぎてしまう」と理由を述べています。「自由時間が増え過ぎるのは生徒のためによくない」と考えているのですね。4文目以降では、学校外活動に関わる家庭の経済的負担増、週5日目のプログラムを企画する必要性とそれに伴う追加の職員雇用や税金の浪費、といったように、週4日授業が多方面に及ぼす悪影響に言及しています。整理します。

Eの意見
主張：週4日授業に反対
理由（1）：生徒たちの自由時間が増え過ぎる
理由（2）：生徒たちが学校外活動に参加するため家庭の経済的負担が増える
理由（3）：週5日目のプログラムを企画する必要性とそれに伴う学職員雇用や税金の浪費

Aの意見の理由（2）とEの意見の理由（3）がかぶっていますね。選択肢を確認すると、② students must be provided with some additional activity to fill their time「生徒には空いた時間を過ごすための追加の活動を何か与える必要がある」が正解だとわかります。①、③、④に関してはどちらも触れておらず誤りです。

問 2　正解④　**問題レベル【普通】　配点 3点**

設　問　**筆者 B は、[2] と示唆している。**

選択肢　① このような重要な決定を政府の関与なしに行うべきでない
② 週 4 日授業は高校の最終学年の生徒には向いていない
③ 政府がこの計画の価値を検証する調査を行うべきだ
④ この計画は公平性を確保するために慎重に検討すべきだ

語句

imply ～	他 ～とほのめかす、～を示唆する	study	名 研究、調査
suitable for ～	熟 ～に適している、～に向いている	verify ～	他 ～を検証する
		consider ～	他 ～を熟考する、～を検討する
conduct ～	他 ～を実施する	ensure ～	他 ～を確保する

設問より（❷）、B の意見を把握する問題だとわかります。B は「高校生」ですね。1 文目 Next year is my final year of high school, and I have to study hard for the university entrance examinations.「来年は自分にとって高校最後の年で、大学入試に向けて一生懸命勉強しなければならない」は**具体（個人の体験）で「前置き」ですね**（❸）。2 文目 I could only agree with the plan to switch to a four-day workweek if the government offered financial assistance to families with low income.「政府が低所得家庭に経済支援を行うのでなければ週 4 日授業への切り替え計画には賛成できない」は、一見賛成派の意見のように見えますが、仮定法を使っており、only agree ... if ～「(可能性は低いが) ～の場合のみ賛成」→「(実際には) ～しないだろう、なので賛成ではない」ということで反対派です。理由としてはここでも挙げているように「経済的な支援」が関係しているようです。3 文目以降で「大学入試準備のために学校外の民間学習指導に頼る生徒が増えるだろうが、家庭によってはその費用を捻出できないので不公平だ」と具体的な説明が続いています。整理します。

B の意見
主張：週 4 日授業に反対
理由：経済格差により大学入試準備に不公平が生じかねない

選択肢を確認すると、④ the plan should be considered carefully to ensure fairness「この計画は公平性を確保するために慎重に検討すべきだ」が最も近いことがわかります。①や③は共に the government「政府」に関する言及をしていますが、本文では「政府が経済支援を行うのでなければ」という文脈でしか政府は出てきておらず不正解。② a four-day workweek is not suitable for students in the final year of high school「週 4 日授業は高校の最終学年の生徒には向いていない」は、B 自身が高校最後の年だと言っているだけで、意見の中で述べている内容は最終学年の生徒に限った話ではないので不正解です。

［ステップ2］**立場を決める**

問3 正解 3 4 ③・④（順不同） 5 ④ **問題レベル【普通】 配点 3 4 すべて正解で3点、5 3点**

設問 **さまざまな観点を理解したので、あなたは学校が週4日授業に切り替えるべきかどうかに関して立場を決めて、下のように書き出しました。 3 4 5 に最もふさわしい選択肢を選びなさい。**

あなたの立場：週4日授業は調査する価値がある。

・筆者 3 と 4 があなたの立場の裏付けとなる。

・この2人の筆者の主な論点： 5

選択肢 3 と 4（順不同）

① A ② B ③ C ④ D ⑤ E

選択肢 5

① 週4日授業は、このアイデアが社会の他の部分でもうまくいくかどうかを試すのにいい方法だ。

② 週4日授業は、生徒の親が直面する金銭的負担を減らす役に立つだろう。

③ 多くの地元企業が週4日授業の導入から利益を受ける立場にある。

④ 生徒が公的な場で勉強する時間数を減らすことは、彼らの全体的な幸福を向上させる。

語句

worth (V)ing	熟 Vするだけの価値がある	burden	名 負担
		face ～	他 ～に直面する
investigate ～	他 ～を調査する	stand to (V)	熟 Vする立場にある

設問より（❷）、自分の立場の裏付けとなる意見を探せばいいことがわかります。自分の立場は明確に理解できましたか。Your position: A four-day school week is worth investigating.「あなたの立場：週4日授業は調査する価値がある」。「検討の余地がある」ということですね。その根拠となる意見なので、「メリット」を探しましょう。すでに問2よりA、B、Eが反対派で特にメリットが述べられていなかったので、自分の立場の裏付けとなる意見を与えてくれていそうなのはCとDではないかと予測がつきますね。

まずCは「親」です。1～2文目 I know my daughter would be glad if she only had to go to school for four days every week. I often see her overwhelmed by all of the things she has to deal with.「学校に毎週4日間しか行かなくて済むようになれば、うちの娘が喜ぶことはわかっている。すべきことの多さに娘がいっぱいいっぱいになっている姿をよく見る」より、**具体始まりだということがわかります。前置きですね**（❸）。3文目 These days, students seem too busy with school-related activities to enjoy their spare time.「最近の学生は学校関連の活動が忙し過ぎて自分の時間を楽しめない」では、自身の子どもについてだけでなく、「最近の学生」に話を広げているので主張につながりそうです。「最近の学生は忙し過ぎるので週4日授業に賛成」ということなのでしょう。しかし、4～5文目 I just hope that the four-day school week is adopted throughout society. Switching to a four-day work week means either my husband or I would need to be at home on the extra day off, but this will be impossible unless society as a whole changes.「週４日労働が社会全体で採用されることを切に願う。週４日授業への切り替えは、夫か私のどちらかがもう１日休んで家にいる必要を意味するが、これは社会全体が変わらなければ不可能だ」より、「賛成だが学校だけではなく社会全体で採用してくれないと困る」という「条件付き賛成」なのだとわかります。整理します。

Cの意見 主張：週４日授業に条件付き賛成 理由：学生が忙し過ぎて自分の時間を楽しめていない 条件：社会全体で週４日制が採用されること

次にＤは塾経営者です。１文目 I operate a business where students get one-on-one coaching from private teachers outside their regular schools.「私は、生徒が通っている学校の外で民間講師の個別指導を受けられるビジネスを経営している」より、**具体始まりで前置きです**（❸）。２〜４文目 Switching to a four-day school week would be great for education and my business. I am sure that more children would attend classes with private tutors if schools were closed an extra day each week. Although it puts additional financial pressure on parents, attending schools with professional tutors is often worth the money because they provide the individual help that students need.「週４日授業になれば教育界にも私のビジネスにもいい話だ。学校の休みが毎週１日増えると民間講師の授業を受ける子も増えるはずだ。親にとっては追加の経済負担がかかるが、プロ講師の個別指導を受けることは、生徒の必要に応じた個別の手助けが得られるので、出費に見合う価値がある場合が多い」と塾に通うことの利点を強調し、週４日授業に賛成しています。最終文では The personal attention students get from my tutors helps them achieve their academic goals more quickly and with less effort, allowing them to spend more time enjoying their lives.「生徒は当塾の講師から個別対応を受けることで、より早くより少ない労力で学業目標に到達することができ、生活を楽しむために過ごす時間が増えることになる」と学習効果の高さから結果的に生徒が自分の時間を楽しめる、としています。整理します。

Dの意見 主張：週４日授業に賛成 理由：塾での効果的な学習により、余った時間を楽しめる

以上より、やはり「賛成派」は③ＣとⒹＤ、そして２人の論点は「生徒が自分の時間を持てる」なので、④ Reducing the number of hours when students are studying in formal situations will improve their general happiness.「生徒が公的な場で勉強する時間数を減らすことは、彼らの全体的な幸福を向上させる」が適切だとわかります。①、②、③はＣもＤも述べていない意見なので消去法でも解けます。

問 4－5

訳 ［ステップ3］資料A・Bを使って概要を作成する
あなたのエッセーの概要：

週4日授業の賛否を慎重に検討する必要がある。

導入部
アメリカの一部の学校は週4日授業を試行している。面白い結果が出ている。それが成功か失敗か断言するのは早過ぎるかもしれない。しかし、判断を下す前に長所と短所をしっかり調査するべきだ。

主文
理由1：［ステップ2より］
理由2：［資料Aに基づいて］…… 6
理由3：［資料Bに基づいて］…… 7

結論
週4日授業の利点はとても良くて無視できないので、判断を下す前にコストと比較検討すべきである。

資料A
週4日授業への移行は教育者に、大きな利益をもたらす：授業の準備と個々の生徒へのフィードバックに使う日が1日増えるのだ。問4 この変更は教育の質を高めることにつながる可能性があり、それは単純な量よりも確実に重要だ。教える務めから1日余分に解放される教師は、興味を引く効果的な授業を考案したり、生徒たちの学習ニーズに個々に目を向けたりすることに、もっと時間を割くことができる。このように焦点を絞ったアプローチは、学業成績の向上や生徒に合わせた学習経験につながる可能性が高い。
移行には短期的な課題が伴うかもしれないが、教師も教育制度も、この新日程をうまく機能させるための適応力を有している。さらに、授業日数が減ることで、通っている学校以外で生徒に個別指導を提供するビジネスにはチャンスが生まれるかもしれない。
結局のところ、週4日授業は、より集中的で個々に合わせた教育アプローチへの一歩となり得るものであり、そうした状況で、学校で過ごす時間は質の高い学習経験のために最大限に活用されるのだ。

資料B

週4日授業に移行すべきかどうかの判断の助けとするため、あるアメリカの町で調査が行われた。調査では、生徒自身、親、学校職員に質問をした。

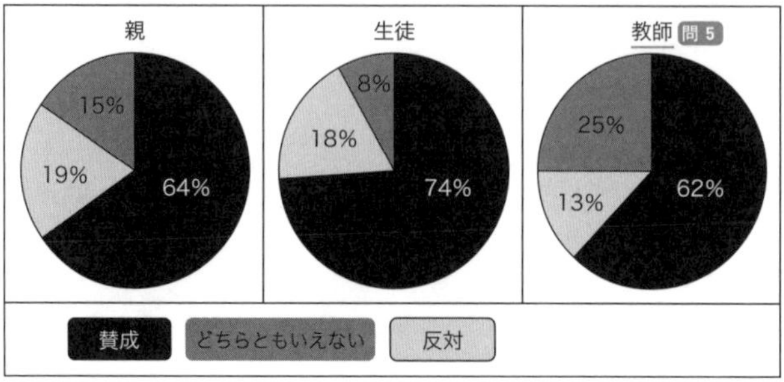

語句

［あなたのエッセーの概要］

experiment with ～	熟 ～を実験的に行う、～を試行する
conclusion	名 結論
ignore ～	他 ～を無視する
weight A against B	熟 AとBを天秤にかける、AとBを比較検討する

［資料A］

significant	形 重大な
personalized	形 個別の
feedback	名 フィードバック、反応、評価
enhance ～	他 ～を高める、～を強化する
quality	名 質、形 上質な
quantity	名 量
devote A to B	熟 AをBに充てる
craft ～	他 ～を（注意を払って）作る
engaging	形 人を引き付けるような、興味をそそる
outcome	名 成果、業績
tailored	形 状況に合わせた、個々に合わせた
transition	名 移行
short-term	形 短期の
adapt to ～	熟 ～に適応する
ultimately	副 最終的には、結局のところ
customized	形 特注の、要求に合わせてあつらえた
optimized ～	他 ～を最大限に活用する

［資料B］

in favor	熟 賛成して
unsure	形 よくわからない

問4 正解① **問題レベル【普通】 配点 3点**

設問 **資料Aに基づくと、理由2に最もふさわしい選択肢は次のうちどれか。** 6

選択肢 ① 週4日授業は教師に対して、授業の準備と生徒一人一人の学習状況へのコメントに使う時間をより多く与えるだろう。

② 塾はスケジュールに入れる追加の授業のせいで多忙を極めるかもしれない。

③ 学校は、純粋な学業ではない問題について生徒に教える時間が十分持てなくなるかもしれない。

④ 変更を行うために教師が直面する短期的な課題は、乗り越えるのが簡単ではないかもしれない。

語句
appropriate 形 適切な、ふさわしい
overwhelm ～ 他 ～を（量の多さなどで）圧倒する、～を対応し切れなくさせる
overcome ～ 他 ～を克服する、～（困難）を乗り越える

さあ、いよいよステップ3です。エッセーを書いていきます。エッセーのタイトルはThe Pros and Cons of a four-day school week must be considered carefully.「週4日授業の賛否を慎重に検討する必要がある」です。Pros「賛成の意見」もCons「反対の意見」も述べて比較検討するエッセーのようですね。**設問によると**（❷）資料Aを読む必要があることがわかります。今回はエッセーのタイトルにもあるように**「賛成派」「反対派」とはっきりしていないので、狙い読みがしにくい**です。ですが「根拠」とすべき意見なので**「週4日授業のメリット」「週4日授業のデメリット」のいずれかの根拠を探すという意識は持って読んでいきましょう**（❹）。

1文目はShifting to a four-day school week presents a significant benefit for educators: an extra day for lesson preparation and personalized student feedback.「週4日授業への移行は教育者に、大きな利益をもたらす：授業の準備と個々の生徒へのフィードバックに使う日が1日増えるのだ」と週4日授業の利点が述べられています。早速メリットがきましたね。この段落はこの点が深められるだけなのをざっと確認して選択肢を確認しましょう。① A four-day school week will provide teachers more time to get ready for lessons and comment on each student's work.「週4日授業は教師に対して、授業の準備と生徒一人一人の学習状況へのコメントに使う時間をより多く与えるだろう」とあり、ぴったりなので①を正解にします。

早速答えが出ましたが、英文は段落の1文目にトピックセンテンスがあることが多いので、今回のように1文目から段落全体の内容がわかった場合は、そこで答えが選べてしまうことは珍しくありません（もちろん、前置きの可能性もあると考えるとざっと段落全体を流し読みするくらいはした方がいいですが）。なお、選択肢②は「週4日のメリット・デメリット」に無関係なので、選択肢を見た瞬間に意見を組み立てる根拠として不適切だと判断できます。③はnot purely academicがどこにも言及されていないので×。④は第2段落1文目While the transition may involve some short-term challenges, both teachers and the educational system are capable of adapting to make this new schedule work effectively.「移行には短期的な課題が伴うかもしれないが、教師も教育制度も、この新日程をうまく機能させるための適応力を有している」より不適切です。

問5　正解③　**問題レベル【普通】　配点 3点**

設問 **理由3として、あなたは「週4日授業への支持は絶対ではない」と書くことにした。資料Bに基づくと、この記述の裏付けとして最もふさわしいのはどの選択肢か。** 7

選択肢 ① 親のおよそ5人に1人が週4日授業に反対しているが、教師と生徒の両方がこの案に同じぐらい賛成しているので意外なことである。

② 生徒のおよそ4分の3が週4日授業に賛成してはいるが、この案に反対している人の数も一番多い。

③ 生徒が直面する学業面の問題をよく知る立場である教師の4分の1は、授業日数を減らす判断に関してどちらともつかずにいる。

④ 調査に参加した教師の3分の2近くが週4日授業への変更を望んでおり、彼らがこの案の最大の支持者であることが示されている。

設問によると（❷）、理由3としてSupport for the four-day school week is not absolute「週4日授業への支持は絶対ではない」という主張で根拠を組み立てること、資料Bを描写する適切な英文を選ぶ必要があることがわかります。選択肢を一つずつ確認していきましょう。

① Around one in five parents oppose the four-day school week, which is surprising because teachers and students are both equally in favor of the idea.「親のおよそ5人に1人が週4日授業に反対しているが、教師と生徒の両方がこの案に同じぐらい賛成しているので意外なことである」は後半が間違っています。教師は62%が賛成、生徒は74%が賛成で、5人に1人（=20%）よりはるかに多い人数です。

② Although about three-quarters of students are in favor of a four-day school week, they also have the highest number of people who are against the idea.「生徒のおよそ4分の3が週4日授業に賛成してはいるが、この案に反対している人の数も一番多い」は後半が間違っています。反対している人の数が最も多いのは親（19%）で、生徒（18%）よりも1%多いです。

③ A quarter of teachers, who are very aware of the academic challenges their students face, are uncertain about the decision to reduce the number of teaching days.「生徒が直面する学業面の問題をよく知る立場である教師の4分の1は、授業日数を減らす判断に関してどちらともつかずにいる」は教師の25%がUnsure「どちらともいえない」と答えているので、正しいですね。これが正解です。

④ Almost two-thirds of the teachers surveyed would like to switch to a four-day school week, which shows that they are the biggest supporters of the idea.「調査に参加した教師の3分の2近くが週4日授業への変更を望んでおり、彼らがこの案の最大の支持者であることが示されている」は後半が誤りです。最大の支持者は生徒（74%）で、教師（62%）より12%多いです。

共通テスト
英語リーディング
実戦模擬試験

正解と解説

この模擬試験は、令和７年度大学入学共通テスト試作問題モニター調査（2022年12月実施）と同様の出題項目・同等の難易度で作成されています。以下に、理想の時間配分を記します。時間が足りなかった人は、この時間配分で再度挑戦してみてください。
ここで間違えた問題はそのままにせず、該当の「型」のページに戻って復習しましょう。

問題番号	目標解答時間	充てた問題
第１問	３分	2024年までの第１問Ｂ
第２問	７分	2024年までの第２問Ｂ
第３問	５分	2024年までの第３問Ｂ
第４問	８分	試作問題Ｂ
第５問	10分	2024年までの第４問
第６問	15分	試作問題Ａ
第７問	15分	2024年までの第５問
第８問	15分	2024年までの第６問Ｂ

第1問［解説］

問 1－3

訳 あなたと友人たちは、学生バンドを結成しています。あなたは、近く行われるコンテストの次のようなチラシを見ました。

バンド決戦
トリプルVラジオにアルバムをプロデュースしてもらおう！

ブリスベーンの最優秀若手バンドを発掘するコンテストが7月12日と13日に開催されます。
このイベントはブリスベーン市のシェフィールド・ホールで行われます。
このコンテストはブリスベーンの高校に在籍する生徒だけを対象としたものです。

◆応募方法

・4月7日に、ブリスベーン市内の音楽教師全員に応募用紙が送付されました。ご自身の学校の音楽の先生から一部もらってコンテスト主催者まで送ってください。
・主催者が5月1日から応募を受け付けます。応募は5月中に限って受け付けます。問1
・応募に100ドルの費用がかかります。このお金は会場料などのイベント開催費の支払いに使われます。払い込みは、応募用紙に記載された銀行口座情報を使ってオンラインで行ってください。問2①
・オーディション動画を主催者に提出していただきます。www.bnebob.org.au/auditions に動画をアップロードしてください。問2③

◆コンテスト日程

7月12日	出場者たちが、ブリスベーン市のシェフィールド・ホールで生の聴衆を前に演奏します。バンドには午前9時に演奏スケジュールをお伝えします。問3-1 全バンドとも、午前9時から午後3時まで会場にいていただきます。10組のバンドに、7月13日の決勝ラウンド出場のためもう一度来てもらうことになります。そのうち1組が優勝者として選ばれます。
7月13日	この日の演奏はオンライン放送されます。問2④ 7月12日に選ばれた決勝出場者は、午後3時までにホールに到着していなければなりません。その時間にバンドの演奏順が発表されます。問3-2 優勝者はオンライン視聴者の投票によって選ばれます。最後の演奏の後で優勝バンドが発表されます。

◆賞品
優勝バンドは、トリプルVラジオのレコーディングスタッフによって、プロデビュー向けにアルバムがプロデュースされます。

語句

［チラシ］		audition	名 オーディション
［本文］		［コンテスト日程］	
enrolled in ～	熟 ～に在籍している	contestant	名 コンテスト出場者
［参加方法］		performance	名 パフォーマンス、演奏
application	名 申し込み	present	形 出席した、その場にいた
organizer	名 主催者	broadcast ～	他 ～を放送する（過去形、過去分詞も同形） 名 放送
venue	名 会場		
bank account	熟 銀行口座		

問 1 正解③ **問題レベル【易】 配点 2点**

設 問 コンテストに応募できる期間は 1 。

選択肢 ① 4月7日から5月1日まで
② 4月7日から7月31日まで
③ 5月1日から5月31日まで
④ 7月12日から7月13日まで

【告知文読解問題】を攻略する「視線の型」(p. 34参照)、「言い換えの型」(p. 48参照) でしっかり得点できましたか。設問や問題文の該当個所を自分の言葉にして理解しておくと、解答しやすくなるのでしたね。

設問の You can enter the contest は直訳すると「コンテストに入ることができる」ですが、わかりにくいですね。「応募できる」と理解しやすい言葉に直して頭に入れておきましょう。その小さな意識で言い換えに気付きやすくなります。How to Enter の２つ目の項目で、Organizers will be accepting applications from May 1. Applications will only be accepted during May. とあります。「５月１日から応募受付」「応募は５月中」とのことなので、選択肢③が正解です。

問 2 正解② **問題レベル【易】 配点 2点**

設 問 次のうちオンラインでできないことはどれか。 2

選択肢 ① 応募費用を払う
② 応募用紙を入手する
③ デモンストレーション動画を提出する
④ コンテストの放送を見る

語句 obtain ～ 他 ～を入手する　demonstration 名 実演してみせること

選択肢を一つずつ確認していきましょう。①応募費用の支払いに関しては How to Enter の

3つ目にPayment should be made onlineとあるようにオンラインでする必要があります。②の応募用紙に関してはHow to Enterの1つ目にapplication forms were sent to every music teacher、Ask your music teacher for a copyとあるように、先生からコピーをもらうようです。オンラインでできると書かれていないので、②が正解です。③デモンストレーション動画の提出に関しては、How to Enterの4つ目に、You can upload the video at www.bnebob.org.au/auditions. とあるように、ネット上にアップするのでオンラインで行う作業です。④放送を見る、に関してはContest ScheduleのJuly 13の1文目にThe performances on this day will be broadcast online. とあるようにオンラインで視聴できるようです。

問3 正解④ **問題レベル【易】 配点 2点**

設問 **コンテストの両日とも、バンドメンバーは [3] 。**

選択肢 ① オンライン視聴者に投票してもらう
② 3時に主催者とのミーティングのため集まる
③ 演奏がオンラインで放送される
④ 演奏順の情報をもらう

設問にOn both daysとあるので、Contest Scheduleを両方とも確認し共通して書かれていることを探します。正解は④です。July 12の2文目にBands will be given a performance schedule at 9:00 A.M. とあり、「演奏のスケジュールをもらう」ということは演奏順がわかるということですし、July 13の3文目にThe order in which the bands perform will be announced at that time. とあるように当日演奏順がわかる、と書かれています。①視聴者の投票、②3時の集合、③オンライン放送、いずれもJuly 13のみのことなので不正解です。

第２問［解説］

問 1－5

訳 あなたは学校の生徒会のメンバーです。今年の課題の計画を立てるために、昨年の夏休みの課題についてのレポートを読んでいます。

夏休みチャレンジ

去年、生徒会が夏休み明けに、学内の生徒に対して時間をどう使っていたか調べるアンケートを実施しました。群を抜いて一番多かった活動は、ビデオゲームをすることと宿題をすることでした。それは何も悪くないのですが、そのアンケートでは、生徒たちが休みの終わりに全く達成感を得られなかったという結果も示されていました。私たちは、それぞれの生徒に夏休み中に達成する目標を自分で設定してもらったら面白いのではないかと考えました。目標を検討する際には、役に立つ新しい能力が身に付くようなことを考えてほしいと頼みました。問1 約240人の生徒が参加してくれました。半数近くが１年生でした。約30パーセントが２年生、残りが３年生です。問2　３年生の参加が少なめだったのはなぜでしょうか。

寄せられた感想が、それを明らかにしていました。問5-1

参加者からの感想

AD：このチャレンジはとても気に入りました。オンラインの実践動画を使って、いろいろな種類の料理の作り方を覚えました。問3 D　このスキルは来年、一人暮らしをするときに役立ちそうです。

LB：目標に向かって続けるのは大変だと思いましたが、進行表のおかげで意欲を保つことができました。問3 A　他の人たちの進み具合と比較することができたら役に立っただろうにと、思います。

MA：自分がプログラミングをこんなに覚えることができたなんて驚きでした。どの宿題を終わらせたか記録しておくための、ちょっとしたアプリまで自作しました。

SK：新しく外国語を勉強しようと思ったのですが、一緒に練習する相手がいないため、やる気を保つのが難しかったです。コーディネーターが私たちに身に付けるスキルを提案してくれたらよかったのに。問4

TR：他の学年に比べて、私の学年は参加者が少なめでした。そのうち何人かは、大学入試に専念したいのだと話してくれました。問5-2

語句

［レポート］
［本文］

student council	熟 生徒会
survey	名 アンケート調査
fellow	形 仲間の、同じ立場の
by far	熟 群を抜いて、断然
sense of achievement	熟 達成感
consider ～	他 ～を考慮する

valuable	形 価値のある、役に立つ		を諦めない
take part	熟 参加する	motivated	形 やる気のある、意欲的な
feedback	名 感想、意見	app	名 アプリ
[参加者からの感想]		keep track of ～	熟 ～の経過を追う、～の記録を付ける
participant	名 参加者		
video tutorial	熟 動画による説明、指導動画	coordinator	名 コーディネーター、取りまとめ役
come in handy	熟 役に立つ、重宝である	compared with ～	熟 ～に比べると、～と比較して
stick to ～	熟 ～をやり通す、～	entrance test	熟 入学試験

問 1　正解①　**問題レベル【易】　配点 2点**

設問 **夏休みチャレンジの狙いは、[4]ことだった。**

選択肢 ① 生徒たちに新しいスキルを伸ばすよう勧める
② 生徒たちに友だちと一緒の時間を過ごす機会を与える
③ 生徒たちが勉強に費やす時間を増やす
④ 生徒たちがゲームをする時間を減らす

語句 opportunity 名 機会、チャンス

【事実／意見問題】を攻略する「視線の型」(p. 62、98参照)、「意見読み取りの型」(p. 80参照)、「事実読み取りの型」(p. 114参照) を活用できましたか。

本文より The aim of the Summer Holiday Challenge を**狙い読み**していきます。第1段落5文目に When considering a goal, we asked them to think about gaining a valuable new ability. とあることより、新しい能力を身に付けることを考えてもらいたいことがわかります。選択肢①が正解です。本文の a valuable new ability が選択肢では new skills に**言い換え**られています。

問 2　正解①　**問題レベル【普通】　配点 2点**

設問 **夏休みチャレンジに関する事実の一つは、[5]ということだ。**

選択肢 ① 参加者のうち約20パーセントが3年生だった
② 1年生の全員が参加に同意した
③ 2年生よりも1年生の参加生徒の方が少なかった
④ 主催者が参加者のために学ぶスキルを選んだ

第1段落6～8文目に About 240 students took part. Just under half were in Grade One. About 30 percent were in Grade Two and the rest were in Grade 3. とあります。約240人中で半数近く、つまり50パーセント近くが1年生、約30パーセントが2年生で残りは3年生とのことなので、3年生は約20パーセントということがわかります。よって正解は①です。

問 3　正解③　**問題レベル【易】　配点 2点**

設　問　**感想によると、[6] が参加者の報告にある活動だった。**

A：学習記録をつけること　**B：個別指導を受けて練習すること**
C：図書館の本を使うこと　**D：オンラインの学習素材を使うこと**

選択肢　① AとB　② AとC　③ AとD　④ BとC　⑤ BとD　⑥ CとD

設問より、「参加者からの感想」を読めばよいのだとわかります。Feedback from participantsの1つ目、ADさんがまず I learned how to cook different types of dishes using online video tutorials. と言っているので、Dは参加者の活動の一つです。online video tutorialsがonline learning resourcesに言い換えられています。また、2つ目のLBさんのコメントでthe progress chart helped me to stay motivatedとあるので、学習記録をつけていたことがわかります。Aのkeeping a learning recordに該当しますね。よって、AとDの③が正解です。

問 4　正解①　**問題レベル【普通】　配点 2点**

設　問　**夏休みチャレンジに関する参加者の意見の一つは、[7] ということである。**

選択肢　① 推奨されるスキルの一覧が必要だった
② プログラミングは全員が身につけるべき重要スキルだ
③ 生徒たちは進行度で一番を競っていた
④ 生徒たちは一人暮らしのためのスキルを身につけるべきだった

問3と同じように、設問から、「参加者からの感想」を読めばよいのだとわかります。Feedback from participantsの4つ目SKさんのコメント「新しい言語を学ぼうとしたが一人ではモチベーションを保つことが難しかった」「学ぶべきスキルについての提案が欲しかった」は、外国語学習は今回の夏休みチャレンジで取り組むのが難しかったので、最初からチャレンジに向いているであろうスキルの提案があればよかった、ということです。I wish ...と「思う系動詞」が使われているので、意見だと判断しやすかったですね。この部分を言い換えた選択肢①が正解です。

問 5　正解④　**問題レベル【普通】　配点 2点**

設　問　**筆者の疑問に答えているのは [8] だ。**

選択肢　① AD　② LB　③ SK　④ TR

設問の「筆者の疑問」というのは、第1段落最終文のWhat made Grade Three students less likely to participate? ですね。3年生の参加率が低かった理由に言及しているコメントを**狙い読み**しましょう。Feedback from participantsの一番最後、TRさんのコメントで、TRさんの学年の参加者が少なかった理由は大学の入学試験に集中したかったから、とありますが、「他の学年に比べて参加者が少ない」という情報からこのTRさんの言及している学年は3年生だと推測でき、「大学の入試に集中したい」が参加率が低かった理由だと考えられます。よって正解は④です。

第3問［解説］

問 1－3

訳 あなたの学校の英語クラブで、週末の楽しいアクティビティとしてジオキャッシングに挑戦します。その準備のために、あなたは最近ジオキャッシングに挑戦した人のブログを読んでいます。

ジオキャッシングを楽しもう

[第1段落]
去年、私は家族をジオキャッシングの冒険に連れ出した。ジオキャッシングとは、GPS を使って、隠された「キャッシュ」を探すアクティビティだ。キャッシュは場所を示すだけのものだ。1つ見つけたら、写真を撮ってログブックに署名する。

[第2段落]
自分のスマホのジオキャッシングアプリを使って、私は自分の地域でジオキャッシュが行われている場所を見つけた。それは「謎解きキャッシュ」だった。つまり、キャッシュを見つけると、解くべき問題が出されるものだ。その解答が次のキャッシュを探すヒントになる。アプリによると、謎は6つあり、全部のキャッシュを徒歩で探すのに4時間ほどかかるはずだという。

[第3段落]
私たちは日曜日の午後、昼食後に出掛けた。息子のグレッグは水曜日にスマホをなくしていた。問1④　幸い、新しいものが日曜日の朝、ぎりぎり間に合って届いた。

[第4段落]
妻のケイトはこの冒険に参加したがらなかったが、終わったときにメールを送れば迎えに来てくれることには同意した。グレッグが新しいスマホでそれをすることで合意した。問1③-1

[第5段落]
グレッグはとても楽しみにしていたが、娘のミスティーは興味がなかった。一緒に来るよう説得するのも一苦労だった。問3-1　しかし時間がたつにつれ、アクティビティに対するグレッグの熱意がどんどん冷めてきた。妹が不満を言っているせいかと思ったが、そうではなかった。新しい靴のせいだった。靴のせいで足が痛かったのだ。私が背中におぶってやると、急に元気が出てきた。問1②

[第6段落]
3つ目の手掛かりを見つけたとき、グレッグにはそれが解けず、私はそれが解けないふりをした。ミスティーがすぐに答えを当てた。その後は、彼女が自ら先頭に立って次の手掛かりへと私たちを励ました。彼女はずっとにこにこしていた。問3-2

[第7段落]
もしあなたもこれをやってみるつもりなら、思った以上に時間がかかる場合に備えて、おそらく午前中にスタートした方がいいだろう。問2　私たちが最後のキャッシュを見つけたときには暗くなりかかっていた。30分後、ケイトが車で到着した。問1③-2　彼女は私たちをピザのレストランに連れて行ってくれた。夕食の間に子どもたちが、次の冒険に参加するよう彼女を説得した。問1①

語句

[リード文]

geocaching	名 ジオキャッシング

[ブログ]

discover ～	他 ～の良さを見つける、～を楽しむ

[第1段落]

involve ～	他 ～を含む
GPS	略 = global positioning system（全地球測位システム）
cache	名 隠されたもの、隠し場所
log book	熟 ログブック（発見したことを示すための記録用紙）

[第2段落]

puzzle	名 謎
solution	名 解答

[第3段落]

thankfully	副 ありがたいことに

[第4段落]

pick ～ up	熟 ～を車に乗せる

[第5段落]

convince ～	他 ～を説得する
come along	熟 一緒に来る
as the day progresses	熟（その日のうちの）時間がたつにつれ
case	名 真相、事実
brighten up	熟 明るくなる

[第6段落]

clue	名 手掛かり
work ～ out	熟 ～を解明する
pretend that SV	熟 SVであるふりをする

[第7段落]

in case SV	熟 SVである場合に備えて

問1　正解　[9] ④　[10] ②　[11] ③　[12] ①

問題レベル【普通】　配点 3点（すべて正解で）

設問　**次の出来事を起こった順番に並べなさい。** [9] → [10] → [11] → [12]

選択肢
① 母親がジオキャッシングに行くことに同意した。
② 父親が息子を背負った。
③ 母親が息子からのメールを受け取った。
④ 息子が携帯電話を見つけられなかった。

語句　mobile phone　熟 携帯電話

【ストーリー型記事読解問題】を攻略する「視線の型」(p. 156参照)、「並べ替えの型」(p. 170参照）が生きる問題です。出来事の順番を答える問題は選択肢まで先に読んでキーワードだけでもチェックしておくと早く正確に解けるのでしたね。

選択肢を先に読んで本文に入りましょう。まず①は、第4段落で母親は、今回のジオキャッシングの参加は拒否していることがわかりますが、今回のジオキャッシングの後、夕食の間に子どもたちが次回は参加するよう母親を説得しています（第7段落最終文)。よって一番最後です。②は第5段落最終文に書かれています。父親が息子を背負ったのはジオキャッシングの最中のことです。③は第4段落より、息子から母親へのメールは帰る時のお迎えの連絡とわかるので、ここで②→③の順番だとわかります。最後に④は第3段落によるとジオキャッシングの前のことだとわかります。よって、④→②→③→①の順です。

問2　正解③　**問題レベル【普通】　配点 3点**

設問 **あなたがこの父親の助言に従ってジオキャッシングをするのであれば、[13]べきだ。**

選択肢
① ハイキングに合った新しい靴を買う
② 1年のその時期の暗くなる時間をチェックする
③ 昼前に冒険を開始する
④ 冒険に出発する前に昼食をとる

語句 suitable for ～　熟 ～に合った

父親の読者へのアドバイスは最終段落1文目にIf you're going to do this, you should probably get started in the morning in case it takes longer than you expected.「もしあなたもこれをやってみるつもりなら、思った以上に時間がかかる場合に備えて、おそらく午前中にスタートした方がいいだろう」とあります。ここから③が正解だとわかります。①は、靴のせいで息子が足を痛がったという記述はありますが、読者に助言をしているわけではないので不正解。②④については記述がないため、これらも不正解です。

問3　正解②　**問題レベル【普通】　配点 3点**

設問 **この話から、娘が[14]ことがわかる。**

選択肢
① ジオキャッシングの冒険を台無しにしたと母親を責めた
② このアクティビティに対する態度をすっかり変化させた
③ ジオキャッシングの冒険に父親と一緒に参加したことを後悔した
④ 父親が解けなかった問題を解いた

語句

blame ～ for (V)ing	熟 Vしたことで～を責める	attitude	名 態度
ruin ～	他 ～を台無しにする	regret (V)ing	熟 Vしたことを後悔する

娘の行動や心情を**狙い読み**していきましょう。第5段落1文目でmy daughter Misty was not interestedとあるように、最初は興味を示していなかったことがわかります。しかし第6段落3～4文目でAfter that, she made herself our leader and encouraged us to get to the next clue. She was smiling the whole time.「その後は、彼女が自ら先頭に立って次の手掛かりへと私たちを励ました。彼女はずっとにこにこしていた」とあることから、最後は楽しんでいたことがわかります。よって正解は②です。①③については記述がないので不正解です。④に関しては、心情の変化は問題を解いたことがきっかけですが、この問題は第6段落1文目でI pretended that I couldn'tとあることから、父親は解けないふりをしていただけで、実際に解けなかったわけではないので不正解です。

第４問［解説］

問 1－4

訳 英語のクラスで、あなたは自分が興味を持つ社会問題に関してエッセーを書いています。以下は一番新しい草稿です。今は、先生からのコメントに基づいて修正に取り組んでいます。

ストリートアートと都市開発	コメント
ストリートアートは都市開発の強い力として登場した。それは、コミュニティーに元気を与え、団結を促し、地域文化に貢献し得る芸術表現の一形式だ。落書きと違って、ストリートアートは、退屈な都市環境を活力のある楽しい場に変容させる力で評価されている。	
ストリートアートは、特徴のない壁を、物語を伝えたり地元の歴史を称えたり社会問題に光を当てたりする芸術作品に変えて、活気のない区域に命を吹き込む。この視覚芸術は、観光客も地域住民も同じように呼び寄せて、経済回復の刺激にもなる。問 1-1 (1)∧住民の間に誇りと当事者意識を育む力にもなる。問 1-2 都市は進化するので、ストリートアートは都市計画の創造力を見せてくれる。このエッセーでは都市空間でストリートアートを推進する３つの方法を取り上げる。	(1) ここに接続表現を入れること。
(2) 指導者たちにストリートアートと落書きの違いを示す必要がある。市の指導者たちなら、ストリートアーティストが特定の壁や区域に、創造性を高めつつ公共財産や私有財産に尊敬を払いながら自由に絵を描くことを合法とすることができる。問 2	(2) このトピックセンテンスはこの段落にあまり合っていません。書き直すこと。
ストリートアート祭やコラボ企画を開催すれば、アーティストと住民と企業が一体となって、コミュニティー意識や共通の目的が生まれるかもしれない。問 3-1 (3)∧地元の企業、慈善団体、自治体にアプローチして資金援助を求めてもいいだろう。問 3-2	(3) ここは何か足りません。２つの文の間にもっと情報を入れて、それらをつなぎなさい。
教育プログラムやワークショップも、ストリートアートへの支持を獲得する良い方法となり得る。問 4 ストリートアートの歴史や技術を教える教育プログラムを始めれば、若者の間に鑑賞眼が形成され芸術への興味が増すことにつながるかもしれない。	

結論を述べると、ストリートアートは都市開発の有効なツールである。都市は、この芸術形式にスペースを提供すること、企業とアーティストの協力を後押しすること、(4) <u>若者に注目すること</u>で、地域文化を振興することができる。	(4) 下線部の表現では、エッセーの内容を十分に要約できていません。変えること。

総評：

このトピックは私たちの市の指導者たちも考えてみるべきものだと思います。より多くの観光客を呼び込めるかもしれず、それが市の新たな収入源となる可能性があります。

語句

［エッセー］
urban 形 都市の
［第1段落］
emerge 自 現れる、浮かび上がる
artistic 形 芸術の
inspire ～ 他 ～を鼓舞する、～を元気づける
unity 名 結束、一体感
contribute to ～ 熟 ～に貢献する
graffiti 名 落書き
transform ～ 他 ～を変化させる
energetic 形 活力に満ちた、元気な
［第2段落］
neighborhood 名 区域、地区
featureless 形 特徴のない、変哲のない
artwork 名 芸術作品
celebrate ～ 他 ～を祝う、～を褒めたたえる
highlight ～ 他 ～に光を当てる、～を大きく取り上げる
stimulate ～ 他 ～を刺激する
local 名 地元住民
alike 副 同様に
foster ～ 他 ～を育成する
ownership 名 当事者意識
resident 名 居住者、住民
evolve 自 進化する、発展する
creativity 名 創造性
［第3段落］
property 名 所有地、地所
［第4段落］
collaborative 形 協力による、共働の
charity 名 慈善団体
［第5段落］
appreciation 名 審美眼、鑑賞力

［コメント］
insert ～ 他 ～を挿入する
underline ～ 他 ～に下線を引く
summarize ～ 他 ～を要約する
source of income 熟 収入源

問1 正解① 問題レベル【普通】 配点 3点

設問 コメント（1）に基づいて、追加するのに最適な文はどれか。 15

選択肢 ① 加えて ② その代わりに ③ しかしながら ④ にもかかわらず

第4問は試作問題Bの形式の問題です。【ライティング添削問題】を攻略する「視線の型＋α」(p. 394参照) を生かす問題です。

テーマは「ストリートアートと都市開発」ですね。第2段落1～2文目 Street art brings life to lifeless neighborhoods, turning featureless walls into artworks that tell stories, celebrate local history, or highlight social issues. This visual art form can stimulate economic recovery, attracting tourists and locals alike.「ストリートアートは、特徴のな

い壁を、物語を伝えたり地元の歴史を称えたり社会問題に光を当てたりする芸術作品に変えて、活気のない区域に命を吹き込む。この視覚芸術は、観光客も地域住民も同じように呼び寄せて、経済回復の刺激にもなる」ではストリートアートの都市開発に与えるプラスの側面が述べられていました。3文目 It can help foster a sense of pride and ownership among residents.「住民の間に誇りと当事者意識を育む力にもなる」でも引き続きストリートアートが都市開発にもたらす利点についてなので、「追加」の論理が働いていると考えられます。よって正解は① Additionally「加えて」です。

問2 正解② **問題レベル【普通】 配点 3点**

設 問 **コメント（2）に基づいて、トピックセンテンスを書き換えるにはどのようにするのが最も良いか。** 16

選択肢 ① 私たちの街の通りを清掃するには多くの助力が必要となるだろう。
② 地方自治体からストリートアートの許可を得るのが最初のステップだ。
③ 芸術作品を売ることが、プロジェクトのための資金を得るいい方法だろう。
④ こうした場所を建設する費用は地元企業に出し合ってもらうべきだ。

語句 permission 名 許可　local government 熟 地方自治体

第3段落1文目のトピックセンテンスを適切な文に書き直す問題です。2文目では City leaders can make it legal for street artists to paint freely on certain walls and areas encouraging creativity while respecting public and private properties.「市の指導者たちなら、ストリートアーティストが特定の壁や区域に、創造性を高めつつ公共財産や私有財産に尊敬を払いながら自由に絵を描くことを合法とすることができる」と、市の指導者にストリートアートを許可してほしいという内容が書かれています。トピックセンテンスとしてそれを端的に示した1文目にする必要があります。現状の We must show leaders the difference between street art and graffiti.「指導者たちにストリートアートと落書きの違いを示す必要がある」だと、「違いを示す」→「市に許可してもらう」という因果関係はありそうだとしても、2文目の内容をそのまま直接的に表してはいません。正解は「市に許可してもらう」という内容も含めた② Getting permission for street art from the local government is the first step.「地方自治体からストリートアートの許可を得るのが最初のステップだ」です。

問3 正解② **問題レベル【普通】 配点 3点**

設 問 **コメント（3）に基づいて、追加するのに最適な文はどれか。** 17

選択肢 ① 進め方について専門家が助言をしてくれるだろう。
② 特別なイベントのための資金を得る努力をする必要があるだろう。
③ これは地元のアーティストが国際的な注目を得るのにとてもいい方法だ。
④ そのプロジェクトがそれだけの支持を得ているのか知る必要がある。

語句 proceed 自 進行する　funding 名 資金調達
seek ～ 他 ～を得ようと努力する

第4段落1文目 Hosting street art festivals and collaborative projects can bring artists, residents, and businesses together, creating a sense of community and shared purpose.「ストリートアート祭やコラボ企画を開催すれば、アーティストと住民と企業が一体となって、コミュニティー意識や共通の目的が生まれるかもしれない」から、次の文 Local businesses, charities, and the government could be approached for financial assistance.「地元の企業、慈善団体、自治体にアプローチして資金援助を求めてもいいだろう」までに「開き」があるのを感じますか。1文目では「何らかのイベントでコミュニティー意識を高めよう」と言っているのに対し、3文目では「自治体などに資金援助を求めよう」と急にお金の話になっています。「実現には資金がかかる」といった、イベント開催と資金の必要性をつなぐ内容の文が間に必要ですね。「イベント」「資金」どちらにも言及している選択肢② It will be necessary to seek funding for special events.「特別なイベントのための資金を得る努力をする必要があるだろう」が正解です。

問4 正解② **問題レベル【やや難】 配点 3点**

設問 **コメント（4）に基づいて、入れ替えるのはどれが最適か。** 18

選択肢 ① 才能のある人々を町に呼び込むこと
② 新しいスキルの習得を促進すること
③ 公共の場から落書きを消すこと
④ 都市計画への関心を新たにすること

語句 **talented** 形 才能のある

最終段落、結論の段落です。空所を含む文を確認すると、Cities can enhance local culture by providing space for this art form, fostering cooperation between businesses and artists, and focusing on young people.「都市は、この芸術形式にスペースを提供すること、企業とアーティストの協力を後押しすること、若者に注目することで、地域文化を振興することができる」とあり、下線部の前の providing space for this art form が第3段落を、fostering cooperation between businesses and artists が第4段落をそれぞれ要約していることがわかります。よって、下線部を第5段落を要約した文に変えよ、という指示なのだと判断しましょう。第5段落1文目 Educational programs and workshops can be a good way to get support for street art.「教育プログラムやワークショップも、ストリートアートへの支持を獲得する良い方法となり得る」より、この段落はストリートアートに関する知識を浸透させることを奨励している内容だとわかります。2文目では教育によって若者の関心を高めることに言及していますが、これは具体的内容に過ぎません。この段落のトピックセンテンスはやはり1文目であり、「ワークショップ」も含まれていることからも明らかなように、若者だけではなく、大人も含めてストリートアートを知ってもらおう、という提案が主旨の段落です。現状の文では若者だけに焦点が当たっているのでおかしいですね。選択肢を見ると、「ストリートアートに関する知識を習得させる」ことをより抽象的に表現した選択肢② promoting the learning of new skills「新しいスキルの習得を促進すること」が正解だとわかります。

問 1－5

訳 あなたは先生から効果的な時間管理法に関する２つの記事を読むよう言われました。学んだことを次の授業で論議する予定です。

［１つ目の記事］

効果的な時間管理法：ポモドーロ・テクニック

ランディ・ケンブリッジ
ツインパインズ中学校　数学教師

[第１段落]

中学教師である私は常にとても忙しい。若い頃は、時間が足りなくなって物事を済ませられないことも多かった。時とともに、私は時間をもっと効率的に使う方法を見いだしてきた。ここで、昔の私と同じように苦労している学生たちに、そうした手法を紹介したい。何人かの生徒にどんなふうに試験勉強をしているのか尋ねたところ、彼らの説明は、夜の勉強時間の長さを、通常２時間とか３時間というように決めて、その上で翌日受けることになっているなにがしかの試験の勉強をするというものだった。彼らは自分たちがよく勉強していると考えていた。最初のうちはその通りだったのだが、そんなに長い時間、勉強している科目に集中し続けることはできなかった。最終的には多くの時間を、他のことを考えたり時計を眺めたりして過ごすことになった。問１

[第２段落]

私は彼らに「ポモドーロ・テクニック」を使うことを教えた。ポモドーロとはイタリア語で「トマト」の意味だ。この時間管理テクニックは、発案者がトマトの形の小型キッチンタイマーを使って考案したことから、ポモドーロ・テクニックと名付けられた。この手法には６つのステップがある。

[ステップ]

1. 達成したい作業を選ぶ。
2. ポモドーロ・タイマーを一定の時間に設定する 問３⑥ （通常は25分）。この作業時間の長さを「１ポモドーロ」と呼ぶ。
3. タイマーが鳴るまで作業を行い、この時間だけ作業に集中する。
4. タイマーが鳴ったら短い休憩を取る（通常は５～10分）。問４-１
5. ４ポモドーロを終えたら、長めの休憩を取る 問４-２ （通常は20～30分）。
6. 作業が完了するまでこのプロセスを繰り返す。

[最終段落]

このテクニックについて話した後、生徒たちに調査をしてみた。残念ながら、試してくれたのは勉強熱心な生徒だけだった。勉強の苦手な生徒たちは、タイマーをセットして計画通りにすることも、面倒だと感じたのだ。問２

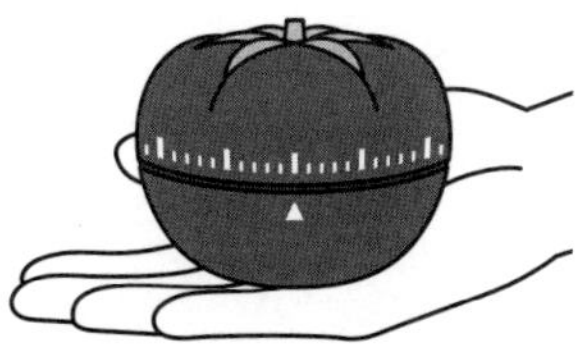

[2つ目の記事]

アイゼンハワー方式で優先順位を学ぼう

ヘレン・スチュワート

ツインパインズ・コミュニティーカレッジ　教授

[第1段落]

ケンブリッジ先生のポモドーロ・テクニックに関する発表は非常に興味深く、自分で体験してみた際にも一定の成功を収めた。しかし、年齢を重ねて責任が重くなるにつれ、ポモドーロ・テクニックも、それを最大限に活用するためのより大きな枠組みの一部とする必要が出てくる。私はいつも、ツインパインズ・コミュニティーカレッジの1年生に、アイゼンハワー・マトリックスと呼ばれる考え方を紹介している。

[第2段落]

アイゼンハワー・マトリックスとは作業に優先順位をつけて生産性を向上させる方法だ。このマトリックスでは、作業は4つのカテゴリーに分類される。

[カテゴリー説明]

緊急で重要な作業：これらはすぐに行う必要があり、重要度の高い作業だ。効果的な時間管理戦略を用いて実行するべきだ。問3-2

重要だが緊急でない作業：これらは終了予定を後に回すべき作業だ。緊急度が高くなったときに1つ目のカテゴリーに移すことになる。

緊急だが重要ではない作業：これらは、緊急ではあるが重要度が高くない作業だ。こうした作業は他の人にやってもらうようにした方がいい。問5-1

緊急ではなく重要ではない作業：これらは緊急でも重要でもない作業だ。このカテゴリーに当てはまるものは、特に理由もなくインターネットを見たりスマートフォンのゲームで長々と遊んだりといった、時間の無駄であることが普通だ。多くの専門家が、こうしたことはとにかくしないようにと勧める。

[最終段落]

この手法やポモドーロ・テクニックを学業に適用する際、多くの学生がきちんと理解していないことの一つは、勉強に集中できないときに休憩を取ることの重要性だ。こうした短時間のくつろぎの間に、脳は取り込んだ情報を整理し理解しているのだ。問4-3

[表]

アイゼンハワー・マトリックス		
	←緊急	緊急ではない→
↑重要	最初に行う 問3-3	後に回す
↓重要ではない	他の人に割り振る 問5-2	しないようにする

語句

[リード文]

effective　形 効果的な

[1つ目の記事]

math　名 数学 ★= mathematics

[第1段落]

fail to (V)　熟 Vし損ねる、Vできずに終わる

over time　熟 時間とともに、時間がたつにつれて

struggle	自 苦労する	make the best use of ～	熟 ～を最大限に活用する
stay focused on ～	熟 ～に集中し続ける	matrix	名 配列、(縦横に並んだ) 表
end up (V)ing	熟 Vして終わる、結局Vすることになる	[第2段落]	
[第2段落]		[カテゴリー説明]	
inventor	名 発明者、発案者	carry out ～	熟 ～を実行する
[ステップ]		schedule ～	他 ～の予定を組む
accomplish ～	他 ～を完成させる、～を遂行する	completion	名 完成、終了
[最終段落]		transfer ～	他 ～を移動させる
survey ～	他 ～を調べる	fall into ～	熟 ～に分類される
dedicated	形 熱心な	expert	名 専門家
have trouble (V)ing	熟 Vするのに苦労する、なかなかVできない	[最終段落]	
		interval	名 休憩
		sort ～	他 ～を整理する
		make sense of ～	熟 ～を理解する
[2つ目の記事]		absorb ～	他 ～を吸収する
prioritize ～	自 優先順位をつける 他 ～に優先順位をつける	[表]	
		assign A to B	熟 AをBに割り振る
[第1段落]		refrain from (V)ing	熟 Vするのを避ける、Vしないようにする
framework	名 枠組み、体制		

問1 正解① 問題レベル【普通】 配点 3点

設問 ケンブリッジは [19] と考えている。

選択肢
① 長時間、集中するのは難しい
② テスト前には2時間以上の勉強が必要だ
③ アイゼンハワー・マトリックスはポモドーロ・テクニックほど良くない
④ ポモドーロ・テクニックを授業で用いるべきだ

語句

concentrate	自 集中する、専念する	apply ～	他 ～を適用する、～を使用する
inferior to ～	熟 ～に劣った		

【マルチプルパッセージ＋図表問題】を攻略する「視線の型」(p. 190参照)、「情報整理の型」(p. 214参照) を生かして解く問題です。

リード文から「効果的な時間管理法」に関する2つの記事で、図表は1つはイラスト、もう1つは時間管理法に関するマトリックスです。また先に設問をすべて読みキーワードだけでも確認しておくと、読みながら該当箇所で反応できるため時短になります。では問1から見ていきます。

ケンブリッジの意見が問われているので1つ目の記事だけを見て解きます。彼は第1段落7文目以降で、「長時間集中できないこと」を問題視しています。そのうえで、第2段落で時間を区切って管理する「ポモドーロ・テクニック」を使うことを生徒に促しています。よって正解は①です。②は、勉強時間の長さについて説明しているのは生徒たちなので不正解です。③④は、記述がないので不正解です。

問 2　正解③　**問題レベル【普通】　配点 3点**

設問 **ケンブリッジが言及している短所は、 20 ということだった。**

選択肢 ① 各ポモドーロを終えた後に生徒たちがタイマーの再始動を忘れることがよくあった

② 1ポモドーロは中学生がテスト勉強するには一般的に十分な時間ではない

③ 時間管理に最も苦労している生徒ほど、このテクニックを利用しようとしなかった

④ 生徒たちが勉強時間を計るのに使うスマートフォンが、集中力の妨げとなるものを提供した

語句
restart ～ 他 ～を再スタートさせる
adopt ～ 他 ～を採用する
distraction 名 気を散らすもの、集中を邪魔するもの

「ケンブリッジが言及している短所」なので、これも1つ目の記事だけを見て解く問題です。最終段落2～3文目に、Sadly, I discovered that only dedicated students try it. Students who have trouble studying also find it hard to set the timer and stick to the plan.「残念ながら、試してくれたのは勉強熱心な生徒だけだった。勉強の苦手な生徒たちは、タイマーをセットして計画通りにすることも、面倒だと感じたのだ」とあるように、ポモドーロ・テクニックは人を選ぶようです。このことに触れている③が正解です。①②④については記述がないため不正解です。

問 3　正解 21 ③　22 ⑥　**問題レベル【普通】　配点各2点**

設問 **スチュワートは作業を分類する4つのカテゴリーを使ったアイゼンハワー・マトリックスを紹介している。 21 カテゴリーはケンブリッジが論じていた 22 戦略を利用すべき部分である。**

選択肢 ① 他の人に割り振る　② 時計を眺める　③ 最初に行う
④ しないようにする　⑤ 後に回す　⑥ 時間測定

スチュワートの紹介するアイゼンハワー・マトリックスに関する説明の段落（カテゴリー説明）を見ていきます。最初の Urgent and important tasks「緊急で重要な作業」の説明に、These are tasks that need to be done immediately and have a high level of importance. They should be carried out using an effective time-management strategy.「これらはすぐに行う必要があり、重要度の高い作業だ。効果的な時間管理戦略を用いて実行するべきだ」とあります。ここでの an effective time-management strategy「効果的な時間管理戦略」こそ、ケンブリッジの紹介するポモドーロ・テクニックです。表を見ると Urgent × important のカテゴリーに「Do First」とあるので、まず 21 は③が正解です。 22 はポモドーロ・テクニックがどんな戦略かを問う問題ですね。ケンブリッジの記事の「6つのステップ」の説明の2つ目に、Set the Pomodoro timer to a specific time period「ポモドーロ・タイマーを一定の時間に設定する」の a specific time period というキーワードがあります。 22 は⑥ Time Period を入れて、the Time Period strategy が正解となります。

問 4　正解④　**問題レベル【普通】　配点 3点**

設　問　**どちらの筆者も、高い生産性を保つには 23 が重要だという点で合致している。**

選択肢　① ビデオゲームを避けること　② 慎重にスケジュールを組むこと
③ 妥当な素材を選ぶこと　④ 休憩を取ること

語句　avoid ～ 他 ～を避ける、～をやめておく　relevant 形 今日的な意義のある、重要な

2つの記事の共通点を探す問題です。設問にある important を狙い読みしていくと、2つ目、スチュワートの記事の最終段落1文目で、the importance of having intervals「休憩を取ることの重要性」とあり、最終文でも During these brief periods of relaxation, your brain is sorting and making sense of the information you have been absorbing.「こうした短時間のくつろぎの間に、脳は取り込んだ情報を整理し理解しているのだ」と休憩の重要性が書かれています。1つ目のケンブリッジの紹介するポモドーロ・テクニックでも、ステップ4に take a short break、ステップ5に take a longer break と、休憩を定期的に入れることを推奨しています。このことから休憩を重要視していることがわかります。よって正解は④です。①②③はいずれも記述がないので不正解です。

問 5　正解①　**問題レベル【普通】　配点 3点**

設　問　**スチュワートのアイゼンハワー・マトリックスの論をさらに支えるために最も良い追加情報はどれか。 24**

選択肢　① 他の人に作業を委託する方法例
② 学生が大学で勉強する主な動機
③ 学生が一番集中できるタイマーの種類
④ ケンブリッジが若い頃に時間管理に苦労した理由

語句　argument 名 議論、論旨　motivation 名 動機、意欲

スチュワートによるアイゼンハワー・マトリックスの論をサポートする情報を考える問題です。アイゼンハワー・マトリックス論の中で言及されているが具体的に説明されていないことや、課題として挙げられていることがヒントになりそうです。では選択肢を一つずつ確認していきましょう。

①の「作業を人に任せる」ことに関してはアイゼンハワー・マトリックス論の説明3つ目の Urgent but not important tasks「緊急だが重要ではない作業」のところに、You should try to have these tasks carried out by someone else.「こうした作業は他の人にやってもらうようにした方がいい」とありました。確かにこの「作業を他の人にどう任せるか」の説明があると、アイゼンハワー・マトリックスをさらに活用しやすくなりそうです。よって①が正解です。②の動機の話や、④のケンブリッジの苦労話はアイゼンハワー・マトリックス論の説明で言及されていないため関係のない情報です。③のタイマーに関しては、ケンブリッジが紹介するポモドーロ・テクニックの中で「ポモドーロ・タイマー」には言及されていましたが、アイゼンハワー・マトリックス論には関係がないので不正解です。

第6問［解説］

問 1－3

訳 あなたはオンラインワークやリモートワークの賛否両論に関するエッセーに取り組んでいます。以下のステップを踏みます。

ステップ1：リモートワークに関するさまざまな観点を読んで理解する。
ステップ2：リモートワークに関する立場を決める。
ステップ3：追加の資料を使ってエッセーの概要を作成する。

［ステップ1］さまざまな資料を読む

筆者A（オンラインワーカー）
リモートワークは私のワークライフバランスを向上させたが、時々、仕事と私生活がごっちゃになる。もはや、1日にどれだけの時間を仕事に使っているのか正確にはわからない。業務時間が以前のように明確に定められていないからだ。私の雇い主は、間に合うように私が仕事を済ませている限り、満足している。時々、昼休みに同僚とおしゃべりしていたのが懐かしくなる、問1-1 オンラインミーティングは対面のミーティングと同じではないのだ。

筆者B（高校生）
リモートワークを認めている会社で働くことに、とても興味がある。クラスメートも同じように感じているといいのだけれど。乗り物の利用が減ることで、お金と時間の節約になるだろう。さらに、オフィススペースの需要が減ると、みんなが住みたいと思う町の中心部近くに住むのが容易になるだろう。問3-1 もちろん、新しい人付き合いの機会や能力開発の機会を見つける必要が出てくる。これが雇用主にとって魅力的な選択肢になるよう、政府がもっと手を打つべきだと思う。

筆者C（会社経営者）
当初は、在宅勤務を認めることで費用が節約できると考えた経営者が多かった。ある面ではそのとおりだ：借りるオフィスを小さくすることができるし、暖房やエアコンの費用の節約にもなる。しかし、わが社では多くの従業員の生産性が下がったし、企業方針を見直して新しい評価制度を作ることを余儀なくされている。問2 徐々に変更を加えており、かなりの改善が見られる。最初は社員たちが怠けていると考えていたが、今は、彼らには適応する時間が必要なのだと理解している。

筆者 D（心理学者）

いくつかの研究では、リモートワークの柔軟性が人の体と心の健康を高める事が明らかになっているが、オンラインワークやリモートワークは孤立のリスクや過労によるストレスの増加にもつながる。問 1 - 2

時間の上手な管理方法を理解することが重要だ。何らかのガイドラインなしにそれを行うのは難しいかもしれない。私はよく、上手な時間管理について書かれた記事を読むよう、人に勧める。自営業者の多くはこの問題に長年対処してきており、多くの優れたアドバイスを持っている。

筆者 E（政治家）

私は自分の町でリモートワークのプラス効果を目にした。通勤者が減ることは交通渋滞や大気汚染の減少を意味し、健康的な町づくりに貢献する。計画面では、道路や橋やトンネルにかける費用が減らせるということになる。問 3 - 2　私自身の生活においては、時折リモートで仕事をすることで、家族との時間が増え、ワークライフバランスが向上している。企業も、維持費の減少と収益性の向上による恩恵を受ける。リモートワークの推進は、持続可能で効率的な都市生活への一歩だと、私は考える。

語句

［リード文］
- pros and cons　熟 賛否両論

［ステップ 1］

［筆者A］
- get mixed up　熟 混同される、ごちゃ混ぜになる
- define ～　他 ～を定義する、～を定める
- as long as ～　熟 ～である限りは

［筆者B］
- transportation　名 輸送（機関）、乗り物
- furthermore　副 さらに

［筆者C］
- initially　副 当初は
- assume ～　他 ～と推定する、～と思い込む
- work from home　熟 在宅勤務する
- productive　形 生産的な、生産性の高い
- evaluation　名 評価、査定

［筆者D］
- psychologist　名 心理学者
- reveal ～　他 ～を明らかにする
- flexibility　名 柔軟性
- enhance ～　他 ～を高める
- isolation　名 孤立状態、孤立感
- self-employed　形 自営の
- deal with ～　熟 ～に対処する

［筆者E］
- observe ～　他 ～に気付く、～を目の当たりにする
- commuter　名 通勤者
- pollution　名 汚染、公害
- contribute to ～　熟 ～に貢献する
- perspective　名 観点
- running cost　熟 運営費、維持費
- profitability　名 収益性
- sustainable　形 持続可能な
- urban　形 都市の

問 1　正解④　**問題レベル【普通】　配点 3点**

設　問　**筆者AとDの両者とも、[25] と述べている。**

選択肢　① 従業員にはオンラインワークのストレスを克服できるようなサポートが提供されるべきだ

② 雇用主の唯一の関心は仕事が満足に仕上げられたかどうかである

③ 1日にどれだけの時間を仕事に使っているのか計測するのは難しい

④ リモートワークをする人たちが孤独感にさいなまれる可能性がある

語句

mention ～	他 ～に言及する	satisfactorily	副 満足のいくように
overcome ～	他 ～を克服する	chance	名 可能性

第6問は試作問題Aの形式の問題です。【意見整理／根拠構築問題】を攻略する「視線の型＋α」(p. 408参照) を生かして解く問題です。

「リモートワークについて」がテーマですね。オンラインワーカーであるAは最終文で Sometimes I miss talking with my coworkers at lunchtime「時々、昼休みに同僚とおしゃべりしていたのが懐かしくなる」と、オンラインワークの孤独感といったデメリットを述べており、Dの心理学者も1文目で online or remote work also results in a risk of isolation and increased stress from overwork.「オンラインワークやリモートワークは孤立のリスクや過労によるストレスの増加にもつながる」と、孤立に関して言及しています。よって正解は④ there is a chance that remote workers may suffer from a sense of loneliness「リモートワークをする人たちが孤独感にさいなまれる可能性がある」です。

問 2　正解④　**問題レベル【普通】　配点 3点**

設　問　**筆者Cは、[26] と示唆している。**

選択肢　① 企業は在宅勤務をさせることで、どの従業員が怠け者かすぐに知ることができる

② 社員が在宅勤務の仕方を覚えるよう手を貸すのは雇用者の責任である

③ 在宅勤務をする人は雇用主に電気代の支払いを求めることができる

④ リモートワークは企業に恩恵を約束したが、克服すべき課題も生んだ

語句

imply ～	他 ～とほのめかす	challenge	名 課題

Cは会社経営者ですね。1～2文目 Initially, many managers assumed companies could save money by allowing people to work from home. In some ways, that is true: we can rent a smaller office, and we save money on heating and air conditioning.「当初は、在宅勤務を認めることで費用が節約できると考えた経営者が多かった。ある面ではそのとおりだ：借りるオフィスを小さくすることができるし、暖房やエアコンの費用の節約にもなる」で企業に恩恵があったことに触れ、3文目 However, many of our employees have become less productive, and we are being forced to revise our company policies and create new evaluation systems.「しかし、わが社では多くの従業員の生産性が下がったし、企業方針を見直して新しい評価制度を作ることを余儀なくされている」と課題についても言及しています。ここから選択肢④ remote work promised benefits for businesses, but it also created some challenges for them to overcome「リモートワークは企業に恩恵を約束したが、克服すべき課題も生んだ」が正解だとわかります。

［ステップ２］**立場を決める**

問 3

正解 27 28 ②・⑤（順不同） 29 ③ **問題レベル【普通】 配点 27 28 すべて正解で 3点、29 3点**

設 問 **さまざまな観点を理解したので、あなたはリモートワークの普及に関して立場を決めて、下のように書き出しました。27 28 29 に最もふさわしい選択肢を選びなさい。**

あなたの立場：企業と従業員には、可能であるならリモートワークに切り替えるよう推奨すべきだ。

・筆者 27 と 28 があなたの立場の裏付けとなる。

・この２人の筆者に共通する主張：29

選択肢 27 と 28（順不同）

① A　② B　③ C　④ D　⑤ E

選択肢 29

① リモートワークは若者が町の中心部に住むことを可能にするだろう。

② リモートワークの健康への恩恵が、町の病院の負担を減らすだろう。

③ 道路の使用量が減ることで財政的なメリットがある。

④ 労働者は家族と一緒にいられるよう在宅勤務をしたがっている。

語句

encourage ～ to (V) 熟 ～にVするよう推奨する

argument 名 議論、主張

strain 名（過剰な）負担

立場は「リモートワーク推奨」ですね。問１・問２までで見てきたA・C・Dはメリットもデメリットも述べていましたが、完全にリモートワークを推奨する立場の意見はBとEなので、この２人の意見が「リモートワークに切り替えるよう推奨すべき」の立場の裏付けとして適切といえます。共通点は、選択肢③ There are financial benefits in reducing the amount of road usage.「道路の使用量が減ることで財政的なメリットがある」です。高校生のBは２～３文目にWe will save money and time by using less transportation. Furthermore, the reduced demand for office space will make it easier to live near the center of town, where we all want to be.「乗り物の利用が減ることで、お金と時間の節約になるだろう。さらに、オフィススペースの需要が減ると、みんなが住みたいと思う町の中心部近くに住むのが容易になるだろう」とあり、政治家のEは２～３文目にFewer commuters means less traffic and pollution, contributing to a healthier city. From a planning perspective, it means we can spend less on streets, bridges, and tunnels.「通勤者が減ることは交通渋滞や大気汚染の減少を意味し、健康的な町づくりに貢献する。計画面では、道路や橋やトンネルにかける費用が減らせるということになる」と、どちらも「道路使用の減少と財政的メリット」に言及しています。

問 4-5

訳 [ステップ3] **資料A・Bを使って概要を作成する**

あなたのエッセーの概要：

リモートワークの推進はいいことだ

導入部

現代の仕事の多くをオンラインですることができるので、これをもっと推奨すべきだ。

主文

理由1：[ステップ2より]

理由2：[資料Aに基づいて] …… 30

理由3：[資料Bに基づいて] …… 31

結論

リモートワークによって得られるメリットは、それを現代社会における重要な選択肢にしている。

資料A

リモート勤務は従業員にも雇用主にも利点がある。ある研究では、在宅勤務をさせることで、ある企業が従業員の生産性を向上させることができたと示されている。いくつかの報告によると、在宅勤務には健康面のメリットもあるという。問4-1 そこには、ストレスの減少や食事選びの改善が含まれる。メリットをすべて考慮すると、これは今後、より標準的な働き方になっていくように思われる。しかし、留意すべきなのは、誰もがこうした恩恵を受けたり効率的に在宅勤務したりできるわけではないということだ。ルームメイトや家族に邪魔されると仕事をするのが難しいこともあるだろう。静かに仕事のできるプライベート空間がない人は多い。家庭環境がリモートワークに向いていない場合は、気を散らすものの少ないオフィスやその他の公共の場の方が、仕事の質が上がると感じるかもしれない。問4-2 最後に、これは、タクシー運転手や病院・飲食店などで働く人にとってはそもそも選択肢ではない。

資料B

アメリカの研究で、多くの従業員と企業のリモートワークに対する考え方が変化しているとわかった。研究者たちは2019年に調査を実施し、約2年後に再度実施した。従業員には選好を、企業には今後5年間のリモートワークの計画を尋ねた。

リモートワークに対する雇用側と被雇用側の考え

雇用主		
フルリモート職を用意する予定だ	2019年	12%
	2020年以降	22%
部分的リモート職を用意する予定だ 問5-2	2019年	9%
	2020年以降	15%
労働者		
フルリモート職に就きたい	2019年	8%
	2021年	11%
部分的リモート職に就きたい 問5-1	2019年	30%
	2021年	52%

語句

[資料A]
- boost ～ 他 ～を増大させる
- output 名 生産量
- keep in mind that SV 熟 SVであることに留意する
- interrupt ～ 他 ～を中断させる、～の邪魔をする
- distraction 名 気を散らすもの

[資料B]
- attitude 名 態度、考え方
- conduct ～ 他 ～を実施する
- survey 名 調査
- preference 名 好み
- partially 副 部分的に

問4 正解④ 問題レベル【普通】 配点 3点

設問 資料Aに基づくと、理由2にもっともふさわしい選択肢は次のうちどれか。 30

選択肢
① 経済的メリットが理由で、リモートで仕事ができるように家庭にプライベート空間を用意する人が増えている。
② 企業は、従業員に家を仕事場にするよう強制するのでなく、従業員がリモートワークを任意で選べるようにすべきだ。
③ 特定の職業の人にとってリモートワークが普通のことになってから、雇用主は従業員にもっと健康的な食事をとるよう促してきた。
④ リモートワークは、注意散漫になったりスペースがなかったりする可能性があるため万人向けではないかもしれないが、生産性と健康への恩恵をもたらす。

語句 optional 形 任意の、自由選択の

エッセーのタイトルはPromoting remote work is a good idea「リモートワークの推進はいいことだ」ですね。根拠を資料Aから探す問題です。資料Aの第1段落3文目 Some reports show that there are health benefits to working from home, too.「いくつかの報告

によると、在宅勤務には健康面のメリットもあるという」より、④ Remote work offers productivity and health benefits even though it might not be suitable for everyone due to potential distractions and lack of space.「リモートワークは、注意散漫になったりスペースがなかったりする可能性があるため万人向けではないかもしれないが、生産性と健康への恩恵をもたらす」が正解です。前半の「注意散漫やスペースがない可能性」については、7～9文目にYou may find it difficult to work if you are interrupted by roommates or family members. Many people do not have a private space where they can work in peace. If your home environment is not suited to remote work, you may find that the quality of your work improves in an office or some other public space with fewer distractions.「ルームメイトや家族に邪魔されると仕事をするのが難しいこともあるだろう。静かに仕事のできるプライベート空間がない人は多い。家庭環境がリモートワークに向いていない場合は、気を散らすものの少ないオフィスやその他の公共の場の方が、仕事の質が上がると感じるかもしれない」とあります。

問5 正解③ **問題レベル【普通】 配点 3点**

設問 **理由３として、あなたは「リモートワークの機会を提供する企業は、新規に社員を雇用する際に選択肢が増えるかもしれない」と書くことにした。資料Ｂに基づくと、この記述の裏付けとして最も ふさわしいのはどの選択肢か。** 31

選択肢
① 2019年には、働く人の４分の３に在宅勤務をする選択肢があった。この数は増えており、人々が選択肢のある企業で働きたがっていることを示している。
② 2021年には、ほぼ４分の１の企業が、従業員になんらかの在宅勤務を認めるつもりだと答えている。オフィス勤務を好む従業員は転職先を探すかもしれない。
③ 2021年には、半分をやや超える従業員が部分的リモートワークを好んでいた。一部の企業はそうした人々に合わせて方針を調整しているようだ。
④ 2020年以降、企業の約５分の１が部分的リモートワークへの転換を決めた。これは、完全リモート職を好む大半の従業員の意向と合致しない。

語句 adjust ～ 他 ～を調整する accommodate ～ 他 ～（要望など）に対応する

選択肢③が正解です。１文目 In 2021, slightly more than half of the employees preferred partial remote work.「2021年には、半分をやや超える従業員が部分的リモートワークを好んでいた」は、資料Ｂによると52%の従業員が部分的リモートワークを好んでいるので問題ありません。２文目 Some businesses appear to have been adjusting their policies to accommodate those people.「一部の企業はそうした人々に合わせて方針を調整しているようだ」は、部分的リモートワークを用意する予定の企業が2019年には９%だったのが2020年以降は15%に上昇していることから問題ありません。

第7問［解説］

問 1－5

訳 あなたの英語の先生は、クラスのみんなに、感動的な物語を見つけて、メモを使って発表するようにと言いました。あなたは、アメリカのある男性が書いた物語を見つけました。

安全地帯

ランディ・デイ

[第1段落]

中学校2年生ぐらいまで、私は引っ込み思案とは程遠かった。何にでも興味を持ち、多様なグループの友人がいた。

[第2段落]

私の学校では毎年11月に科学フェアがあった。科学フェアとは、生徒が取り組んできた自主研究や発明の結果を発表する特別なイベントだ。問3②

[第3段落]

私は太陽光電力を蓄える方法を考案した。それを実演するために、川の流れる小さな町の模型を作った。昼の間、太陽光エネルギーを使って川の水をとても高い位置にあるタンクにくみ上げる。暗くなると、タンクから放出された水がタービンに注がれ、それが夜間の電気を発生させるのだった。

[第4段落]

模型は自宅では問題なく動いたが、科学フェアではポンプを動かすには光が足りなかった。川の水を高いタンクにくみ上げることができなかったのだ。でも私は思い付いた。問1-1 私の展示は理科室のシンクのすぐ横だったので、私は小さなホースを水道につないで、タンクをいっぱいにするのに使った。タービンが発電して、私は2等賞を取ったのだ！ その日、後になって理科担当のダルトン先生が、私がシンクの水を使ったことに気付いた。賞は取り消され、みんなは私がズルをしたと言った。問1-2

[第5段落]

それ以後、私はすっかり自信を失った。問1-3 ごく親しい友だちとしか話をせず、新しいことに挑戦する誘いには決して乗らなかった。町の模型を作るのは楽しかったので、私は週末には自室に座り込んで、テレビやSF映画で目にしたもののレプリカを作っていた。こうしたものは小道具と呼ばれ、俳優が作中で使う模造銃などのテクノロジーであることが主だった。こうしたものが私の部屋の壁を飾った。それが私の安全地帯であり、私はめったにそこを出なかった。問5④-1

[第6段落]

両親は私を心配していたが、彼らにどれだけ勧められても、私は学校以外の場所に行くことを拒んだ。興味があるのは自室で小道具を作ることだけだった。

[第7段落]

高校の最終学年になったとき、映画の小道具の展覧会が私の町に来た。見たかったのだが、そのことを知るのが遅すぎて、チケットを手に入れることができなかった。ある日の午後、叔母のクレアが電話をよこして、彼女の会社がそのイベントの宣伝をしているのだと話してくれた 問2 。展覧会の主催者が彼女に招待券を2枚渡してくれていた。彼女は次の週に私を連れていくと言った。 問3④ 私はとても楽しみだった。

[第8段落]

翌日、彼女はまた私に電話をしてきて、頼みごとをした。 問3⑤-1 彼女のアマチュア劇団が、公演準備の時間が足りず、背景幕――舞台上の俳優の後ろにつるされる景観――を作る手伝いをしてくれる人を必要としていた。彼女が私をタダ働きさせる策略にはめたのだと感じて、私は腹を立てた。 問5⑤-1 でも、展覧会に行きたかったので「はい」と答えるしかなかった。その晩、私は彼女の車の中で、劇場までの道中ずっと、静かに憤慨していた。 問3⑤-2

[第9段落]

到着すると、私の怒りは緊張に変わった。私は背景幕の作業を開始し、自分が楽しくなっていることに徐々に気が付いていった。すると団員が何人かやって来て私の作業を見た。彼らは皆、私を褒め、手伝ったことに感謝してくれた。私はとてもいい気分だった。背景幕が完成すると、劇団員たちはとても感心して、次の公演の手伝いもしてほしいと頼んできた。報酬を払うとまで言ってくれた。その公演は2カ月後に行われた 問3③ が、最初のものよりさらにうまくできた。公演の後、叔母はダン・イマハラという人に私を紹介した。イマハラさんは、舞台セットや背景幕、さらいには映画の小道具も作っている会社を経営していた。

[第10段落]

彼は私に彼の会社で仕事をしないかと申し出てくれた。昼間は自分のところで仕事をしてもよいが、夜間には仕事に関わる資格が取れるよう電気工学か何かを勉強すべきだと彼は言った。 問4 私は彼の申し出を受け、そして20年後の今、私はアメリカ最大の視覚効果の会社を経営している。 問5④-2 毎日、新しい人々とともにユニークなプロジェクトで仕事をすることを楽しんでいる。これが叔母の最初からの計画だったのだと私は思っている。 問5⑤-2

あなたのノート：

安全地帯

筆者（ランディ・デイ）について

・中学入学時には友だちが多かった。
・ 32 せいで、人前で新しいことを試すのをやめた。

その他の重要人物

・ダルトン先生：ランディの理科教師で、科学フェアの審査をした。
・クレア：ランディの叔母で、 33 。
・イマハラさん：実業家。

ランディの人生に影響を与えた出来事

科学フェアについて聞いた → 34 → 35 → 36 → 37

イマハラさんは自分の提案にどんな条件を付けたか

ランディは 38 べきだ。

このストーリーから学び取れること

・ 39
・ 40

語句

［タイトル］

comfort zone	熟	安心領域、安全地帯

［第1段落］

far from ～	熟	～とは程遠い
diverse	形	多様な

［第2段落］

independent	形	自主的な、個人で行う
invention	名	発明
work on ～	熟	～に取り組む

［第3段落］

store ～	他	～を貯蔵する
demonstrate ～	他	～を実演する
pump ～	他	～（水）をくみ上げる
release ～	他	～を放出する
turbine	名	（発電用の）タービン
generate ～	他	～を発生させる

［第4段落］

hook ～	他	～を取り付ける
hose	名	ホース
win ～	他	～を勝ち取る、～を獲得する
cheat	自	不正を働く、ズルをする

［第5段落］

confidence	名	自信
replica	名	レプリカ、複製模型
prop	名	（通例～sで）小道具、撮影備品
fake	形	模造の、偽物の
decorate ～	他	～を飾る

［第7段落］

exhibition	名	展示、展覧会
promote ～	他	～を宣伝する

［第8段落］

ask a favor	熟	頼みごとをする
amateur	形	アマチュアの、素人の
production	名	上演、公演
backdrop	名	背景幕
scenery	名	景観、（舞台の）背景装置
trick ～ into (V)ing	熟	～をだましてVさせる
annoy ～	他	～をいらいらさせる
furious	形	憤慨した

［第9段落］		qualification	名 資格
nervousness	名 緊張感	relevant to ～	熟 ～に関連した
praise ～	他 ～を褒める	visual effect	熟（～sで）視覚効果
impress ～	他 ～に感銘を与える	all along	熟 最初からずっと
［第10段落］			
electrical engineering	熟 電気工学		

問1 正解③　**問題レベル【普通】　配点 3点**

設問 **32** **に最もふさわしい選択肢を選びなさい。**

選択肢 ① ほかのプロジェクトで忙しくなり過ぎた
② 一緒にいて楽しめる友だちがいなかった
③ 何かがうまくいかなくなることを恐れた
④ もう何かに誘われなくなった

語句 go wrong 熟 手違いが生じる、失敗する

【物語文・伝記文読解問題】を攻略する「視線の型」(p. 240参照)、「展開予測の型」(p. 266参照) を生かす問題です。

「視線の型」を使って、まずは**場面・状況をイメージ**します。「英語の授業で、感動的な物語を見つけて、メモを使って発表する」必要があり、「アメリカのある男性が書いた物語を見つけた」とあります。次に**メモの先読み**をします。「筆者（ランディ・デイ）について」「その他の重要人物」「イマハラさんは自分の提案にどんな条件を付けたか」「このストーリーから学び取れること」について、読み取る必要があることがわかります。では、設問を見ていきましょう。

32 は「人前で新しいことを試すのをやめた」理由を**狙い読み**する問題ですね。新しいことを試みるのをやめた、とあるのは第5段落2文目 I only talked to my very closest friends and never accepted invitations to try new things. ですね。どうしてこうなったのか、そこまでの流れを追っていきましょう。きっかけは第4段落です。科学フェアでせっかく頑張って賞をとったのにズルをしたとされ、取り消されてしまいます。この「頑張ってもうまくいかなかった」経験から 第5段落1文目に After that, I lost all my confidence. とあるように自信を失ってしまうのです。この流れから、適切な選択肢は③だとわかります。①や④のような記載はありません。また、第5段落2文目に I only talked to my very closest friends とあるように全く友だちがいなかったわけではないので、②も不正解です。

問2 正解④　**問題レベル【普通】　配点 3点**

設問 **33** **に最もふさわしい選択肢を選びなさい。**

選択肢 ① 映画の小道具を作るよう彼に勧めた　② 安全地帯から出るべきだと彼に言った
③ イマハラさんの顧客だった　④ 広告会社で働いていた

語句 advertising 名 広告、宣伝

叔母さんのクレアについては、第7段落3文目に my aunt Claire ... told me her company was promoting the event「彼女の会社がそのイベントの宣伝をしているのだと話してく

れた」とあります。勤めている会社がpromoting the eventしているということは、advertising companyで働いているということを意味するので④が正解です。①②③は本文に記載がないので不正解です。

問3 正解 34 ② 35 ⑤ 36 ④ 37 ③

問題レベル【やや難】 配点 3点（すべて正解で）

設問 **5つの選択肢（①〜⑤）から4つを選んで起こった順番に並べなさい。**

34 → 35 → 36 → 37

選択肢
① SF映画で使われた小道具のレプリカを買った
② 個人プロジェクトのためのリサーチを行った
③ 叔母が所属していたグループからお金を受け取った
④ 人気映画の小道具の一般公開を見た
⑤ 初めて背景幕を手掛けた

設問を先読みした際に、問3が**「並べ替えの型」を使って解く問題**だと意識できたことと思います。まず空所の先頭にはHeard about the science fair「科学フェアについて聞いた」とあります。科学フェアについて聞いた後の出来事を並べ替えるのですね。空所は4つなのに対し選択肢が5つあるので、不要なものが1つ混じっているということです。解き始める前に必ずこの確認をするようにしましょう。それでは、一つ一つ選択肢の出来事がいつ起きたことなのか調べていきましょう。

まず①ですが、「SF映画で目にしたもののレプリカ」については第5段落3文目に出てきますが、「作った」のであって「買った」わけではないので、①を外します。

②は第2段落2文目にsome independent researchとあるように、科学フェアの準備の話なので、中学2年生のころです。次に③は第9段落7〜8文目にThey even offered to pay me. That production took place two months laterとあり、報酬はその2カ月後の公演に対して生じたものです。高校の最終学年のときの話です。

④と⑤も高校最終学年に起きたことですが、第7段落5文目でShe said she would take me there the following week.とあり、小道具の展覧会に翌週連れていくと言われていますが、その次の第8段落でThe next day, she called again to ask a favor.と電話があり、その次の日に仕事を手伝うように言われ、第8段落最終文でThat evening, I rode in her car quietly furious all the way to the theater.とあるように電話があったその夜にお手伝いに行っています。つまり、背景幕を手掛ける仕事を手伝ったのは、人気映画の小道具が一般公開される前の週のことなので、⑤→④の順となります。この出来事の後に③が起きており、また、②は中学2年のころの話だったので、②→⑤→④→③の順になります。

問4 正解 ① **問題レベル【普通】 配点 3点**

設問 **38 に最も ふさわしい選択肢を選びなさい。**

選択肢
① 仕事の役に立つスキルを身につける
② 背景幕の制作を専門とする
③ 夜間にある程度の時間を働いて過ごす
④ その会社に20年間勤める

語句 specialize in ～ 熟 ～を専門とする

プレゼン用メモを見ると、イマハラさんが提案に付けた条件について聞かれているのだとわかります。提案について書かれている第10段落を**狙い読み**しましょう。第10段落２文目 He said I could work for him during the day but should study electrical engineering or something in the evenings so that I would have a qualification relevant to the work.「昼間は自分のところで仕事をしてもよいが、夜間には仕事に関わる資格が取れるよう電気工学か何かを勉強すべきだと彼は言った」とあります。この部分を端的に表わした①が正解です。②③④については記述がないので不正解です。

問５ 正解④・⑤（順不同） **問題レベル【普通】 配点 3点（すべて正解で）**

設問 [39] と [40] に最もふさわしい選択肢を選びなさい。（順不同）

選択肢
① クリエイティブな仕事は人生を最高レベルまで満足させる。
② 正直であることは友だちを作る際に最も大事なことだ。
③ 誤解が生じたときには自己弁護することが重要だ。
④ 成功するためには安全地帯から出る必要があるかもしれない。
⑤ 人が悪意を持っていると決めつけるべきではない。

語句

satisfaction	名 満足	misunderstanding	名 誤解
honesty	名 誠実、正直さ	assume that SV	熟 SVであると見なす、SVだと思い込む
defend oneself	熟 自己弁護する、自分の立場を主張する	intention	名 意図、思惑

プレゼン用メモの [39] [40] のところを見ると、「このストーリーから学び取れること」を探す必要があるとわかります。一つ一つ選択肢を見ていきましょう。

①は、「クリエイティブな仕事」については書かれていますが、それが「人生を最高レベルまで満足させる」とは書かれていないので不正解。②は、この話は「友だちを作る」ことがテーマではないのでこれも不可です。③は、ランディはズルをしたと指摘されたときに「自己弁護」せず安全地帯にこもりましたが、だからといって「自己弁護」が重要だとは書かれていないので、これも不正解です。

消去法でも残りの④⑤が正解となりますが、詳しく見ていきましょう。④の comfort zone については、まず第５段落最終文に That was my comfort zone, and I rarely left it. とあるように最初は自分の安全地帯にいて新しい挑戦を拒んでいた筆者が、最終段落３文目 I accepted his offer, and 20 years later, I am running the biggest visual effects company in the United States.「私は彼の申し出を受け、そして20年後の今、私はアメリカ最大の視覚効果の会社を経営している」と新しいことを受け入れその後成功につながったという流れから正解だとわかります。

⑤に関しては、筆者は最初叔母さんが仕事を頼んできたとき（第８段落３文目）、I felt that she had tricked me into working for free, and I was annoyed とあるように、だまされたと思い怒りを感じていました。が、第10段落４～５文目に Every day I enjoy working with new people on unique projects. I think that was my aunt's plan all along. とあるように、叔母さんは悪意ではなくむしろ善意から筆者を外に連れ出したのだと筆者も感じているので、正解となります。

第8問［解説］

問 1－5

訳 あなたは、重要な科学的発見についてクラスで発表するためのポスターを、以下の論文を使って準備しています。

［第1段落］
バイオ炭技術は、気候変動への私たちの関与を減らし、農業用の土壌の質を改善する上で将来性が見込まれている。さらには、その生産段階で廃棄物を減らしエネルギーを生み出すことにも役立つ。では、どういうものなのだろうか。

［第2段落］
木のような有機物を燃やすと、黒くなりつやが出る。さらに燃やし続けると、減少して灰と呼ばれるグレーの粉になる。バイオ炭は、木が黒くなったが形をすっかり失ってはいない段階のことだ。熱分解という特別な工程を使って、バイオ炭を大量に作ることができる。

［第3段落］
熱分解の過程で、木くずや落ち葉や枯れ木などの有機物 問1⑤ は、入ってくる酸素の量が制限された容器内で燃やされる。このように燃やされると、有機物はほぼ無害か全く無害の煙を放出する 問1② 。その結果できる有機物は、大気に簡単に逃げ出すことのない安定した炭素の形になる。うれしい副産物として、熱分解の間に生み出される熱を捉えてクリーンエネルギーの一種として活用することができる 問1① 。

［第4段落］
バイオ炭の物理的特性は、特にそれを利用価値の高いものにしている。それは黒色で、細かい穴がたくさん空いており、そのおかげで驚くほど軽い。問1④ 水分を保つことも通すこともできる。すべてのバイオ炭が同じというわけではない。その化学組成は、生成に用いた物質と手順によって変わる。問1⑥

［第5段落］
世界中で知られるようになったのは最近になってからだが、バイオ炭はアマゾンの人々によって何千年も利用されてきた。アマゾンの人々がバイオ炭を作っていることを自覚していたのか、それとも生活の一部として偶然行っていたのかは、定かでない。しかし、これが理由で、彼らの住む地域で育てられている植物は、周辺で育てられているものより生育が早く栄養も豊富なのだ。

［第6段落］
バイオ炭がどうやって作られるのか詳しく見てみよう。10～20パーセントの水分を含む清潔な有機物を使うのが一番いい。汚染された有機物を使うと有毒なバイオ炭ができて、土壌を健康的な作物を育てるのに不向きにしてしまう可能性がある。

［第7段落］
バイオ炭の製造は、簡単に手に入る道具を改造することで、十分安く簡単にできる。通常、必要なのは上部点火上昇気流バイオ炭ストーブだ。底に必要最低限の空気を通す開口部のあるドラム缶でも、立派なストーブになる。バイオ炭にしようと思っている材

料が最初にストーブ内に入れられる。問2 C　熱を発生させるため、何か他の物質がその上で燃やされる。問2 A　内部の熱は550 ～ 600℃に達しなければならない。数時間後、物質が灰になるのを防ぐため火を消す必要がある。普通は、装置に大量の水をかけることでこれを行う。問2 E　土に混ぜる前に、バイオ炭に台所から出た生ごみの野菜くずを混合する。

[第8段落]

できたバイオ炭は次に粉砕して土に混ぜられる。バイオ炭の微細な穴は、微生物が繁殖する暖かく湿った生息場所となる。問3⑤　これは土壌の質を改善し、世界中の農業で大きな懸案となっている過剰耕作の影響を元に戻してくれる。もちろん、バイオ炭の恩恵や活用はこれだけではない。バイオ炭を土に混ぜることで、保管することにもなる。これで炭素を、有害になりうる大気中ではなく、有益な地中に永続的に入れておくことになるのだ。問3③

[第9段落]

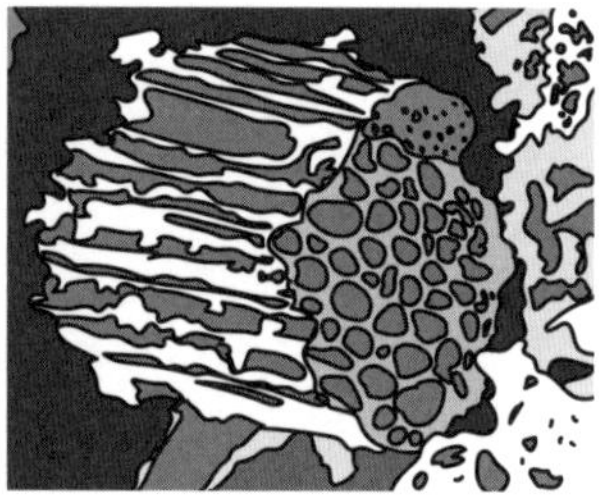

バイオ炭は簡素な物質に思えるかもしれないが、さまざまな世界的問題を一度に解決する助けとなるかもしれない。地中に水分を長くとどめておくことで、農業に使う水の量を減らせる。これはまた、植物の生育を助けるため農業従事者が地面に加える農薬の量を減らすことにもなる。工場からの排水をろ過するのに使って、川や湖が汚染されないようにすることもできる。バイオ炭をCHP（熱電併給）システムで使うためのガスに変えるプロセスも、順調に試験が行われている。こうした装置は病院などの大規模施設で、建物内にいる人たちが使う電気と熱の両方を生み出すために使われる。問4

[第10段落]

この古来の慣習をより広く活用することは、われわれが現在直面している多くの環境問題を克服するために利用できる重要なツールとなり得る。問5

あなたのプレゼンテーション用ポスター草稿：

バイオ炭

基本情報 41

バイオ炭は……

A. 公害を起こさないエネルギー源となり得る。

B. 有害ガスを出さずに製造できる。

C. 建設業界でうまく活用されてきた。

D. 大きさから予想するほど重くない。

E. 農業で出る廃棄物から作られる。

F. 生産方式によって化学的バランスが異なる場合がある。

バイオ炭の作り方（5ステップ）

ステップ1．燃やすための清潔な有機物を探す

ステップ2．

ステップ3．　} 42

ステップ4．

ステップ5．炭化したものを細かく砕いて土に混ぜる。

バイオ炭の性質

43

44

将来の用途

45

語句

［論文］

［第1段落］

biochar	名	バイオ炭
show promise	熟	将来性を示す、有望である
contribution to ～	熟	～への寄与、～の原因となる行為
soil	名	土壌
phase	名	段階

［第2段落］

organic	形	有機的な、生物由来の
shiny	形	輝く、つやのある
ash	名	灰
pyrolysis	名	熱分解

［第3段落］

litter	名	ごみ、落ち葉
oxygen	名	酸素
toxic	形	有毒な
harmful	形	有害な
fume	名	煙
resulting	形	結果として生じる
stable	形	安定した
carbon	名	炭素
atmosphere	名	大気
side effect	熟	副作用、副次的影響
capture ～	他	～を捉える、～を得る

［第4段落］

physical	形	物理的な
attribute	名	特性、特質
retain ～	他	～をとどめる、～を保つ
chemical	形	科学的な
composition	名	構成、組成

第8問

procedure	名 手順	microscopic	形 顕微鏡レベルの、微細な
［第５段落］		microbe	名 微生物
Amazonian	形 アマゾンの	multiply	自 増殖する
unclear	形 不明確な、はっきりしない	reverse ～	他 ～を逆行させる、～を無効にする
by accident	熟 偶然に	over-farming	名 過剰耕作
inhabit ～	他 ～に居住する	agriculture	名 農業
nutrient	名 栄養素、養分	around the globe	熟 世界中で
surrounding	形 周辺の	permanently	副 永続的に
［第６段落］		［第９段落］	
moisture	名 水分、湿度	simultaneously	副 同時に
contaminated	形 汚染された	filter ～	他 ～をろ過する
unsuitable for ～	熟 ～に適合しない	polluted	形 汚染された
crop	名 農作物	whereby SV	副 SVするところの
［第７段落］		convert A into B	熟 AをBに変換する
manufacture	名 製造	occupant	名 居住者、中にいる人
modify ～	他 ～を改造する	［第10段落］	
readily available	熟 すぐに手に入る	ancient	形 古代の、大昔の
top-lit	形 上部点火型の	overcome ～	他 ～を克服する、～を打開する
updraft	名 上昇気流		
steel drum	熟 ドラム缶		
adequate	形 適度な、十分役に立つ	［ポスター草稿］	
put out ～	熟 ～を消す	construction	名 建設
rotting	形 腐りかけの	based on ～	熟 ～を基にして
left over	熟 残された、残り物の	depending on ～	熟 ～によって、～次第で
［第８段落］		char	名 炭状の物、炭化したもの
crush ～	他 ～をつぶす、～を砕く	property	名 特性、性質

問 1　正解③　**問題レベル【難】　配点 2点**

設問 **あなたは自分のポスターをチェックしている。基本情報の部分に間違いを見つけた。削除すべきなのは次のうちどれか。** 41

選択肢
① A
② B
③ C
④ D
⑤ E
⑥ F

語句 spot ～ 他 ～に気付く、～を見つける

【論理的文章読解問題】を攻略する「視線の型」(p. 342参照)、「言い換えの型」(p. 368参照)で正答を導ける問題です。

まずは「**視線の型**」で、リード文から**場面・状況をイメージ**します。「重要な科学的発見についてクラスで発表するためのポスターを、論文を使って作成」しているのですね。プレゼンテーション用ポスターの素案が付いているので、**見出しを先読み**し、空所の前後を確認して

「何が問われているか」を把握します。それでは、問1から解いていきましょう。

まずは**設問の先読み**です。問1は「バイオ炭の基本情報として記した項目から間違いを削除せよ」という問題です。基本情報はふつう最初の方に記されるため、本文の冒頭を注意して読みます。では選択肢を見ていきます。

①のA. can be a source of non-polluting power. は第3段落最終文 used as a form of clean energy より○、②のB. can be produced without releasing harmful gases. は第3段落2文目 no toxic or harmful fumes より○です。③のC. has been successfully used in the construction industry. はどこにも記載がないので、③が削除すべきものとなります。

念のため、残りも見ていきましょう。④のD. is less heavy than you would expect based on its size. は第4段落2文目 surprisingly light より○、⑤のE. is made from waste products. は、第3段落1文目でバイオ炭の素材を organic materials, such as wood chips, leaf litter, or dead plants と言っているので○、⑥のF. may have a different chemical balance depending on its production methods. は第4段落最終文 is affected by the materials and procedures that are used in its creation より○です。

問2 正解④ **問題レベル【難】 配点 3点**

設問 あなたはバイオ炭を作るのに使われる5つのステップを簡単にまとめようとしている。工程を完成させるのに最も適わしい組み合わせを選びなさい。 42

A. 有機物の上で小さく火を熾す。

B. 大気に出る前に有害なガスを捉える。

C. 底部に小さな穴の開いた容器に物質を入れる。

D. 使おうとしている土の質を検査する。

E. バイオ炭に大量の水を掛ける。

選択肢

① A → C → E	② A → E → D	③ C → A → B
④ C → A → E	⑤ E → C → A	⑥ E → C → D

語句 summarize ～ 他 ～を要約する

設問は、プレゼンテーション用草稿の「バイオ炭の作り方（5ステップ）」の Step 1と5が与えられていて、2～4を埋める問題なので**狙い読み**ができます。

バイオ炭の作り方は、第7段落にまとまっていました。Step 1が1文目、Step 5が最終文なのでその間を丁寧に読んでいきましょう。第7段落2～4文目 A top-lit updraft biochar stove is usually needed. A steel drum with an opening at the bottom to let in just enough air can make an adequate stove. The items you intend to turn into biochar are placed in the stove first. が選択肢Cに、5文目 To create heat, some other materials are burned at the top. が選択肢Aに、7～8文目 After a couple of hours, it is necessary to put out the fire to stop the material from becoming ash. Usually, this is done by suddenly adding a large amount of water to the machine. が選択肢Eに該当します。よってC → A → Eとなり、正解は④です。

問3　正解③・⑤（順不同）　**問題レベル【難】　配点 3点（すべて正解で）**

設問 **次の一覧から、バイオ炭の特性を最もよく述べているものを２つ選びなさい。（順不同）** 43 44

選択肢 ① バイオ炭は土壌の水を吸収して植物を水分過剰から守る。
② バイオ炭は太陽光が土の深い層まで届くようにし、それが植物の生育を助ける。
③ バイオ炭は空中に炭素を放出することなく、長期間、土壌にとどまることができる。
④ バイオ炭は火事の被害を受けた森林の回復に役立つ。
⑤ バイオ炭は穴だらけで、その中で有益な微生物が生息できる。

語句

overhydration	名 水分過剰	extended	形 長期の
layer	名 層	microorganism	名 微生物
persist	自 存続する、残る		

設問より、The properties of biochar「バイオ炭の特性」が書かれている箇所を探せばよいとわかります。が、特性については一カ所にまとまっていないので、選択肢を一つ一つ見ていきましょう。

①は、第４段落３文目 It can both retain water and allow it to pass through. と書かれていますが、「水を吸収する」とはどこにもないので不正解です。②については記載がないので×。③は、第８段落５～６文目 By adding biochar to the soil, we are also storing it. This permanently keeps the carbon in the ground, where it is useful, rather than in the atmosphere, where it can be harmful. とあるので正解です。ground が soil と**言い換え**られています。④については記載がないので不正解。⑤は、第８段落２文目 The microscopic openings in the biochar provide a warm wet habitat for microbes to multiply in. より正解だとわかります。habitat for microbes が microorganisms can grow に**言い換え**られていました。よって、③と⑤が正解です。

問4　正解①　**問題レベル【難】　配点 3点**

設問 **この文章から、将来バイオ炭が利用されそうなのは次のうちどれか。** 45

選択肢 ① 産業用の発電装置の燃料　② 毒性のない農業用薬品の原料
③ 病院の空気をより清潔に保つ方法　④ 川や湖から化学物質を取り除く方法

設問から、「将来バイオ炭が利用されそう」な用途を探すのだとわかります。第８段落まで、バイオ炭の特性や作り方について語られてきているので、Future use「将来の用途」はそれ以降にあると考えて**狙い読み**できる問題です。第９段落５～６文目に A process whereby biochar can be converted into a gas for use in CHP (combined heat and power) systems has been successfully tested. Such devices are used in large facilities such as hospitals to generate both electrical power and heat for the building's occupants. とあります。ここを要約した① A fuel for industrial power generators が正解です。

問5　正解④　**問題レベル【難】　配点 3点**

設問　**この文章から、筆者は 46 と推測できる。**

選択肢　① バイオ炭生産が将来、製造業の重要な部分になると信じている
② 食用作物向けの安価なバイオ炭を作る際に農家が経験している困難について知っていた
③ バイオ炭を作る工程が複雑過ぎて一般の人が利用できないことを心配していた
④ あまり知られていなかった伝統手法が、現代社会の直面する課題の解決に利用されそうだと知って喜んでいる

語句
infer ～　他 ～と推論する、～と推測する
complicated　形 込み入った、複雑な
take advantage of ～　熟 ～を利用する
confront ～　他 ～に直面する、～に立ちはだかる

設問と選択肢より、筆者の意見が書かれている文を探せばよいとわかりますが、狙い読みが難しい設問です。選択肢のキーワードを頼りに一つずつ見ていきましょう。

①は、第9段落でバイオ炭の将来について著者は肯定的ですが、「信じている」とは書かれていないので不正解です。②は、「バイオ炭を作る際に農家が経験している困難」については記載がないので間違いです。③は、第7段落1文目 The manufacture of biochar is cheap and easy enough for people to do by modifying readily available items. と矛盾するので不正解。消去法から④が正解となりますが、念のため見てみましょう。第10段落に、The broader use of this ancient practice could be an important tool for us to use in overcoming many of the environmental problems we currently face.「この古来の慣習をより広く活用することは、われわれが現在直面している多くの環境問題を克服するために利用できる重要なツールとなり得る」とあります。important という主観形容詞があることからも筆者の主張が含まれる文だとわかります。ancient practice が a little-known traditional technique と**言い換え**られ、overcoming many of the environmental problems we currently face が solve challenges confronting modern societies に**言い換え**られています。内容からも④が正解となります。

巻末リスト 1

“英米の違い”を攻略するイギリス英語ミニ辞典

以前の大学入試センター試験ではアメリカ英語が使用されていましたが、共通テストではイギリス英語も登場します。「語彙」「綴り」「発音」「文法」の４つの観点からイギリス英語の代表的な特徴をまとめましたので、ここでしっかり対策をしておきましょう。

❶ 語彙

共通テストで出そうな語に絞って約50の組み合わせを選抜しました。どちらがイギリス英語でどちらがアメリカ英語かまでは覚えなくても大丈夫です。実際にはイギリスでアメリカ英語に分類している語が使われることもよくありますし、逆もまた然りです。反応できなさそうな方にチェックを入れて、本番まで何度か目を通しておきましょう。

意味	イギリス英語	アメリカ英語
休暇	holiday	vacation
祝日	bank holiday	public holiday / national holiday
予約	book	reserve
薬局	chemist / pharmacy	drugstore / pharmacy
本屋	bookshop	bookstore
食堂	canteen	cafeteria
映画	film	movie
映画館	cinema	movie theater
サッカー	football	soccer ※ アメリカでfootballというと「アメフト」のこと
掲示板	notice board	bulletin board
時刻表・時間割	timetable	schedule
成績	mark	grade
復習する	revise	review
学期	term	semester
校長	headteacher	principal
1年生	first-year student	freshman
2年生	second-year student	sophomore
3年生	third-year student	junior
4年生	fourth-year student	senior
携帯電話	mobile / mobile phone	cell / cellphone / cellular phone

意味	イギリス英語	アメリカ英語
ズボン	trousers	pants
運動靴	trainers	sneakers
消しゴム	rubber	eraser
ゴミ箱	dustbin / rubbish bin	trash can / garbage can
アパート	flat	apartment
1階	ground floor	first floor
2階	first floor	second floor
エレベーター	lift	elevator
廊下	corridor	hallway
郵便番号	post code	zip code
郵便ポスト	postbox	mailbox
小包	parcel	package
手荷物	luggage	baggage
履歴書	CV	résumé
フロント	reception	front desk
レジ	till	cash register / checkout
紙幣	note	bill
伝票	bill	check
列	queue	line
トイレ	toilet	bathroom / restroom
長距離バス	coach	long-distance bus
トラック	lorry	truck
ガソリンスタンド	petrol station	gas station
高速道路	motorway	highway / freeway
歩道	pavement / footpath	sidewalk
駐車場	car park	parking lot
地下鉄	underground / tube	subway
地下道	subway	underpass
片道切符	single ticket	one-way ticket
往復切符	return ticket	round-trip ticket
レンタカーを借りる	hire a car	rent a car
2週間	fortnight ※fourteen + night	two weeks
秋	autumn	fall
虫	insect ※ てんとう虫はladybird	bug ※ てんとう虫はladybug

❷ 綴り

少しスペリングが違うだけで未知語に見えてしまうのはもったいないです。イギリス式にも一度目を通しておきましょう。

綴り	イギリス英語	アメリカ英語	意味
-re	centre litre theatre	center liter theater	中心 リットル 劇場
-our	colour flavour neighbour	color flavor neighbor	色 味 隣人
-ise	apologise organise realise	apologize organize realize	謝罪する 組織する 実感する
-ence	defence licence offence	defense license offense	防御 免許 違反
-ogue	analogue catalogue prologue	analog catalog prolog	類似物 目録 序章
その他	ageing cheque dreamt programme skilful travelled tyre	aging check dreamed program skillful traveled tire	高齢化 小切手 夢を見た プログラム 熟練した 旅行した タイヤ

❸ 発音

リスニング対策として、同じ単語なのにイギリス英語とアメリカ英語で明らかに発音が異なる語を掲載しておきます。

単語	イギリス英語	アメリカ英語	意味
advertisement	アドバーティスメント	アドバタイズメント	広告
herb	ハーブ	アーブ	薬草
schedule	シェジュール	スケジュール	予定
vase	ヴァーズ	ヴェイズ ／ ヴェイス	花瓶
vitamin	ヴィタミン	ヴァイタミン	ビタミン

❹ 文法・表記

イギリス英語とアメリカ英語で、文法や表記の仕方が少し違う時があります。読解する分にはあまり支障のないものもありますが、念のため確認しておきましょう。

文法・表記	イギリス英語	アメリカ英語	意味
持っている	have got 例）I have got a cold. Have you got a pen?	have 例) I have a cold. Do you have a pen?	私は風邪をひいています。 ペンを持っていますか。
doするだろう・doするつもりだ	shall・will 例）I shall be there at 5 o'clock.	will 例）I will be there at 5 o'clock.	5時にそこに行きます。
年・月・日	day / month / year 例）10/1/20 = 10th January 2020	month / day / year 例）1/10/20 = January 10 2020	2020年1月10日
○時△分(過ぎ)	△ past ○ 例）ten past five ※ half past fiveは「5時半」	△ after ○ 例）ten after five	5時10分 = five ten
○時△分前	△ to ○ 例）five to ten ※ a quarter to tenは「10時15分前=9時45分」	△ before ○ 例）five before ten	10時5分前 = nine fifty-five
集合名詞	複数扱い 例）Our class are visiting the museum tomorrow.	単数扱い 例）Our class is visiting the museum tomorrow.	私たちのクラスは明日美術館に行く予定です。
前置詞	Monday to[till] Friday at the weekend in the street	Monday through Friday on the weekend on the street	月曜から金曜まで 週末に 通りに
ピリオド	Mr Smith 10 pm 10.20	Mr. Smith 10 p.m. 10:20	スミスさん 午後10時 10時20分
引用符	シングルクオーテーション He said, 'I am happy'.	ダブルクオーテーション He said, "I am happy."	彼は「幸せだ」と言った。

巻末リスト 2

グラフ・広告問題を攻略する頻出表現リスト

共通テストでは、グラフを含む問題や広告系の英文がよく出題されます。このタイプの問題を苦手としている人はおそらく「経験不足」です。グラフ・広告問題では特有の語彙や表現が多く、慣れていないと読解に時間がかかってしまいます。頻出の表現をまとめましたので、ここでしっかり確認しておきましょう。

❶ グラフ問題頻出表現

訳・意味	表現
調査・研究	survey / research / investigation / examination / study（調査） experiment（実験）　poll（世論調査）　statistics（統計） questionnaire（アンケート）　respondent（回答者）
約～	about ～ / around ～ / approximately ～ / roughly ～ / ～ or so
～の一歩手前	nearly ～ / almost ～
分数	one[a] third（3分の1）　two thirds（3分の2） one[a] fourth = a quarter（4分の1） ※ A out of B / A in B（BのうちのA） 例）one person out of five / one person in five（5人のうち1人）= 20%
増加・減少	rise / go up / increase / grow（増加する） fall / go down / decrease / drop / reduce / decline（減少する） ※ 増減した「結果」は前置詞to、どれだけ増減したかの「差」は前置詞byで表す。 例）increased to 20（増加して20になった）　increased by 20（20増加した）

❷ 広告問題頻出表現

料金	
price	モノを買うときの値段
cost	何かをしたり作ったりするのにかかる費用
charge / rate	サービスに対して支払う手数料 a shipping charge（送料）　an additional charge（追加料金） a handling charge（取扱手数料）　a room rate（ホテルの部屋の料金）
fee	弁護士などの専門職や公共団体に対して支払う手数料 an admission fee（入場料、入会金）　a transfer fee（振り込み手数料） a tuition fee（授業料）　a submission fee（提出料） an annual membership fee（年会費）
fare	交通機関に対して払う運賃
toll	道路などの通行料や電話料金
postage	郵便料

（値段が）高い			
expensive	高価な	costly	費用のかかる
pricey	値の張る	overpriced	高過ぎる
unaffordable	手が届かない		
（値段が）安い			
cheap	安い	inexpensive / low-priced	安価な
reasonable / affordable	手頃な	economical	経済的な
購入関連			
buy ～ / purchase ～	～を買う	a 10% discount on tickets	入場料1割引
subscribe to ～	～に定期購読する	order	注文
sign up for ～	～に登録する	sold out	売り切れ
in cash	現金で	in total	合計で
by credit card	クレジットカードで		
free / free of charge / for free / for nothing		無料で	
その他お金関連			
interest	利子	tax	税金
fine	罰金	donation	寄付
refund	払戻金		
期日関連			
in advance / beforehand	前もって	by ～	～までに【締切期限】
book / make a reservation	予約する	expire	期限が切れる
on the day	当日	a guarantee / a warranty	保証
no later than ～	遅くとも～までに【締切期限】		
without notice	突然　例）Prices may change without notice.（値段は予告なしに変わることがあります）		
その他			
available	利用できる	ship ～	～を発送する
fill out ～ / fill in ～	～に記入する	overnight delivery	翌日発送
an application form	申し込み用紙	accommodation(s)	宿泊施設
a money transfer slip	振り込み用紙	a round-trip ticket	往復切符
inquiry	問い合わせ	items / goods / products	商品
first-come, first-served	先着順の		
including ～	～を含めて ⇔ excluding ～　～を除いて（共に前置詞）		

巻末リスト 3

話の流れ・展開を攻略する論理マーカー一覧

「論理マーカー」とは「ディスコースマーカー」や「サインポスト」などとも呼ばれ、英文の流れを示してくれる標識のことです。文中で出会ったときは、訳語を頭に浮かべるだけではなく、「話の方向を示してくれる標識だ」という意識をもって英文の流れに乗っかっていきましょう。

※ 等 は等位接続詞、従 は従属接続詞、副 は副詞、前 は前置詞のことです。

❶ A⇔B　逆、対比を表す表現

等 but / yet（しかし）

従 though / although / while（～だけれども）

while / whereas（だが一方～）

副 however / though（しかしながら、だが）

nevertheless / nonetheless / still / all the same（それにもかかわらず）

on the other hand / meanwhile（他方では）

on the contrary / rather / instead（それどころか逆に）

by contrast（対照的に）

前 despite ～ / in spite of ～（～にもかかわらず）

❷ A＝A'　説明、抽象→具体、言い換えを表す表現

等 , or（すなわち）

副 for example / for instance / , say,（例えば）

that is / that is to say / namely（すなわち）

in other words / to put it another way（言い換えれば）

in short / in brief / in a word（要するに）

前 such as ～ / like ～（例えば～のような）

including ～（～を含む）

ranging from A to B（A から B まで範囲が及ぶ）

as with ～（～の場合と同様に）

❸ A＋B　追加を表す表現

等 and（そして）

副 also / too / as well / in turn（また、同様に）

then（それから）

furthermore / moreover / what is more / in addition（さらに）

前 in addition to ～ / on top of ～ / along with ～ / apart from ～ / aside from ～ / besides ～（～に加えて）

④ A⇄B　因果関係を表す表現

等 and / , so ＋結果（だから） ⇔ , for ＋理由（というのも～だから）

従 because / since / as（～なので）

now (that)（今はもう～なので）

that is because ＋ 理由（なぜなら～） ⇔ that is why ＋ 結果（そういうわけで～）

副 therefore / thus / then / hence / consequently / accordingly（それゆえに、従って）

as a result（その結果）、for this reason（こういうわけで）

after all（というのも～だから）

前 because of ～ / due to ～ / owing to ～ / on account of ～ / thanks to ～（～のために / おかげで / せいで）

●主語が「原因」、目的語が「結果」：すべて「主語 → 目的語」と右向き矢印で解釈

cause O（O を引き起こす）
trigger O（O の引き金になる）
fuel O（O に油を注ぐ）
spark O（O の導火線となる）
explain O（O の原因を説明する）
mean O（O ということに等しい）
lead to O（O をもたらす）
result in O（O という結果になる）
bring about O（O をもたらす）
contribute to O（O の一因となる）
account for O（O の原因となる）
end in O（O という結果に終わる）
give rise to O（O を引き起こす）
be responsible for O（O の原因である）

＝ S → O
（S によって O になる）

●主語が「結果」、目的語が「原因」：すべて「主語 ← 目的語」と左向き矢印で解釈

follow O（O の次に起こる）
reflect O（O を反映する）
come from O（O から来る）
arise from O（O から生じる）
result from O（O に起因する）
stem from O（O から生じる）
derive from O（O に由来する）
depend on O（O によって決まる）

＝ S ← O
（O によって S になる）

※【英語の記号】

:（コロン）	前の語句の説明（=②）
―（ダッシュ）	前の語句の説明（=②）or 付け加え（=③）
;（セミコロン）	等位接続詞の代用（①～④すべての意味になりうる）
,（カンマ）	同格（=②）、並列（=③）、挿入

巻末リスト 4

言い換え問題を攻略する語句リスト

共通テストの問題では、本文で出てきた表現が選択肢では別の言い回しになっていることがよくあります。この「言い換え表現」を見抜くことで、正解を導けることがとても多いです。ここでは、最近の共通テストやセンター試験で実際に出題された言い換えを一部紹介します。まったく同じ言い換えは出ないかもしれませんが、パターンを把握しておくことで、言い換えに気付きやすくなるはずです。

❶ 類義語による言い換え

単語帳に載っているようなシンプルな単語の言い換えもあれば、フレーズ単位の言い換えもあります。また、品詞転換による言い換えもここに含めています。色々な言い換えのパターンを過去に出題された問題から学んでおきましょう。

訳・意味	本文	設問・選択肢	出題年度
好きだと感じ始める	begin to feel fond of ～	develop affection for ～	2024
才能	gifts	talent	2024
～に記入する	fill in ～	complete ～	2023
下の用紙	the form below	the bottom part	2023
出演者	actors / cast	performers	2023
～に慣れる	get used to ～	get accustomed to ～	2023
6枚のカード	6 cards	half a dozen cards	2023
世界中の	from around the world	from different countries	2023
隙間	empty space	gaps	2023
姿が見えなくなる	fade ... out of sight	vanish	2023
子どもたちに衣装を着せた	had the children wear costumes	gave his sons some clothes to wear	2023
徐々に	progressively	gradually	2023
より難しい	more difficult	harder	2023
退屈だ	dull	boring	2023
4週間	28 days	four weeks	2023
アドバイス	advice	tips	2023
およそ3分の1	approximately one third	roughly 30%	2023
いつ野菜を収穫するか	when to harvest a vegetable	the timing for collecting the crops	2023
あなたの誕生日	your date of birth	your birthday	2022
正面玄関近くに	by the main entrance	near the main entrance	2022
満足している	content	happy	2022
より落ち着いて	calmer	more peacefully	2022
手頃な価格だ	are priced very reasonably	are affordable	2022
10年	ten years	a decade	2022
要約	a brief outline	summary	2021
およそ1週間	a week or so	about seven days	2021
半額で	at a 50% discount	at a half price	2021
最低1年に1回	annually or more frequently	at least one ... a year	2021
短縮する	make ... shorter	reduce	2021
友情を育む	get to know each other	develop friendships	2021

連続して3回以上	more than two consecutive ...	three or more times in a row	2020
無料で	for no extra charge	free	2020
日常的に	on a daily basis	quite regularly	2019
ブログ	blog	personal website	2019
一年中	throughout the year	in every season	2018
もう少しで優勝だった	almost won	took second place	2018
～に参加する	participate ～	take part in ～	2018
特別な許可なしに	without special permission	except for special cases	2018
休み時間に	at break time	between classes	2018
問題がどこにあるかを特定する	identify where there were problems	find the locations of problems	2018
～を思い出させる	remind ... of ～	bring back memories of ～	2018
彼が有名なので	due to his popularity	because of his fame	2018
コミュニケーション技術を身につける	can improve their communication skills	can become good communicators	2017
悪い成績をとる	receive poor grades	perform poorly	2017
一生懸命働く気力がなくなる	become less motivated to work hard	lose interest in working hard	2017
卒業後に	after graduation	after leaving school	2017
利点	merits / benefits / advantages	good effects	2017
貧しい人たちに住居や食べ物を与える	provide poor people with housing and food	feed people in need and give them a place to live	2017
その土地の人を雇う	employ people living in those areas	hire local people	2017
事前予約は不要	No reservation ... is required	Advance booking is not necessary	2016

❷ 角度を変えた言い換え

「角度を変える」とは、180度違う単語を肯定と否定を入れ替えて使うことで言い換えたり、最上級「…の中で一番～だ」を比較級「他のどの…よりも～だ」を使って表現したり、とややひねった言い換えのことだと思ってください。過去の出題例を確認することで、ある程度パターンが見えてくると思います。

訳・意味	本文	設問・選択肢	出題年度
数分しかかからない ※ 肯定⇔否定	take just a few minutes	does not take much time	2024
農家の人たちが作物を直接売る ※ 主語を変えて「売る」⇔「買う」を逆にした言い換え	farmers sell their produce directly	people buy food from farms	2023
集団競技より個人競技がいいと思った ※ 肯定⇔否定	thought it would be better for me to play individually	wanted to avoid playing a team sport	2023
消化が遅い ※ 肯定⇔否定	move through the body extremely slowly	not digested quickly	2021
私を助けた ※ 能動⇔受動	helped me	I was assisted	2020
3つのグループの中で一番悪い ※ 比較級⇔最上級	performed worse than the other two groups	showed the worst score among the three groups	2020
天気が悪かったのでダンスショーは建物の中であった ※ 仮定⇔現実	If it had been sunny, they could have danced outside.	The dance show was held inside due to poor weather.	2018
若者は子どもよりスクリーンに基づいた活動をすることに時間を使う傾向があった ※ 比較対象の入れ替え	Teenagers tended to spend more time on screen-based activities than did Children.	Children are likely to spend less time doing screen-based activities than Teenagers.	2017

③ 上位概念の言い換え

本文に「主人公は犬を飼っている」と書いてあり、選択肢に「主人公は動物を飼っている」とあった場合、この選択肢は正解になります。この「犬→動物」ように、抽象度を上げた言葉で言い換えられることがよくあります。以下で過去に出題された例を確認しておきましょう。

訳・意味	本文	設問・選択肢	出題年度
シャツから様々な角度で距離を取って手を叩いた→様々な方向から音が出された	They clapped their hands at various angles away from the shirt.	Sounds from various directions were made.	2024
ポイントを集める→特典を受け取る	collect points	receive benefits	2023
より効果的に→よりうまく	more effectively	better	2023
英語→言語	English	language	2023
コミュニケーション能力→人付き合いの能力	communication skills	social skills	2023
毛皮のある子→ペット	fur babies	pet	2022
太鼓 / 琴→日本の伝統音楽	taiko / koto	Japanese traditional music	2022
卵ケース→日用品	an egg carton	everyday items	2022
-40度の低温から100度の高温まで→広い温度範囲	temperatures as low as -40℃ and as high as 100℃	a wide range of temperatures	2022
メールする→連絡する	email	contact	2021
歌手→アーティスト	singer	artist	2021
水→液体	water	liquid	2020
伝統的なダンス・食べもの・衣服→文化	traditional dance, traditional food, traditional clothing	cultures	2018
絵画→芸術作品	paintings	art works	2018
ゲーム、ソーシャルメディア、テレビ→電子機器	playing video games, using social media, and watching television	playing with electronic devices	2018
詩→作品	poems	works	2018
フェリーに乗った→海路で	took a ferry	by sea	2017

英語リーディング実戦模擬試験
解答用紙

※何度も使用する場合に備えて、コピーしておくことをお勧めします。

解答番号	解答欄 1	2	3	4	5	6
1	①	②	③	④	⑤	⑥
2	①	②	③	④	⑤	⑥
3	①	②	③	④	⑤	⑥
4	①	②	③	④	⑤	⑥
5	①	②	③	④	⑤	⑥
6	①	②	③	④	⑤	⑥
7	①	②	③	④	⑤	⑥
8	①	②	③	④	⑤	⑥
9	①	②	③	④	⑤	⑥
10	①	②	③	④	⑤	⑥
11	①	②	③	④	⑤	⑥
12	①	②	③	④	⑤	⑥
13	①	②	③	④	⑤	⑥
14	①	②	③	④	⑤	⑥
15	①	②	③	④	⑤	⑥
16	①	②	③	④	⑤	⑥
17	①	②	③	④	⑤	⑥
18	①	②	③	④	⑤	⑥
19	①	②	③	④	⑤	⑥
20	①	②	③	④	⑤	⑥
21	①	②	③	④	⑤	⑥
22	①	②	③	④	⑤	⑥
23	①	②	③	④	⑤	⑥
24	①	②	③	④	⑤	⑥
25	①	②	③	④	⑤	⑥

解答番号	解答欄 1	2	3	4	5	6
26	①	②	③	④	⑤	⑥
27	①	②	③	④	⑤	⑥
28	①	②	③	④	⑤	⑥
29	①	②	③	④	⑤	⑥
30	①	②	③	④	⑤	⑥
31	①	②	③	④	⑤	⑥
32	①	②	③	④	⑤	⑥
33	①	②	③	④	⑤	⑥
34	①	②	③	④	⑤	⑥
35	①	②	③	④	⑤	⑥
36	①	②	③	④	⑤	⑥
37	①	②	③	④	⑤	⑥
38	①	②	③	④	⑤	⑥
39	①	②	③	④	⑤	⑥
40	①	②	③	④	⑤	⑥
41	①	②	③	④	⑤	⑥
42	①	②	③	④	⑤	⑥
43	①	②	③	④	⑤	⑥
44	①	②	③	④	⑤	⑥
45	①	②	③	④	⑤	⑥
46	①	②	③	④	⑤	⑥
47	①	②	③	④	⑤	⑥
48	①	②	③	④	⑤	⑥
49	①	②	③	④	⑤	⑥

英語リーディング実戦模擬試験
解答用紙

※何度も使用する場合に備えて、コピーしておくことをお勧めします。

解答番号	解答欄 1	2	3	4	5	6
1	①	②	③	④	⑤	⑥
2	①	②	③	④	⑤	⑥
3	①	②	③	④	⑤	⑥
4	①	②	③	④	⑤	⑥
5	①	②	③	④	⑤	⑥
6	①	②	③	④	⑤	⑥
7	①	②	③	④	⑤	⑥
8	①	②	③	④	⑤	⑥
9	①	②	③	④	⑤	⑥
10	①	②	③	④	⑤	⑥
11	①	②	③	④	⑤	⑥
12	①	②	③	④	⑤	⑥
13	①	②	③	④	⑤	⑥
14	①	②	③	④	⑤	⑥
15	①	②	③	④	⑤	⑥
16	①	②	③	④	⑤	⑥
17	①	②	③	④	⑤	⑥
18	①	②	③	④	⑤	⑥
19	①	②	③	④	⑤	⑥
20	①	②	③	④	⑤	⑥
21	①	②	③	④	⑤	⑥
22	①	②	③	④	⑤	⑥
23	①	②	③	④	⑤	⑥
24	①	②	③	④	⑤	⑥
25	①	②	③	④	⑤	⑥

解答番号	解答欄 1	2	3	4	5	6
26	①	②	③	④	⑤	⑥
27	①	②	③	④	⑤	⑥
28	①	②	③	④	⑤	⑥
29	①	②	③	④	⑤	⑥
30	①	②	③	④	⑤	⑥
31	①	②	③	④	⑤	⑥
32	①	②	③	④	⑤	⑥
33	①	②	③	④	⑤	⑥
34	①	②	③	④	⑤	⑥
35	①	②	③	④	⑤	⑥
36	①	②	③	④	⑤	⑥
37	①	②	③	④	⑤	⑥
38	①	②	③	④	⑤	⑥
39	①	②	③	④	⑤	⑥
40	①	②	③	④	⑤	⑥
41	①	②	③	④	⑤	⑥
42	①	②	③	④	⑤	⑥
43	①	②	③	④	⑤	⑥
44	①	②	③	④	⑤	⑥
45	①	②	③	④	⑤	⑥
46	①	②	③	④	⑤	⑥
47	①	②	③	④	⑤	⑥
48	①	②	③	④	⑤	⑥
49	①	②	③	④	⑤	⑥

英語リーディング実戦模擬試験
解答一覧

問題番号(配点)	設問	解答番号	正解	配点
第1問(6)	1	1	3	2
	2	2	2	2
	3	3	4	2
第2問(10)	1	4	1	2
	2	5	1	2
	3	6	3	2
	4	7	1	2
	5	8	4	2
第3問(9)	1	9	4	3*
		10	2	
		11	3	
		12	1	
	2	13	3	3
	3	14	2	3
第4問(12)	1	15	1	3
	2	16	2	3
	3	17	2	3
	4	18	2	3
第5問(16)	1	19	1	3
	2	20	3	3
	3	21	3	2
		22	6	2
	4	23	4	3
	5	24	1	3

問題番号(配点)	設問	解答番号	正解	配点
第6問(18)	1	25	4	3
	2	26	4	3
	3	27-28	2-5	3*
		29	3	3
	4	30	4	3
	5	31	3	3
第7問(15)	1	32	3	3
	2	33	4	3
	3	34	2	3*
		35	5	
		36	4	
		37	3	
	4	38	1	3
	5	39-40	4-5	3*
第8問(14)	1	41	3	2
	2	42	4	3
	3	43-44	3-5	3*
	4	45	1	3
	5	46	4	3

(注)
1 * は全部正解の場合のみ点を与える。
2 ー(ハイフン)でつながれた正解は、順序を問わない。

森田鉄也（もりた てつや）

武田塾英語課課長、武田塾高田馬場校、豊洲校、国立校、鷺沼校オーナー。YouTubeチャンネル Morite2 English Channelとユーテラ授業チャンネルで、大学受験など英語試験をテーマにした動画を配信している。TOEIC®L&Rテスト990点満点、英検1級、TEAP満点、GTEC CBT満点など多数の資格を持つ。「大学入学共通テストスパート模試英語」シリーズ（アルク）、『TOEIC® L&R TEST パート1・2特急Ⅱ 出る問 難問240』（朝日新聞出版）など著書多数。慶應大学文学部英米文学専攻卒。東京大学大学院言語学修士課程修了。

斉藤健一（さいとう けんいち）

代々木ゼミナール講師。英字新聞「The Japan Times Alpha」、やさしい英字ニュースの多読プログラム「The Japan Times Alpha J」にて映像コンテンツを配信＆コラム「知識を使えるスキルに変える 大人の文法ドリル」連載執筆。YouTubeチャンネル「数学・英語のトリセツ！」講師。スマイルゼミ高校講座英語担当。英検1級取得。「リスパス」「リーパス」「スピード英文法」など英語教育系アプリを開発する（株）ファレ代表取締役も務める。著書に『1カ月で攻略！ 大学入試読むための英文法【標準編】』（アルク）や学校専売教材『ActiveReader』（いいずな書店）など。

改訂第2版 1カ月で攻略！
大学入学共通テスト英語リーディング

発行日 2024年9月10日（初版）
2024年9月18日（第2刷）

監修 森田鉄也
著者 斉藤健一
企画協力 岡﨑修平
編集 株式会社アルク 出版編集部／渡邉真理子
翻訳・語注作成 挙市玲子
模擬試験作成 Ross Tulloch
校正 Peter Branscombe ／ Margaret Stalker ／市川順子

AD・本文デザイン 二ノ宮 匡（nixinc）
著者写真 横関一浩（帯：監修者写真）
模試イラスト 関上絵美
DTP 朝日メディアインターナショナル株式会社
印刷・製本 日経印刷株式会社

発行者 天野智之
発行所 株式会社アルク
〒141-0001 東京都品川区北品川6-7-29 ガーデンシティ品川御殿山
Website：https://www.alc.co.jp/

PC：7024030 ISBN：978-4-7574-4211-5

改訂第２版　１カ月で攻略！
大学入学共通テスト英語リーディング

共通テスト
英語リーディング
実戦模擬試験

この模擬試験は、令和７年度大学入学共通テスト試作問題モニター調査（2022年12月実施）と同様の出題項目・同等の難易度で作成されています。

リーディングの受験時間は80分間です。

解答用紙は本冊のp.493に印刷されています。
正解と解説は本冊のp.443に掲載されています。
解答一覧は本冊のp.495に掲載されています。

英　　語（リーディング）

各大問の英文や図表を読み，解答番号 1 ～ 46 にあてはまるものとして最も適当な選択肢を選びなさい。

第１問　（配点　6）

You and your friends have created a student band. You see the following flyer for an upcoming contest.

Battle of the Bands

Have your album produced by Triple V Radio!

A contest to find Brisbane's best young band will be held on July 12 and 13.
The event will be held at Sheffield Hall in Brisbane City.
The contest is only open to students enrolled in a Brisbane high school.

◆How to Enter

- On April 7, application forms were sent to every music teacher in Brisbane City. Ask your music teacher for a copy and send it to the contest organizers.
- Organizers will be accepting applications from May 1. Applications will only be accepted during May.
- It costs $100 to enter. The money will be used to pay for the venue and other costs of organizing the event. Payment should be made online using the bank account information on the application form.
- You must submit an audition video to the organizers. You can upload the video at www.bnebob.org.au/auditions.

◆Contest Schedule

July 12	Contestants will play in front of a live audience at Sheffield Hall in Brisbane City. Bands will be given a performance schedule at 9:00 A.M. All bands must be present between 9:00 A.M. and 3:00 P.M. Ten bands will be asked to return for the final round on July 13. One of these bands will be chosen as the winner.

July 13	The performances on this day will be broadcast online. The finalists selected on July 12 must arrive at the hall by 3:00 P.M. The order in which the bands perform will be announced at that time. The winner will be chosen by votes from the online audience. The winning band will be announced after the final performance.

◆Prize

The winning band will have their album professionally produced by the recording staff at Triple V Radio.

問 1　You can enter the contest between [1].

① April 7 and May 1
② April 7 and July 13
③ May 1 and May 31
④ July 12 and July 13

問 2　Which of the following **cannot** be done online? [2]

① Paying the entry fee
② Obtaining an application form
③ Submitting a demonstration video
④ Viewing a broadcast of the contest

問 3　On both days of the contest, the band members will [3].

① be voted for by an online audience
② gather for a meeting with organizers at 3:00 o'clock
③ have their performances broadcast online
④ receive information about their performance order

第 2 問 （配点　10）

You are a member of your school's student council. You are reading a report about last year's summer holiday challenge so that you can plan for this year's challenge.

Summer Holiday Challenge

Last year, the student council conducted a survey of our fellow students after the summer vacation to see how they spent their time. By far, the most popular activities were playing video games and doing homework. There is nothing wrong with that, but the survey also showed that the students had no sense of achievement at the end of the holidays. We thought it might be interesting to have each student set themselves a goal to achieve during the summer holidays. When considering a goal, we asked them to think about gaining a valuable new ability. About 240 students took part. Just under half were in Grade One. About 30 percent were in Grade Two and the rest were in Grade Three. What made Grade Three students less likely to participate?

The feedback we received explained that.

Feedback from participants

AD: I loved this challenge. I learned how to cook different types of dishes using online video tutorials. The skills will come in handy when I'm living alone next year.

LB: I found it hard to stick to my goal, but the progress chart helped me to stay motivated. I think it would be helpful if I could compare my progress with that of other people.

MA: I was surprised by how much I was able to learn about programming. I even made a small app to help me keep track of what homework I've finished.

SK: I wanted to learn a new language, but I had difficulty staying motivated because I didn't have anyone to practice with. I wish coordinators had suggested some skills for us to learn.

TR: Compared with other grades, few people in my grade took part. A few of them told me they wanted to focus on university entrance tests.

問 1　The aim of the Summer Holiday Challenge was to [4].

① encourage students to develop new skills
② give students opportunities to spend time with friends
③ increase the amount of time students spent studying
④ reduce the amount of time students played games

問 2　One **fact** about the Summer Holiday Challenge is that [5].

① about 20 percent of the participants were in grade 3
② every student in grade 1 agreed to take part
③ fewer grade 1 students took part than grade 2 students
④ the organizers chose skills for the participants to learn

問 3　From the feedback, [6] were activities reported by participants.

A: keeping a learning record

B: practicing with a tutor

C: using books from the library

D: using online learning resources

① A and B

② A and C

③ A and D

④ B and C

⑤ B and D

⑥ C and D

問 4　One of the participants' **opinions** about the Summer Holiday Challenge was that [7].

① a list of recommended skills was needed

② programming is an important skill for everyone to have

③ students were competing to make the most progress

④ the students should have learned skills for living alone

問 5　The author's question is answered by [8].

① AD

② LB

③ SK

④ TR

（下書き用紙）

英語（リーディング）の試験問題は次に続く。

第 3 問 （配点　9）

Your school's English club will try geocaching as a fun weekend activity. To help prepare, you are reading the blog of a man who recently went Geocaching.

Discover Geocaching

Last year I took my family on a geocaching adventure. Geocaching is an activity that involves using GPS to locate hidden 'caches'. A cache is just a location marker. When you find one, you take a photograph or sign a log book.

Using a geocaching app on my phone, I found a geocache location in my area. It was a "puzzle cache". This meant that when we found the cache, it would give us a puzzle to solve. The solution would provide a hint to find the next cache. According to the app, there were six puzzles, and it should take about four hours to find all the caches on foot.

We left after lunch on Sunday afternoon. My son Greg lost his smartphone on Wednesday. Thankfully his new one arrived just in time on Sunday morning.

My wife Kate did not want to join the adventure but agreed to come and pick us up if we e-mailed her when we finished. Greg agreed to do that using his new phone.

Greg was really excited, but my daughter Misty was not interested. It had been hard for me to convince her to come along. As the day progressed, however, Greg got less and less excited about the activity. I guessed that it was because his sister was complaining, but that wasn't the case. It was his new shoes. They were hurting his feet. I let him ride on my back, and he suddenly brightened up.

When we got our third clue, Greg couldn't work it out, and I pretended that I couldn't, either. Misty soon found the answer. After that, she made herself our leader and encouraged us to get to the next clue. She was smiling the whole time.

If you're going to do this, you should probably get started in the morning in case it takes longer than you expected. It was getting dark when we found the last cache. 30 minutes later, Kate arrived in the car. She took us to a restaurant for pizza. During dinner, the children convinced her to join our next adventure.

問 1　Put the following events into the order in which they happened.

[9] → [10] → [11] → [12]

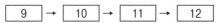

① The mother agreed to go Geocaching.
② The father carried his son on his back.
③ The mother received an e-mail from the son.
④ The son could not find his mobile phone.

問 2　If you follow the father's advice to try geocaching, you should [13].

① buy new shoes that are suitable for hiking
② check what time it gets dark at that time of year
③ get started on your adventure before noon
④ have lunch before departing on your adventure

問 3　From this story, you understand that the daughter [14].

① blamed her mother for ruining the geocaching adventure
② had a complete change of attitude toward the activity
③ regretted joining her father on the geocaching adventure
④ solved a problem that her father could not work out

第 4 問 （配点　12）

In English class, you are writing an essay on a social issue you are interested in. This is your most recent draft. You are now working on revisions based on comments from your teacher.

Street Art and Urban Development	**Comments**
Street art has emerged as a powerful force in urban development. It is a form of artistic expression that can inspire communities, encourage unity, and contribute to local culture. Unlike graffiti, street art is recognized for its ability to transform boring urban environments into energetic, fun spaces.	
Street art brings life to lifeless neighborhoods, turning featureless walls into artworks that tell stories, celebrate local history, or highlight social issues. This visual art form can stimulate economic recovery, attracting tourists and locals alike. (1)∧It can help foster a sense of pride and ownership among residents. As cities evolve, street art shows us the power of creativity in urban planning. This essay will highlight three ways we can promote street art in urban spaces.	*(1) Insert a connecting expression here.*
(2) We must show leaders the difference between street art and graffiti. City leaders can make it legal for street artists to paint freely on certain walls and areas encouraging creativity while respecting public and private properties.	*(2) This topic sentence doesn't really match this paragraph. Rewrite it*
Hosting street art festivals and collaborative projects can bring artists, residents, and businesses together, creating a sense of community and shared purpose. (3)∧ Local businesses, charities, and the government could be approached for financial assistance.	*(3) You're missing something here. Add more information between the two sentences to connect them.*
Educational programs and workshops can be a good way to get support for street art. Starting educational programs to teach the history and techniques of street art can build appreciation and help build interest in art among the youth.	
In conclusion, street art is a useful tool for urban development. Cities can enhance local culture by providing space for this art form, fostering cooperation between businesses and artists, and (4) focusing on young people.	*(4) The underlined phrase doesn't summarize your essay content enough. Change it.*

Overall Comment:

I think this topic is something our city leaders need to think about. It might attract more tourists, which could be a new source of income for the town.

問 1　Based on comment (1), which is the best expression to add? [15].

① Additionally
② Alternatively
③ However
④ Nevertheless

問 2　Based on comment (2), what is the best way to rewrite the topic sentence? [16]

① Cleaning up our city streets is going to require a lot of help.
② Getting permission for street art from the local government is the first step.
③ Selling the artwork will be a great way to make money for the project.
④ The cost of building these locations should be shared by local businesses.

問 3　Based on comment (3), which is the best sentence to add? [17].

① Experts can provide advice about how to proceed.
② It will be necessary to seek funding for special events.
③ This is a great way for local artists to get international attention.
④ We need to find out how much support the project has.

問 4　Based on comment (4), which is the best replacement? [18].

① attracting talented people to our town
② promoting the learning of new skills
③ removing graffiti from public places
④ renewing interest in urban planning

第 5 問 （配点　16）

Your teacher has asked you to read two articles about effective ways to manage your time. You will discuss what you learned in your next class.

How to Manage Your Time Effectively: The Pomodoro Technique

Randy Cambridge

Math Teacher, Twin Pines Junior High School

As a junior high school teacher, I am always very busy. In my younger life, I often found that I ran out of time or failed to get things done. Over time, I have found ways to make more effective use of my time. Now, I like to share those methods with students who struggle as I did. When I asked some students how they studied for tests, they explained that they decided how long they would study in the evening, usually two or three hours, and then studied for whatever tests they would take the following day. They believed that they were studying well. This was true at first, but they couldn't stay focused on the subject they were studying for such a long time. They ended up spending much of the time thinking about other things or looking at the clock.

I taught them about using the "Pomodoro Technique". Pomodoro means 'tomato' in Italian. This technique for time management is named the Pomodoro Technique because the inventor used a small kitchen timer shaped like a tomato to develop it. There are six steps to the method.

1. Choose a task to be accomplished.
2. Set the Pomodoro timer to a specific time period, usually 25 minutes. We call this timed period of work "one Pomodoro".
3. Work on the task until the timer rings, focusing only on that task during this time.
4. After the timer rings, take a short break, usually for 5-10 minutes.
5. After four Pomodoros, take a longer break, usually for 20-30 minutes.
6. Repeat the process until the task is completed.

I surveyed my students after I told them about the technique. Sadly, I discovered that only dedicated students try it. Students who have trouble studying also find it hard to set the timer and stick to the plan.

Learn to Prioritize the Eisenhower Way

Helen Stewart
Professor, Twin Pines Community College

Mr. Cambridge's paper on the Pomodoro Technique was extremely interesting, and I have had some success with it in my own experience. However, as we get older and our responsibilities increase, the Pomodoro Technique needs to be part of a larger framework to make the best use of it. I always introduce an idea called the Eisenhower Matrix to my first-year students at Twin Pines Community College.

The Eisenhower Matrix is a way to prioritize tasks and increase productivity. In the matrix, tasks are divided into four categories:

Urgent and important tasks: These are tasks that need to be done immediately and have a high level of importance. They should be carried out using an effective time-management strategy.
Important but not urgent tasks: These are tasks that should be scheduled for completion later. These will be transferred to the first category when they become more urgent.
Urgent but not important tasks: These are tasks that are urgent, but do not have a high level of importance. You should try to have these tasks carried out by someone else.
Not urgent and not important tasks: These are tasks that are neither urgent nor important. Things that fall into this category are usually a waste of time such as looking at the Internet without any specific reason or spending too long playing smartphone games. Many experts suggest that you simply don't do these things.

One thing that many students fail to understand properly when applying this and the Pomodoro Technique to their academic work, is the importance of having intervals when you are not focused on study. During these brief periods of relaxation, your brain is sorting and making sense of the information you have been absorbing.

The Eisenhower Matrix		
	← Urgent	→ Less Urgent
↑ Important	Do First	Schedule for Later
Less Important ↓	Assign to Someone Else	Refrain from Doing

問 1　Cambridge believes that [19].

① it is hard to concentrate for a long time
② studying for more than two hours is necessary before a test
③ the Eisenhower Matrix is inferior to the Pomodoro Technique
④ the Pomodoro Technique should be applied in the classroom

問 2　A weakness mentioned by Cambridge was that [20].

① it was common for students to forget to restart the timer after they finished each Pomodoro
② one Pomodoro is not usually enough time for a junior high school student to study for a test
③ students who struggled with time management most were less likely to adopt the technique
④ the smartphones the students used to time their periods of study provided a distraction

問 3　Stewart introduces the Eisenhower Matrix, which uses four categories to separate tasks into. The [21] category is where the [22] strategy that Cambridge discussed should be used.

① Assign to Someone Else
② Clock Watching
③ Do First
④ Refrain from Doing
⑤ Schedule for Later
⑥ Time Period

問 4　Both writers agree that [23] is important in maintaining high productivity.

① avoiding video games
② careful scheduling
③ selecting relevant materials
④ taking breaks

問 5　Which additional information would be the best to further support Stewart's argument for the Eisenhower Matrix? [24]

① Examples of ways to assign tasks to other people
② The main motivation students have for studying at university
③ What kind of timer helps students focus the best
④ Why Cambridge found it hard to manage time in his youth

第 6 問 （配点 18）

You are working on an essay about the pros and cons of online or remote work. You will follow the steps below.

Step 1: Read and understand various viewpoints on remote work.
Step 2: Take a position on remote work.
Step 3: Create an outline for an essay using additional sources.

[Step 1] Read various sources

Author A (Online worker) Remote work has improved my work-life balance, but sometimes my professional and personal life get mixed up. I am not sure exactly how long I spend working each day anymore because my work hours are not as clearly defined as they used to be. My employer is satisfied as long as I get all of my work done on time. Sometimes I miss talking with my coworkers at lunchtime, online meetings are not the same as meeting in person.
Author B (High school student) I am very interested in working for a company that allows remote work. I hope that my classmates feel the same. We will save money and time by using less transportation. Furthermore, the reduced demand for office space will make it easier to live near the center of town, where we all want to be. Of course, we will need to find new networking opportunities and skill development opportunities. I think the government should do more to make it an attractive option for employers.
Author C (Business owner) Initially, many managers assumed companies could save money by allowing people to work from home. In some ways, that is true: we can rent a smaller office, and we save money on heating and air conditioning. However, many of our employees have become less productive, and we are being forced to revise our company policies and create new evaluation systems. We have slowly been making changes, and we are seeing a lot of improvement. At first, we believed that our workers were being lazy, but now we understand that they needed time to adapt.
Author D (Psychologist) Some studies reveal that the flexibility of remote work can enhance people's physical and mental health, but online or remote work also results in a risk of isolation and increased stress from overwork. It is important that people understand how to manage their time effectively. It can be hard to do this without some guidelines. I often suggest that people read articles on effective time management. Many self-employed people have been dealing with these issues for years and they have a lot of good advice.

Author E (Politician)
I've observed remote work's positive impact on my city. Fewer commuters means less traffic and pollution, contributing to a healthier city. From a planning perspective, it means we can spend less on streets, bridges, and tunnels. In my own life, working remotely occasionally has given me more time with my family, enhancing my work-life balance. Businesses also benefit from reduced running costs and greater profitability. I believe promoting remote work is a step towards sustainable, efficient urban living.

問 1　Both Authors A and D mention that [25].

① employees should be provided support so that they can overcome the stress of online work
② employers' only concern is whether or not the work has been completed satisfactorily
③ it is difficult to measure how much time we spend working each day
④ there is a chance that remote workers may suffer from a sense of loneliness

問 2　Author C implies that [26].

① businesses can quickly learn which of their employees are lazy by letting them work from home
② it is the responsibility of employers to help staff members learn how to work from home
③ people working from home will be able to ask their employers to pay for electricity
④ remote work promised benefits for businesses, but it also created some challenges for them to overcome

[Step 2] Take a position

問 3　Now that you understand the various viewpoints, you have taken a position on the growing popularity of remote work, and have written it out as below. Choose the best options to complete [27], [28], and [29].

Your position: Businesses and employees should be encouraged to switch to remote work where possible.

・Authors [27] and [28] support your position.

・The shared argument of the two authors: [29].

Options for [27] and [28] (The order does not matter.)

① A

② B

③ C

④ D

⑤ E

Options for [29]

① Remote work will make it possible for young people to live in the town center.

② The health benefits of remote work will reduce the strain on the city's hospitals.

③ There are financial benefits in reducing the amount of road usage.

④ Workers would like to work from home so that they can be with their families.

[Step 3] Create an outline using Sources A and B

Outline of your essay:

Promoting remote work is a good idea

Introduction

It is possible to do many modern jobs online, and we should encourage this more.

Body

Reason 1: [From Step 2]

Reason 2: [Based on Source A] ········· [30]

Reason 3: [Based on Source B] ········· [31]

Conclusion

The benefits that remote work provides make it an important option in modern society.

Source A

Working remotely has some advantages for employees and employers. One study showed that a business was able to boost its employees' output by allowing them to work from home. Some reports show that there are health benefits to working from home, too. These include reduced stress and better diet choices. Considering all of the benefits, it seems likely that it will become a more standard in the future. It is important to keep in mind, however, that not everyone can experience these benefits or work from home effectively. You may find it difficult to work if you are interrupted by roommates or family members. Many people do not have a private space where they can work in peace. If your home environment is not suited to remote work, you may find that the quality of your work improves in an office or some other public space with fewer distractions. Finally, it's just not an option for people driving taxis, working at hospitals or restaurants, etc.

Source B

Studies in the U.S. found that many employees' and businesses' attitudes toward remote work are changing. Researchers conducted surveys in 2019 and again in around two years later. They asked the employees about their preferences and businesses about their plans for remote work over the next five years.

The Attitudes of Employers and Employees Toward Remote Work

Employers		
We will offer **fully** remote positions.	In 2019	12%
	After 2020	22%
We will offer **partially** remote positions.	In 2019	9%
	After 2020	15%
Workers		
I would prefer to work in a **fully** remote position.	In 2019	8%
	In 2021	11%
I would prefer to work in a **partially** remote position.	In 2019	30%
	In 2021	52%

問 4 Based on Source A, which of the following is the most appropriate for Reason 2? [30]

① Because of the financial benefits, more and more people are preparing private spaces in their homes so that they can work remotely.

② Businesses should make remote work optional for their employees rather than forcing them to use their homes as workspaces.

③ Employers have been encouraging employees to eat healthier food since remote work became normal for people in certain jobs.

④ Remote work offers productivity and health benefits even though it might not be suitable for everyone due to potential distractions and lack of space.

問 5　For Reason 3, you have decided to write, “Businesses that offer remote work opportunities may have more options when hiring new employees.” Based on Source B, which option best supports this statement?　31

① In 2019, three-quarters of workers had the option to work from home. The number has grown, indicating that people prefer working at companies with options.

② In 2021, almost a quarter of businesses said that they would allow employees to do some work from home. Employees who prefer to work in offices may look for new places to work.

③ In 2021, slightly more than half of the employees preferred partial remote work. Some businesses appear to have been adjusting their policies to accommodate those people.

④ Since 2020, about one in five businesses have decided to switch to partially remote work. This does not match the preferences of most employees, who prefer fully remote positions.

第 7 問 （配点　15）

Your English teacher has told everyone in your class to find an inspirational story and present it to the class, using notes. You have found a story written by a man in the US.

Comfort Zone

By Randy Day

Until about the second year of middle school, I was far from shy. I was interested in everything and had a diverse group of friends.

My school held a science fair every November. A science fair is a special event where students present the results of some independent research or inventions they have been working on.

I thought of a way to store solar power. To demonstrate it, I created a model of a small town with a river running through it. I used solar energy to pump river water to a very high tank during the day. When it was dark, the water was released from the tank into a turbine that generated nighttime electricity.

The model worked perfectly at my home, but there wasn't enough light at the science fair to power the pump. I couldn't get the river water into the high tank. I had an idea, though. My display was right next to the sink in the science room, so I hooked a small hose up to the water supply and used it to fill my tank. The turbine made electricity, and I won second prize! Later in the day, my science teacher Ms. Dalton found out that I had used the sink water. The prize was taken away from me, and everyone said I had cheated.

After that, I lost all my confidence. I only talked to my very closest friends and never accepted invitations to try new things. I had enjoyed the experience of making the model town, so I used to sit in my room on the weekends making replicas of things I had seen on television or in science fiction moves. These are called props, and they are usually fake guns or other technology that actors use on screen. These things decorated the walls of my room. That was my comfort zone, and I rarely left it.

My parents were worried about me, but no matter how much they encouraged me, I refused to go anywhere except to school. The only thing I was interested in was making props in my room.

When I was in my final year of high school, an exhibition of movie props came to my town. I wanted to see it, but I had heard about it too late, and I couldn't get a ticket. One afternoon, my aunt Claire called me and told me her company was promoting the event. The exhibition organizers had given her two tickets as a present. She said she would take me there the following week. I was so excited.

The next day, she called again to ask a favor. Her amateur theater group was running out of time to prepare for a production, and they needed someone to help create the backdrops — the scenery that is hung behind the actors on stage. I felt that she had tricked me into working for free, and I was annoyed. But, I had to say 'yes' because I wanted to go to the exhibition. That evening, I rode in her car quietly furious all the way to the theater.

When we got there, my anger changed to nervousness. I started to work on the backdrop and slowly realized that I was enjoying it. Then, some of the members of the group came and looked at my work. They all praised it and thanked me for helping them. I felt great. When the backdrop was finished, the theater group was so impressed that they asked me to help them with their next production. They even offered to pay me. That production took place two months later, and it looked even better than the first. After the show, my aunt introduced me to a man named Dan Imahara. Mr. Imahara ran a company that made sets, backdrops, and even movie props.

He offered me a job at his company. He said I could work for him during the day but should study electrical engineering or something in the evenings so that I would have a qualification relevant to the work. I accepted his offer, and 20 years later, I am running the biggest visual effects company in the United States. Every day I enjoy working with new people on unique projects. I think that was my aunt's plan all along.

Your notes:

Comfort Zone

About the author (Randy Day)

- Had many friends when he started middle school.
- Stopped trying new things in public because he [32].

Other important people

- Ms. Dalton: Randy's science teacher who judged the science fair.
- Claire: Randy's aunt, who [33].
- Mr. Imahara: A businessman.

Influential Events in Randy's Life

Heard about the science fair → [34] → [35] → [36] → [37]

What condition did Mr. Imahara put on his offer?

Randy should [38].

What can we learn from this story

- [39]
- [40]

問 1　Choose the best option for [32].

① became too busy working on other projects
② did not have any friends to enjoy them with
③ was afraid that something would go wrong
④ was not invited to things anymore

問 2　Choose the best option for [33].

① encouraged him to create movie props
② told him that he should leave his comfort zone
③ was a client of Mr. Imahara's
④ worked for an advertising company

問 3　Choose **four** out of the five options (① ～ ⑤) and rearrange them in the order they happened.

[34] → [35] → [36] → [37]

① Bought replicas of props used in science fiction movies
② Did some research for a personal project
③ Received money from a group his aunt was a member of
④ Viewed a public display of props from popular movies
⑤ Worked on a backdrop for the first time

問 4　Choose the best option for [38].

① obtain a skill useful for his job
② specialize in the production of backdrops
③ spend some time working in the evenings
④ work for the company for 20 years

問 5　Choose the best two options for [39] and [40]. (The order does not matter.)

① Creative jobs lead to the greatest levels of life satisfaction.
② Honesty is the most important thing when trying to make friends.
③ It is important to defend ourselves when there is a misunderstanding.
④ It may be necessary to leave our comfort zone to find success.
⑤ We should not assume that people have bad intentions.

（下書き用紙）

英語（リーディング）の試験問題は次に続く。

第 8 問 (配点 14)

You are preparing a poster for a class presentation on an important scientific discovery, using the following article.

Biochar technology shows promise in reducing our contributions to climate change and improving soil quality for farming. It can also help us reduce waste and produce energy in its production phase. So, what is it?

When we burn organic material like wood, it becomes black and shiny. If we continue to burn it, it is reduced to a grey powder called ash. Biochar is the stage when the wood has turned black but has not completely lost its shape. We can use a special process called pyrolysis to create large amounts of biochar.

Through pyrolysis, organic materials, such as wood chips, leaf litter, or dead plants are burned in a container which limits the amount of oxygen that can enter. Burned in this way, the materials release little to no toxic or harmful fumes. The resulting organic material is a stable form of carbon that can't easily escape into the atmosphere. A fortunate side effect is that the heat created during pyrolysis can be captured and used as a form of clean energy.

Biochar's physical attributes are what make it especially useful. It is black, with many tiny holes which make it surprisingly light. It can both retain water and allow it to pass through. Not all biochar is the same. Its chemical composition is affected by the materials and procedures that are used in its creation.

While it has only recently become well known around the world, biochar has been used by Amazonian peoples for thousands of years. It is unclear whether the people of the Amazon knew that they were making biochar or if they were doing it by accident as a part of their lifestyles. However, it is the reason why plants grown in the regions they inhabited grow faster and contain more nutrients than those grown in surrounding areas.

Let's take a more detailed look at how biochar is produced. It is best to use clean organic material with 10 to 20 percent moisture. Using contaminated materials results in toxic biochar that can make the soil unsuitable for growing healthy crops.

The manufacture of biochar is cheap and easy enough for people to do by modifying readily available items. A top-lit updraft biochar stove is usually needed. A steel drum with an opening at the bottom to let in just enough air can make an adequate stove. The items you intend to turn into biochar are placed in the stove first. To create heat, some other materials are burned at the top. The heat inside should reach around 550-600℃. After a couple of hours, it is necessary to put out the fire to stop the material from becoming ash. Usually, this is done by suddenly adding a large amount of water to the machine. Before it is mixed into the soil, the biochar should be combined with rotting vegetables left over from the kitchen.

The resulting biochar can then be crushed and added to the soil. The microscopic openings in the biochar provide a warm wet habitat for microbes to multiply in. This improves the quality of the soil and reverses the effects of over-farming, which is a major concern in agriculture around the globe. Of course, this is not biochar's only benefit or use. By adding biochar to the soil, we are also storing it. This permanently keeps the carbon in the ground, where it is useful, rather than in the atmosphere, where it can be harmful.

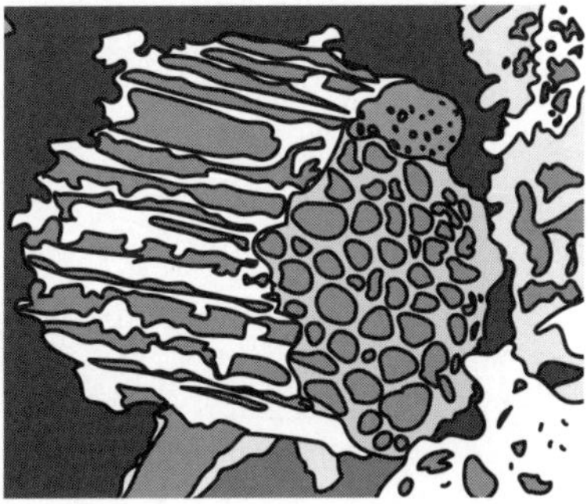

Biochar may seem like a simple material, but it can help solve a variety of global problems simultaneously. It reduces the amount of water used in farming by storing the water for longer in the ground. It also means that farmers need to add fewer chemicals to the ground to help plants grow. It can be used to filter water from factories so that rivers and lakes are not polluted. A process whereby biochar can be converted into a gas for use in CHP (combined heat and power) systems has been successfully tested. Such devices are used in large facilities such as hospitals to generate both electrical power and heat for the building's occupants.

The broader use of this ancient practice could be an important tool for us to use in overcoming many of the environmental problems we currently face.

Your presentation poster draft:

Biochar

Basic information [41]

Biochar ...

A. can be a source of non-polluting power.

B. can be produced without releasing harmful gases.

C. has been successfully used in the construction industry.

D. is less heavy than you would expect based on its size.

E. is made from waste products.

F. may have a different chemical balance depending on its production methods.

How biochar is made (5 steps)

Step 1. Find some clean organic materials to burn.

Step 2.
Step 3. } [42]
Step 4.

Step 5. Crush the char into small pieces and add it to the soil.

The properties of biochar

[43]

[44]

Future use

[45]

問 1 You are checking your poster. You spotted an error in the basic information section. Which of the following should you **remove**? [41]

① A
② B
③ C
④ D
⑤ E
⑥ F

問 2 You are going to summarize the five-step process used to create biochar. Choose the best combination of steps to complete the process. [42]

A. Build a small fire on top of the organic materials.
B. Catch harmful gases before they reach the atmosphere.
C. Place the materials in a container with a small hole at the base.
D. Test the quality of the soil you are planning to use
E. Throw a large amount of water onto the biochar.

① A → C → E
② A → E → D
③ C → A → B
④ C → A → E
⑤ E → C → A
⑥ E → C → D

問 3　From the list below, select the two which best describe Biochar's properties. [43] [44] (The order does not matter.)

① Biochar absorbs water from the soil to protect plants from overhydration.
② Biochar allows sunlight to reach deeper layers of soil, which helps plants grow.
③ Biochar can persist in soil for extended periods without releasing carbon into the air.
④ Biochar helps forests recover from the damage caused by fires.
⑤ Biochar is full of holes in which beneficial microorganisms can grow.

問 4　From this passage, which of the following might biochar be used for in the future? [45]

① A fuel for industrial power generators
② A source of non-toxic chemicals for farming
③ A way to keep the air in hospitals cleaner
④ A way to remove chemicals from rivers and lakes

問 5　From this passage, we can infer that the writer [46].

① believes that biochar production will become an important part of the manufacturing industry in the future
② knew about the difficulties farmers were experiencing in creating cheap biochar for their food crops
③ was concerned that the procedure for creating biochar would be too complicated for regular people to take advantage of
④ is glad to know that a little-known traditional technique will be used to solve challenges confronting modern societies

（下書き用紙）

（下書き用紙）

（下書き用紙）

PC: 7024030
『改訂第２版　１カ月で攻略！ 大学入学共通テスト英語リーディング』別冊
発行：株式会社アルク